令和6年度 1級建築施工管理技術検定 第一次検定問題の分析

第一次検定問題はマークシート形式で○○○○○○○○○○○○答す
る試験で、午前の部44問については、○○○○○○○○○○○○問
選択、16〜20問は全問、21〜30問は○○○○○○○○○○択、
41〜44問は全問、午後の部28問に○○○○○○○○○○○61
〜72問は8問を選択し解答するパター○○○○○○○○○

■午前の部

項目	分野（出題内容）	問題数
①環境工学	伝熱、換気、音	3問
②建築構造	地盤及び基礎構造、鉄筋コンクリート構造、鉄筋コンクリート構造の構造計画、鉄骨構造の設計	4問
③力学	座屈荷重、反力、曲げモーメント	3問
④建築材料	内装材料、鋼材、左官材料、建具	4問
⑤建設設備	空気調和設備、避雷設備、消火設備	4問
⑥契約図書	測量、積算	2問
⑦躯体工事	仮設工事、地盤調査、土工事、地業工事、鉄筋工事、コンクリート工事、鉄骨工事、木工事	10問
⑧仕上工事	防水工事、屋根工事、金属工事、左官工事、建具工事、塗装工事、内装工事、押出成形セメント板工事、改修工事	10問
⑨施工計画	事前調査・準備作業、施工計画、工事の記録、工程の実施計画	4問

■午後の部

項目	分野（出題内容）	問題数
①品質管理	品質管理、振動・騒音対策	2問
②法規（安全管理）	足場、労働安全衛生規則、ゴンドラ安全規則、酸素欠乏症等防止規則	4問
③応用能力問題	ガス圧接、コンクリートの運搬・打込み及び締固め、鉄骨の加工及び組立て、塗膜防水、セメントモルタルによるタイル張り、ボード張り、仮設計画、工期と費用、試験及び検査、労働災害	10問
④法規	建築基準法、建設業法、労働基準法、労働安全衛生法、建設工事に係る資材の再資源化等に関する法律、騒音規制法、道路交通法	12問

令和7年度の試験対策

　試験問題は、過去問題の一部を変更して出題されることが多くあるため、試験対策としては、過去の問題の各選択肢を中心に、そこに関連した部分を広げて学習しましょう。「公共建築工事標準仕様書」「建築工事監理指針」「公共建築改修工事標準仕様書」「公共工事標準請負契約約款」などの参考資料からの出題も多いようです。

── 本書の特長と使い方 ──

◇出題後の法改正に準拠◇

本書は過去に出題された問題についても、令和6年10月1日現在の法改正の内容を盛り込んで編集しています。なお、法改正等により正誤が変わる問題などは次のように処理しました。

★：法改正等により、選択肢の内容の正誤が変わり正答となる肢がなくなるなど、問題として成立しないもの。
→問題編、解説編ともに、問題番号に★をつけ、正答は出題当時のものを掲載し、解説は出題当時の法律等に基づいた解説をしたのち、※以下に、現在の法律等に照らした解説を加えました。

☆：問題文の正誤に影響はありませんが、関連する事項に法改正等のあった問題です。問題編では、法改正等によって問題文が変更される箇所に下線をひき、問題文（選択肢）の末尾に（☆）をつけました。また、正答・解説編では、法改正等の変更箇所に下線をひき、☆印のあとに改正等により変更となった後の表記について記しました。

令和7年度の検定の出題法令基準日（令和7年1月1日予定）までの法改正等については、問題編の最終ページに記載してある本書専用ブログアドレスから閲覧してください。

◆令和6年度、令和5年度及び令和4年度の問題5・問題6以外の第二次検定・実地試験の解答例・正答は、本書独自の見解です。

◆第一次検定・学科試験と第二次検定・実地試験問題の令和6年度分から令和2年度分までを収録しています。

＊令和6年度の第二次検定の問題文・解答用紙・解答例・正答は、本書専用ブログ（http://www.s-henshu.info/1kskm2409/）で令和7年3月下旬掲載予定です。

◆建築施工管理技術検定は、出題範囲、出題傾向がある程度決まっており、数多くの過去問題を解くことで、苦手部分が把握でき学習効果も高まります。

◆解答用紙を本冊P.242〜271に用意しましたので、コピーしてお使いください。

◆別冊の正答・解説編は**取り外し可能**で2色構成となっており、正答やキーワードを**付属の赤シート**で隠しながら、効率よく学習することができます。

目　次

本書の特長と使い方 ……………………………………………… 2

検定ガイダンス …………………………………………………… 4

過去5年の第一次検定及び学科試験傾向と令和7年度検定予想 …… 5

令和6年度 第一次検定 …………………………………………… 7

令和5年度 第一次検定 …………………………………………… 43

令和4年度 第一次検定 …………………………………………… 79

令和3年度 第一次検定 …………………………………………… 113

令和2年度 学科 試験 …………………………………………… 149

令和6年度 第二次検定 …………………………………………… 185

＊本書専用ブログ（http://www.s-henshu.info/1kskm2409/）で令和7年3月下旬掲載予定

令和5年度 第二次検定 …………………………………………… 187

令和4年度 第二次検定 …………………………………………… 203

令和3年度 第二次検定 …………………………………………… 217

令和2年度 実地 試験 …………………………………………… 229

第一次検定及び学科試験　解答用紙 …………………… 242〜244

第二次検定及び実地試験　解答用紙 …………………… 245〜271

第一次検定及び学科試験　正答・解説 ………………………… 別冊

第二次検定及び実地試験　解答例・正答 ……………………… 別冊

第一次検定及び学科試験　正答一覧 …………………………… 別冊

◇１級建築施工管理技術検定ガイダンス（例年）◇

注意）試験に関する情報は変更される場合があります。受検される方は、各自必ず事前に試験実施機関である一般財団法人建設業振興基金のホームページで最新の内容を確認してください。

■試験日
第一次検定：7月
第二次検定：10月
■合格発表日
第一次検定：8月
第二次検定：検定翌年1月
■受検手数料
第一次検定：10,800円
第二次検定：10,800円
■第一次検定の試験時間・試験内容（解答はマークシート方式）
第一次検定　時間割：午前（10：15〜12：45）　午後（14：15〜16：15）

検定区分	検定科目	検定基準	知識・能力の別	解答形式
第一次検定	建 築 学 等	1　建築一式工事の施工の管理を適確に行うために必要な建築学、土木工学、電気工学、電気通信工学及び機械工学に関する一般的な知識を有すること。 2　建築一式工事の施工の管理を適確に行うために必要な設計図書に関する一般的な知識を有すること。	知識	四肢択一
	施工管理法	1　監理技術者補佐として、建築一式工事の施工の管理を適確に行うために必要な施工計画の作成方法及び工程管理、品質管理、安全管理等工事の施工の管理方法に関する知識を有すること。	知識	四肢択一
		2　監理技術者補佐として、建築一式工事の施工の管理を適確に行うために必要な応用能力を有すること。	能力	五肢択一
	法　　規	建設工事の施工の管理を適確に行うために必要な法令に関する一般的な知識を有すること。	知識	四肢択一

■検定に関する問合せ先／ホームページアドレス
一般財団法人　建設業振興基金　試験研修本部
TEL 03-5473-1581　FAX 03-5473-1592
〒105-0001　東京都港区虎ノ門4丁目2番12号
　　　　　　虎ノ門4丁目MTビル2号館6階
メール　k-info@kensetsu-kikin.or.jp
https://www.fcip-shiken.jp/

問合せ受付時間
9：00〜12：00
13：00〜17：30
土日・祝日は休業日

◇過去5年の第一次検定及び学科試験傾向と令和7年度検定予想◇

Ⅰ．令和6年度第一次検定試験結果

令和6年度受検者数は、37,651人でした。合格者数は13,624人、合格率は36.2%、合格基準は60問中36問以上正解（応用能力：10問中6問以上正解）でした。

Ⅱ．令和6年度の出題傾向と学習方法

出題内容は、過去問題及び過去問題を若干変更した問題が多くみられるため、過去問題をしっかりと繰り返し学習すれば第一次検定は合格できると考えられます。

Ⅲ．過去5年間の傾向と分析

1．午前の過去問題分析

①**環境工学**では、日照・日射・日影、伝熱、採光・照明、色彩、換気、湿度、音響などから換気・伝熱で1～2問、日照・採光・照明・音・色彩で1～2問と**毎年3問**が出題されています。令和6年度は伝熱（熱貫流率）が必須問題での出題、他2問は選択問題の枠で出題されました。

②**建築構造**では、鉄筋コンクリート構造、鉄骨構造、杭基礎などが必ず**4問出題**され、鉄筋コンクリート構造、鉄骨構造、基礎構造はほとんど**毎年出題**されています。**免震構造**は令和5年度、令和3年度、令和元年度に出題されています。

③**力学**では、**荷重と反力**、モーメントについて**3問**が**毎年出題**されています。

④**建築材料**では、基本的には各材料から**5問程度出題**があります。令和6年度は4問の出題でした。金属材料、鋼材、内装材料はほぼ**毎年**出題され、その他石材料や左官材料、シーリング材、塗料などが多く出題されています。

⑤**建設設備**では、令和6年度は空気調和設備が2問、避雷設備、消火設備の**4問**が出題されました。令和5年度、令和3年度は電気設備、給排水設備、昇降機設備、令和4年度及び令和2年度は避雷設備、空気調和設備、消火設備の出題がありました。他に防災設備なども過去には出題されています。

⑥**契約図書**では、令和6年度は測量、積算が出題され、令和5年度、令和元年度は「**公共工事標準請負契約約款**」、令和4年度は積算、令和3年度は測量、請負契約が出題されています。

⑦**躯体工事**では、各種工事ごとに出題されていますが、仮設工事（乗入れ構台）、コンクリート（型枠）工事、鉄骨工事、鉄筋工事、改修工事などは、ほぼ**毎年1問ずつ出題**されています。令和6年度は、乗入れ構台、土質試験、山留め壁、場所打ちコンクリート杭、鉄筋の継手及び定着、型枠工事、大空間鉄骨加工、木質軸組構法、建設機械など**10問**が出題されています。

⑧**仕上工事**では、各種工事ごとに出題されていますが、**防水工事**、内装工事、

塗装工事など幅広く、また融合問題として各工事を合わせた問題が出題されています。令和6年度は防水工事、屋根工事、金属工事、塗装工事、建具工事、断熱工事、押出成形セメント板工事、外壁改修工事など**10問**出題されています。

⑨**施工計画**については、令和6年度は事前調査、施工計画、工事の記録等、工程の実施計画の**4問**出題があり、基本的な問題が出題されています。令和5年度は事前調査、材料の保管、仮設設備計画、工程計画、施工計画の届出、令和4年度は仮設計画、仮設設備の計画、施工計画、記録、工期と費用が出題されています。

2．午後の過去問題分析

①**品質管理**では、令和5年度、令和4年度、令和3年度は3問出題されていますが、令和6年度は品質管理と振動・騒音対策の**2問**が出題されました。内容は用語、品質試験・検査、品質マネジメントについてです。令和5年度は品質確保の管理値、令和4年度は振動及び騒音対策が出題されています。

②**法規（安全管理）**では、令和5年度は労働災害、災害防止対策、労働安全衛生法、足場に加えクレーン等安全規則を含め5問の出題でしたが、令和6年度は足場、労働安全衛生規則、ゴンドラ安全規則、酸素欠乏症等防止規則の**4問**の出題でした。

③**応用能力問題**は、令和3年度から第一次検定になったことにより、施工技術の基礎となる知識及び能力を有するかどうかの判定のための問題です。令和6年度は**五肢択一式**で**10問**出題されました。出題内容は、ガス圧接、コンクリートの運搬・打込み及び締固め、鉄骨の加工及び組立て、塗膜防水、セメントモルタルによるタイル張り、ボード張り、仮設計画、工期と費用、試験及び検査、労働災害です。

④**法規**では、**建築基準法**、**建設業法**は**3問ずつ**の出題、**労働基準法**は**1問**、**労働安全衛生法**は**2問**出題されています。その他の法規としては、令和6年度は建設工事に係る資材の再資源化等に関する法律、騒音規制法、道路交通法が出題されています。**次回令和7年度**は令和5年度で出題された廃棄物の処理及び清掃に関する法律、宅地造成及び特定盛土等規制法、振動規制法の出題が予想されます。

Ⅳ．令和7年度の対策

令和3年度より技術検定制度が変わりましたが、実際に試験で問われる内容は、トータルで見ればそれほど変わりません。過去問題でしっかりと対策をしておくことが大切です。**過去問題を繰り返し解く**ことにより、苦手な項目も把握でき、そこが学習のポイントになります。

1級建築施工管理技術検定

令和6年度
第一次検定

試験時間に合わせて解いてみましょう！

■**試験内容**　建築学等、施工管理法、法規

■**試験形式**　四肢択一式（No.51〜No.60は五肢択一式）

■**試験時間**　午前
　　　　　　　試験時間 10:15〜12:45

　　　　　　　午後
　　　　　　　試験時間 14:15〜16:15

◆第一次検定結果データ◆

受検者数	37,651人
合格者数	13,624人
合格率	36.2%
合格基準	60問中36問以上正解 （応用能力：10問中6問以上正解）

P.242に解答用紙がありますので、コピーしてお使いください。
答え合わせに便利な正答一覧は別冊P.222にあります。

問題番号No.1～No.6までの6問題は、全問題を解答してください。
問題は、四肢択一式です。正解と思う肢の番号を1つ選んでください。

No. 1 中央管理方式の空気調和設備を設けた建築物における居室の室内環境に関する一般的な記述として、**最も不適当な**ものはどれか。

1 室内空気中の一酸化炭素の濃度は、6 ppm 以下とする。
2 室内空気中の二酸化炭素の濃度は、1,000 ppm 以下とする。
3 室内空気の気流の速さは、1.5 m/s 以下とする。
4 室内空気の相対湿度は、40％以上70％以下とする。

No. 2 図に示すような鉄筋コンクリート壁の熱貫流率として、**最も近い値**はどれか。
ただし、熱伝達率は、放射熱伝達率と対流熱伝達率を合わせたものとする。

鉄筋コンクリート壁

室内側　屋外側

d = 150 mm

鉄筋コンクリート 熱伝導率 ［W/(m・K)］	1.6
左図鉄筋コンクリート壁 熱伝導抵抗 ［(m²・K)/W］	0.094

	室内側	屋外側
熱伝達率 ［W/(m²・K)］	9.0	23.0
熱伝達抵抗 ［(m²・K/W)］	0.111	0.043

1   0.3

2   1.3

3   4.0

4   33.6

No. 3 鉄筋コンクリート構造に関する一般的な記述として、**最も不適当なもの**はどれか。

1 柱の主筋はD 13以上の異形鉄筋を4本以上とし、その断面積の和は柱のコンクリート全断面積の0.8%以上とする。

2 柱のせん断補強筋は直径9 mm以上の丸鋼又はD 10以上の異形鉄筋とし、せん断補強筋比は0.2%以上とする。

3 梁のせん断補強筋の間隔は、梁せいの$\frac{1}{2}$以下、かつ、250 mm以下とする。

4 梁に孔径が梁せいの$\frac{1}{3}$の円形の貫通孔を2個設ける場合、その中心間隔は両孔径の平均値の2倍以上とする。

No. 4 地盤及び基礎構造に関する記述として、**最も不適当なもの**はどれか。

1 圧密沈下の限界値は、独立基礎のほうがべた基礎に比べて大きい。

2 直接基礎の滑動抵抗は、基礎底面の摩擦抵抗が主体となるが、基礎の根入れを深くすることで基礎側面の受動土圧も考慮できる。

3 直接基礎の地盤の許容応力度は、基礎荷重面の底面積が同じであっても、その底面形状が正方形の場合と長方形の場合とでは異なる値となる。

4 基礎梁の剛性を高くすることにより、不同沈下が均等化される。

No. 5 図に示す3ヒンジラーメン架構の点Cに集中荷重P₁及びP₂が作用したとき、支点Bに生じる水平反力H_Bの値の大きさとして、**正しいもの**はどれか。

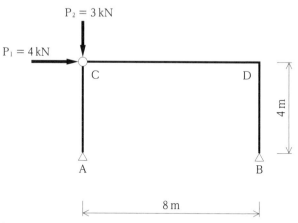

P₂ = 3 kN

P₁ = 4 kN

C   D

4 m

A   B

8 m

1　$H_B = 0$ kN

2　$H_B = 2$ kN

3　$H_B = 4$ kN

4　$H_B = 6$ kN

No. 6 内装材料に関する一般的な記述として、**最も不適当なもの**はどれか。

1　強化せっこうボードは、せっこうボードの芯に無機質繊維等を混入したもので、性能項目として耐衝撃性や耐火炎性等が規定されている。

2　パーティクルボードは、木毛等の木質原料及びセメントを用いて圧縮成形した板で、屋根の下地材等に使用される。

3　コルク床タイルは、天然コルク外皮を主原料として、必要に応じてウレタン樹脂等で加工した床タイルである。

4　クッションフロアは、表面の透明ビニル層の下に印刷層、発泡ビニル層をもったビニル床シートである。

問題番号〔No.7〕～〔No.15〕までの9問題のうちから、6問題を選択し、解答してください。
なお、6問題を超えて解答した場合、減点となりますから注意してください。
問題は四肢択一式です。正解と思う肢の番号を1つ選んでください。

No. 7 換気に関する記述として、**最も不適当なもの**はどれか。

1 機械換気における第3種機械換気方式は、自然給気と排気機による換気方式で、浴室や便所等に用いられる。

2 室内外の温度差による自然換気の換気量は、他の条件が同じであれば、流入口と流出口の高低差に反比例する。

3 自然換気における中性帯の位置は、流入口と流出口の開口面積の大きなほうに近づく。

4 必要換気量が一定の場合、室容積が大きな空間に比べて小さな空間のほうが、必要な換気回数が多い。

No. 8 音に関する記述として、**最も不適当なもの**はどれか。

1 人が知覚する主観的な音の大小をラウドネスといい、音圧レベルが一定の場合、100 Hzの音よりも1,000 Hzの音のほうが大きく感じる。

2 残響時間とは、音源が停止してから音圧レベルが60 dB減衰するのに要する時間のことをいう。

3 1つの点音源からの距離が2倍になると、音圧レベルは3 dB低下する。

4 マスキング効果は、マスキングする音とマスキングされる音の周波数が近いほど大きい。

No. 9 鉄筋コンクリート構造の建築物の構造計画に関する記述として、**最も不適当なもの**はどれか。

1　ねじれ剛性は、耐震壁等の耐震要素を、平面上の中心部に配置するよりも外側に均一に配置したほうが高まる。

2　耐震壁に換気口等の小開口がある場合でも、その壁を耐震壁として扱うことができる。

3　腰壁、垂れ壁、そで壁等は、柱及び梁の剛性や靭性への影響を考慮して計画する。

4　柱は、地震時の脆性破壊の危険を避けるため、軸方向圧縮応力度が大きくなるようにする。

No.10 鉄骨構造の設計に関する記述として、**最も不適当なもの**はどれか。

1　柱頭が水平移動するラーメン構造の柱の座屈長さは、節点間の距離より長くなる。

2　梁のたわみは、部材断面と荷重条件が同一の場合、材質をSN 400 AからSN 490 Bに変更しても同一である。

3　柱脚に高い回転拘束力をもたせるためには、根巻き形式ではなく露出形式とする。

4　トラス構造を構成する軸材は、引張りや圧縮の軸力のみを伝達するものとする。

No.11 表に示す角形鋼管柱の座屈荷重の値として、**正しいもの**はどれか。
ただし、図に示すとおり、支点は両端固定とし水平移動は拘束されているものとする。

部材長さL [m]	断面二次モーメントI [mm⁴]	ヤング係数E [N/mm²]
10	3.0×10^8	2.0×10^5

直角

直角

1 　600 π kN

2 　600 π^2 kN

3 　2,400 π kN

4 　2,400 π^2 kN

No.12 図に示す梁のAB間及びAC間に等分布荷重wが作用したときの曲げモーメント図として、**正しいもの**はどれか。
ただし、曲げモーメントは材の引張側に描くものとする。

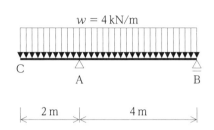

$$w = 4\,\text{kN/m}$$

C　　A　　　　　　　B

2 m　　　4 m

1

2
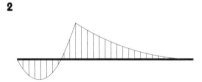

3

4

No.13 鋼材に関する一般的な記述として、**最も不適当なもの**はどれか。

1 鋼は、炭素量が多くなると、引張強さは増加し、靱性は低下する。

2 SN 490 BやSN 490 Cは、炭素当量の上限の規定がない建築構造用圧延鋼材である。

3 鋼材の材質を変化させるための熱処理には、焼入れ、焼戻し、焼ならし等の方法がある。

4 低降伏点鋼は、制振装置に使用され、地震時に早期に降伏させることで制振効果を発揮する。

No.14 左官材料に関する記述として、**最も不適当なもの**はどれか。

1 消石灰を混和材として用いたセメントモルタルは、こて伸びが良く、平滑な面が得られる。

2 ドロマイトプラスターは、それ自体に粘りがないため、のりを混ぜる必要がある。

3 メチルセルロースは、水溶性の微粉末で、セメントモルタルに添加することで作業性を向上させる。

4 適切な粒度分布を持った細骨材は、セメントモルタルの乾燥収縮やひび割れを抑制する効果がある。

No.15 日本産業規格（JIS）のドアセットに規定されている性能項目に関する記述として、**不適当なもの**はどれか。

1 スイングドアセットでは、日射熱取得性が規定されている。

2 スイングドアセットでは、気密性が規定されている。

3 スライディングドアセットでは、遮音性が規定されている。

4 スライディングドアセットでは、ねじり強さが規定されている。

問題番号〔No.16〕～〔No.20〕までの5問題は、全問題を解答してください。

問題は四肢択一式です。正解と思う肢の番号を1つ選んでください。

No.16 測量に関する記述として、**最も不適当なもの**はどれか。

1 直接水準測量は、レベルと標尺を用いて、既知の基準点から順に次の点への高低を測定して、必要な地点の標高を求める方法である。

2 スタジア測量は、レベルと標尺を用いて、2点間の距離を高い精度で求める方法である。

3 間接水準測量は、傾斜角や斜距離等を読み取り、計算によって高低差を求める方法である。

4 GNSS測量は、複数の人工衛星から受信機への電波信号の到達時間差を測定して位置を求める方法である。

No.17 避雷設備に関する記述として、**最も不適当なもの**はどれか。

1 避雷設備は、建築物の高さが15 mを超える部分を雷撃から保護するように設けなければならない。

2 避雷設備の構造は、雷撃によって生ずる電流を建築物に被害を及ぼすことなく安全に地中に流すことができるものとしなければならない。

3 接地極は、建築物を取り巻くように環状に配置する場合、0.5 m以上の深さで壁から1 m以上離して埋設する。

4 鉄骨造の鉄骨躯体は、構造体利用の引下げ導線の構成部材として利用することができる。

No.18 空気調和設備に関する記述として、**最も不適当なもの**はどれか。

1 空気調和機は、一般にエアフィルタ、空気冷却器、空気加熱器、加湿器等で構成される装置である。

2 冷却塔は、温度上昇した冷却水を、空気と直接接触させて気化熱により冷却する装置である。

3 二重ダクト方式は、2系統のダクトで送られた温風と冷風を、混合ユニットにより熱負荷に応じて混合量を調整して吹き出す方式である。

4 ファンコイルユニット方式における2管式の配管方式は、ゾーンごとに冷暖房の同時運転が可能で、室内環境の制御性に優れている。

No.19 消火設備に関する記述として、**最も不適当なもの**はどれか。

1 不活性ガス消火設備は、二酸化炭素等の消火剤を放出するもので、酸素濃度の希釈効果や気化するときの熱吸収による冷却効果により消火するものである。

2 開放型スプリンクラー設備は、火災感知装置の作動、又は手動起動弁の開放によって放水区域のすべての開放型スプリンクラーヘッドから一斉に散水するものである。

3 泡消火設備は、特に低引火点の油類による火災の消火に適し、主として泡による窒息効果により消火するものである。

4 屋外消火栓設備は、散水ヘッドを消火活動が困難な場所に設置し、地上階の連結送水口を通じて消防車から送水して消火するものである。

No.20 工事費における共通費に関する記述として、「公共建築工事共通費積算基準（国土交通省制定）」上、**誤っているもの**はどれか。

1 現場事務所、下小屋に要する費用は、共通仮設費に含まれる。

2 共通的な工事用機械器具（測量機器、揚重機械器具、雑機械器具）に要する費用は、共通仮設費に含まれる。

3 消火設備等の施設の設置、隣接物等の養生に要する費用は、現場管理費に含まれる。

4 火災保険、工事保険の保険料は、現場管理費に含まれる。

17

問題番号〔No.21〕～〔No.30〕までの10問題のうちから、8問題を選択し、解答してください。
なお、8問題を超えて解答した場合、減点となりますから注意してください。
問題は四肢択一式です。正解と思う肢の番号を1つ選んでください。

No.21 乗入れ構台の計画に関する記述として、**最も不適当なもの**はどれか。

1 道路から乗入れ構台までの乗込みスロープは、勾配を$\frac{1}{8}$とした。

2 クラムシェルが作業する乗入れ構台の幅は、ダンプトラック通過時にクラムシェルが旋回して対応する計画とし、8mとした。

3 乗入れ構台の支柱の位置は、作業の合理性や安全性を考慮し、使用する施工機械や車両配置を最優先して決めた。

4 山留めの切梁支柱と乗入れ構台の支柱は、荷重に対する安全性を確認した上で兼用した。

No.22 土質試験に関する記述として、**最も不適当なもの**はどれか。

1 圧密試験により、砂質土の沈下特性を求めることができる。

2 三軸圧縮試験により、粘性土のせん断強度を求めることができる。

3 原位置における透水試験により、地盤に人工的に水位差を発生させ、水位の回復状況から透水係数を求めることができる。

4 粒度試験で求められた土粒子粒径の構成により、透水係数の概略値を推定することができる。

No.23 ソイルセメント柱列壁工法を用いた山留め壁に関する一般的な記述として、**最も不適当なもの**はどれか。

1 剛性や遮水性に優れており、地下水位の高い軟弱地盤にも適している。

2 削孔撹拌速度は土質によって異なるが、引上げ撹拌速度は土質によらずおおむね同じである。

3 単軸オーガーによる削孔は、大径の玉石や礫が混在する地盤に用いられる。

4 セメント系注入液と混合撹拌する原位置土が粗粒土になるほど、ソイルセメントの一軸圧縮強度は小さくなる。

No.24 場所打ちコンクリート杭の施工に関する記述として、**最も不適当なもの**はどれか。

1 鉄筋かごの主筋と帯筋の交差部は、すべて溶接により接合した。

2 アースドリル工法の掘削深さは、検測器具を用いて、孔底の外周部に近い位置で4か所確認した。

3 杭頭部の余盛り高さは、孔内水があったため、800 mm 以上とした。

4 リバース工法における二次孔底処理は、トレミー管とサクションポンプを連結し、スライムを吸い上げた。

No.25 異形鉄筋の継手及び定着に関する記述として、**最も不適当なもの**はどれか。

1 径の異なる鉄筋相互の重ね継手の長さは、太いほうの径により算定する。

2 D 35 以上の鉄筋には、原則として、重ね継手を用いない。

3 180°フック付き重ね継手の長さは、フックの折曲げ開始点間の距離とする。

4 梁の主筋を重ね継手とする場合、水平重ね又は上下重ねのいずれでもよい。

No.26 型枠工事に関する記述として、**最も不適当なもの**はどれか。

1 等価材齢換算式による方法で計算した圧縮強度が所定の強度以上となったため、柱のせき板を取り外した。

2 合板せき板のたわみは、単純支持で計算した値と両端固定で計算した値の平均値とした。

3 コンクリートの施工時の側圧や鉛直荷重に対する型枠の各部材のたわみの許容値は、2 mm以下とした。

4 固定荷重の計算に用いる型枠の重量は、0.4 kN/m²とした。

No.27 コンクリートの養生に関する記述として、**最も不適当なもの**はどれか。
ただし、計画供用期間の級は標準とする。

1 早強ポルトランドセメントを用いたコンクリートの湿潤養生の期間は、普通ポルトランドセメントを用いた場合と同じである。

2 連続的に散水を行って水分を供給する方法による湿潤養生は、コンクリートの凝結が終了した後に行う。

3 打込み後のコンクリートが透水性の低いせき板で保護されている場合は、湿潤養生と考えてもよい。

4 マスコンクリートは、内部温度が上昇している期間は、コンクリート表面部の温度が急激に低下しないように養生を行う。

No.28 大空間鉄骨架構の建方に関する記述として、**最も不適当なもの**はどれか。

1 スライド工法は、作業構台上で所定の部分の屋根鉄骨を組み立てた後、所定位置まで順次滑動横引きしていき、最終的に架構全体を構築する工法である。

2 移動構台工法は、移動構台上で組み立てた屋根鉄骨を、構台と共に所定の位置に移動させ、先行して構築した架構と連結する工法である。

3 ブロック工法は、地組みした所定の大きさのブロックを、クレーン

等で吊り上げて架構を構築する工法である。

4 リフトアップ工法は、地上又は構台上で組み立てた屋根等の架構を、先行して構築した構造物等を支えとしてジャッキにより引き上げていく工法である。

No.29 木質軸組構法に関する記述として、**最も不適当なもの**はどれか。

1 アンカーボルトと土台の緊結は、アンカーボルトのねじ山がナットの外に3山以上出るようにした。

2 接合に用いるラグスクリューは、先孔にスパナを用いて回しながら締め付けた。

3 ラグスクリューのスクリュー部の先孔の径は、スクリュー径の＋2 mmとした。

4 接合金物のボルトの締付けは、座金が木材へ軽くめり込む程度とした。

No.30 建設機械に関する記述として、**最も不適当なもの**はどれか。

1 工事用エレベーターは、定格速度が0.75 m/sを超える場合、次第ぎき非常止め装置を設ける。

2 ジブクレーンの定格荷重とは、負荷させることができる最大の荷重から、フック等のつり具の重量に相当する荷重を控除したものをいう。

3 アームを有しないゴンドラの積載荷重とは、その構造上作業床に人又は荷をのせて上昇させることができる最大の荷重をいう。

4 ロングスパン工事用エレベーターは、搬器の傾きが$\frac{1}{8}$の勾配を超えた場合、動力を自動的に遮断する装置を設ける。

問題番号〔No.31〕〜〔No.40〕までの10問題のうちから、7問題を選択し、解答してください。
なお、7問題を超えて解答した場合、減点となりますから注意してください。
問題は四肢択一式です。正解と思う肢の番号を1つ選んでください。

No.31 合成高分子系ルーフィングシート防水に関する記述として、最も不適当なものはどれか。

1 加硫ゴム系シート防水の接着工法において、立上り部と平場部の接合部のシートの重ね幅は150 mm以上とした。

2 塩化ビニル樹脂系シート防水の接着工法において、シート相互を熱風融着で接合した。

3 塩化ビニル樹脂系シート防水の接着工法において、出入隅角の処理は、シートの張付け前に成形役物を張り付けた。

4 エチレン酢酸ビニル樹脂系シート防水の密着工法において、平場部の接合部のシートの重ね幅は、幅方向、長手方向とも100 mm以上とした。

No.32 長尺亜鉛鉄板葺に関する記述として、最も不適当なものはどれか。

1 塗装溶融亜鉛めっき鋼板を用いた際の留付け用のドリリングタッピンねじは、亜鉛めっき製品を使用した。

2 心木なし瓦棒葺の通し吊子は、平座金を付けたドリリングタッピンねじで、下葺材、野地板を貫通させて鉄骨母屋に固定した。

3 横葺の葺板の継手位置は、縦に一直線状とならないように、千鳥に配置した。

4 平葺の葺板の上はぜと下はぜは、折返し幅を同寸法とした。

No.33 軽量鉄骨壁下地に関する記述として、最も不適当なものはどれか。

1 間仕切壁の出入口開口部の縦の補強材は、上端部を軽量鉄骨天井下地に取り付けたランナに固定した。

2　スタッドの高さが4.5 mであったため、区分記号90形のスタッドを用いた。

3　スペーサは、スタッドの端部を押さえ、間隔600 mm程度に留め付けた。

4　コンクリート壁に添え付くスタッドは、上下のランナに差し込み、コンクリート壁に打込みピンで固定した。

No.34 防水形合成樹脂エマルション系複層仕上塗材（防水形複層塗材E）仕上げに関する記述として、**最も不適当なもの**はどれか。

1　プレキャストコンクリート面の下地調整において、仕上塗材の下塗材で代用ができたため、合成樹脂エマルションシーラーを省略した。

2　屋外に面するALCパネル面の下地調整において、合成樹脂エマルションシーラーを塗り付けた上に、下地調整材C-1を塗り付けた。

3　主材の基層塗りは、1.7 kg/m²を1回塗りとし、下地を覆うように塗り付けた。

4　主材の模様塗りは、1.0 kg/m²を1回塗りとし、ローラー塗りによりゆず肌状に仕上げた。

No.35 アルミニウム製建具工事に関する記述として、**最も不適当なもの**はどれか。

1　外部建具周囲の充填モルタルは、NaCl換算0.04%（質量比）以下まで除塩した海砂を使用した。

2　建具枠に付くアンカーは、両端から逃げた位置にあるアンカーから、間隔を600 mmで取り付けた。

3　水切りと下枠との取合いは、建具枠回りと同一のシーリング材を使用した。

4　建具の組立てにおいて、隅部の突付け小ねじ締め部分にはシーリング材を充填した。

No.36 塗装工事に関する記述として、**最も不適当なもの**はどれか。

1 コンクリート面のアクリル樹脂系非水分散形塗料塗りにおいて、下塗り、中塗り、上塗りともに同一材料を使用し、塗付け量はそれぞれ0.10 kg/m² とした。

2 常温乾燥形ふっ素樹脂エナメル塗りにおいて、塗料を素地に浸透させるため、下塗りはローラーブラシ塗りとした。

3 2液形ポリウレタンエナメル塗りにおいて、気温が20℃であったため、中塗り後から上塗りまでの工程間隔時間を16時間とした。

4 合成樹脂エマルションペイント塗りにおいて、流動性を上げるため、有機溶剤で希釈して使用した。

No.37 合成樹脂塗床に関する記述として、**最も不適当なもの**はどれか。

1 厚膜型のエポキシ樹脂系塗床の主剤と硬化剤の1回の練混ぜ量は、30分で使い切れる量とした。

2 弾性ウレタン樹脂系塗床のウレタン樹脂の1回の塗布量は、2 kg/m² を超えないようにした。

3 エポキシ樹脂系塗床の流しのべ工法では、塗床材の自己水平性が高いため、下地コンクリートは木ごて仕上げとした。

4 プライマー塗りにおいて、下地への吸込みが激しい部分は、プライマーを再塗布した。

No.38 鉄筋コンクリート構造の建物内部の断熱工事に関する記述として、最も不適当なものはどれか。

1 硬質ウレタンフォーム吹付け工法において、随時吹付け厚さを測定しながら作業し、厚さの許容誤差を－5 mmから＋10 mmとして管理した。

2 硬質ウレタンフォーム吹付け工法において、ウレタンフォームには自己接着性があるため、コンクリート面に接着剤を塗布しなかった。

3 押出法ポリスチレンフォーム張付け工法において、下地面の不陸が最大3 mmであったため、接着剤を厚くして調整することで不陸に対応した。

4 押出法ポリスチレンフォーム打込み工法において、断熱材の継目にコンクリートがはみ出している箇所は、Vカットした後に断熱材現場発泡工法により補修した。

No.39 外壁の押出成形セメント板横張り工法に関する記述として、最も不適当なものはどれか。

1 高湿度の環境となる部分に用いるパネル取付け金物（Zクリップ）は、溶融亜鉛めっき処理を行ったものを使用した。

2 パネルは、層間変形に対してスライドにより追随するため、縦目地を15 mm、横目地を10 mmとした。

3 パネル取付け金物（Zクリップ）は、パネル左右端部の位置に取り付け、下地鋼材に溶接した。

4 パネルは、積上げ枚数5枚ごとに構造体に固定した自重受け金物で受けた。

No.40 鉄筋コンクリート構造の建築物の外壁改修工事に関する記述として、**最も不適当なもの**はどれか。

1 小口タイル張り仕上げにおいて、タイル陶片のみ浮きが発生している部分は、浮いているタイルを無振動ドリルで穿孔して、注入口付アンカーピンニングエポキシ樹脂注入タイル固定工法で改修した。

2 小口タイル張り仕上げにおいて、下地モルタルを含むタイル陶片の剥落欠損が発生していたため、ポリマーセメントモルタルを用いたタイル張替え工法で改修した。

3 外壁コンクリート打放し仕上げにおいて、生じたひび割れの幅が2.0mmで挙動のおそれがあったため、可とう性エポキシ樹脂を用いたUカットシール材充填工法で改修した。

4 外壁コンクリート打放し仕上げにおいて、生じたひび割れの幅が0.1mmで挙動のおそれがなかったため、パテ状エポキシ樹脂を用いたシール工法で改修した。

問題番号〔No.41〕～〔No.44〕までの4問題は、全問題を解答してください。

問題は四肢択一式です。正解と思う肢の番号を1つ選んでください。

No.41 建築工事における事前調査や準備作業に関する記述として、最も不適当なものはどれか。

1 掘削深さや地盤条件に応じた山留めを設けることとしたため、隣接建物の基礎構造形式の調査を省略した。

2 軒の高さが9mの木造住宅の解体工事計画に当たって、石綿等を含有する建材がなかったため、建設工事計画届は提出しないこととした。

3 敷地内の排水工事計画に当たって、排水管の勾配が公設桝まで確保できるか調査することとした。

4 請負代金が1,000万円のアスファルト舗装駐車場の撤去工事計画に当たって、再資源化施設の場所を調査することとした。

No.42 施工計画に関する記述として、最も不適当なものはどれか。

1 大深度の土工事において、不整形な平面形状であったため、逆打ち工法とした。

2 土工事において、3次元の測量データ、設計データ及び衛星位置情報を活用するICT建設機械による自動掘削とした。

3 鉄筋工事において、工期短縮のため、柱や梁の鉄筋を先組み工法とし、継手は機械式継手とする計画とした。

4 鉄骨工事において、鉄骨の建方精度を確保するため、できるだり大きなブロックにまとめて建入れ直しを行う計画とした。

No.43 施工者が作成する工事の記録等に関する記述として、**最も不適当なもの**はどれか。

1 発注者から直接工事を請け負った建設業者が作成した発注者との打合せ記録のうち、発注者と相互に交付したものではないものは、保存しないこととした。

2 建設工事の施工において作成した施工体系図は、元請の特定建設業者が当該建設工事の目的物の引渡しをしたときから10年間保存することとした。

3 建設工事の施工において必要に応じて作成した完成図は、元請の建設業者が建設工事の目的物の引渡しをしたときから5年間保存することとした。

4 設計図書に定められた内容に疑義が生じたため、監理者と協議を行った結果、設計図書の訂正に至らない事項について、記録を整備することとした。

No.44 工程の実施計画に関する記述として、**最も不適当なもの**はどれか。

1 高層集合住宅のタクト手法による工程計画において、作業期間がタクト期間の2倍となる作業には、その作業の作業班を2班投入して、切れ目のない工程とした。

2 高層事務所ビルの鉄骨建方計画において、タワークレーンによる鉄骨の取付け歩掛りは、1台1日当たり80ピースとして計画した。

3 一般的な事務所ビルの鉄骨建方計画において、建方用機械の鉄骨建方作業での稼働時間を1台1日当たり5時間30分として計画した。

4 一般的な事務所ビルの鉄骨建方計画において、タワークレーンの鉄骨建方作業のみに占める時間の割合を、65%として計画した。

第一次検定問題（午後の部）

問題番号〔No.45〕～〔No.50〕までの6問題は、全問題を解答してください。

問題は四肢択一式です。正解と思う肢の番号を1つ選んでください。

No.45 品質管理に関する記述として、**最も適当なもの**はどれか。

1　品質管理は、品質計画の目標のレベルに係わらず、緻密な管理を行う。
2　品質管理は、品質の目標値を大幅に上回る品質が確保されていれば、優れた管理といえる。
3　品質管理は、品質計画を施工計画書に具体的に記述し、そのとおりに実施することである。
4　品質管理は、前工程より後工程に管理の重点を置くほうがよい。

No.46 鉄筋コンクリート構造の建築物の解体工事における振動対策及び騒音対策に関する記述として、**最も不適当なもの**はどれか。

1　周辺環境保全に配慮し、振動や粉塵の発生が抑えられるコンクリートカッターを用いる切断工法を採用した。
2　内部スパン周りを先に解体し、外周スパンを最後まで残すことにより、解体する予定の躯体を防音壁として利用した。
3　振動レベル計の指示値が周期的に変動したため、変動ごとの指示値の最大値と最小値の平均を求め、その中の最大の値を振動レベルとした。
4　壁等を転倒解体する際の振動対策として、先行した解体作業で発生したガラを床部分に敷き、クッション材として利用した。

No.47 足場に関する記述として、最も不適当なものはどれか。

1 くさび緊結式足場の建地の間隔は、桁行方向2 m、梁間方向1.2 m とした。

2 つり足場の作業床は、幅を40 cm以上とし、かつ、隙間がないようにした。

3 移動はしごは、丈夫な構造とし、幅は30 cm以上とした。

4 移動式足場の作業床の周囲は、高さ90 cmで中桟付きの丈夫な手すり及び高さ10 cmの幅木を設置した。

No.48 特定元方事業者の講ずべき措置として、「労働安全衛生規則」上、定められていないものはどれか。

1 特定元方事業者と関係請負人との間及び関係請負人相互間における、作業間の連絡及び調整を随時行なうこと。

2 有機溶剤等を入れてある容器を集積する箇所を統一的に定め、これを関係請負人に周知させること。

3 関係請負人が新たに雇い入れた労働者に対し、雇入れ時の安全衛生教育を行なうこと。

4 作業用の仮設の建設物の配置に関する計画の作成を行なうこと。

No.49 ゴンドラに関する記述として、「ゴンドラ安全規則」上、誤っているものはどれか。

1 ゴンドラを使用して作業するときは、原則として、1月以内ごとに1回、定期に、自主検査を行なわなければならない。

2 ゴンドラを使用する作業を、操作する者に単独で行なわせるときは、操作の合図を定めなくてもよい。

3 ゴンドラを使用して作業を行なう場所については、当該作業を安全に行なうため必要な照度を保持しなければならない。

4 ゴンドラの検査証の有効期間は2年であり、保管状況が良好であれば1年を超えない範囲内で延長することができる。

No.50 酸素欠乏危険作業に労働者を従事させるときの事業者の責務に関する記述として、「酸素欠乏症等防止規則」上、**誤っている**ものはどれか。

1 酸素欠乏危険場所で空気中の酸素の濃度測定を行ったときは、その記録を3年間保存しなければならない。

2 酸素欠乏危険場所では、原則として、空気中の酸素の濃度を15%以上に保つように換気しなければならない。

3 酸素欠乏危険作業については、所定の技能講習を修了した者のうちから、酸素欠乏危険作業主任者を選任しなければならない。

4 酸素欠乏危険作業に就かせる労働者に対して、酸素欠乏危険作業に係る特別の教育を行わなければならない。

問題番号〔No.51〕～〔No.60〕までの10問題は応用能力問題です。全問題を解答してください。
問題は五肢択一式です。正解と思う肢の番号を1つ選んでください。

No.51 鉄筋のガス圧接に関する記述として、**最も不適当なもの**はどれか。ただし、鉄筋はSD 345とする。

1 径の異なる鉄筋のガス圧接部のふくらみの直径は、細いほうの径の1.4倍以上とする。

2 圧接継手において鉄筋の長さ方向の縮み量は、1か所当たり鉄筋径の1.0～1.5倍を見込む。

3 同一径の鉄筋の圧接部における鉄筋中心軸の偏心量は、鉄筋径の$\frac{1}{5}$以下とする。

4 圧接端面は平滑に仕上げ、ばり等を除去するため、その周辺を軽く面取りを行う。

5 鉄筋の圧接部の加熱は、圧接端面が密着するまでは中性炎で行い、その後は還元炎で行う。

No.52 コンクリートの運搬、打込み及び締固めに関する記述として、最も不適当なものはどれか。

1　暑中コンクリートの荷卸し時のコンクリート温度は、35℃以下とした。

2　コンクリートの圧送負荷の算定に用いるベント管の水平換算距離は、ベント管の実長の3倍とした。

3　同一区画のコンクリート打込み時における打重ねは、先に打ち込まれたコンクリートの再振動可能時間以内に行った。

4　梁及びスラブの鉛直打継ぎ部は、スパンの中央付近に設けた。

5　コンクリート内部振動機（棒形振動機）による締固めにおいて、加振時間を1か所当たり60秒程度とした。

No.53 鉄骨の加工及び組立てに関する記述として、最も不適当なものはどれか。

1　鋼材は、自動ガス切断機で開先を加工し、著しい凹凸が生じた部分を修正した。

2　鉄骨鉄筋コンクリート構造において、鉄骨柱と鉄骨梁の接合部のダイアフラムに、コンクリートの充填性を考慮して、空気孔を設けた。

3　490 N/mm²級の鋼材において、孔あけにより除去される箇所にポンチでけがきを行った。

4　公称軸径が24 mmの高力ボルト用の孔あけ加工は、ドリル孔あけとし、径を27 mmとした。

5　アンカーボルト用の孔あけ加工は、板厚が13 mmであったため、せん断孔あけとした。

No.54 塗膜防水に関する記述として、**最も不適当なもの**はどれか。

1　ウレタンゴム系塗膜防水の絶縁工法において、立上り部の補強布は、平場部の通気緩衝シートの上に100 mm張り掛けた。

2　ウレタンゴム系塗膜防水の絶縁工法において、平場部の防水材の総使用量は、硬化物比重が1.3だったため、3.9 kg/m²とした。

3　ウレタンゴム系塗膜防水の絶縁工法において、通気緩衝シートの重ね幅は、50 mmとした。

4　ゴムアスファルト系塗膜防水工法において、補強布の重ね幅は、50 mmとした。

5　ゴムアスファルト系防水材の室内平場部の総使用量は、固形分60%のものを使用するため、4.5 kg/m²とした。

No.55 セメントモルタルによる壁タイル後張り工法に関する記述として、**最も不適当なもの**はどれか。

1　改良積上げ張りの張付けモルタルは、下地モルタル面に塗厚4 mmで塗り付けた。

2　密着張りの張付けモルタルは、1回の塗付け面積を2 m²以内とした。

3　モザイクタイル張りの張付けモルタルは、下地面に対する塗付けを2度塗りとし、1層目はこて圧をかけて塗り付けた。

4　マスク張りの張付けモルタルは、ユニットタイルの裏面に厚さ4 mmのマスク板をあて、金ごてで塗り付けた。

5　改良圧着張りの張付けモルタルは、下地面に対する塗付けを2度塗りとし、その合計の塗厚を5 mmとした。

No.56 内装工事におけるボード張りに関する記述として、**最も不適当**なものはどれか。

1　せっこうボードを軽量鉄骨壁下地に張り付ける際、ドリリングタッピンねじの留付け間隔は、周辺部200 mm程度、中間部300 mm程度とした。

2　せっこうボードを軽量鉄骨天井下地に張り付ける際、ドリリングタッピンねじの長さは、下地材の裏面に5 mm以上の余長が得られる長さとした。

3　せっこうボードを軽量鉄骨壁下地に張り付ける際、ボードの下端と床面の間を10 mm程度浮かして張り付けた。

4　ロックウール化粧吸音板を天井せっこうボード下地に重ね張りする際、吸音板の目地は、下地ボードの目地と重ならないよう、50 mm以上ずらして張り付けた。

5　厚さ9.5 mmのせっこうボードを厚さ12.5 mmの壁せっこうボード下地に接着剤を用いて重ね張りする際、併用するステープルの足の長さを20 mmとした。

No.57 仮設計画に関する記述として、**最も不適当なもの**はどれか。

1　傾斜地に設置する仮囲いの下端の隙間を塞ぐため、土台コンクリートを設ける計画とした。

2　仮囲いは、工事現場の周辺や工事の状況により危害防止上支障がなかったため、設けない計画とした。

3　仮囲いは、道路管理者や所轄警察署の許可を得て、道路の一部を借用して設置する計画とした。

4　女性用便所は、同時に就業する女性労働者が45人見込まれたため、便房を2個設置する計画とした。

5　ガスボンベ類の貯蔵小屋は、通気を良くするため、壁の1面を開口とし、他の3面は上部に開口部を設ける計画とした。

No.58 建築工事における工期と費用に関する一般的な記述として、最も不適当なものはどれか。

1 総工事費は、工期に比例して増加する。

2 間接費は、工期の長短に相関して増減する。

3 直接費と間接費の和が最小となるときが、最適な工期となる。

4 ノーマルタイム（標準時間）とは、直接費が最小となるときに要する工期をいう。

5 クラッシュタイム（特急時間）とは、どんなに直接費を投入しても、ある限度以上には短縮できない工期をいう。

No.59 躯体工事における試験及び検査に関する記述として、最も不適当なものはどれか。

1 フレッシュコンクリートの荷卸し地点での検査において、スランプ試験は、試料をスランプコーンに詰める際、ほぼ等しい量の3層に分けて詰めた。

2 フレッシュコンクリートの荷卸し地点での検査において、スランプ18 cmのコンクリートのスランプの許容差は、±2.5 cmとした。

3 フレッシュコンクリートの荷卸し地点での検査において、1回の試験における塩化物含有量は、同一試料からとった3個の分取試料についてそれぞれ1回ずつ測定し、その平均値とした。

4 鉄筋工事のガス圧接継手の超音波探傷試験において、抜取りの1ロットの大きさは、1組の作業班が1日に施工した圧接か所とした。

5 鉄筋工事のガス圧接継手の超音波探傷試験において、抜取りは、1ロットに対して無作為に3か所抽出して行った。

No.60 労働災害に関する用語の説明として、**最も不適当なもの**はどれか。

1 労働災害とは、業務に起因して、労働者が負傷し、疾病にかかり、又は死亡することで、公衆災害は含まない。

2 休業日数は、労働災害により労働者が労働することができない日数で、休日であっても休業日数に含める。

3 強度率とは、労働者1,000人当たり1年間に発生した死傷者数を示す。

4 度数率とは、災害発生の頻度を表すもので、100万延労働時間当たりの労働災害による死傷者数を示す。

5 労働損失日数は、死亡及び身体障害が永久全労働不能の場合、1件につき7,500日とする。

問題番号〔No.61〕～〔No.72〕までの12問題のうちから、8問題を選択し、解答してください。
なお、8問題を超えて解答した場合、減点となりますから注意してください。
問題は四肢択一式です。正解と思う肢の番号を1つ選んでください。

No.61 次の記述のうち、「建築基準法」上、**誤っているもの**はどれか。

1 高さが4mを超える広告塔を設置しようとする場合においては、確認済証の交付を受けなければならない。
2 床面積の合計が5m²の建築物を除却しようとする場合においては、当該除却工事の施工者は、その旨を都道府県知事に届け出る必要はない。
3 防火地域及び準防火地域内に建築物を増築しようとする場合においては、その増築部分の床面積の合計が10m²以内のときは、建築確認を受ける必要はない。
4 木造3階建ての戸建て住宅について、大規模の修繕をしようとする場合においては、確認済証の交付を受けなければならない。

No.62 次の記述のうち、「建築基準法」上、**誤っているもの**はどれか。

1 特定行政庁は、建築物の工事施工者に対して、当該工事の施工の状況に関する報告を求めることができる。
2 特定行政庁は、原則として、建築物の敷地について、そのまま放置すれば保安上危険となり、又は衛生上有害となるおそれがあると認める場合、所有者に対して、その敷地の維持保全に関し必要な指導及び助言をすることができる。
3 建築主は、延べ面積が1,000m²を超え、かつ、階数が2以上の建築物を新築する場合、一級建築士である工事監理者を定めなければならない。
4 建築主は、軒の高さが9mを超える木造の建築物を新築する場合においては、二級建築士である工事監理者を定めなければならない。

No.63 避難施設等に関する記述として、「建築基準法施行令」上、**誤っているもの**はどれか。

1 小学校の児童用の廊下の幅は、両側に居室がある場合、1.8 m以上としなければならない。

2 集会場で避難階以外の階に集会室を有するものは、その階から避難階又は地上に通ずる2以上の直通階段を設けなければならない。

3 回り階段の部分における踏面の寸法は、踏面の狭いほうの端から30cmの位置において測らなければならない。

4 建築物の高さ31 m以下の部分にある3階以上の階には、原則として、非常用の進入口を設けなければならない。

No.64 建設業の許可に関する記述として、「建設業法」上、**誤っているもの**はどれか。

1 内装仕上工事等の建築一式工事以外の工事を請け負う建設業者であっても、特定建設業の許可を受けることができる。

2 特定建設業の許可を受けようとする者は、発注者との間の請負契約で、その請負代金の額が8,000万円以上であるものを履行するに足りる財産的基礎を有していなければならない。

3 特定建設業の許可を受けた者でなければ、発注者から直接請け負った建設工事を施工するために、建築工事業にあっては下請代金の額の総額が7,000万円以上となる下請契約を締結してはならない。

4 建設業の許可を受けようとする者は、複数の都道府県の区域内に営業所を設けて営業をしようとする場合、それぞれの都道府県知事の許可を受けなければならない。

No.65 請負契約に関する記述として、「建設業法」上、誤っているものはどれか。

1 元請負人は、その請け負った建設工事を施工するために必要な工程の細目、作業方法その他元請負人において定めるべき事項を定めようとするときは、あらかじめ、注文者の意見をきかなければならない。

2 特定建設業者は、当該特定建設業者が注文者となった下請契約に係る下請代金の支払につき、当該下請代金の支払期日までに一般の金融機関による割引を受けることが困難であると認められる手形を交付してはならない。

3 元請負人は、下請負人に対する下請代金のうち労務費に相当する部分については、現金で支払うよう適切な配慮をしなければならない。

4 注文者は、請負人に対して、建設工事の施工につき著しく不適当と認められる下請負人があるときは、あらかじめ注文者の書面等による承諾を得て選定した下請負人である場合を除き、その変更を請求することができる。

No.66 工事現場に置く技術者に関する記述として、「建設業法」上、誤っているものはどれか。

1 発注者から直接建築一式工事を請け負った特定建設業者は、下請契約の総額が7,000万円以上の工事を施工する場合、監理技術者を工事現場に置かなければならない。

2 特定専門工事の元請負人が置く主任技術者は、当該特定専門工事と同一の種類の建設工事に関し1年以上指導監督的な実務の経験を有する者でなければならない。

3 工事一件の請負代金の額が7,000万円である事務所の建築一式工事において、工事の施工の技術上の管理をつかさどるものは、工事現場ごとに専任の者でなければならない。

4 専任の者でなければならない監理技術者は、当該選任の期間中のいずれの日においても国土交通大臣の登録を受けた講習を受講した日の属する年の翌年から起算して5年を経過しない者でなければならない。

No.67 次の記述のうち、「労働基準法」上、**誤っているもの**はどれか。

1 満18才に満たない者を、原則として午後10時から午前5時までの間において使用してはならない。

2 満18才に満たない者を、高さが5m以上の場所で、墜落により危害を受けるおそれのあるところにおける業務に就かせてはならない。

3 満18才以上で妊娠中の女性労働者を、動力により駆動される土木建築用機械の運転の業務に就かせてはならない。

4 満18才以上で妊娠中の女性労働者を、足場の組立て、解体又は変更の業務のうち地上又は床上における補助作業の業務に就かせてはならない。

No.68 建設業の事業場における安全衛生管理体制に関する記述として、「労働安全衛生法」上、**誤っているもの**はどれか。

1 統括安全衛生責任者を選任した特定元方事業者は、元方安全衛生管理者を選任しなければならない。

2 安全衛生責任者は、安全管理者又は衛生管理者の資格を有する者でなければならない。

3 元方安全衛生管理者は、その事業場に専属の者でなければならない。

4 統括安全衛生責任者は、その事業の実施を統括管理する者でなければならない。

No.69 労働者の就業に当たっての措置に関する記述として、「労働安全衛生法」上、**正しいもの**はどれか。

1 事業者は、建設業の事業場において新たに職務に就くこととなった作業主任者に対し、作業方法の決定及び労働者の配置に関する事項について、安全又は衛生のための教育を行なわなければならない。

2 就業制限に係る業務に就くことができる者が当該業務に従事するときは、これに係る免許証その他その資格を証する書面の写しを携帯していなければならない。

3 作業床の高さが10m以上の高所作業車の運転の業務には、高所作業車運転技能講習を修了した者を就かせなければならない。

4 つり上げ荷重が5t以上の移動式クレーンの運転の業務には、クレーン・デリック運転士免許を受けた者を就かせなければならない。

No.70 特定建設資材を用いた次の工事のうち、「建設工事に係る資材の再資源化等に関する法律」上、分別解体等をしなければならない建設工事に**該当しないもの**はどれか。

1 建築物の増築工事であって、当該工事に係る部分の床面積の合計が500m²の工事

2 建築物の耐震改修工事であって、請負代金の額が8,000万円の工事

3 擁壁の解体工事であって、請負代金の額が500万円の工事

4 建築物の解体工事であって、当該工事に係る部分の床面積の合計が80m²の工事

No.71 指定地域内における特定建設作業において、「騒音規制法」上、実施の届出を必要としないものはどれか。

ただし、作業はその作業を開始した日に終わらないものとする。

1 環境大臣が指定するものを除き、原動機の定格出力が80 kW以上のバックホウを使用する作業

2 環境大臣が指定するものを除き、原動機の定格出力が70 kW以上のトラクターショベルを使用する作業

3 さく岩機の動力として使用する作業を除き、電動機以外の原動機の定格出力が15 kW以上の空気圧縮機を使用する作業

4 さく岩機を使用する作業であって、作業地点が連続的に移動し、1日における当該作業に係る2地点間の距離が50 mを超える作業

No.72 政令で定める積載物の重量や大きさ等の制限を超えて車両を運転する際の対応として、「道路交通法」上、誤っているものはどれか。

1 制限外許可証は、当該車両の出発地を管轄する警察署長から交付を受ける。

2 積載した貨物の長さが制限を超えたときは、昼間にあっては、その貨物の見やすい箇所に、白い布をつける。

3 積載した貨物の長さ又は幅が制限を超えたときは、夜間にあっては、その貨物の見やすい箇所に、反射器をつける。

4 積載した貨物の幅が制限を超えたときは、夜間にあっては、その貨物の見やすい箇所に、赤色の灯火をつける。

1級建築施工管理技術検定

令和5年度
第一次検定

試験時間に合わせて解いてみましょう！

■**試験内容**　建築学等、施工管理法、法規

■**試験形式**　四肢択一式（No.55〜No.60は五肢択二式）

■**試験時間**　午前
　　　　　　　試験時間 10:15〜12:45

　　　　　　　午後
　　　　　　　試験時間 14:15〜16:15

◆第一次検定結果データ◆

受検者数	24,078人
合格者数	10,017人
合格率	41.6%
合格基準	60問中36問以上正解 （応用能力：6問中3問以上正解）

P.243に解答用紙がありますので、コピーしてお使いください。
答え合わせに便利な正答一覧は別冊P.222にあります。

1級 建築施工管理技術検定

第一次検定問題（午前の部）

問題番号No.1～No.15までの15問題のうちから、12問題を選択し、解答してください。

ただし、12問題を超えて解答した場合、減点となりますから注意してください。

問題は、四肢択一式です。正解と思う肢の番号を1つ選んでください。

No.1 日照及び日射に関する記述として、**最も不適当なもの**はどれか。

1　北緯35°における南面の垂直壁面の可照時間は、夏至日より冬至日のほうが長い。

2　日影規制は、中高層建築物が敷地境界線から一定の距離を超える範囲に生じさせる、冬至日における日影の時間を制限している。

3　水平ルーバーは東西面の日射を遮るのに効果があり、縦ルーバーは南面の日射を遮るのに効果がある。

4　全天日射は、直達日射と天空日射を合計したものである。

No.2 採光及び照明に関する記述として、**最も不適当なもの**はどれか。

1　横幅と奥行きが同じ室において、光源と作業面の距離が離れるほど、室指数は小さくなる。

2　設計用全天空照度は、快晴の青空のときのほうが薄曇りのときよりも小さな値となる。

3　照度は、単位をルクス（lx）で示し、受照面の単位面積当たりの入射光束のことをいう。

4 光度は、単位をカンデラ（cd）で示し、反射面を有する受照面の光の面積密度のことをいう。

No. 3 吸音及び遮音に関する記述として、**最も不適当なもの**はどれか。

1 吸音材は、音響透過率が高いため、遮音性能は低い。

2 多孔質の吸音材は、一般に低音域より高音域の吸音に効果がある。

3 単層壁において、面密度が大きいほど、音響透過損失は小さくなる。

4 室間音圧レベル差の遮音等級はD値で表され、D値が大きいほど遮音性能は高い。

No. 4 免震構造に関する一般的な記述として、**最も不適当なもの**はどれか。

1 アイソレータは、上部構造の重量を支持しつつ水平変形に追従し、適切な復元力を持つ。

2 免震部材の配置を調整し、上部構造の重心と免震層の剛心を合わせることで、ねじれ応答を低減できる。

3 地下部分に免震層を設ける場合は、上部構造と周囲の地盤との間にクリアランスが必要である。

4 ダンパーは、上部構造の垂直方向の変位を抑制する役割を持つ。

No. 5 鉄筋コンクリート構造の建築物の構造計画に関する一般的な記述として、**最も不適当なもの**はどれか。

1 普通コンクリートを使用する場合の柱の最小径は、その構造耐力上主要な支点間の距離の$\frac{1}{15}$以上とする。

2 耐震壁とする壁板のせん断補強筋比は、直交する各方向に関して、それぞれ0.25％以上とする。

3 床スラブの配筋は、各方向の全幅について、コンクリート全断面積に対する鉄筋全断面積の割合を0.1％以上とする。

4 梁貫通孔は、梁端部への配置を避け、孔径を梁せいの$\frac{1}{3}$以下とする。

No. 6 鉄骨構造に関する記述として、**最も不適当なもの**はどれか。

1　角形鋼管柱の内ダイアフラムは、せいの異なる梁を1本の柱に取り付ける場合等に用いられる。

2　H形鋼は、フランジやウェブの幅厚比が大きくなると局部座屈を生じにくい。

3　シヤコネクタでコンクリートスラブと結合された鉄骨梁は、上端圧縮となる曲げ応力に対して横座屈を生じにくい。

4　部材の引張力によってボルト孔周辺に生じる応力集中の度合は、高力ボルト摩擦接合より普通ボルト接合のほうが大きい。

No. 7 杭基礎に関する記述として、**最も不適当なもの**はどれか。

1　杭の周辺地盤に沈下が生じたときに杭に作用する負の摩擦力は、支持杭より摩擦杭のほうが大きい。

2　杭と杭の中心間隔は、杭径が同一の場合、埋込み杭のほうが打込み杭より小さくすることができる。

3　杭の極限鉛直支持力は、極限先端支持力と極限周面摩擦力との和で表す。

4　杭の引抜き抵抗力に杭の自重を加える場合、地下水位以下の部分の浮力を考慮する。

No. 8 図に示す柱ABの図心Gに鉛直荷重Pと水平荷重Qが作用したとき、底部における引張縁応力度の値の大きさとして、**正しい**ものはどれか。

ただし、柱の自重は考慮しないものとする。

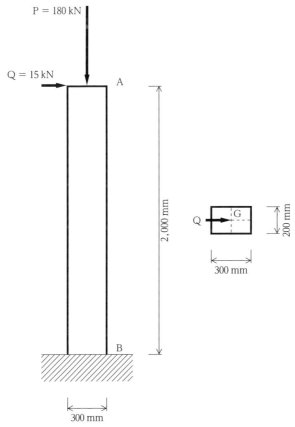

P = 180 kN

Q = 15 kN

A

2,000 mm

B

300 mm

Q → G

200 mm

300 mm

1 3 N/mm²

2 7 N/mm²

3 10 N/mm²

4 13 N/mm²

No. 9 図に示す３ヒンジラーメン架構のDE間に等分布荷重 w が作用したとき、支点Aの水平反力H_A及び支点Bの水平反力H_Bの値として、**正しいもの**はどれか。

ただし、反力は右向きを「＋」、左向きを「－」とする。

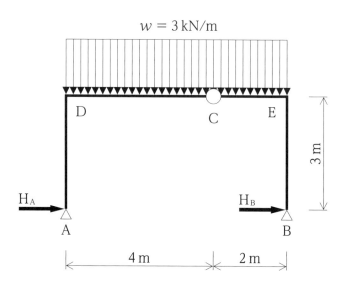

$$w = 3\,\text{kN/m}$$

D　　　　　　C　　　E

3 m

H_A　　　　　　H_B

A　　　　　　　　B

4 m　　　2 m

1 $H_A = +9\text{ kN}$

2 $H_A = -6\text{ kN}$

3 $H_B = 0\text{ kN}$

4 $H_B = -4\text{ kN}$

No.10 図に示す３ヒンジラーメン架構の点Dにモーメント荷重Mが作用したときの曲げモーメント図として、**正しいもの**はどれか。ただし、曲げモーメントは材の引張側に描くものとする。

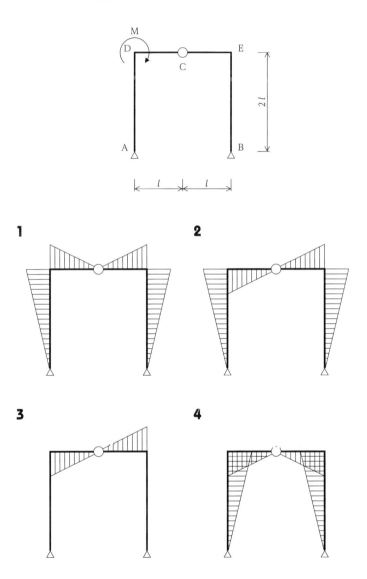

No.11 コンクリート材料の特性に関する記述として、**最も不適当なも**のはどれか。

1 減水剤は、コンクリートの耐凍害性を向上させることができる。

2 流動化剤は、工事現場で添加することで、レディーミクストコンクリートの流動性を増すことができる。

3 早強ポルトランドセメントを用いたコンクリートは、普通ポルトランドセメントを用いた場合より硬化初期の水和発熱量が大きく、冬期の工事に適している。

4 高炉セメントB種を用いたコンクリートは、普通ポルトランドセメントを用いた場合より耐海水性や化学抵抗性が大きく、地下構造物に適している。

No.12 建築に用いられる金属材料に関する記述として、**最も不適当な**ものはどれか。

1 ステンレス鋼は、ニッケルやクロムを含み、炭素量が少ないものほど耐食性が良い。

2 銅は、熱や電気の伝導率が高く、湿気中では緑青を生じ耐食性が増す。

3 鉛は、X線遮断効果が大きく、酸その他の薬液に対する抵抗性や耐アルカリ性にも優れている。

4 チタンは、鋼材に比べ密度が小さく、耐食性に優れている。

No.13 石材に関する一般的な記述として、**最も不適当なもの**はどれか。

1 花崗岩は、結晶質で硬く耐摩耗性や耐久性に優れ、壁、床、階段等に多く用いられる。

2 大理石は、酸には弱いが、緻密であり磨くと光沢が出るため、主に内装用として用いられる。

3 粘板岩（スレート）は、吸水率が小さく耐久性に優れ、層状に剥がれる性質があり、屋根材や床材として用いられる。

4 石灰岩は、柔らかく曲げ強度は低いが、耐水性や耐酸性に優れ、主

に外装用として用いられる。

No.14 日本産業規格（JIS）に規定する防水材料に関する記述として、**不適当なもの**はどれか。

1 　2成分形のウレタンゴム系防水材は、施工直前に主剤、硬化剤の2成分に、必要によって硬化促進剤や充填材等を混合して使用する。

2 　防水工事用アスファルトは、フラースぜい化点の温度が低いものほど低温特性のよいアスファルトである。

3 　ストレッチルーフィング1000の数値1000は、製品の抗張積（引張強さと最大荷重時の伸び率との積）を表している。

4 　改質アスファルトルーフィングシートは、温度特性によりⅠ類とⅡ類に区分され、低温時の耐折り曲げ性がよいものはⅠ類である。

No.15 屋内で使用する塗料に関する記述として、**最も不適当なもの**はどれか。

1 　アクリル樹脂系非水分散形塗料は、モルタル面に適しているが、せっこうボード面には適していない。

2 　クリヤラッカーは、木部に適しているが、コンクリート面には適していない。

3 　つや有合成樹脂エマルションペイントは、鉄鋼面に適しているが、モルタル面には適していない。

4 　2液形ポリウレタンワニスは、木部に適しているが、ALCパネル面には適していない。

問題番号〔No.16〕～〔No.20〕までの5問題は、全問題を解答してください。

問題は、四肢択一式です。正解と思う肢の番号を1つ選んでください。

No.16 植栽に関する記述として、最も不適当なものはどれか。

1 枝張りは、樹木の四方面に伸長した枝の幅をいい、測定方向により長短がある場合は、最短の幅とする。

2 支柱は、風による樹木の倒れや傾きを防止するとともに、根部の活着を助けるために取り付ける。

3 樹木の移植において、根巻き等で大きく根を減らす場合、吸水量と蒸散量とのバランスをとるために枝抜き剪定を行う。

4 樹木の植付けは、現場搬入後、仮植えや保護養生してから植え付けるよりも、速やかに行うほうがよい。

No.17 電気設備に関する記述として、最も不適当なものはどれか。

1 合成樹脂製可とう電線管のうちPF管は、自己消火性があり、屋内隠ぺい配管に用いることができる。

2 電圧の種別で低圧とは、直流にあっては600 V以下、交流にあっては750 V以下のものをいう。

3 低圧屋内配線のための金属管は、規定値未満の厚さのものをコンクリートに埋め込んではならない。

4 低圧屋内配線の使用電圧が300 Vを超える場合における金属製の電線接続箱には、接地工事を施さなければならない。

No.18 給排水設備に関する記述として、**最も不適当なもの**はどれか。

1 高置水槽方式は、一度受水槽に貯留した水をポンプで建物高所の高置水槽に揚水し、高置水槽からは重力によって各所に給水する方式である。

2 圧力水槽方式は、受水槽の水をポンプで圧力水槽に送水し、圧力水槽内の空気を加圧して、その圧力によって各所に給水する方式である。

3 屋内の自然流下式横走り排水管の最小勾配は、管径が100 mmの場合、$\frac{1}{100}$とする。

4 排水槽の底の勾配は、吸い込みピットに向かって$\frac{1}{100}$とする。

No.19 建築物に設けるエレベーターに関する記述として、**最も不適当なもの**はどれか。
　　　　　ただし、特殊な構造又は使用形態のものは除くものとする。

1 乗用エレベーターには、停電時に床面で1ルクス以上の照度を確保することができる照明装置を設ける。

2 乗用エレベーターには、1人当たりの体重を65 kgとして計算した最大定員を明示した標識を掲示する。

3 火災時管制運転は、火災発生時にエレベーターを最寄階に停止させる機能である。

4 群管理方式は、エレベーターを複数台まとめた群としての運転操作方式で、交通需要の変動に応じて効率的な運転管理を行うことができる。

No.20 請負契約に関する記述として、「公共工事標準請負契約約款」上、**誤っているもの**はどれか。

1 設計図書とは、図面及び仕様書をいい、現場説明書及び現場説明に対する質問回答書は含まない。

2 発注者は、工事の完成を確認するために必要があると認められるときは、その理由を受注者に通知して、工事目的物を最小限度破壊して検査することができる。

3 工期の変更については、発注者と受注者が協議して定める。ただし、予め定めた期間内に協議が整わない場合には、発注者が定め、受注者に通知する。

4 工事の施工に伴い通常避けることができない騒音、振動、地盤沈下、地下水の断絶等の理由により第三者に損害を及ぼしたときは、原則として、発注者がその損害を負担しなければならない。

問題番号〔No.21〕～〔No.30〕までの10問題のうちから、7問題を選択し、解答してください。
ただし、7問題を超えて解答した場合、減点となりますから注意してください。
問題は、四肢択一式です。正解と思う肢の番号を1つ選んでください。

No.21 乗入れ構台及び荷受け構台の計画に関する記述として、**最も不適当なもの**はどれか。

1 乗入れ構台の支柱の位置は、基礎、柱、梁及び耐力壁を避け、5m間隔とした。

2 乗入れ構台の高さは、大引下端が床スラブ上端より10cm上になるようにした。

3 荷受け構台の作業荷重は、自重と積載荷重の合計の10%とした。

4 荷受け構台への積載荷重の偏りは、構台の全スパンの60%にわたって荷重が分布するものとした。

No.22 地下水処理工法に関する記述として、最も不適当なものはどれか。

1　ディープウェル工法は、初期のほうが安定期よりも地下水の排水量が多い。

2　ディープウェル工法は、透水性の低い粘性土地盤の地下水位を低下させる場合に用いられる。

3　ウェルポイント工法は、透水性の高い粗砂層から低いシルト質細砂層までの地盤に用いられる。

4　ウェルポイント工法は、気密保持が重要であり、パイプの接続箇所で漏気が発生しないようにする。

No.23 既製コンクリート杭の施工に関する記述として、最も不適当なものはどれか。

1　荷降ろしのため杭を吊り上げる場合、安定するように杭の両端から杭長の$\frac{1}{10}$の2点を支持して吊り上げる。

2　杭に現場溶接継手を設ける際には、原則として、アーク溶接とする。

3　継ぎ杭で、下杭の上に杭を建て込む際には、接合中に下杭が動くことがないように、保持装置に固定する。

4　PHC杭の頭部を切断した場合、切断面から350 mm程度まではプレストレスが減少しているため、補強を行う必要がある。

No.24 鉄筋の機械式継手に関する記述として、**最も不適当なもの**はどれか。

1　トルク方式のねじ節継手とは、カップラーを用いて鉄筋を接合する工法で、ロックナットを締め付けることで鉄筋とカップラーとの間の緩みを解消する。

2　グラウト方式のねじ節継手とは、カップラーを用いて鉄筋を接合する工法で、鉄筋とカップラーの節との空隙にグラウトを注入することで緩みを解消する。

3　充填継手とは、異形鉄筋の端部に鋼管（スリーブ）をかぶせた後、外側から加圧して鉄筋表面の節にスリーブを食い込ませて接合する工法である。

4　端部ねじ継手とは、端部をねじ加工した異形鉄筋、あるいは加工したねじ部を端部に圧接した異形鉄筋を使用し、雌ねじ加工されたカップラーを用いて接合する工法である。

No.25 型枠支保工に関する記述として、**最も不適当なもの**はどれか。

1　支柱として用いるパイプサポートの高さが3.5 mを超える場合、高さ2.5 m以内ごとに水平つなぎを2方向に設けなければならない。

2　支柱として用いる鋼管枠は、最上層及び5層以内ごとに水平つなぎを設けなければならない。

3　支柱としてパイプサポートを用いる型枠支保工は、上端に作業荷重を含む鉛直荷重の$\frac{5}{100}$に相当する水平荷重が作用しても安全な構造でなければならない。

4　支柱として鋼管枠を用いる型枠支保工は、上端に作業荷重を含む鉛直荷重の$\frac{2.5}{100}$に相当する水平荷重が作用しても安全な構造でなければならない。

No.26 コンクリートの運搬、打込み及び締固めに関する記述として、**最も不適当なもの**はどれか。

1 コンクリートの圧送開始前に圧送するモルタルは、型枠内に打ち込まないが、富調合のものとした。

2 圧送するコンクリートの粗骨材の最大寸法が20 mmのため、呼び寸法100 Aの輸送管を使用した。

3 コンクリート棒形振動機の加振は、セメントペーストが浮き上がるまでとした。

4 外気温が25℃を超えていたため、練混ぜ開始から打込み終了までの時間を120分以内とした。

No.27 鉄骨の建方に関する記述として、**最も不適当なもの**はどれか。

1 架構の倒壊防止用に使用するワイヤロープは、建入れ直し用に兼用してもよい。

2 スパンの寸法誤差が工場寸法検査で計測された各部材の寸法誤差の累積値以内となるよう、建入れ直し前にスパン調整を行う。

3 建方に先立って施工するベースモルタルは、養生期間を3日間以上とする。

4 梁のフランジを溶接接合、ウェブをボルトの配列が1列の高力ボルト接合とする混用接合の仮ボルトは、ボルト1群に対して$\frac{1}{3}$程度、かつ、2本以上締め付ける。

No.28 大断面集成材を用いた木造建築物に関する記述として、**最も不適当なもの**はどれか。

1 梁材の曲がりの許容誤差は、長さの$\frac{1}{1,000}$とした。

2 集成材にあけるドリフトピンの下孔径は、ドリフトピンの公称軸径に2mmを加えたものとした。

3 集成材にあける標準的なボルト孔の心ずれは、許容誤差を±2mmとした。

4 接合金物にあけるボルト孔の大きさは、ねじの呼びがM16未満の場合は公称軸径に1mmを、M16以上の場合は1.5mmを加えたものとした。

No.29 建設機械に関する記述として、**最も不適当なもの**はどれか。

1 ブルドーザーは、盛土、押土、整地の作業に適している。

2 ホイールクレーンは、同じ運転室内でクレーンと走行の操作ができ、機動性に優れている。

3 アースドリル掘削機は、一般にリバース掘削機に比べ、より深い掘削能力がある。

4 バックホウは、機械の位置より低い場所の掘削に適し、水中掘削も可能だが、高い山の切取りには適さない。

No.30 鉄筋コンクリート造の耐震改修工事における現場打ち鉄筋コンクリート耐震壁の増設工事に関する記述として、**最も不適当な**ものはどれか。

1 増設壁上部と既存梁下との間に注入するグラウト材の練上り時の温度は、練り混ぜる水の温度を管理し、10〜35℃の範囲とする。

2 あと施工アンカー工事において、接着系アンカーを既存梁下端に上向きで施工する場合、くさび等を打ってアンカー筋の脱落防止の処置を行う。

3 コンクリートポンプ等の圧送力を利用するコンクリート圧入工法は、

既存梁下との間に隙間が生じやすいため、採用しない。

4　増設壁との打継ぎ面となる既存柱や既存梁に施す目荒しの面積の合計は、電動ピック等を用いて、打継ぎ面の15〜30%程度となるようにする。

問題番号〔No.31〕〜〔No.39〕までの9問題のうちから、7問題を選択し、解答してください。

ただし、7問題を超えて解答した場合、減点となりますから注意してください。

問題は、四肢択一式です。正解と思う肢の番号を1つ選んでください。

No.31　防水工事に関する記述として、**最も不適当なもの**はどれか。

1　アスファルト防水密着工法における平場部のルーフィングの張付けに先立ち、入隅は幅300 mm程度のストレッチルーフィングを増張りした。

2　改質アスファルトシート防水トーチ工法における平場部の改質アスファルトシートの重ね幅は、縦横とも100 mm以上とした。

3　アスファルト防水における立上り部のアスファルトルーフィング類は、平場部のアスファルトルーフィングを張り付けた後、150 mm以上張り重ねた。

4　改質アスファルトシート防水絶縁工法におけるALCパネル目地の短辺接合部は、幅50 mm程度のストレッチルーフィングを張り付けた。

No.32 乾式工法による外壁の張り石工事に関する記述として、**最も不適当なもの**はどれか。

1 厚さ30 mm、大きさ500 mm角の石材のだぼ孔の端あき寸法は、60 mmとした。

2 ロッキング方式において、ファスナーの通しだぼは、径4 mmのものを使用した。

3 下地のコンクリート面の精度を考慮し、調整範囲が±10 mmのファスナーを使用した。

4 石材間の目地は、幅を10 mmとしてシーリング材を充填した。

No.33 金属製折板葺屋根工事に関する記述として、**最も不適当なもの**はどれか。

1 端部用タイトフレームは、けらば包みの下地として、間隔を1,800 mmで取り付けた。

2 重ね形折板の重ね部分の緊結ボルトは、流れ方向の間隔を600 mmとした。

3 軒先の落とし口は、折板の底幅より小さく穿孔し、テーパー付きポンチで押し広げ、10 mmの尾垂れを付けた。

4 軒先のアール曲げ加工は、曲げ半径を450 mmとした。

No.34 特定天井に該当しない軽量鉄骨天井下地工事に関する記述として、**最も不適当なもの**はどれか。

1 天井のふところが1,500 mm以上あったため、吊りボルトの振れ止めとなる水平方向の補強は、縦横間隔を1,800 mm程度とした。

2 下り壁による天井の段違い部分は、2,700 mm程度の間隔で斜め補強を行った。

3 下地張りのある天井仕上げの野縁は、ダブル野縁を1,800 mm程度の間隔とし、その間に4本のシングル野縁を間隔を揃えて配置した。

4 野縁は、野縁受にクリップ留めし、野縁が壁と突付けとなる箇所は、野縁受からのはね出しを200 mmとした。

No.35 内壁コンクリート下地のセメントモルタル塗りに関する記述として、**最も不適当なもの**はどれか。

1 下塗りは、吸水調整材の塗布後、乾燥を確認してから行った。

2 下塗り用モルタルの調合は、容積比でセメント1:砂3とした。

3 下塗り後の放置期間は、モルタルの硬化が確認できたため、14日間より短縮した。

4 中塗りや上塗りの塗厚を均一にするため、下塗りの後に、むら直しを行った。

No.36 鋼製建具に関する記述として、**最も不適当なもの**はどれか。
ただし、1枚の戸の有効開口は、幅950 mm、高さ2,400 mmとする。

1 外部に面する両面フラッシュ戸の表面板は鋼板製とし、厚さを1.6 mmとした。

2 外部に面する両面フラッシュ戸の見込み部は、上下部を除いた左右2方を表面板で包んだ。

3 たて枠は鋼板製とし、厚さを1.6 mmとした。

4 丁番やピボットヒンジ等により、大きな力が加わる建具枠の補強板は、厚さを2.3 mmとした。

No.37 塗装工事に関する記述として、**最も不適当なもの**はどれか。

1　アクリル樹脂系非水分散形塗料塗りにおいて、中塗りを行う前に研磨紙 P 220 を用いて研磨した。

2　せっこうボード面の合成樹脂エマルションペイント塗りにおいて、気温が20℃であったため、中塗り後3時間経過してから、次の工程に入った。

3　屋外の木質系素地面の木材保護塗料塗りにおいて、原液を水で希釈し、よく撹拌して使用した。

4　亜鉛めっき鋼面の常温乾燥形ふっ素樹脂エナメル塗りにおいて、下塗りに変性エポキシ樹脂プライマーを使用した。

No.38 ALCパネル工事に関する記述として、**最も不適当なもの**はどれか。

1　床版敷設筋構法において、床パネルへの設備配管等の孔あけ加工は1枚当たり1か所とし、主筋の位置を避け、直径100 mmの大きさとした。

2　横壁アンカー構法において、地震時等における躯体の変形に追従できるよう、ALCパネル積上げ段数3段ごとに自重受け金物を設けた。

3　縦壁フットプレート構法において、ALC取付け用間仕切チャンネルをデッキプレート下面の溝方向に取り付ける場合、下地として平鋼をデッキプレート下面にアンカーを用いて取り付けた。

4　床版敷設筋構法において、建物周辺部、隅角部等で目地鉄筋により床パネルの固定ができない箇所は、ボルトと角座金を用いて取り付けた。

No.39 内装改修工事に関する記述として、**最も不適当なもの**はどれか。
ただし、既存部分は、アスベストを含まないものとする。

1 ビニル床シートの撤去後に既存下地モルタルの浮き部分を撤去する際、健全部分と縁を切るために用いるダイヤモンドカッターの刃の出は、モルタル厚さ以下とした。

2 既存合成樹脂塗床面の上に同じ塗床材を塗り重ねる際、接着性を高めるよう、既存仕上げ材の表面を目荒しした。

3 防火認定の壁紙の張替えは、既存壁紙の裏打紙を残した上に防火認定の壁紙を張り付けた。

4 既存下地面に残ったビニル床タイルの接着剤は、ディスクサンダーを用いて除去した。

問題番号〔No.40〕～〔No.44〕までの5問題は、全問題を解答してください。

問題は、四肢択一式です。正解と思う肢の番号を1つ選んでください。

No.40 事前調査や準備作業に関する記述として、**最も不適当なもの**はどれか。

1 地下水の排水計画に当たり、公共下水道の排水方式の調査を行った。

2 タワークレーン設置による電波障害が予想されたため、近隣に対する説明を行って了解を得た。

3 ベンチマークは、移動のおそれのない箇所に、相互にチェックできるよう複数か所設けた。

4 コンクリートポンプ車を前面道路に設置するため、道路使用許可申請書を道路管理者に提出した。

No.41 仮設設備の計画に関する記述として、**最も不適当なもの**はどれか。

1 作業員の仮設男性用小便所数は、同時に就業する男性作業員40人以内ごとに1個を設置する計画とした。

2 工事用電気設備の建物内幹線の立上げは、上下交通の中心で最終工程まで支障の少ない階段室に計画した。

3 仮設電力契約は、工事完了まで変更しない計画とし、短期的に電力需要が増加した場合は、臨時電力契約を併用した。

4 仮設の給水設備において、工事事務所の使用水量は、1人1日当たり50Lを見込む計画とした。

No.42 工事現場における材料の保管に関する記述として、**最も不適当なもの**はどれか。

1 長尺のビニル床シートは、屋内の乾燥した場所に直射日光を避けて縦置きにして保管した。

2 砂付ストレッチルーフィングは、ラップ部（張付け時の重ね部分）

を下に向けて縦置きにして保管した。

3 フローリング類は、屋内のコンクリートの床にシートを敷き、角材を並べた上に保管した。

4 木製建具は、取付け工事直前に搬入し、障子や襖は縦置き、フラッシュ戸は平積みにして保管した。

No.43 建築工事に係る届出に関する記述として、「労働安全衛生法」上、**誤っているもの**はどれか。

1 高さが31 mを超える建築物を建設する場合、その計画を当該仕事の開始の日の14日前までに、労働基準監督署長に届け出なければならない。

2 共同連帯として請け負う際の共同企業体代表者届を提出する場合、当該届出に係る仕事の開始の日の14日前までに、労働基準監督署長を経由して都道府県労働局長に届け出なければならない。

3 つり上げ荷重が3 t以上であるクレーンの設置届を提出する場合、その計画を当該工事の開始の日の14日前までに、労働基準監督署長に届け出なければならない。

4 耐火建築物に吹き付けられた石綿を除去する場合、その計画を当該仕事の開始の日の14日前までに、労働基準監督署長に届け出なければならない。

No.44 工程計画に関する記述として、**最も不適当なもの**はどれか。

1 工程計画では、各作業の手順計画を立て、次に日程計画を決定した。

2 工程計画では、工事用機械が連続して作業を実施し得るように作業手順を定め、工事用機械の不稼働をできるだけ少なくした。

3 工期短縮を図るため、作業員、工事用機械、資機材等の供給量のピークが一定の量を超えないように山崩しを検討した。

4 工期短縮を図るため、クリティカルパス上の鉄骨建方において、部材を地組してユニット化し、建方のピース数を減らすよう検討した。

問題番号〔No.45〕～〔No.54〕までの10問題は、全問題を解答してください。

問題は、四肢択一式です。正解と思う肢の番号を1つ選んでください。

No.45 一般的な事務所ビルの鉄骨工事において、所要工期算出のために用いる各作業の能率に関する記述として、**最も不適当なもの**はどれか。

1　鉄骨のガスシールドアーク溶接による現場溶接の作業能率は、1人1日当たり6mm換算溶接長さで80mとして計画した。

2　タワークレーンのクライミングに要する日数は、1回当たり1.5日として計画した。

3　建方用機械の鉄骨建方作業占有率は、60%として計画した。

4　トルシア形高力ボルトの締付け作業能率は、1人1日当たり300本として計画した。

No.46 ネットワーク工程表に関する記述として、**最も不適当なもの**はどれか。

1　一つの作業の最早終了時刻（EFT）は、その作業の最早開始時刻（EST）に作業日数（D）を加えて得られる。

2　一つの作業の最遅開始時刻（LST）は、その作業の最遅終了時刻（LFT）から作業日数（D）を減じて得られる。

3　一つの作業でトータルフロート（TF）が0である場合、その作業ではフリーフロート（FF）は0になる。

4　一つの作業でフリーフロート（FF）を使い切ってしまうと、後続作業のトータルフロート（TF）に影響を及ぼす。

No.47 建築施工の品質を確保するための管理値に関する記述として、最も不適当なものはどれか。

1 鉄骨工事において、スタッド溶接後のスタッドの傾きの許容差は、5°以内とした。

2 構造体コンクリートの部材の仕上がりにおいて、柱、梁、壁の断面寸法の許容差は、0〜＋20 mmとした。

3 鉄骨梁の製品検査において、梁の長さの許容差は、±7 mmとした。

4 コンクリート工事において、薄いビニル床シートの下地コンクリート面の仕上がりの平坦さは、3 mにつき7 mm以下とした。

No.48 品質管理に用いる図表に関する記述として、最も不適当なものはどれか。

1 ヒストグラムは、観測値若しくは統計量を時間順又はサンプル番号順に表し、工程が管理状態にあるかどうかを評価するために用いられる。

2 散布図は、対応する2つの特性を横軸と縦軸にとり、観測値を打点して作るグラフ表示で、主に2つの変数間の相関関係を調べるために用いられる。

3 パレート図は、項目別に層別して、出現度数の大きさの順に並べるとともに、累積和を示した図である。

4 系統図は、設定した目的や目標と、それを達成するための手段を系統的に展開した図である。

No.49 品質管理における検査に関する記述として、最も不適当なものはどれか。

1 中間検査は、製品として完成したものが要求事項を満足しているかどうかを判定する場合に適用する。

2 無試験検査は、サンプルの試験を行わず、品質情報、技術情報等に基づいてロットの合格、不合格を判定する。

3 購入検査は、提出された検査ロットを、購入してよいかどうかを判定するために行う検査で、品物を外部から受け入れる場合に適用する。

4 抜取検査は、ロットからあらかじめ定められた検査の方式に従ってサンプルを抜き取って試験し、その結果に基づいて、そのロットの合格、不合格を判定する。

No.50 市街地の建築工事における公衆災害防止対策に関する記述として、最も不適当なものはどれか。

1 敷地境界線からの水平距離が5 mで、地盤面からの高さが3 mの場所からごみを投下する際、飛散を防止するためにダストシュートを設けた。

2 防護棚は、外部足場の外側からのはね出し長さを水平距離で2 mとし、水平面となす角度を15°とした。

3 工事現場周囲の道路に傾斜があったため、高さ3 mの鋼板製仮囲いの下端は、隙間を土台コンクリートで塞いだ。

4 歩車道分離道路において、幅員3.6 mの歩道に仮囲いを設置するため、道路占用の幅は、路端から1 mとした。

No.51 作業主任者の職務として、「労働安全衛生法」上、定められていないものはどれか。

1 建築物等の鉄骨の組立て等作業主任者は、器具、工具、要求性能墜落制止用器具等及び保護帽の機能を点検し、不良品を取り除くこと。

2 有機溶剤作業主任者は、作業に従事する労働者が有機溶剤により汚染され、又はこれを吸入しないように、作業の方法を決定し、労働者を指揮すること。

3 土止め支保工作業主任者は、要求性能墜落制止用器具等及び保護帽の使用状況を監視すること。

4 足場の組立て等作業主任者は、組立ての時期、範囲及び順序を当該作業に従事する労働者に周知させること。

No.52 足場に関する記述として、**最も不適当なもの**はどれか。

1 枠組足場に設ける高さ8m以上の階段には、7m以内ごとに踊場を設けた。

2 作業床は、つり足場の場合を除き、床材間の隙間は3cm以下、床材と建地の隙間は12cm未満とした。

3 単管足場の壁つなぎの間隔は、垂直方向5.5m以下、水平方向5m以下とした。

4 脚立を使用した足場における足場板は、踏さん上で重ね、その重ね長さを20cm以上とした。

No.53 事業者又は特定元方事業者の講ずべき措置に関する記述として、「労働安全衛生法」上、**誤っているもの**はどれか。

1 特定元方事業者は、特定元方事業者及びすべての関係請負人が参加する協議組織を設置し、会議を定期的に開催しなければならない。

2 事業者は、つり足場における作業を行うときは、その日の作業を開始する前に、脚部の沈下及び滑動の状態について点検を行わなければならない。(☆)

3 事業者は、高さが2m以上の箇所で作業を行う場合、作業に従事する労働者が墜落するおそれのあるときは、作業床を設けなければならない。

4 特定元方事業者は、作業場所の巡視を、毎作業日に少なくとも1回行わなければならない。

No.54 クレーンに関する記述として、「クレーン等安全規則」上、**誤っているもの**はどれか。

1 つり上げ荷重が0.5t以上のクレーンの玉掛用具として使用するワイヤロープは、安全係数が6以上のものを使用した。

2 つり上げ荷重が3t以上の移動式クレーンを用いて作業を行うため、当該クレーンに、その移動式クレーン検査証を備え付けた。

3 設置しているクレーンについて、その使用を廃止したため、遅滞なくクレーン検査証を所轄労働基準監督署長に返還した。

4 移動式クレーンの運転についての合図の方法は、事業者に指名された合図を行う者が定めた。

問題番号〔No.55〕～〔No.60〕までの6問題は応用能力問題です。全問題を解答してください。
問題は五肢択二式です。正解と思う肢の番号を2つ選んでください。

No.55 鉄筋の加工及び組立てに関する記述として、**不適当なもの**を2つ選べ。
ただし、鉄筋は異形鉄筋とし、dは呼び名の数値とする。

1 D 16の鉄筋相互のあき寸法の最小値は、粗骨材の最大寸法が20 mmのため、25 mmとした。

2 D 25の鉄筋を90°折曲げ加工する場合の内法直径は、3 dとした。

3 梁せいが2 mの基礎梁を梁断面内でコンクリートの水平打継ぎとするため、上下に分割したあばら筋の継手は、180°フック付きの重ね継手とした。

4 末端部の折曲げ角度が135°の帯筋のフックの余長は、4 dとした。

5 あばら筋の加工において、一辺の寸法の許容差は、±5 mmとした。

No.56 普通コンクリートの調合に関する記述として、**不適当なもの**を2つ選べ。

1 粗骨材は、偏平なものを用いるほうが、球形に近い骨材を用いるよりもワーカビリティーがよい。

2 AE剤、AE減水剤又は高性能AE減水剤を用いる場合、調合を定める際の空気量を4.5%とする。

3 アルカリシリカ反応性試験で無害でないものと判定された骨材であっても、コンクリート中のアルカリ総量を3.0 kg/m³以下とすれば使用することができる。

4　調合管理強度は、品質基準強度に構造体強度補正値を加えたものである。

5　調合管理強度が21 N/mm²のスランプは、一般に21 cmとする。

No.57 鉄骨の溶接に関する記述として、**不適当なものを2つ選べ。**

1　溶接部の表面割れは、割れの範囲を確認した上で、その両端から50 mm以上溶接部を斫り取り、補修溶接した。

2　裏当て金は、母材と同等の鋼種の平鋼を用いた。

3　溶接接合の突合せ継手の食い違いの許容差は、鋼材の厚みにかかわらず同じ値とした。

4　490 N/mm²級の鋼材の組立て溶接を被覆アーク溶接で行うため、低水素系溶接棒を使用した。

5　溶接作業場所の気温が−5℃を下回っていたため、溶接部より100 mmの範囲の母材部分を加熱して作業を行った。

No.58 シーリング工事に関する記述として、**不適当なものを2つ選べ。**

1　ボンドブレーカーは、シリコーン系シーリング材を充填するため、シリコーンコーティングされたテープを用いた。

2　異種シーリング材を打ち継ぐ際、先打ちしたポリサルファイド系シーリング材の硬化後に、変成シリコーン系シーリング材を後打ちした。

3　ワーキングジョイントに装填する丸形のバックアップ材は、目地幅より20%大きい直径のものとした。

4　ワーキングジョイントの目地幅が20 mmであったため、目地深さは12 mmとした。

5　シーリング材の充填は、目地の交差部から始め、打継ぎ位置も交差部とした。

No.59 内装ビニル床シート張りに関する記述として、**不適当なものを**2つ選べ。

1 寒冷期の施工で、張付け時の室温が5℃以下になることが予想されたため、採暖を行い、室温を10℃以上に保った。

2 床シートは、張付けに先立ち裁断して仮敷きし、巻きぐせをとるために8時間放置した。

3 床シートは、張付けに際し、気泡が残らないよう空気を押し出した後、45 kgローラーで圧着した。

4 熱溶接工法における溶接部の溝切りの深さは、床シート厚の$\frac{1}{3}$とした。

5 熱溶接工法における溶接部は、床シートの溝部分と溶接棒を180～200℃の熱風で同時に加熱溶融した。

No.60 仕上工事における試験及び検査に関する記述として、**不適当なものを2つ選べ。**

1 防水形仕上塗材仕上げの塗厚の確認は、単位面積当たりの使用量を基に行った。

2 シーリング材の接着性試験は、同一種類のものであっても、製造所ごとに行った。

3 室内空気中に含まれるホルムアルデヒドの濃度測定は、パッシブサンプラを用いて行った。

4 アスファルト防水下地となるコンクリート面の乾燥状態の確認は、渦電流式測定計を用いて行った。

5 壁タイルの浮きの打音検査は、リバウンドハンマー（シュミットハンマー）を用いて行った。

問題番号〔No.61〕～〔No.72〕までの12問題のうちから、8問題を選択し、解答してください。
ただし、8問題を超えて解答した場合、減点となりますから注意してください。
問題は、四肢択一式です。正解と思う肢の番号を1つ選んでください。

No.61 用語の定義に関する記述として、「建築基準法」上、**誤っている**ものはどれか。

1 建築物の構造上重要でない間仕切壁の過半の模様替は、大規模の模様替である。

2 建築物の屋根は、主要構造部である。

3 観覧のための工作物は、建築物である。

4 百貨店の売場は、居室である。

No.62 建築確認等の手続きに関する記述として、「建築基準法」上、**誤っている**ものはどれか。

1 延べ面積が150 m²の一戸建ての住宅の用途を変更して旅館にしようとする場合、建築確認を受ける必要はない。

2 鉄骨造2階建て、延べ面積200 m²の建築物の新築工事において、特定行政庁の仮使用の承認を受けたときは、建築主は検査済証の交付を受ける前においても、仮に、当該建築物を使用することができる。

3 避難施設等に関する工事を含む建築物の完了検査を受けようとする建築主は、建築主事が検査の申請を受理した日から7日を経過したときは、検査済証の交付を受ける前であっても、仮に、当該建築物を使用することができる。（☆）

4 防火地域及び準防火地域内において、建築物を増築しようとする場合、その増築部分の床面積の合計が10 m²以内のときは、建築確認を受ける必要はない。

73

No.63 次の記述のうち、「建築基準法施行令」上、**誤っているもの**はどれか。

1 共同住宅の各戸の界壁を給水管が貫通する場合においては、当該管と界壁との隙間をモルタルその他の不燃材料で埋めなければならない。

2 劇場の客席は、主要構造部を耐火構造とした場合であっても、スプリンクラー設備等を設けなければ、1,500 m²以内ごとに区画しなければならない。（☆）

3 主要構造部を準耐火構造とした建築物で、3階以上の階に居室を有するものの昇降機の昇降路の部分とその他の部分は、原則として、準耐火構造の床若しくは壁又は防火設備で区画しなければならない。

4 換気設備のダクトが準耐火構造の防火区画を貫通する場合においては、火災により煙が発生した場合又は火災により温度が急激に上昇した場合に自動的に閉鎖する構造の防火ダンパーを設けなければならない。

No.64 建設業の許可に関する記述として、「建設業法」上、**誤っているもの**はどれか。

1 許可に係る建設業者は、営業所の所在地に変更があった場合、30日以内に、その旨の変更届出書を国土交通大臣又は都道府県知事に提出しなければならない。

2 建築工事業で一般建設業の許可を受けた者が、建築工事業の特定建設業の許可を受けたときは、その者に対する建築工事業に係る一般建設業の許可は、その効力を失う。

3 木造住宅を建設する工事を除く建築一式工事であって、工事1件の請負代金の額が4,500万円に満たない工事を請け負う場合は、建設業の許可を必要としない。

4 内装仕上工事など建築一式工事以外の工事を請け負う建設業者であっても、特定建設業者となることができる。

No.65 請負契約に関する記述として、「建設業法」上、**誤っているも**のはどれか。

1 注文者は、請負人に対して、建設工事の施工につき著しく不適当と認められる下請負人があるときは、あらかじめ注文者の書面等による承諾を得て選定した下請負人である場合を除き、その変更を請求することができる。

2 建設業者は、共同住宅を新築する建設工事を請け負った場合、いかなる方法をもってするかを問わず、一括して他人に請け負わせてはならない。

3 請負契約の当事者は、請負契約において、各当事者の履行の遅滞その他債務の不履行の場合における遅延利息、違約金その他の損害金に関する事項を書面に記載しなければならない。

4 請負人は、請負契約の履行に関し、工事現場に現場代理人を置く場合、注文者の承諾を得なければならない。

No.66 次の記述のうち、「建設業法」上、**誤っているもの**はどれか。

1 建設業者は、許可を受けた建設業に係る建設工事を請け負う場合においては、当該建設工事に附帯する他の建設業に係る建設工事を請け負うことができる。

2 特定建設業者は、発注者から建築一式工事を直接請け負った場合、当該工事に係る下請代金の総額が4,000万円以上のときは、施工体制台帳を作成しなければならない。

3 注文者は、前金払の定がなされた場合、工事1件の請負代金の総額が500万円以上のときは、建設業者に対して保証人を立てることを請求することができる。

4 特定専門工事の元請負人及び建設業者である下請負人は、その合意により、元請負人が置いた主任技術者が、その下請負に係る建設工事について主任技術者の行うべき職務を行うことができる場合、当該下請負人は主任技術者を置くことを要しない。

No.67 労働時間等に関する記述として、「労働基準法」上、**誤ってい**るものはどれか。

1 使用者は、削岩機の使用によって身体に著しい振動を与える業務については、1日について2時間を超えて労働時間を延長してはならない。

2 使用者は、災害その他避けることのできない事由によって、臨時の必要がある場合においては、行政官庁の許可を受けて、法令に定められた労働時間を延長して労働させることができる。

3 使用者は、労働者の合意がある場合、休憩時間中であっても留守番等の軽微な作業であれば命ずることができる。

4 使用者は、その雇入れの日から起算して6箇月間継続勤務し全労働日の8割以上出勤した労働者に対して、10労働日の有給休暇を与えなければならない。

No.68 建設業の事業場における安全衛生管理体制に関する記述として、「労働安全衛生法」上、**誤っているもの**はどれか。

1 事業者は、常時10人の労働者を使用する事業場では、安全衛生推進者を選任しなければならない。

2 事業者は、常時50人の労働者を使用する事業場では、産業医を選任しなければならない。

3 事業者は、統括安全衛生責任者を選任すべきときは、同時に安全衛生責任者を選任しなければならない。

4 事業者は、産業医から労働者の健康を確保するため必要があるとして勧告を受けたときは、衛生委員会又は安全衛生委員会に当該勧告の内容等を報告しなければならない。

No.69 建設現場における就業制限に関する記述として、「労働安全衛生法」上、**誤っているもの**はどれか。

1 不整地運搬車運転技能講習を修了した者は、最大積載量が1t以上の不整地運搬車の運転の業務に就くことができる。

2 移動式クレーン運転士免許を受けた者は、つり上げ荷重が5t未満の移動式クレーンの運転の業務に就くことができる。

3 フォークリフト運転技能講習を修了した者は、最大荷重が1t以上のフォークリフトの運転の業務に就くことができる。

4 クレーン・デリック運転士免許を受けた者は、つり上げ荷重が1t以上のクレーンの玉掛けの業務に就くことができる。

No.70 次の記述のうち、「廃棄物の処理及び清掃に関する法律」上、**誤っているもの**はどれか。
ただし、特別管理産業廃棄物を除くものとする。

1 事業者は、産業廃棄物の運搬又は処分を委託した場合、委託契約書及び環境省令で定める書面を、その契約の終了の日から5年間保存しなければならない。

2 事業者は、工事に伴って発生した産業廃棄物を自ら運搬する場合、管轄する都道府県知事の許可を受けなければならない。

3 多量排出事業者は、当該事業場に係る産業廃棄物の減量その他その処理に関する計画の実施の状況について、環境省令で定めるところにより、都道府県知事に報告しなければならない。

4 天日乾燥施設を除く汚泥の処理能力が1日当たり10 m³を超える乾燥処理施設を設置する場合、管轄する都道府県知事の許可を受けなければならない。

No.71 宅地造成工事規制区域内において行われる宅地造成工事に関する記述として、「宅地造成及び特定盛土等規制法（旧宅地造成等規制法）」上、**誤っているもの**はどれか。

　なお、指定都市又は中核市の区域内の土地については、都道府県知事はそれぞれ指定都市又は中核市の長をいう。

1　宅地造成に関する工事の許可を受けていなかったため、地表水等を排除するための排水施設の一部を除却する工事に着手する日の7日前に、その旨を都道府県知事に届け出た。

2　高さが2mの崖を生ずる盛土を行う際、崖の上端に続く地盤面には、その崖の反対方向に雨水その他の地表水が流れるように勾配を付けた。

3　宅地造成に伴う災害を防止するために崖面に設ける擁壁には、壁面の面積3㎡以内ごとに1個の水抜穴を設け、裏面の水抜穴周辺に砂利を用いて透水層を設けた。

4　切土又は盛土をする土地の面積が1,500㎡を超える土地における排水設備の設置については、政令で定める資格を有する者が設計した。

No.72 次の作業のうち、「振動規制法」上、特定建設作業に**該当しないもの**はどれか。

　ただし、作業は開始した日に終わらないものとし、作業地点が連続的に移動する作業ではないものとする。

1　油圧式くい抜機を使用する作業

2　もんけん及び圧入式を除くくい打機を使用する作業

3　鋼球を使用して建築物その他の工作物を破壊する作業

4　手持式を除くブレーカーを使用する作業

1級建築施工管理技術検定

令和4年度
第一次検定

試験時間に合わせて解いてみましょう！

■**試験内容** 建築学等、施工管理法、法規

■**試験形式** 四肢一択式（No.55～No.60は五肢二択式）

■**試験時間** 午前
試験時間 10：15～12：45

午後
試験時間 14：15～16：15

◆第一次検定結果データ◆

受検者数	27,253人
合格者数	12,755人
合格率	46.8%
合格基準	60問中36問以上正解 （応用能力：6問中4問以上正解）

P.243に解答用紙がありますので、コピーしてお使いください。
答え合わせに便利な正答一覧は別冊P.223にあります。

1級 建築施工管理技術検定

第一次検定問題（午前の部）

問題番号No.1～No.15までの15問題のうちから、12問題を選択し、解答してください。

No. 1 換気に関する記述として、**最も不適当なもの**はどれか。

1 必要換気量は、1時間当たりに必要な室内の空気を入れ替える量で表される。

2 温度差による自然換気は、冬期には中性帯より下部から外気が流入し、上部から流出する。

3 全熱交換器は、冷暖房を行う部屋で換気設備に用いると、換気による熱損失や熱取得を軽減できる。

4 室内の効率的な換気は、給気口から排気口に至る換気経路を短くするほうがよい。

No. 2 伝熱に関する記述として、**最も不適当なもの**はどれか。

1 熱放射は、電磁波による熱の移動現象で、真空中においても生じる。

2 壁体の含湿率が増加すると、その壁体の熱伝導率は小さくなる。

3 壁体の熱伝達抵抗と熱伝導抵抗の和の逆数を、熱貫流率という。

4 物質の単位体積当たりの熱容量を、容積比熱という。

No. 3 音に関する記述として、**最も不適当なもの**はどれか。

1 音波は、媒質粒子の振動方向と波の伝搬方向が等しい縦波である。

2　音速は、気温が高くなるほど速くなる。

3　音波が障害物の背後に回り込む現象を回折といい、低い周波数よりも高い周波数の音のほうが回折しやすい。

4　ある音が別の音によって聞き取りにくくなるマスキング効果は、両者の周波数が近いほどその影響が大きい。

No. 4 鉄筋コンクリート造の建築物の構造計画に関する記述として、**最も不適当なもの**はどれか。

1　ねじれ剛性は、耐震壁等の耐震要素を、平面上の中心部に配置するよりも外側に均一に配置したほうが高まる。

2　壁に換気口等の小開口がある場合でも、その壁を耐震壁として扱うことができる。

3　平面形状が極めて長い建築物には、コンクリートの乾燥収縮や不同沈下等による問題が生じやすいため、エキスパンションジョイントを設ける。

4　柱は、地震時の脆性破壊の危険を避けるため、軸方向圧縮応力度が大きくなるようにする。

No. 5 木質構造に関する記述として、**最も不適当なもの**はどれか。

1　同一の接合部にボルトと釘を併用する場合の許容耐力は、両者を加算することができる。

2　2階建ての建築物における隅柱は、接合部を通し柱と同等以上の耐力を有するように補強した場合、通し柱としなくてもよい。

3　燃えしろ設計は、木質材料の断面から所定の燃えしろ寸法を除いた断面に、長期荷重により生じる応力度が、短期の許容応力度を超えないことを検証するものである。

4　直交集成板（CLT）の弾性係数、基準強度は、強軸方向であっても、一般的な製材、集成材等の繊維方向の値と比べて小さくなっている。

No. 6 鉄骨構造に関する記述として、**最も不適当なもの**はどれか。

1 梁の材質をSN 400 AからSN 490 Bに変えても、部材断面と荷重条件が同一ならば、構造計算上、梁のたわみは同一である。

2 節点の水平移動が拘束されているラーメン構造では、柱の座屈長さは、設計上、節点間の距離に等しくとることができる。

3 トラス構造の節点は、構造計算上、すべてピン接合として扱う。

4 柱脚に高い回転拘束力をもたせるためには、根巻き形式ではなく露出形式とする。

No. 7 地盤及び基礎構造に関する記述として、**最も不適当なもの**はどれか。

1 圧密沈下の許容値は、独立基礎のほうがべた基礎に比べて大きい。

2 粘性土地盤の圧密沈下は、地中の応力の増加により長時間かかって土中の水が絞り出され、間隙が減少するために生じる。

3 直接基礎の滑動抵抗は、基礎底面の摩擦抵抗が主体となるが、基礎の根入れを深くすることで基礎側面の受動土圧も期待できる。

4 地盤の液状化は、地下水面下の緩い砂地盤が地震時に繰り返しせん断を受けることにより間隙水圧が上昇し、水中に砂粒子が浮遊状態となる現象である。

No. 8 建築物に作用する荷重及び外力に関する記述として、**最も不適当なもの**はどれか。

1 風圧力を求めるために用いる風力係数は、建築物の外圧係数と内圧係数の積により算出する。

2 雪下ろしを行う慣習のある地方において、垂直積雪量が1mを超える場合、積雪荷重は、雪下ろしの実況に応じ垂直積雪量を1mまで減らして計算することができる。

3 劇場、映画館等の客席の単位床面積当たりの積載荷重は、実況に応じて計算しない場合、固定席のほうが固定されていない場合より小さくすることができる。

4 速度圧の計算に用いる基準風速は、原則として、その地方の再現期間50年の10分間平均風速値に相当する。

No. 9 図に示す３ヒンジラーメン架構のAD間及びDC間に集中荷重が同時に作用するとき、支点Bに生じる水平反力H_B、鉛直反力V_Bの値の大きさの組合せとして、**正しいもの**はどれか。

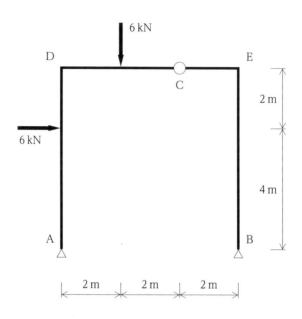

1 $H_B = 2kN$、$V_B = 6kN$

2 $H_B = 3kN$、$V_B = 9kN$

3 $H_B = 4kN$、$V_B = 12kN$

4 $H_B = 5kN$、$V_B = 15kN$

図に示す単純梁ABのCD間に等分布荷重wが、点Eに集中荷重Pが同時に作用するときの曲げモーメント図として、**正しい**ものはどれか。

ただし、曲げモーメントは、材の引張側に描くものとする。

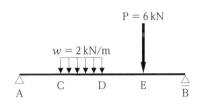

P = 6 kN

w = 2 kN/m

A　　C　　D　　E　　B

| 2 m | 2 m | 2 m | 2 m |

1

2

3

4

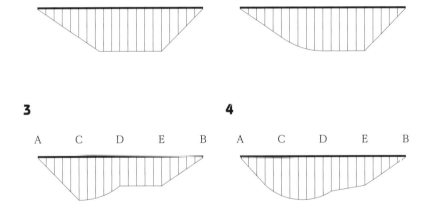

No.11 鋼材に関する一般的な記述として、**最も不適当なもの**はどれか。

1 ある特定の温度以上まで加熱した後、急冷する焼入れ処理により、鋼は硬くなり、強度が増加する。

2 鋼は、炭素量が多くなると、引張強さは増加し、靱性は低下する。

3 SN 490 BやSN 490 Cは、炭素当量等の上限を規定して溶接性を改善した鋼材である。

4 低降伏点鋼は、モリブデン等の元素を添加することで、強度を低くし延性を高めた鋼材である。

No.12 左官材料に関する記述として、**最も不適当なもの**はどれか。

1 しっくいは、消石灰を主たる結合材料とした気硬性を有する材料である。

2 せっこうプラスターは、水硬性であり、主に多湿で通気不良の場所の仕上げで使用される。

3 セルフレベリング材は、せっこう組成物やセメント組成物に骨材や流動化剤等を添加した材料である。

4 ドロマイトプラスターは、保水性が良いため、こて塗りがしやすく作業性に優れる。

No.13 建築用板ガラスに関する記述として、**最も不適当なもの**はどれか。

1 フロート板ガラスは、溶融した金属の上に浮かべて製板する透明、かつ、平滑なガラスである。

2 複層ガラスは、複数枚の板ガラスの間に間隙を設け、大気圧に近い圧力の乾燥気体を満たし、その周辺を密閉したもので、断熱効果のあるガラスである。

3 熱線吸収板ガラスは、板ガラスの表面に金属皮膜を形成したもので、冷房負荷の軽減の効果が高いガラスである。

4 倍強度ガラスは、フロート板ガラスを軟化点まで加熱後、両表面から空気を吹き付けて冷却加工するなどにより、強度を約2倍に高めたガラスである。

No.14 建築用シーリング材に関する記述として、**最も不適当なもの**はどれか。

1 シーリング材のクラスは、目地幅に対する拡大率及び縮小率で区分が設定されている。

2 1成分形シーリング材の硬化機構には、湿気硬化、乾燥硬化及び非硬化がある。

3 2面接着とは、シーリング材が相対する2面で被着体と接着している状態をいう。

4 2成分形シーリング材は、基剤と着色剤の2成分を施工直前に練り混ぜて使用するシーリング材である。

No.15 内装材料に関する記述として、**最も不適当なもの**はどれか。

1 コンポジションビニル床タイルは、単層ビニル床タイルよりバインダー含有率を高くした床タイルである。

2 段通は、製造法による分類では、織りカーペットの手織りに分類される。

3 ロックウール化粧吸音板は、ロックウールのウールを主材料とし、結合材、混和材を用いて成形し、表面化粧をしたものである。

4 強化せっこうボードは、せっこうボードの芯に無機質繊維等を混入したもので、性能項目として耐衝撃性や耐火炎性等が規定されている。

No.16 構内アスファルト舗装に関する記述として、**最も不適当なもの**はどれか。

1 設計CBRは、路床の支持力を表す指標であり、修正CBRは、路盤材料の品質を表す指標である。

2 盛土をして路床とする場合は、一層の仕上り厚さ300 mm程度ごとに締め固めながら、所定の高さに仕上げる。

3 アスファルト混合物の締固め作業は、一般に継目転圧、初転圧、二次転圧、仕上げ転圧の順に行う。

4 初転圧は、ヘアクラックの生じない限りできるだけ高い温度とし、その転圧温度は、一般に110～140℃の間で行う。

No.17 避雷設備に関する記述として、**最も不適当なもの**はどれか。

1 受雷部は、保護しようとする建築物の種類、重要度等に対応した4段階の保護レベルに応じて配置する。

2 避雷設備は、建築物の高さが20 mを超える部分を雷撃から保護するように設けなければならない。

3 危険物を貯蔵する倉庫は、危険物の貯蔵量や建築物の高さにかかわらず、避雷設備を設けなければならない。

4 鉄骨造の鉄骨躯体は、構造体利用の引下げ導線の構成部材として利用することができる。

No.18 空気調和設備に関する記述として、**最も不適当なもの**はどれか。

1 空気調和機は、一般にエアフィルタ、空気冷却器、空気加熱器、加湿器、送風機等で構成される装置である。

2 冷却塔は、温度上昇した冷却水を、空気と直接接触させて気化熱により冷却する装置である。

3 二重ダクト方式は、2系統のダクトで送られた温風と冷風を、混合ユニットにより熱負荷に応じて混合量を調整して吹き出す方式である。

4 単一ダクト方式におけるCAV方式は、負荷変動に対して風量を変える方式である。

No.19 消火設備に関する記述として、**最も不適当なもの**はどれか。

1 屋内消火栓設備は、建物の内部に設置し、人がノズルを手に持ち、火点に向けてノズルより注水を行い、冷却作用により消火するものである。

2 閉鎖型ヘッドを用いる湿式スプリンクラー消火設備は、火災による煙を感知したスプリンクラーヘッドが自動的に開き、散水して消火するものである。

3 不活性ガス消火設備は、二酸化炭素等の消火剤を放出することにより、酸素濃度の希釈作用や気化するときの熱吸収による冷却作用により消火するものである。

4 水噴霧消火設備は、噴霧ヘッドから微細な霧状の水を噴霧することにより、冷却作用と窒息作用により消火するものである。

No.20 積算に関する次の工事費の構成において、□□□ に当てはまる語句の組合せとして、「公共建築工事積算基準（国土交通省制定）」上、**正しいもの**はどれか。

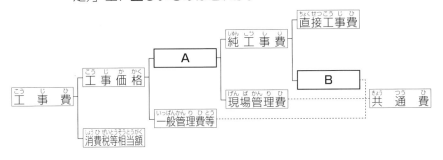

1	A.	工事原価	B.	共通仮設費
2	A.	工事原価	B.	直接仮設費
3	A.	現場工事費	B.	共通仮設費
4	A.	現場工事費	B.	直接仮設費

問題番号No.21〜No.30までの10問題のうちから、7問題を選択し、解答してください。

No.21 乗入れ構台の計画に関する記述として、**最も不適当なもの**はどれか。

1 乗入れ構台の支柱と山留めの切梁支柱は、荷重に対する安全性を確認した上で兼用した。

2 道路から乗入れ構台までの乗込みスロープは、勾配を$\frac{1}{8}$とした。

3 乗入れ構台の支柱の位置は、使用する施工機械や車両の配置によって決めた。

4 乗入れ構台の幅は、車両の通行を2車線とするため、7mとした。

No.22 土工事に関する記述として、**最も不適当なもの**はどれか。

1 根切り底面下に被圧帯水層があり、盤ぶくれの発生が予測されたため、ディープウェル工法で地下水位を低下させた。

2 法付けオープンカットの法面保護をモルタル吹付けで行うため、水抜き孔を設けた。

3 粘性土地盤を法付けオープンカット工法で掘削するため、円弧すべりに対する安定を検討した。

4 ヒービングの発生が予測されたため、ウェルポイントで掘削場内外の地下水位を低下させた。

No.23 山留め工事の管理に関する記述として、**最も不適当なもの**はどれか。

1 傾斜計を用いて山留め壁の変形を計測する場合には、山留め壁下端の変位量に注意する。

2 山留め壁周辺の地盤の沈下を計測するための基準点は、工事の影響を受けない付近の構造物に設置する。

3 山留め壁は、変形の管理基準値を定め、その計測値が管理基準値に近づいた場合の具体的な措置をあらかじめ計画する。

4 盤圧計は、切梁と火打材との交点付近を避け、切梁の中央部に設置する。

No.24 場所打ちコンクリート杭地業に関する記述として、**最も不適当なもの**はどれか。

1 コンクリートの打込みにおいて、トレミー管のコンクリート中への挿入長さが長すぎると、コンクリートの流出が悪くなるため、最長でも9m程度とした。

2 アースドリル工法における鉄筋かごのスペーサーは、孔壁を損傷させないよう、平鋼を加工したものを用いた。

3 オールケーシング工法における孔底処理は、孔内水がない場合やわずかな場合にはハンマーグラブにより掘りくずを除去した。

4 リバース工法における孔内水位は、地下水位より1m程度高く保った。

No.25 鉄筋のガス圧接に関する記述として、**最も不適当なもの**はどれか。
ただし、鉄筋は、SD 345のD 29とする。

1 隣り合うガス圧接継手の位置は、300 mm程度ずらした。

2 圧接部のふくらみの長さは、鉄筋径の1.1倍以上とした。

3 柱主筋のガス圧接継手位置は、梁上端から500 mm以上、1,500 mm以下、かつ、柱の内法高さの$\frac{3}{4}$以下とした。

4 鉄筋の中心軸の偏心量は、5 mm以下とした。

No.26 コンクリートの調合に関する記述として、**最も不適当なもの**はどれか。

1 普通コンクリートに再生骨材Hを用いる場合の水セメント比の最大値は、60%とする。

2 コンクリートの調合強度を定める際に使用するコンクリートの圧縮強度の標準偏差は、コンクリート工場に実績がない場合、1.5 N/mm²とする。

3 単位水量は、185 kg/m³以下とし、コンクリートの品質が得られる範囲内で、できるだけ小さくする。

4 高強度コンクリートに含まれる塩化物量は、塩化物イオン量として0.30 kg/m³以下とする。

No.27 高力ボルト接合に関する記述として、**最も不適当なもの**はどれか。

1 締付け後の高力ボルトの余長は、ねじ1山から6山までの範囲であることを確認した。

2 ねじの呼びがM22のトルシア形高力ボルトの長さは、締付け長さに35 mmを加えた値を標準とした。

3 高力ボルトの接合部で肌すきが1 mmを超えたため、フィラープレートを入れた。

4 ナット回転法による締付け完了後の検査は、1次締付け後の本締めによるナット回転量が120°±45°の範囲にあるものを合格とした。

No.28 大空間鉄骨架構の建方に関する記述として、**最も不適当なもの**はどれか。

1 リフトアップ工法は、地組みした所定の大きさのブロックをクレーン等で吊り上げて架構を構築する工法である。

2 総足場工法は、必要な高さまで足場を組み立てて、作業用の構台を全域にわたり設置し、架構を構築する工法である。

3 移動構台工法は、移動構台上で所定の部分の屋根鉄骨を組み立てた

後、構台を移動させ、順次架構を構築する工法である。

4　スライド工法は、作業構台上で所定の部分の屋根鉄骨を組み立てた後、そのユニットを所定位置まで順次滑動横引きしていき、最終的に架構全体を構築する工法である。

No.29 木質軸組構法に関する記述として、**最も不適当なもの**はどれか。

1　1階及び2階の上下同位置に構造用面材の耐力壁を設けるため、胴差部において、構造用面材相互間に、6 mmのあきを設けた。

2　接合に用いるラグスクリューは、先孔にスパナを用いて回しながら締め付けた。

3　接合金物のボルトの締付けは、座金が木材へ軽くめり込む程度とし、工事中、木材の乾燥収縮により緩んだナットは締め直した。

4　集成材にあけるボルト孔の間隔は、許容誤差を±5 mmとした。

No.30 揚重運搬機械に関する記述として、**最も不適当なもの**はどれか。

1　建設用リフトは、土木、建築等の工事の作業で使用されるエレベーターで、人及び荷を運搬する。

2　タワークレーンのブーム等、高さが地表から60 m以上となる場合、原則として、航空障害灯を設置する。

3　移動式クレーンは、旋回範囲内に6,600 Vの配電線がある場合、配電線から安全距離を2 m以上確保する。

4　ロングスパン工事用エレベーターは、安全上支障がない場合、搬器の昇降を知らせるための警報装置を備えないことができる。

問題番号No.31～No.39までの9問題のうちから、7問題を選択し、解答してください。

No.31 合成高分子系ルーフィング防水に関する記述として、**最も不適当なもの**はどれか。

1 加硫ゴム系シート防水の接着工法において、平場部の接合部のシートの重ね幅は100 mm以上とし、立上り部と平場部との重ね幅は150 mm以上とした。

2 加硫ゴム系シート防水の接着工法において、出隅角の処理は、シートの張付け前に加硫ゴム系シートで増張りを行った。

3 塩化ビニル樹脂系シート防水の接着工法において、下地がALCパネルのため、プライマーを塗布した。

4 エチレン酢酸ビニル樹脂系シート防水の密着工法において、接合部のシートの重ね幅は、幅方向、長手方向とも100 mm以上とした。

No.32 シーリング工事に関する記述として、**最も不適当なもの**はどれか。

1 外壁ALCパネル張りに取り付けるアルミニウム製建具の周囲の目地シーリングは、3面接着とした。

2 先打ちしたポリウレタン系シーリング材に、ポリサルファイド系シーリング材を打ち継いだ。

3 シーリング材の打継ぎ箇所は、目地の交差部及びコーナー部を避け、そぎ継ぎとした。

4 コンクリートの水平打継ぎ目地のシーリングは、2成分形変成シリコーン系シーリング材を用いた。

No.33 セメントモルタルによる壁タイル後張り工法に関する記述として、**最も不適当なもの**はどれか。

1 密着張りの張付けモルタルは2度塗りとし、タイルは、上から下に1段置きに数段張り付けた後、それらの間のタイルを張った。

2 モザイクタイル張りの張付けモルタルは2度塗りとし、1層目はこて圧をかけて塗り付けた。

3 改良積上げ張りの張付けモルタルは、下地モルタル面に塗り厚4mmで塗り付けた。

4 改良圧着張りの下地面への張付けモルタルは2度塗りとし、その合計の塗り厚を5mmとした。

No.34 心木なし瓦棒葺に関する記述として、**最も不適当なもの**はどれか。

1 水上部分と壁との取合い部に設ける雨押えは、壁際立上りを45mmとした。

2 通し吊子の鉄骨母屋への取付けは、平座金を付けたドリルねじで、下葺材、野地板を貫通させ母屋に固定した。

3 棟部の納めは、溝板の水上端部に八千代折とした水返しを設け、棟包みを取り付けた。

4 けらば部の溝板の幅は、瓦棒の働き幅の$\frac{1}{2}$以下とした。

No.35 防水形合成樹脂エマルション系複層仕上塗材（防水形複層塗材E）仕上げに関する記述として、**最も不適当なもの**はどれか。

1 上塗材は、0.3kg/m²を2回塗りとした。

2 主材の基層塗りは、1.7kg/m²を2回塗りとした。

3 出隅、入隅、目地部、開口部まわり等に行う増塗りは、主材塗りの後に行った。

4 主材の凹凸状の模様塗りは、見本と同様になるように、吹付け工法により行った。

No.36 アルミニウム製建具に関する記述として、**最も不適当なもの**はどれか。

1 連窓の取付けは、ピアノ線を張って基準とし、取付け精度を2 mm以内とした。

2 建具枠に付くアンカーは、両端から逃げた位置にあるアンカーから、間隔を500 mm以下で取り付けた。

3 外部建具周囲の充填モルタルは、NaCl換算0.04%（質量比）以下まで除塩した海砂を使用した。

4 水切り及び膳板は、アルミニウム板を折曲げ加工するため、厚さを1.2 mmとした。

No.37 合成樹脂塗床に関する記述として、**最も不適当なもの**はどれか。

1 薬品を使用する実験室の塗床は、平滑な仕上げとするため、流し展べ工法とした。

2 合成樹脂を配合したパテ材や樹脂モルタルでの下地調整は、プライマーの乾燥後に行った。

3 エポキシ樹脂系コーティング工法のベースコートは、コーティング材を木ごてで塗り付けた。

4 エポキシ樹脂系モルタル塗床の防滑仕上げは、トップコート1層目の塗布と同時に骨材を散布した。

No.38 壁のせっこうボード張りに関する記述として、**最も不適当なもの**はどれか。

1 テーパーエッジボードの突付けジョイント部の目地処理における上塗りは、ジョイントコンパウンドを幅200～250 mm程度に塗り広げて平滑にした。

2 せっこう系接着材による直張り工法において、ボード中央部の接着材を塗り付ける間隔は、床上1,200 mm以下の部分より、床上1,200 mmを超える部分を小さくした。

3 せっこう系接着材による直張り工法において、躯体から仕上がり面までの寸法は、厚さ9.5 mmのボードで20 mm程度、厚さ12.5 mmのボードで25 mm程度とした。

4 ボードの下端部は、床面からの水分の吸上げを防ぐため、床面から10 mm程度浮かして張り付けた。

No.39 外壁の押出成形セメント板（ECP）張りに関する記述として、**最も不適当なもの**はどれか。

1 縦張り工法のパネルは、層間変形に対してロッキングにより追従するため、縦目地を15 mm、横目地を8 mmとした。

2 二次的な漏水対策として、室内側にはガスケット、パネル張り最下部には水抜きパイプを設置した。

3 幅600 mmのパネルへの欠込みは、欠込み幅を300 mm以下とした。

4 横張り工法のパネル取付け金物（Zクリップ）は、パネルがスライドできるようにし、パネル左右の下地鋼材に堅固に取り付けた。

問題番号No.40～No.44までの5問題は、全問題を解答してください。

No.40 仮設計画に関する記述として、**最も不適当なもの**はどれか。

1 仮設の照明設備において、常時就業させる場所の作業面の照度は、普通の作業の場合、100ルクス以上とする計画とした。

2 傾斜地に設置する仮囲いの下端の隙間を塞ぐため、土台コンクリートを設ける計画とした。

3 前面道路に設置する仮囲いは、道路面を傷めないようにするため、ベースをH形鋼とする計画とした。

4 同時に就業する女性労働者が25人見込まれたため、女性用便房を2個設置する計画とした。

No.41 仮設設備の計画に関する記述として、**最も不適当なもの**はどれか。

1 工事用の動力負荷は、工程表に基づいた電力量山積みの50%を実負荷とする計画とした。

2 工事用の給水設備において、水道本管からの供給水量の増減に対する調整のため、2時間分の使用水量を確保できる貯水槽を設置する計画とした。

3 アースドリル工法による掘削に使用する水量は、1台当たり 10 m³/h として計画した。

4 工事用電気設備のケーブルを直接埋設するため、その深さを、車両その他の重量物の圧力を受けるおそれがある場所を除き 60 cm 以上とし、埋設表示する計画とした。

No.42 施工計画に関する記述として、**最も不適当なもの**はどれか。

1 コンクリート躯体工事において、現場作業の削減と能率向上により工期短縮が図れるプレキャストコンクリート部材を使用する計画とした。

2 大規模、大深度の工事において、工期短縮のため、地下躯体工事と並行して上部躯体を施工する逆打ち工法とする計画とした。

3 鉄骨工事において、施工中の粉塵の飛散をなくし、被覆厚さの管理を容易にするため、耐火被覆をロックウール吹付け工法とする計画とした。

4 既製杭工事のプレボーリング埋込み工法において、支持層への到達の確認方法として、掘削抵抗電流値と掘削時間を積算した積分電流値を用いる計画とした。

No.43 建設業者が作成する建設工事の記録に関する記述として、**最も不適当なもの**はどれか。

1 過去の不具合事例等を調べ、あとに問題を残しそうな施工や材料については、集中的に記録を残すこととした。

2 デジタルカメラによる工事写真は、黒板の文字や撮影対象が確認できる範囲で有効画素数を設定して記録することとした。

3 既製コンクリート杭工事の施工サイクルタイム記録、電流計や根固め液等の記録は、発注者から直接工事を請け負った建設業者が保存する期間を定め、当該期間保存することとした。

4 設計図書に示された品質が証明されていない材料については、現場内への搬入後に行った試験の記録を保存することとした。

No.44 建築工事における工期と費用に関する一般的な記述として、**最も不適当なもの**はどれか。

1 直接費が最小となるときに要する工期を、ノーマルタイム（標準時間）という。

2 工期を短縮すると、間接費は増加する。

3 どんなに直接費を投入しても、ある限度以上には短縮できない工期を、クラッシュタイム（特急時間）という。

4 総工事費は、工期を最適な工期より短縮しても、延長しても増加する。

第一次検定問題（午後の部）

問題番号No.45～No.54までの10問題は、全問題を解答してください。

No.45 工程計画及び工程表に関する記述として、**最も不適当なもの**はどれか。

1 工程計画には、大別して積上方式と割付方式とがあり、工期が制約されている場合は、割付方式で検討することが多い。

2 工程計画において、山均しは、作業員、施工機械、資機材等の投入量の均等化を図る場合に用いる。

3 工程表は、休日や天候を考慮した実質的な作業可能日数を暦日換算した日数を用いて作成する。

4 基本工程表は、工事の特定の部分や職種を取り出し、それにかかわる作業、順序関係、日程等を示したものである。

No.46 タクト手法に関する記述として、**最も不適当なもの**はどれか。

1 作業を繰り返し行うことによる習熟効果によって生産性が向上するため、工事途中でのタクト期間の短縮や作業者の人数の削減を検討する。

2 設定したタクト期間では終わることができない一部の作業については、当該作業の作業期間をタクト期間の整数倍に設定しておく。

3 各作業は独立して行われるため、1つの作業に遅れがあってもタクトを構成する工程全体への影響は小さい。

4 一連の作業は同一の日程で行われ、次の工区へ移動することになるため、各工程は切れ目なく実施できる。

No.47 品質管理に関する記述として、**最も適当なもの**はどれか。

1 品質管理は、品質計画の目標のレベルにかかわらず、緻密な管理を行う。

2 品質の目標値を大幅に上回る品質が確保されていれば、優れた品質

100

管理といえる。

3　品質確保のための作業標準を作成し、作業標準どおり行われているか管理を行う。

4　品質管理は、計画段階より施工段階で検討するほうが、より効果的である。

No.48 鉄筋コンクリート工事における試験及び検査に関する記述として、最も不適当なものはどれか。

1　スランプ 18 cm のコンクリートの荷卸し地点におけるスランプの許容差は、±2.5 cm とした。

2　鉄筋圧接部における超音波探傷試験による抜取検査で不合格となったロットについては、試験されていない残り全数に対して超音波探傷試験を行った。

3　鉄筋圧接部における鉄筋中心軸の偏心量が規定値を超えたため、再加熱し加圧して偏心を修正した。

4　空気量 4.5% のコンクリートの荷卸し地点における空気量の許容差は、±1.5% とした。

No.49 鉄筋コンクリート造建築物の解体工事における振動対策及び騒音対策に関する記述として、最も不適当なものはどれか。

1　壁等を転倒解体する際の振動対策として、先行した解体作業で発生したガラを床部分に敷き、クッション材として利用した。

2　振動レベルの測定器の指示値が周期的に変動したため、変動ごとの指示値の最大値と最小値の平均を求め、そのなかの最大の値を振動レベルとした。

3　振動ピックアップの設置場所は、緩衝物がなく、かつ、十分踏み固めた堅い場所に設定した。

4　周辺環境保全に配慮し、振動や騒音が抑えられるコンクリートカッターを用いる切断工法を採用した。

No.50 労働災害に関する記述として、**最も不適当なもの**はどれか。

1 労働災害における労働者とは、事業又は事務所に使用される者で、賃金を支払われる者をいう。

2 労働災害の重さの程度を示す強度率は、1,000延労働時間当たりの労働損失日数の割合で表す。

3 労働災害における重大災害とは、一時に3名以上の労働者が業務上死傷又は罹病した災害をいう。

4 労働災害には、労働者の災害だけでなく、物的災害も含まれる。

No.51 市街地の建築工事における公衆災害防止対策に関する記述として、**最も不適当なもの**はどれか。

1 鉄筋コンクリート造建築物の解体工事において、防音と落下物防護のため、足場の外側面に防音シートを設置した。

2 建築工事を行う部分の高さが地盤面から20 mのため、防護棚を2段設置した。

3 外部足場に設置した防護棚の敷板は、厚さ1.6 mmの鉄板を用い、敷板どうしの隙間は3 cm以下とした。

4 地盤アンカーの施工において、アンカーの先端が敷地境界の外に出るため、当該敷地所有者の許可を得た。

No.52 作業主任者の職務として、「労働安全衛生規則」上、**定められていないもの**はどれか。

1 型枠支保工の組立て等作業主任者は、作業中、要求性能墜落制止用器具等及び保護帽の使用状況を監視すること。

2 建築物等の鉄骨の組立て等作業主任者は、作業の方法及び順序を作業計画として定めること。

3 地山の掘削作業主任者は、作業の方法を決定し、作業を直接指揮すること。

4 土止め支保工作業主任者は、材料の欠点の有無並びに器具及び工具

を点検し、不良品を取り除くこと。

No.53 事業者の講ずべき措置に関する記述として、「労働安全衛生規則」上、**誤っているもの**はどれか。

1 強風、大雨、大雪等の悪天候のため危険が予想されるとき、労働者を作業に従事させてはならないのは、作業箇所の高さが3m以上の場合である。

2 安全に昇降できる設備を設けなければならないのは、原則として、高さ又は深さが1.5mをこえる箇所で作業を行う場合である。

3 自動溶接を除くアーク溶接の作業に使用する溶接棒等のホルダーについて、感電の危険を防止するため必要な絶縁効力及び耐熱性を有するものでなければ、使用させてはならない。

4 明り掘削の作業において、掘削機械の使用によるガス導管、地中電線路等地下工作物の損壊により労働者に危険を及ぼすおそれがあるときは、掘削機械を使用させてはならない。

No.54 酸素欠乏危険作業に労働者を従事させるときの事業者の責務に関する記述として、「酸素欠乏症等防止規則」上、**誤っているもの**はどれか。

1 酸素欠乏危険作業については、衛生管理者を選任しなければならない。

2 酸素欠乏危険場所で空気中の酸素の濃度測定を行ったときは、その記録を3年間保存しなければならない。

3 酸素欠乏危険場所では、原則として、空気中の酸素の濃度を18%以上に保つように換気しなければならない。

4 酸素欠乏危険場所では、空気中の酸素の濃度測定を行うため必要な測定器具を備え、又は容易に利用できるような措置を講じておかなければならない。

問題番号No.55～No.60までの6問題は応用能力問題です。全問題を解答してください。

No.55 工事現場における材料の保管に関する記述として、**不適当なもの**を2つ選べ。

1　車輪付き裸台で運搬してきた板ガラスは、屋内の床に、ゴム板を敷いて平置きで保管した。

2　ロール状に巻いたカーペットは、屋内の乾燥した平坦な場所に、2段の俵積みで保管した。

3　高力ボルトは、工事現場受入れ時に包装を開封し、乾燥した場所に、使用する順序に従って整理して保管した。

4　防水用の袋入りアスファルトは、積重ねを10段以下にし、荷崩れに注意して保管した。

5　プレキャストコンクリートの床部材は平置きとし、上下の台木が鉛直線上に同位置になるように積み重ねて保管した。

No.56 型枠工事に関する記述として、**不適当なもの**を2つ選べ。

1　支保工以外の材料の許容応力度は、長期許容応力度と短期許容応力度の平均値とした。

2　コンクリート打込み時に型枠に作用する鉛直荷重は、コンクリートと型枠による固定荷重とした。

3　支柱を立てる場所が沈下するおそれがなかったため、脚部の固定と根がらみの取付けは行わなかった。

4　型枠の組立ては、下部のコンクリートが有害な影響を受けない材齢に達してから開始した。

5　柱型枠の組立て時に足元を桟木で固定し、型枠の精度を保持した。

104

No.57 コンクリートの養生に関する記述として、**不適当なものを2つ選べ。**

ただし、計画供用期間の級は標準とする。

1　打込み後のコンクリートが透水性の小さいせき板で保護されている場合は、湿潤養生と考えてもよい。

2　コンクリートの圧縮強度による場合、柱のせき板の最小存置期間は、圧縮強度が3 N/mm²に達するまでとする。

3　普通ポルトランドセメントを用いた厚さ18 cm以上のコンクリート部材においては、コンクリートの圧縮強度が10 N/mm²以上になれば、以降の湿潤養生を打ち切ることができる。

4　コンクリート温度が2℃を下回らないように養生しなければならない期間は、コンクリート打込み後2日間である。

5　打込み後のコンクリート面が露出している部分に散水や水密シートによる被覆を行うことは、初期養生として有効である。

No.58 軽量鉄骨壁下地に関する記述として、**不適当なものを2つ選べ。**

1　スタッドは、上部ランナーの上端とスタッド天端との隙間が15 mmとなるように切断した。

2　ランナーは、両端部を端部から50 mm内側で固定し、中間部を900 mm間隔で固定した。

3　振れ止めは、床ランナーから1,200 mm間隔で、スタッドに引き通し、固定した。

4　スペーサーは、スタッドの端部を押さえ、間隔600 mm程度に留め付けた。

5　区分記号65形のスタッド材を使用した袖壁端部の補強材は、垂直方向の長さが4.0 mを超えたため、スタッド材を2本抱き合わせて溶接したものを用いた。

No.59 コンクリート素地面の塗装工事に関する記述として、**不適当な**ものを2つ選べ。

1 アクリル樹脂系非水分散形塗料塗りにおいて、気温が20℃であったため、中塗りの工程間隔時間を2時間とした。

2 常温乾燥形ふっ素樹脂エナメル塗りにおいて、塗料を素地に浸透させるため、下塗りはローラーブラシ塗りとした。

3 2液形ポリウレタンエナメル塗りにおいて、塗料は所定の可使時間内に使い終える量を調合して使用した。

4 合成樹脂エマルションペイント塗りにおいて、流動性を上げるため、有機溶剤で希釈して使用した。

5 つや有り合成樹脂エマルションペイント塗りにおいて、塗装場所の気温が5℃以下となるおそれがあったため、施工を中止した。

No.60 鉄筋コンクリート造建築物の小口タイル張り外壁面の調査方法と改修工法に関する記述として、**不適当なものを2つ選べ**。

1 打診法は、打診用ハンマー等を用いてタイル張り壁面を打撃して、反発音の違いから浮きの有無を調査する方法である。

2 赤外線装置法は、タイル張り壁面の内部温度を赤外線装置で測定し、浮き部と接着部における熱伝導の違いにより浮きの有無を調査する方法で、天候や時刻の影響を受けない。

3 タイル陶片のひび割れ幅が0.2 mm以上であったが、外壁に漏水や浮きが見られなかったため、当該タイルを斫って除去し、外装タイル張り用有機系接着剤によるタイル部分張替え工法で改修した。

4 外壁に漏水や浮きが見られなかったが、目地部に生じたひび割れ幅が0.2 mm以上で一部目地の欠損が見られたため、不良目地部を斫って除去し、既製調合目地材による目地ひび割れ改修工法で改修した。

5 構造体コンクリートとモルタル間の浮き面積が1箇所当たり0.2 m²程度、浮き代が1.0 mm未満であったため、アンカーピンニング全面セメントスラリー注入工法で改修した。

問題番号No.61〜No.72までの12問題のうちから、8問題を選択し、解答してください。

No.61 次の記述のうち、「建築基準法」上、**誤っているもの**はどれか。

1 鉄筋コンクリート造3階建ての共同住宅においては、2階の床及びこれを支持する梁に鉄筋を配置する特定工程に係る工事を終えたときは、中間検査の申請をしなければならない。

2 木造3階建ての戸建て住宅を、大規模の修繕をしようとする場合においては、確認済証の交付を受けなければならない。

3 確認済証の交付を受けた建築物の完了検査を受けようとする建築主は、工事が完了した日から5日以内に、建築主事に到達するように検査の申請をしなければならない。（☆）

4 床面積の合計が10 m²を超える建築物を除却しようとする場合においては、原則として、当該除却工事の施工者は、建築主事を経由して、その旨を都道府県知事に届け出なければならない。（☆）

No.62 次の記述のうち、「建築基準法」上、**誤っているもの**はどれか。

1 建築監視員は、建築物の工事施工者に対して、当該工事の施工の状況に関する報告を求めることができる。

2 建築主事は、建築基準法令の規定に違反した建築物に関する工事の請負人に対して、当該工事の施工の停止を命じることができる。

3 建築物の所有者、管理者又は占有者は、その建築物の敷地、構造及び建築設備を常時適法な状態に維持するよう努めなければならない。

4 特定行政庁が指定する建築物の所有者又は管理者は、建築物の敷地、構造及び建築設備について、定期に、建築物調査員にその状況の調査をさせて、その結果を特定行政庁に報告しなければならない。

No.63 避難施設等に関する記述として、「建築基準法施行令」上、誤っているものはどれか。

1　小学校には、非常用の照明装置を設けなければならない。

2　映画館の客用に供する屋外への出口の戸は、内開きとしてはならない。

3　回り階段の部分における踏面の寸法は、踏面の狭い方の端から30cmの位置において測らなければならない。

4　両側に居室がある場合の、小学校の児童用の廊下の幅は、2.3 m以上としなければならない。

★
No.64 建設業の許可に関する記述として、「建設業法」上、誤っているものはどれか。

1　特定建設業の許可を受けようとする建設業のうち、指定建設業は、土木工事業、建築工事業、電気工事業、管工事業及び造園工事業の5業種である。

2　一般建設業の許可を受けようとする者は、許可を受けようとする建設業に係る建設工事に関して10年以上の実務の経験を有する者を、その営業所ごとに置く専任の技術者とすることができる。

3　工事一件の請負代金の額が500万円に満たない建設工事のみを請け負うことを営業とする者は、建設業の許可を受けなくてもよい。

4　特定建設業の許可を受けた者でなければ、発注者から直接請け負った建設工事を施工するために、建築工事業にあっては下請代金の額の総額が6,000万円以上となる下請契約を締結してはならない。

No.65 請負契約に関する記述として、「建設業法」上、誤っているものはどれか。

1　注文者は、工事一件の予定価格が5,000万円以上である工事の請負契約の方法が随意契約による場合であっても、契約の締結までに建設業者が当該建設工事の見積りをするための期間は、原則として、15日以上を設けなければならない。

2　元請負人は、下請負人からその請け負った建設工事が完成した旨の

通知を受けたときは、当該通知を受けた日から30日以内で、かつ、できる限り短い期間内に、その完成を確認するための検査を完了しなければならない。

3 特定建設業者は、当該特定建設業者が注文者となった下請契約に係る下請代金の支払につき、当該下請代金の支払期日までに一般の金融機関による割引を受けることが困難であると認められる手形を交付してはならない。

4 元請負人は、その請け負った建設工事を施工するために必要な工程の細目、作業方法その他元請負人において定めるべき事項を定めようとするときは、あらかじめ、下請負人の意見をきかなければならない。

No.66 監理技術者等に関する記述として、「建設業法」上、**誤っている**ものはどれか。

1 専任の監理技術者を置かなければならない建設工事について、その監理技術者の行うべき職務を補佐する者として政令で定める者を工事現場に専任で置く場合には、監理技術者は2つの現場を兼任することができる。

2 専任の者でなければならない監理技術者は、当該選任の期間中のいずれの日においても国土交通大臣の登録を受けた講習を受講した日の属する年の翌年から起算して7年を経過しない者でなければならない。

3 建設業者は、請け負った建設工事を施工するときは、現場代理人の設置にかかわらず、主任技術者又は監理技術者を置かなければならない。

4 主任技術者及び監理技術者は、建設工事を適正に実施するため、当該建設工事の施工計画の作成、工程管理、品質管理その他の技術上の管理及び施工に従事する者の技術上の指導監督を行わなければならない。

No.67 労働契約に関する記述として、「労働基準法」上、**誤っている**ものはどれか。

1 使用者は、労働者の退職の場合において、請求があった日から、原則として、7日以内に賃金を支払い、労働者の権利に属する金品を返還しなければならない。

2 労働契約は、契約期間の定めのないものを除き、一定の事業の完了に必要な契約期間を定めるもののほかは、原則として、3年を超える契約期間について締結してはならない。

3 使用者は、労働者が業務上負傷し、療養のために休業する期間とその後30日間は、やむを得ない事由のために事業の継続が不可能となった場合においても解雇してはならない。

4 就業のために住居を変更した労働者が、省令により明示された労働条件が事実と相違する場合で労働契約を解除し、当該契約解除の日から14日以内に帰郷する場合においては、使用者は、必要な旅費を負担しなければならない。

No.68 建設業の事業場における安全衛生管理体制に関する記述として、「労働安全衛生法」上、**誤っているもの**はどれか。

1 元方安全衛生管理者は、その事業場に専属の者でなければならない。

2 安全衛生責任者は、安全管理者又は衛生管理者の資格を有する者でなければならない。

3 特定元方事業者は、統括安全衛生責任者に元方安全衛生管理者の指揮をさせなければならない。

4 統括安全衛生責任者は、その事業の実施を統括管理する者でなければならない。

No.69 労働者の就業に当たっての措置に関する記述として、「労働安全衛生法」上、**誤っているもの**はどれか。

1 事業者は、労働者を雇い入れたときは、原則として、当該労働者に対し、その従事する業務に関する安全又は衛生のための教育を行なわなければならない。

2 事業者は、事業場における安全衛生の水準の向上を図るため、危険又は有害な業務に現に就いている者に対し、その従事する業務に関する安全又は衛生のための教育を行うように努めなければならない。

3 事業者は、特別教育を必要とする業務に従事させる労働者が、当該教育の科目の全部又は一部に関し十分な知識及び技能を有すると認められるときは、当該科目についての特別教育を省略することができる。

4 事業者は、建設業の事業場において新たに職務に就くこととなった作業主任者に対し、作業方法の決定及び労働者の配置に関する事項について、安全又は衛生のための教育を行なわなければならない。

No.70 次の記述のうち、「建設工事に係る資材の再資源化等に関する法律」上、**誤っているもの**はどれか。

1 建設資材廃棄物の再資源化等には、焼却、脱水、圧縮その他の方法により建設資材廃棄物の大きさを減ずる行為が含まれる。

2 建設業を営む者は、建設資材廃棄物の再資源化により得られた建設資材を使用するよう努めなければならない。

3 対象建設工事の元請業者は、特定建設資材廃棄物の再資源化等が完了したときは、その旨を都道府県知事に報告しなければならない。

4 分別解体等には、建築物等の新築工事に伴い副次的に生ずる建設資材廃棄物をその種類ごとに分別しつつ当該工事を施工する行為が含まれる。

No.71 「騒音規制法」上、指定地域内における特定建設作業の実施の届出に関する記述として、**誤っているもの**はどれか。
　　　ただし、作業は、その作業を開始した日に終わらないものとする。

1　特定建設作業を伴う建設工事を施工しようとする者は、作業の実施の期間や騒音の防止の方法等の事項を、市町村長に届出をしなければならない。

2　くい打機をアースオーガーと併用する作業は、特定建設作業の実施の届出をしなければならない。

3　さく岩機の動力として使用する作業を除き、電動機以外の原動機の定格出力が15 kW以上の空気圧縮機を使用する作業は、特定建設作業の実施の届出をしなければならない。

4　環境大臣が指定するものを除き、原動機の定格出力が70 kW以上のトラクターショベルを使用する作業は、特定建設作業の実施の届出をしなければならない。

No.72 貨物自動車を使用して分割できない資材を運搬する際に、「道路交通法」上、当該車両の出発地を管轄する警察署長の**許可を必要とするもの**はどれか。
　　　ただし、貨物自動車は、軽自動車を除くものとする。

1　長さ11 mの自動車に、車体の前後に0.5 mずつはみ出す長さ12 mの資材を積載して運搬する場合

2　荷台の高さが1 mの自動車に、高さ3 mの資材を積載して運転する場合

3　積載する自動車の最大積載重量で資材を運搬する場合

4　資材を看守するため必要な最小限度の人員を、自動車の荷台に乗せて運搬する場合

1級建築施工管理技術検定

令和3年度

第一次検定

試験時間に合わせて解いてみましょう！

- **■試験内容** 建築学等、施工管理法、法規

- **■試験形式** 四肢一択式（No.55〜No.60は五肢二択式）

- **■試験時間** 午前
  試験時間 10：15〜12：45

  午後
  試験時間 14：15〜16：15

◆第一次検定結果データ◆

受検者数	22,277人
合格者数	8,025人
合格率	36.0%
合格基準	60問中36問以上正解 （応用能力：6問中3問以上正解）

P.243に解答用紙がありますので、コピーしてお使いください。
答え合わせに便利な正答一覧は別冊P.223にあります。

第一次検定問題（午前の部）

問題番号No.1～No.15までの15問題のうちから、12問題を選択し、解答してください。

No. 1 換気に関する記述として、**最も不適当なもの**はどれか。

1 風圧力による自然換気の場合、他の条件が同じであれば、換気量は風上側と風下側の風圧係数の差の平方根に比例する。

2 室内外の温度差による自然換気で、上下に大きさの異なる開口部を用いる場合、中性帯の位置は、開口部の大きい方に近づく。

3 中央管理方式の空気調和設備を設ける場合、室内空気の一酸化炭素の濃度は、100 ppm 以下となるようにする。

4 中央管理方式の空気調和設備を設ける場合、室内空気の浮遊粉塵の量は、0.15mg/m³ 以下となるようにする。

No. 2 採光及び照明に関する記述として、**最も不適当なもの**はどれか。

1 演色性とは、照明光による物体色の見え方についての光源の性質をいう。

2 光束とは、単位波長当たりの放射束を標準比視感度で重みづけした量をいう。

3 形状と面積が同じ側窓は、その位置を高くしても、昼光による室内の照度分布の均斉度は変わらない。

4 設計用全天空照度は、快晴の青空のときが薄曇りのときよりも小さな値となる。

No. 3 吸音及び遮音に関する記述として、**最も不適当なもの**はどれか。

1 グラスウールなど多孔質の吸音材の吸音率は、一般に低音域より高音域の方が大きい。

2 コンクリート間仕切壁の音響透過損失は、一般に低音域より高音域の方が大きい。

3 床衝撃音レベルの遮音等級を表すL値は、その値が大きいほど遮音性能が高い。

4 室間音圧レベル差の遮音等級を表すD値は、その値が大きいほど遮音性能が高い。

No. 4 積層ゴムを用いた免震構造の建築物に関する記述として、**最も不適当なもの**はどれか。

1 免震構造とした建築物は、免震構造としない場合に比べ、固有周期が短くなる。

2 免震部材の配置を調整し、上部構造の重心と免震層の剛心を合せることで、ねじれ応答を低減できる。

3 免震層を中間階に設置する場合、火災に対して積層ゴムを保護する必要がある。

4 免震構造は、建築物を鉛直方向に支える機構、水平方向に復元力を発揮する機構及び建築物に作用するエネルギーを吸収する機構から構成される。

No. 5 鉄筋コンクリート構造に関する記述として、**最も不適当なもの**はどれか。

1 柱の主筋はD 13以上の異形鉄筋とし、その断面積の和は、柱のコンクリート全断面積の0.8%以上とする。

2 柱のせん断補強筋の間隔は、柱の上下端から柱の最大径の1.5倍又は最小径の2倍のいずれか大きい方の範囲内を150 mm以下とする。

3 梁の主筋はD 13以上の異形鉄筋とし、その配置は、特別な場合を

除き2段以下とする。

4 梁のせん断補強筋にD 10の異形鉄筋を用いる場合、その間隔は梁せいの$\frac{1}{2}$以下、かつ、250 mm以下とする。

No. 6 鉄骨構造に関する記述として、**最も不適当なもの**はどれか。

1 H形鋼は、フランジ及びウェブの幅厚比が大きくなると局部座屈を生じやすい。

2 部材の引張力によってボルト孔周辺に生じる応力集中の度合は、普通ボルト接合より高力ボルト摩擦接合の方が大きい。

3 シヤコネクタでコンクリートスラブと結合された鋼製梁は、上端圧縮となる曲げ応力に対して横座屈が生じにくい。

4 H形鋼における、局部座屈の影響を考慮しなくてもよい幅厚比については、柱のウェブプレートより梁のウェブプレートの方が大きい。

No. 7 杭基礎に関する記述として、**最も不適当なもの**はどれか。

1 杭の先端の地盤の許容応力度は、セメントミルク工法による埋込み杭の場合より、アースドリル工法による場所打ちコンクリート杭の方が大きい。

2 杭の極限鉛直支持力は、極限先端支持力と極限周面摩擦力との和で表す。

3 地盤から求める杭の引抜き抵抗力に杭の自重を加える場合、地下水位以下の部分の浮力を考慮する。

4 杭の周辺地盤に沈下が生じたときに杭に作用する負の摩擦力は、一般に摩擦杭の場合より支持杭の方が大きい。

No. 8 図に示す断面のX－X軸に対する断面二次モーメントの値として、正しいものはどれか。

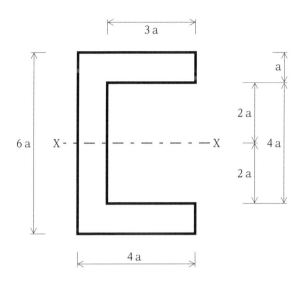

1 56 a³

2 56 a⁴

3 72 a³

4 72 a⁴

令和3年度 第一次検定問題（午前の部）

No. 9 図に示す静定の山形ラーメン架構のAC間に等分布荷重wが作用したとき、支点Bに生じる鉛直反力V_Bと、点Dに生じる曲げモーメントM_Dの値の大きさの組合せとして、正しいものはどれか。

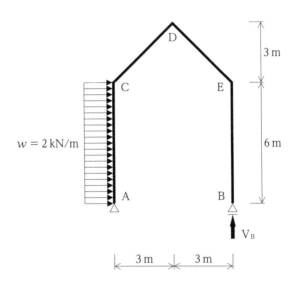

1 $V_B =$ 6 kN、$M_D =$ 0 kN·m

2 $V_B =$ 6 kN、$M_D =$ 18 kN·m

3 $V_B =$ 12 kN、$M_D =$ 0 kN·m

4 $V_B =$ 12 kN、$M_D =$ 18 kN·m

図に示す単純梁 AB において、CD 間に等分布荷重 w が作用したときの曲げモーメント図として、正しいものはどれか。
ただし、曲げモーメントは、材の引張側に描くものとする。

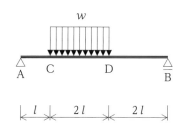

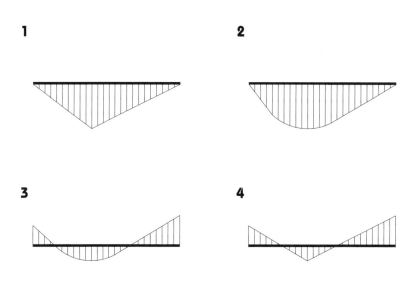

1

2

3

4

No.11 金属材料に関する一般的な記述として、**最も不適当なもの**はどれか。

1 　黄銅（真ちゅう）は、銅と亜鉛の合金であり、亜鉛が30～40％のものである。

2 　鉛は、鋼材に比べ熱伝導率が低く、線膨張係数は大きい。

3 　ステンレス鋼のSUS 430は、SUS 304に比べ磁性が弱い。

4 　アルミニウムは、鋼材に比べ密度及びヤング係数が約 $\frac{1}{3}$ である。

No.12 石材に関する一般的な記述として、**最も不適当なもの**はどれか。

1 　花崗岩は、耐摩耗性、耐久性に優れるが、耐火性に劣る。

2 　安山岩は、光沢があり美観性に優れるが、耐久性、耐火性に劣る。

3 　砂岩は、耐火性に優れるが、吸水率の高いものは耐凍害性に劣る。

4 　凝灰岩は、加工性に優れるが、強度、耐久性に劣る。

No.13 日本産業規格（JIS）のドアセットに規定されている性能項目に関する記述として、**不適当なもの**はどれか。

1 　スライディングドアセットでは、「鉛直荷重強さ」が規定されている。

2 　スライディングドアセットでは、「耐風圧性」が規定されている。

3 　スイングドアセットでは、「耐衝撃性」が規定されている。

4 　スイングドアセットでは、「開閉力」が規定されている。

No.14 アスファルト防水材料に関する記述として、**最も不適当なもの**はどれか。

1 エマルションタイプのアスファルトプライマーは、アスファルトを水中に乳化分散させたものである。

2 砂付ストレッチルーフィング 800 の数値 800 は、製品の抗張積の呼びを表している。

3 防水工事用アスファルトは、フラースぜい化点の温度が低いものほど低温特性のよいアスファルトである。

4 アスファルトルーフィング 1500 の数値 1500 は、製品の単位面積当たりのアスファルト含浸量を表している。

No.15 塗料に関する記述として、**最も不適当なもの**はどれか。

1 つや有合成樹脂エマルションペイントは、水分の蒸発とともに樹脂粒子が融着して塗膜を形成する。

2 アクリル樹脂系非水分散形塗料は、溶剤の蒸発とともに樹脂粒子が融着して塗膜を形成する。

3 クリヤラッカーは、自然乾燥で長時間かけて塗膜を形成する。

4 合成樹脂調合ペイントは、溶剤の蒸発とともに油分の酸化重合が進み、乾燥硬化して塗膜を形成する。

問題番号No.16～No.20までの5問題は、全問題を解答してください。

No.16 測量に関する記述として、**最も不適当なもの**はどれか。

1 間接水準測量は、傾斜角や斜距離などを読み取り、計算によって高低差を求める方法である。

2 GNSS測量は、複数の人工衛星から受信機への電波信号の到達時間差を測定して位置を求める方法である。

3 平板測量は、アリダード、磁針箱などで測定した結果を、平板上で直接作図していく方法である。

4 スタジア測量は、レベルと標尺によって2点間の距離を正確に測定する方法である。

No.17 電気設備に関する記述として、**最も不適当なもの**はどれか。

1 電圧の種別における低圧とは、交流の場合600 V以下のものをいう。

2 電圧の種別における高圧とは、直流の場合750 Vを超え、7,000 Vまでのものをいう。

3 大型の動力機器が多数使用される場合の配電方式には、単相2線式100 Vが多く用いられる。

4 特別高圧受電を行うような大規模なビルなどの配電方式には、三相4線式240 V/415 Vが多く用いられる。

No.18 給水設備の給水方式に関する記述として、**最も不適当なもの**はどれか。

1 高置水槽方式は、一度受水槽に貯留した水をポンプで建物高所の高置水槽に揚水し、高置水槽からは重力によって各所に給水する方式である。

2 圧力水槽方式は、受水槽の水をポンプで圧力水槽に送水し、圧力水槽内の空気を加圧して、その圧力によって各所に給水する方式である。

3 ポンプ直送方式は、水道本管から分岐した水道引込み管にポンプを直結し、各所に給水する方式である。

4 水道直結直圧方式は、水道本管から分岐した水道引込み管より直接各所に給水する方式である。

No.19 建築物に設ける昇降設備に関する記述として、**最も不適当なもの**はどれか。

ただし、特殊な構造及び使用形態のものを除くものとする。

1 乗用エレベーターには、1人当たりの体重を65 kgとして計算した最大定員を明示した標識を掲示する。

2 乗用エレベーターの昇降路の出入口の床先とかごの床先との水平距離は、4 cm以下とする。

3 エスカレーターの踏段と踏段の隙間は、原則として5 mm以下とする。

4 エスカレーターの勾配が8°を超え30°以下の踏段の定格速度は、毎分50 mとする。

No.20 請負契約に関する記述として、「公共工事標準請負契約約款」上、**誤っているもの**はどれか。

1 発注者又は受注者は、工期内で請負契約締結の日から12月を経過した後に賃金水準又は物価水準の変動により請負代金額が不適当となったと認めたときは、相手方に対して請負代金額の変更を請求することができる。

2 受注者は、発注者が設計図書を変更したために請負代金額が$\frac{1}{2}$以上減少したときは、契約を解除することができる。

3 工期の変更については、発注者と受注者が協議して定める。ただし、あらかじめ定めた期間内に協議が整わない場合には、発注者が定め、受注者に通知する。

4 発注者は、工事の完成を確認するために必要があると認められるときは、その理由を受注者に通知して、工事目的物を最小限度破壊して検査することができる。

問題番号No.21〜No.30までの10問題のうちから、7問題を選択し、解答してください。

No.21 乗入れ構台及び荷受け構台の計画に関する記述として、**最も不適当なもの**はどれか。

1 クラムシェルが作業する乗入れ構台の幅は、ダンプトラック通過時にクラムシェルが旋回して対応する計画とし、8 mとした。

2 乗入れ構台の高さは、大引下端が床スラブ上端より30 cm上になるようにした。

3 荷受け構台への積載荷重の偏りは、構台全スパンの60%にわたって荷重が分布するものとした。

4 荷受け構台の作業荷重は、自重と積載荷重の合計の5%とした。

No.22 地盤調査及び土質試験に関する記述として、**最も不適当なもの**はどれか。

1 常時微動測定により、地盤の卓越周期を推定することができる。

2 圧密試験により、砂質土の沈下特性を求めることができる。

3 電気検層（比抵抗検層）により、ボーリング孔近傍の地層の変化を調査することができる。

4 三軸圧縮試験により、粘性土のせん断強度を求めることができる。

No.23 既製コンクリート杭の施工に関する記述として、**最も不適当なもの**はどれか。

1 砂質地盤における中掘り工法の場合、先掘り長さを杭径よりも大きくする。

2 現場溶接継手を設ける場合、原則としてアーク溶接とする。

3 現場溶接継手を設ける場合、許容できるルート間隔を4 mm以下とする。

4 PHC杭の頭部を切断した場合、切断面から350 mm程度まではプレストレスが減少しているため、補強を行う必要がある。

No.24 鉄筋のガス圧接に関する記述として、**最も不適当なもの**はどれか。

1 SD 345のD 29を手動ガス圧接で接合するために必要となる資格は、日本産業規格（JIS）に基づく技量資格1種である。

2 径の異なる鉄筋のガス圧接部のふくらみの直径は、細い方の径の1.4倍以上とする。

3 SD 490の圧接に用いる加圧器は、上限圧及び下限圧を設定できる機能を有するものとする。

4 圧接継手において考慮する鉄筋の長さ方向の縮み量は、鉄筋径の1.0〜1.5倍である。

No.25 コンクリートの調合に関する記述として、**最も不適当なもの**はどれか。

1 AE剤、AE減水剤又は高性能AE減水剤を用いる普通コンクリートについては、調合を定める場合の空気量を4.5%とする。

2 構造体強度補正値は、セメントの種類及びコンクリートの打込みから材齢28日までの期間の予想平均気温の範囲に応じて定める。

3 コンクリートの調合管理強度は、品質基準強度に構造体強度補正値を加えたものである。

4 単位セメント量が過小のコンクリートは、水密性、耐久性が低下するが、ワーカビリティーはよくなる。

No.26 コンクリートの運搬、打込み及び締固めに関する記述として、**最も不適当なもの**はどれか。

1 外気温が25℃を超えていたため、練混ぜ開始から打込み終了までの時間を90分以内とした。

2 コンクリートの圧送開始前に圧送するモルタルは、型枠内に打ち込まないが、富調合のものとした。

3 コンクリート内部振動機（棒形振動機）による締固めにおいて、加振時間を1箇所当たり60秒程度とした。

4 同一区画のコンクリート打込み時における打重ねは、先に打ち込まれたコンクリートの再振動可能時間以内に行った。

No.27 鉄骨の溶接に関する記述として、**最も不適当なもの**はどれか。

1 溶接部の表面割れは、割れの範囲を確認したうえで、その両端から50 mm以上溶接部を斫り取り、補修溶接した。

2 完全溶込み溶接の突合せ継手における余盛りの高さが3 mmであったため、グラインダ仕上げを行わなかった。

3 一般に自動溶接と呼ばれているサブマージアーク溶接を行うに当たり、溶接中の状況判断とその対応はオペレータが行った。

4 溶接作業場所の気温が−5℃を下回っていたため、溶接部より100 mmの範囲の母材部分を加熱して作業を行った。

No.28 鉄骨の建方に関する記述として、**最も不適当なもの**はどれか。

1 架構の倒壊防止用に使用するワイヤロープは、建入れ直し用に兼用した。

2 建方精度の測定に当たっては、日照による温度の影響を考慮した。

3 梁のフランジを溶接接合、ウェブを高力ボルト接合とする工事現場での混用接合は、原則として高力ボルトを先に締め付け、その後溶接を行った。

4 柱の溶接継手のエレクションピースに使用する仮ボルトは、普通ボルトを使用し、全数締め付けた。

No.29 木造建築物に用いる大断面集成材に関する記述として、**最も不適当なもの**はどれか。

1 材長4 mの柱材の加工長さは、許容誤差を±3 mmとした。

2 集成材にあけるドリフトピンの下孔径は、ドリフトピンの公称軸径に2 mmを加えたものとした。

3 集成材にあける標準的なボルト孔の心ずれは、許容誤差を±2 mmとした。

4 接合金物にあけるボルト孔の大きさは、ねじの呼びがM 16未満の場合は公称軸径に1 mmを、M 16以上の場合は1.5 mmを加えたものとした。

No.30 建設機械に関する記述として、**最も不適当なもの**はどれか。

1 建設用リフトの定格速度とは、搬器に積載荷重に相当する荷重の荷をのせて上昇させる場合の最高の速度をいう。

2 油圧式トラッククレーンのつり上げ荷重とは、アウトリガーを最大限に張り出し、ジブ長さを最短にし、ジブの傾斜角を最大にした場合のつり上げることができる最大の荷重で示す。

3 最大混合容量4.5 m³のトラックアジテータの最大積載時の総質量は、約20 tである。

4 ロングスパン工事用エレベーターは、搬器の傾きが$\frac{1}{8}$の勾配を超えた場合、動力を自動的に遮断する装置を設ける。

問題番号No.31～No.39までの9問題のうちから、7問題を選択し、解答してください。

No.31 ウレタンゴム系塗膜防水に関する記述として、**最も不適当なもの**はどれか。

1 絶縁工法において、立上り部の補強布は、平場部の通気緩衝シートの上に100 mm張り掛けて防水材を塗布した。

2 平場部の防水材の総使用量は、硬化物密度が1.0 Mg/m³だったため、3.0 kg/m²とした。

3 コンクリートの打継ぎ箇所は、U字形に斫り、シーリング材を充填した上、幅100 mmの補強布を用いて補強塗りを行った。

4 絶縁工法において、防水層の下地からの水蒸気を排出するための脱気装置は、200 m²に1箇所の割合で設置した。

No.32 乾式工法による外壁の張り石工事に関する記述として、**最も不適当なもの**はどれか。

1 石材の形状は正方形に近い矩形とし、その大きさは石材1枚の面積が0.8 m²以下とした。

2 下地のコンクリート面の寸法精度は、±10 mm以内となるようにした。

3 厚さ30 mm、大きさ500 mm角の石材のだぼ孔の端あき寸法は、60 mmとした。

4 石材間の目地は、幅を10 mmとしてシーリング材を充填した。

No.33 金属製折板葺き屋根工事に関する記述として、**最も不適当なもの**はどれか。

1 タイトフレームの割付けは、両端部の納まりが同一となるように建物の桁行き方向の中心から行い、墨出しを通りよく行った。

2 タイトフレームの受梁が大梁で切れる部分の段差には、タイトフレームの板厚と同厚の部材を添え材として用いた。

3 水上部分の折板と壁との取合い部に設ける雨押えは、壁際の立上りを150 mmとし、雨押えの先端に止水面戸を取り付けた。

4 軒先の落とし口は、折板の底幅より小さく穿孔し、テーパー付きポンチで押し広げ、10 mmの尾垂れを付けた。

No.34 特定天井に該当しない軽量鉄骨天井下地工事に関する記述として、**最も不適当なもの**はどれか。

1 下地張りがなく、野縁が壁に突付けとなる場所に天井目地を設けるため、厚さ0.5 mmのコ形の亜鉛めっき鋼板を野縁端部の小口に差し込んだ。

2 屋内の天井のふところが1,500 mm以上ある吊りボルトは、縦横方向に間隔3.6 mで補強用部材を配置して水平補強した。

3 吊りボルトの間隔が900 mmを超えたため、その吊りボルトの間に水平つなぎ材を架構し、中間から吊りボルトを下げる2段吊りとした。

4 下地張りのある天井仕上げの野縁は、ダブル野縁を1,800 mm程度の間隔とし、その間に4本のシングル野縁を間隔を揃えて配置した。

No.35 内壁コンクリート下地のセメントモルタル塗りに関する記述として、**最も不適当なもの**はどれか。

1 中塗りや上塗りの塗厚を均一にするため、下塗りの後に、むら直しを行った。

2 モルタルの塗厚は、下塗りから上塗りまでの合計で30 mmとした。

3 下地処理をポリマーセメントペースト塗りとしたため、乾燥しないうちに下塗りを行った。

4 下塗り用モルタルの調合は、容積比でセメント1：砂2.5とした。

No.36 塗装工事に関する記述として、**最も不適当なもの**はどれか。

1 屋外の木質系素地面の木材保護塗料塗りにおいて、原液を水で希釈し、よく攪拌して使用した。

2 亜鉛めっき鋼面の常温乾燥形ふっ素樹脂エナメル塗りにおいて、下塗りに変性エポキシ樹脂プライマーを使用した。

3 コンクリート面のアクリル樹脂系非水分散形塗料塗りにおいて、下塗り、中塗り、上塗りともに同一材料を使用し、塗付け量はそれぞれ0.10 kg/m²とした。

4 せっこうボード面の合成樹脂エマルションペイント塗りにおいて、気温が20℃であったため、中塗り後3時間経過してから、次の工程に入った。

No.37 ビニル床シート張りに関する記述として、**最も不適当なもの**はどれか。

1　床シートの張付けは、気泡が残らないよう空気を押し出し、その後45 kgローラーで圧着した。

2　床シートの張付けは、下地に接着剤を塗布した後、オープンタイムをとってから張り付けた。

3　防湿層のない土間コンクリートへの床シートの張付けには、ゴム系溶剤形の接着剤を使用した。

4　熱溶接工法において、溶接作業は、床シートを張り付けた後、12時間以上経過してから行った。

No.38 鉄筋コンクリート造の断熱工事に関する記述として、**最も不適当なもの**はどれか。

1　硬質ウレタンフォーム吹付け工法において、ウレタンフォームが厚く付きすぎて表面仕上げ上支障となるところは、カッターナイフで除去した。

2　硬質ウレタンフォーム吹付け工法において、ウレタンフォームは自己接着性に乏しいため、吹き付ける前にコンクリート面に接着剤を塗布した。

3　押出法ポリスチレンフォーム張付け工法において、セメント系下地調整塗材を用いて隙間ができないようにしてから、断熱材を全面接着で張り付けた。

4　押出法ポリスチレンフォーム打込み工法において、窓枠回りの施工が困難な部分には、現場発泡の硬質ウレタンフォームを吹き付けた。

No.39 ALCパネル工事に関する記述として、最も不適当なものはどれか。

1 パネルの取扱い時に欠けが生じたが、構造耐力上は支障がなかったため、製造業者が指定する補修モルタルで補修して使用した。

2 外壁パネルと間仕切パネルの取合い部には、幅が10〜20 mmの伸縮目地を設けた。

3 外壁の縦壁ロッキング構法の横目地は伸縮目地とし、目地幅は15 mmとした。

4 耐火性能が要求される伸縮目地には、モルタルを充填した。

問題番号No.40〜No.44までの5問題は、全問題を解答してください。

No.40 建築工事における事前調査や準備作業に関する記述として、最も不適当なものはどれか。

1 山留め計画に当たり、設計による地盤調査は行われていたが、追加のボーリング調査を行った。

2 地下水の排水計画に当たり、公共下水道の排水方式の調査を行った。

3 コンクリート工事計画に当たり、コンクリートポンプ車を前面道路に設置するため、道路使用許可申請書を道路管理者に提出した。

4 鉄骨工事計画に当たり、タワークレーンによる電波障害が予想されるため、近隣に対する説明を行って了解を得た。

No.41 仮設設備の計画に関する記述として、最も不適当なものはどれか。

1 必要な工事用使用電力が60 kWのため、低圧受電で契約する計画とした。

2 工事用使用電力量の算出において、コンセントから使用する電動工具の同時使用係数は、1.0として計画した。

3 作業員の洗面所の数は、作業員45名当たり3連槽式洗面台1台として計画した。

4 仮設の給水設備において、工事事務所の使用水量は、1人1日当たり50Lを見込む計画とした。

No.42 工事現場における材料の取扱いに関する記述として、**最も不適当なもの**はどれか。

1 既製コンクリート杭は、やむを得ず2段に積む場合、同径のものを並べ、まくら材を同一鉛直面上にして仮置きする。

2 被覆アーク溶接棒は、吸湿しているおそれがある場合、乾燥器で乾燥してから使用する。

3 砂付ストレッチルーフィングは、ラップ部（張付け時の重ね部分）を下に向けて縦置きにする。

4 プレキャストコンクリートの床部材を平積みで保管する場合、台木を2箇所とし、積み重ね段数は6段以下とする。

No.43 労働基準監督署長への計画の届出に関する記述として、「労働安全衛生法」上、**誤っているもの**はどれか。

1 高さが10ｍ以上の枠組足場を設置するに当たり、組立てから解体までの期間が60日以上の場合、当該工事の開始の日の30日前までに、届け出なければならない。

2 耐火建築物に吹き付けられた石綿を除去する場合、当該仕事の開始の日の14日前までに、届け出なければならない。

3 掘削の深さが10ｍ以上の地山の掘削の作業を労働者が立ち入って行う場合、当該仕事の開始の日の30日前までに、届け出なければならない。

4 高さが31ｍを超える建築物を解体する場合、当該仕事の開始の日の14日前までに、届け出なければならない。

No.44 工程計画に関する記述として、**最も不適当なもの**はどれか。

1 マイルストーンは、工事の進捗を表す主要な日程上の区切りを示す指標で、掘削完了日、鉄骨建方開始日、外部足場解体日等が用いられる。

2 工程短縮を図るために行う工区の分割は、各工区の作業数量がほぼ均等になるように計画する。

3 全体工期に制約がある場合、積上方式（順行型）を用いて工程表を作成する。

4 工程計画では、各作業の手順計画を立て、次に日程計画を決定する。

問題番号No.45〜No.54までの10問題は、全問題を解答してください。

No.45 一般的な事務所ビルの新築工事における鉄骨工事の工程計画に関する記述として、**最も不適当なもの**はどれか。

1 タワークレーンによる鉄骨建方の取付け歩掛りは、1台1日当たり80ピースとして計画した。

2 建方工程の算定において、建方用機械の鉄骨建方作業の稼働時間を1台1日当たり5時間30分として計画した。

3 トルシア形高力ボルトの締付け作業能率は、1人1日当たり200本として計画した。

4 鉄骨のガスシールドアーク溶接による現場溶接の作業能率は、1人1日当たり6mm換算で80mとして計画した。

No.46 ネットワーク工程表におけるフロートに関する記述として、**最も不適当なもの**はどれか。

1 クリティカルパス（CP）以外の作業でも、フロートを使い切ってしまうとクリティカルパス（CP）になる。

2 ディペンデントフロート（DF）は、最遅結合点時刻（LT）からフリーフロート（FF）を減じて得られる。

3 作業の始点から完了日までの各イベントの作業日数を加えていき、複数経路日数のうち、作業の完了を待つことになる最も遅い日数が最早開始時刻（EST）となる。

4 最遅完了時刻（LFT）を計算した時点で、最早開始時刻（EST）と最遅完了時刻（LFT）が同じ日数の場合、余裕のない経路であるため、クリティカルパス（CP）となる。

No.47 建築施工における品質管理に関する記述として、**最も不適当な**ものはどれか。

1 コンクリート工事において、コンクリート部材の設計図書に示された位置に対する各部材の位置の許容差は、± 20 mmとした。

2 コンクリートの受入検査において、目標スランプフローが60 cmの高流動コンクリートの荷卸し地点におけるスランプフローの許容差は、± 7.5 cmとした。

3 鉄骨工事において、スタッド溶接後のスタッドの傾きの管理許容差は、3°以内とした。

4 鉄骨梁の製品検査において、梁の長さの管理許容差は、± 7.5 mmとした。

No.48 品質管理に用いる図表に関する記述として、**最も不適当なもの**はどれか。

1 ヒストグラムは、観測値若しくは統計量を時間順又はサンプル番号順に表し、工程が管理状態にあるかどうかを評価するために用いられる。

2 特性要因図は、特定の結果と原因系の関係を系統的に表し、重要と思われる原因への対策の手を打っていくために用いられる。

3 散布図は、対応する2つの特性を横軸と縦軸にとり、観測値を打点して作るグラフ表示で、主に2つの変数間の相関関係を調べるために用いられる。

4 パレート図は、項目別に層別して、出現度数の大きさの順に並べるとともに、累積和を示した図である。

No.49 品質管理における検査に関する記述として、**最も不適当なもの**はどれか。

1 購入検査は、提出された検査ロットを購入してよいかどうかを判定するために行う検査で、品物を外部から購入する場合に適用する。

2 巡回検査は、検査を行う時点を指定せず、検査員が随時、工程をパトロールしながら検査を行うことができる場合に適用する。

3 無試験検査は、工程が安定状態にあり、品質状況が定期的に確認でき、そのまま次工程に流しても損失は問題にならない場合に適用する。

4 抜取検査は、継続的に不良率が大きく、決められた品質水準に修正しなければならない場合に適用する。

No.50 市街地の建築工事における災害防止対策に関する記述として、**最も不適当なもの**はどれか。

1 外部足場に設置した工事用シートは、シート周囲を35 cmの間隔で、隙間やたるみが生じないように緊結した。

2 歩行者が多い箇所であったため、歩行者が安全に通行できるよう、車道とは別に幅1.5 mの歩行者用通路を確保した。

3 防護棚は、外部足場の外側からのはね出し長さを水平距離で2 mとし、水平面となす角度を15°とした。

4 飛来落下災害防止のため、鉄骨躯体の外側に設置する垂直ネットは、日本産業規格（JIS）に適合した網目寸法15 mmのものを使用した。

No.51 作業主任者の選任に関する記述として、「労働安全衛生法」上、**誤っているもの**はどれか。

1 掘削面からの高さが2 mの地山の掘削作業において、地山の掘削作業主任者を選任しなかった。

2 高さが3 mの型枠支保工の解体作業において、型枠支保工の組立て等作業主任者を選任した。

3 高さが4 mの移動式足場の組立て作業において、足場の組立て等作業主任者を選任しなかった。

4 高さが5mのコンクリート造工作物の解体作業において、コンクリート造の工作物の解体等作業主任者を選任した。

No.52 足場に関する記述として、**最も不適当なもの**はどれか。

1 移動はしごは、丈夫な構造とし、幅は30cm以上とする。

2 枠組足場の使用高さは、通常使用の場合、45m以下とする。

3 作業床は、つり足場の場合を除き、床材間の隙間は3cm以下、床材と建地の隙間は12cm未満とする。

4 登り桟橋の高さが15mの場合、高さの半分の位置に1箇所踊場を設ける。

No.53 労働災害を防止するため、特定元方事業者が講ずべき措置として、「労働安全衛生規則」上、**定められていないもの**はどれか。

1 特定元方事業者と関係請負人との間及び関係請負人相互間における、作業間の連絡及び調整を随時行うこと。

2 仕事の工程に関する計画及び作業場所における主要な機械、設備等の配置に関する計画を作成すること。

3 関係請負人が雇い入れた労働者に対し、安全衛生教育を行うための場所を提供すること。

4 特定元方事業者及び特定の関係請負人が参加する協議組織を設置し、会議を随時開催すること。

No.54 クレーンに関する記述として、「クレーン等安全規則」上、**誤っているもの**はどれか。

1 つり上げ荷重が3t以上のクレーンの落成検査における荷重試験は、クレーンの定格荷重に相当する荷重の荷をつって行った。

2 つり上げ荷重が0.5t以上5t未満のクレーンの運転の業務に労働者を就かせるため、当該業務に関する安全のための特別の教育を行った。

3 つり上げ荷重が0.5t以上のクレーンの玉掛け用具として使用するワ

イヤロープは、安全係数が6以上のものを使用した。

4 つり上げ荷重が1 t以上のクレーンの玉掛けの業務は、玉掛け技能講習を修了した者が行った。

問題番号No.55～No.60までの6問題は応用能力問題です。全問題を解答してください。

No.55 異形鉄筋の継手及び定着に関する記述として、**不適当なもの**を2つ選べ。

ただし、dは、異形鉄筋の呼び名の数値とする。

1 壁縦筋の配筋間隔が上下階で異なるため、重ね継手は鉄筋を折り曲げずにあき重ね継手とした。

2 180°フック付き重ね継手としたため、重ね継手の長さはフックの折曲げ開始点間の距離とした。

3 梁主筋を柱にフック付き定着としたため、定着長さは鉄筋末端のフックの全長を含めた長さとした。

4 梁の主筋を重ね継手としたため、隣り合う鉄筋の継手中心位置は、重ね継手長さの1.0倍ずらした。

5 一般階における四辺固定スラブの下端筋を直線定着としたため、直線定着長さは、10 d以上、かつ、150 mm以上とした。

No.56 型枠支保工に関する記述として、**不適当なものを2つ選べ。**

1 パイプサポート以外の鋼管を支柱として用いる場合、高さ2.5 m以内ごとに水平つなぎを2方向に設けなければならない。

2 支柱として用いる鋼管枠は、最上層及び5層以内ごとに水平つなぎを設けなければならない。

3 パイプサポートを2本継いで支柱として用いる場合、継手部は4本以上のボルト又は専用の金具を用いて固定しなければならない。

4 支柱として用いる組立て鋼柱の高さが5 mを超える場合、高さ5 m

以内ごとに水平つなぎを2方向に設けなければならない。

5 支柱として用いる鋼材の許容曲げ応力の値は、その鋼材の降伏強さの値又は引張強さの値の$\frac{3}{4}$の値のうち、いずれか小さい値の$\frac{2}{3}$の値以下としなければならない。

No.57 鉄筋コンクリート造の耐震改修における柱補強工事に関する記述として、**不適当なものを2つ選べ。**

1 RC巻き立て補強の溶接閉鎖フープ巻き工法において、フープ筋の継手はフレア溶接とした。

2 RC巻き立て補強の溶接金網巻き工法において、溶接金網相互の接合は重ね継手とした。

3 連続繊維補強工法において、躯体表面を平滑にするための下地処理を行い、隅角部は直角のままとした。

4 鋼板巻き工法において、工場で加工した鋼板を現場で突合せ溶接により一体化した。

5 鋼板巻き工法において、鋼板と既存柱の隙間に硬練りモルタルを手作業で充填した。

No.58 屋根保護アスファルト防水工事に関する記述として、**不適当なものを2つ選べ。**

1 コンクリート下地のアスファルトプライマーの使用量は、0.2 kg/m² とした。

2 出隅及び入隅は、平場部のルーフィング類の張付けに先立ち、幅150 mmのストレッチルーフィングを増張りした。

3 立上り部のアスファルトルーフィング類を張り付けた後、平場部のルーフィング類を150 mm張り重ねた。

4 保護コンクリート内の溶接金網は、線径6.0 mm、網目寸法100 mmのものを敷設した。

5 保護コンクリートの伸縮調整目地は、パラペット周辺などの立上り際より600 mm離した位置から割り付けた。

No.59 鋼製建具工事に関する記述として、**不適当なもの**を2つ選べ。

1 内部建具の両面フラッシュ戸の見込み部は、上下部を除いた2方を表面板で包んだ。

2 外部建具の両面フラッシュ戸の表面板は、厚さを0.6 mmとした。

3 両面フラッシュ戸の組立てにおいて、中骨は厚さを1.6 mmとし、間隔を300 mmとした。

4 ステンレス鋼板製のくつずりは、表面仕上げをヘアラインとし、厚さを1.5 mmとした。

5 枠及び戸の取付け精度は、ねじれ、反り、はらみともそれぞれ許容差を、4 mm以内とした。

No.60 内装改修工事における既存床仕上げ材の撤去及び下地処理に関する記述として、**不適当なもの**を2つ選べ。
ただし、除去する資材は、アスベストを含まないものとする。

1 ビニル床シートは、ダイヤモンドカッターで切断し、スクレーパーを用いて撤去した。

2 磁器質床タイルは、目地をダイヤモンドカッターで縁切りし、電動斫り器具を用いて撤去した。

3 モルタル塗り下地面の既存合成樹脂塗床材の撤去は、下地モルタルを残し、電動斫り器具を用いて下地モルタルの表面から塗床材のみを削り取った。

4 既存合成樹脂塗床面の上に同じ塗床材を塗り重ねるため、接着性を高めるよう、既存仕上げ材の表面を目荒しした。

5 新規仕上げが合成樹脂塗床のため、既存床材撤去後の下地コンクリート面の凹凸部は、エポキシ樹脂モルタルで補修した。

問題番号No.61～No.72までの12問題のうちから、8問題を選択し、解答してください。

No.61 用語の定義に関する記述として、「建築基準法」上、**誤っている**ものはどれか。

1 事務所の用途に供する建築物は、特殊建築物である。

2 観覧のための工作物は、建築物である。

3 高架の工作物内に設ける店舗は、建築物である。

4 共同住宅の用途に供する建築物は、特殊建築物である。

No.62 次の記述のうち、「建築基準法」上、**誤っているもの**はどれか。

1 建築物の容積率の算定において、自動車車庫の面積は、敷地内の建築物の各階の床面積の合計の $\frac{1}{5}$ までは算入しないことができる。

2 建築主は、軒の高さが9mを超える木造の建築物を新築する場合においては、二級建築士である工事監理者を定めなければならない。

3 建築基準法の規定は、条例の定めるところにより現状変更の規制及び保存のための措置が講じられている建築物であって、特定行政庁が建築審査会の同意を得て指定したものには適用されない。

4 建築基準法又はこれに基づく命令若しくは条例の規定の施行又は適用の際現に存する建築物が、規定の改正等によりこれらの規定に適合しなくなった場合、これらの規定は当該建築物に適用されない。

No.63 防火区画に関する記述として、「建築基準法」上、**誤っている**ものはどれか。

1 主要構造部を準耐火構造とした階数が3以下で、延べ面積200 m²以内の一戸建住宅の階段は、竪穴部分とその他の部分について、準耐火構造の床若しくは壁又は防火設備で区画しなくてもよい。

2 政令で定める窓その他の開口部を有しない事務所の事務室は、その事務室を区画する主要構造部を準耐火構造とし、又は不燃材料で造ら

なければならない。

3 　建築物の11階以上の部分で、各階の床面積の合計が100 m²を超えるものは、原則として床面積の合計100 m²以内ごとに耐火構造の床若しくは壁又は防火設備で区画しなければならない。

4 　共同住宅の各戸の界壁を給水管が貫通する場合においては、当該管と界壁との隙間をモルタルその他の不燃材料で埋めなければならない。

No.64 建設業の許可に関する記述として、「建設業法」上、誤っているものはどれか。

1 　建設業の許可は、一般建設業と特定建設業の区分により、建設工事の種類ごとに受ける。

2 　建設業者は、許可を受けた建設業に係る建設工事を請け負う場合においては、当該建設工事に附帯する他の建設業に係る建設工事を請け負うことができる。

3 　建設業の許可を受けた建設業者は、許可を受けてから3年以内に営業を開始せず、又は引き続いて1年以上営業を休止した場合、当該許可を取り消される。

4 　特定建設業の許可を受けようとする者は、発注者との間の請負契約で、その請負代金の額が8,000万円以上であるものを履行するに足りる財産的基礎を有していなければならない。

No.65 建設工事の請負契約に関する記述として、「建設業法」上、誤っているものはどれか。

1 　建設工事の請負契約書には、契約に関する紛争の解決方法に該当する事項を記載しなければならない。

2 　建設業者は、建設工事の注文者から請求があったときは、請負契約が成立するまでの間に、建設工事の見積書を交付しなければならない。

3 　請負人は、建設工事の施工について工事監理を行う建築士から工事を設計図書のとおりに実施するよう求められた場合において、これに従わない理由があるときは、直ちに、注文者に対して、その理由を報

告しなければならない。

4 注文者は、工事現場に監督員を置く場合においては、当該監督員の権限に関する事項及びその行為についての請負人の注文者に対する意見の申出の方法を、書面により請負人の承諾を得なければならない。

★
No.66 元請負人の義務に関する記述として、「建設業法」上、**誤って**いるものはどれか。

1 元請負人は、前払金の支払を受けたときは、下請負人に対して、資材の購入、労働者の募集その他建設工事の着手に必要な費用を前払金として支払うよう適切な配慮をしなければならない。

2 元請負人は、請負代金の出来形部分に対する支払を受けたときは、当該支払の対象となった建設工事を施工した下請負人に対して出来形部分に相応する下請代金を、当該支払を受けた日から50日以内で、かつ、できる限り短い期間内に支払わなければならない。

3 特定建設業者は、発注者から直接建築一式工事を請け負った場合において、下請契約の請負代金の総額が6,000万円以上になるときは、施工体制台帳を工事現場ごとに備え置き、発注者の閲覧に供しなければならない。

4 特定建設業者が注文者となった下請契約において、下請代金の支払期日が定められなかったときは、下請負人が完成した工事目的物の引渡しを申し出た日を支払期日としなければならない。

No.67 次の記述のうち、「労働基準法」上、**誤っているもの**はどれか。

1 満18才に満たない者を、足場の組立、解体又は変更の業務のうち地上又は床上における補助作業の業務に就かせてはならない。

2 満18才に満たない者を、高さが5m以上の場所で、墜落により危害を受けるおそれのあるところにおける業務に就かせてはならない。

3 満18才に満たない者を、原則として午後10時から午前5時までの間において使用してはならない。

4 満18才に満たない者を、単独で行うクレーンの玉掛けの業務に就かせてはならない。

No.68 建設業の事業場における安全衛生管理体制に関する記述として、「労働安全衛生法」上、**誤っているもの**はどれか。

1 事業者は、常時10人の労働者を使用する事業場では、安全衛生推進者を選任しなければならない。

2 事業者は、常時30人の労働者を使用する事業場では、衛生管理者を選任しなければならない。

3 事業者は、常時50人の労働者を使用する事業場では、産業医を選任しなければならない。

4 事業者は、常時100人の労働者を使用する事業場では、総括安全衛生管理者を選任しなければならない。

No.69 建設現場における次の業務のうち、「労働安全衛生法」上、都道府県労働局長の当該業務に係る**免許を必要とするもの**はどれか。

1 最大積載量が1 t以上の不整地運搬車の運転の業務

2 動力を用い、かつ、不特定の場所に自走することができる機体重量が3 t以上のくい打機の運転の業務

3 作業床の高さが10 m以上の高所作業車の運転の業務

4 つり上げ荷重が5 t以上の移動式クレーンの運転の業務

No.70 次の記述のうち、「廃棄物の処理及び清掃に関する法律」上、**誤っているもの**はどれか。
ただし、特別管理産業廃棄物を除くものとする。

1 産業廃棄物の運搬又は収集を行う車両は、産業廃棄物運搬車である旨の事項を表示し、かつ、当該運搬車に環境省令で定める書面を備え付けておかなければならない。

2 事業者は、産業廃棄物の運搬又は処分を委託した際に産業廃棄物管理票を交付した場合、管理票の写しを、交付した日から5年間保存し

なければならない。

3 　事業者は、工事に伴って発生した産業廃棄物を自ら運搬する場合、管轄する都道府県知事の許可を受けなければならない。

4 　汚泥の処理能力が1日当たり10 m³を超える乾燥処理施設（天日乾燥施設を除く。）を設置する場合、管轄する都道府県知事の許可を受けなければならない。

No.71 宅地以外の土地を宅地にするため、土地の形質の変更を行う場合、「宅地造成等規制法」上、**宅地造成に該当しないもの**はどれか。
（☆）

1 　切土をする土地の面積が300 m²であって、切土をした土地の部分に高さが1.5 mの崖を生ずるもの

2 　盛土をする土地の面積が400 m²であって、盛土をした土地の部分に高さが2 mの崖を生ずるもの

3 　切土と盛土を同時にする土地の面積が500 m²であって、盛土をした土地の部分に高さが1 mの崖を生じ、かつ、切土及び盛土をした土地の部分に高さが2.5 mの崖を生ずるもの

4 　盛土をする土地の面積が600 m²であって、盛土をした土地の部分に高さが1 mの崖を生ずるもの

No.72 「振動規制法」上、指定地域内における特定建設作業に関する記述として、**誤っているもの**はどれか。
　　　　ただし、災害その他非常時等を除くものとする。

1 　特定建設作業の振動が、当該特定建設作業の場所において、図書館、特別養護老人ホーム等の敷地の周囲おおむね80 mの区域内として指定された区域にあっては、1日10時間を超えて行われる特定建設作業に伴って発生するものでないこと。

2 　特定建設作業の振動が、特定建設作業の場所の敷地の境界線において、85 dBを超える大きさのものでないこと。

3 　特定建設作業の振動が、特定建設作業の全部又は一部に係る作業の

期間が当該特定建設作業の場所において、連続して6日を超えて行われる特定建設作業に伴って発生するものでないこと。

4　特定建設作業の振動が、良好な住居の環境を保全するため、特に静穏の保持を必要とする区域として指定された区域にあっては、午後7時から翌日の午前7時までの時間において行われる特定建設作業に伴って発生するものでないこと。

MEMO

1級建築施工管理技術検定

令和2年度

学科試験

試験時間に合わせて解いてみましょう！

- **■試験内容** 建築学等、施工管理法、法規

- **■試験形式** 択一式

- **■試験時間** 午前
  試験時間 10：15〜12：45

  午後
  試験時間 14：15〜16：15

◆学科試験結果データ◆

受検者数	22,742人
合格者数	11,619人
合格率	51.1%
合格基準	36問

P.244に解答用紙がありますので、コピーしてお使いください。
答え合わせに便利な正答一覧は別冊P.224にあります。

1級 建築施工管理技術検定

学科試験問題（午前の部）

問題番号No.1〜No.15までの15問題のうちから、12問題を選択し、解答してください。

No. 1 換気に関する記述として、**最も不適当なもの**はどれか。

1 換気量が一定の場合、室容積が小さいほど換気回数は多くなる。

2 給気口から排気口に至る換気経路を短くするほうが、室内の換気効率はよくなる。

3 全熱交換器を用いると、冷暖房時に換気による熱損失や熱取得を軽減できる。

4 換気量が同じ場合、置換換気は全般換気に比べて、換気効率に優れている。

No. 2 日照及び日射に関する記述として、**最も不適当なもの**はどれか。

1 同じ日照時間を確保するためには、緯度が高くなるほど南北の隣棟間隔を大きくとる必要がある。

2 夏至に終日日影となる部分は永久日影であり、1年を通して太陽の直射がない。

3 北緯35度付近で、終日快晴の春分における終日直達日射量は、東向き鉛直面よりも南向き鉛直面のほうが大きい。

4 昼光率は、全天空照度に対する室内のある点の天空光による照度であり、直射日光による照度を含む。

No. 3 音に関する記述として、**最も不適当なもの**はどれか。

1 人間が聞き取れる音の周波数は、一般的に20 Hzから20 kHzといわれている。

2 室内の向かい合う平行な壁の吸音率が低いと、フラッターエコーが発生しやすい。

3 自由音場において、無指向性の点音源から10 m離れた位置の音圧レベルが63 dBのとき、20 m離れた位置の音圧レベルは57 dBになる。

4 音波が障害物の背後に回り込む現象を回折といい、低い周波数よりも高い周波数の音のほうが回折しやすい。

No. 4 木質構造に関する記述として、**最も不適当なもの**はどれか。

1 枠組壁工法は、木材を使用した枠組に構造用合板その他これに類するものを打ち付けることにより、壁及び床を設ける工法で、枠組壁は水平力と鉛直力を同時に負担することはできない。

2 2階建の建築物における隅柱は、接合部を通し柱と同等以上の耐力を有するように補強した場合、通し柱としなくてもよい。

3 燃えしろ設計は、木質材料の断面から所定の燃えしろ寸法を除いた断面に長期荷重により生じる応力度が、短期の許容応力度を超えないことを検証するものである。

4 構造耐力上主要な部分である柱を基礎に緊結した場合、当該柱の下部に土台を設けなくてもよい。

No. 5 鉄筋コンクリート構造に関する記述として、**最も不適当なもの**はどれか。

1 床スラブは、地震力に対し同一階の水平変位を等しく保つ役割を有する。

2 柱のじん性を確保するため、短期軸方向力を柱のコンクリート全断面積で除した値は、コンクリートの設計基準強度の$\frac{1}{2}$以下とする。

3 壁板のせん断補強筋比は、直交する各方向に関して、それぞれ0.25％以上とする。

4 梁に貫通孔を設けた場合、構造耐力の低下は、曲げ耐力よりせん断耐力のほうが著しい。

No. 6 鉄骨構造に関する記述として、**最も不適当なもの**はどれか。

1 梁の材質をSN 400 AからSN 490 Bに変えても、部材断面と荷重条件が同一ならば、梁のたわみは同一である。

2 トラス構造は、部材を三角形に組み合わせた骨組で、比較的細い部材で大スパンを構成することができる。

3 節点の水平移動が拘束されているラーメン構造では、柱の座屈長さは、設計上、節点間の距離に等しくとることができる。

4 構造耐力上主要な部分である圧縮材については、細長比の下限値が定められている。

No. 7 地盤及び基礎構造に関する記述として、**最も不適当なもの**はどれか。

1 直接基礎における地盤の許容応力度は、基礎荷重面の面積が同一ならば、その形状が異なっても同じ値となる。

2 直接基礎下における粘性土地盤の圧密沈下は、地中の応力の増加により長時間かかって土中の水が絞り出され、間隙が減少するために生じる。

3 圧密による許容沈下量は、独立基礎のほうがべた基礎に比べて小さい。

4 基礎梁の剛性を大きくすることにより、基礎の沈下量を平均化できる。

No. 8 床の構造計算をする場合の積載荷重として、**最も不適当なもの**はどれか。

1 店舗の売り場の積載荷重は、2,900 N/m² とすることができる。

2 集会場の客席が固定席である集会室の積載荷重は、2,900 N/m² とすることができる。

3 倉庫業を営む倉庫の積載荷重は、2,900 N/m² とすることができる。

4 百貨店の屋上広場の積載荷重は、2,900 N/m² とすることができる。

No. 9 図に示す3ヒンジラーメン架構のAD間に等分布荷重が、CE間に集中荷重が同時に作用したとき、支点A及びBに生じる水平反力（H_A, H_B）、鉛直反力（V_A, V_B）の値として、**正しいもの**はどれか。

ただし、反力は右向き及び上向きを「＋」、左向き及び下向きを「－」とする。

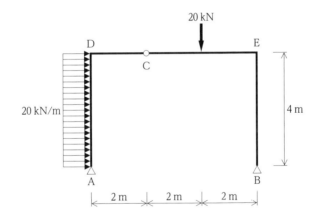

1 $H_A = -40$ kN

2 $H_B = +40$ kN

3 $V_A = -20$ kN

4 $V_B = +20$ kN

No.10 図に示すラーメン架構に集中荷重3P及び2Pが同時に作用したときの曲げモーメント図として、**正しいもの**はどれか。

ただし、曲げモーメントは材の引張り側に描くものとする。

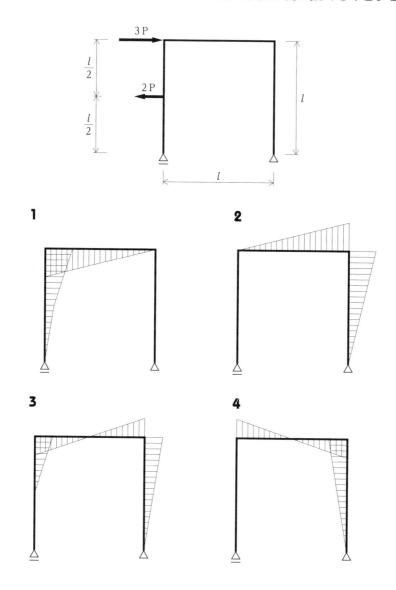

No.11 鋼材に関する記述として、**最も不適当なもの**はどれか。

1 TMCP鋼は、熱加工制御により製造された鋼材で、高じん性であり溶接性に優れた鋼材である。

2 低降伏点鋼は、モリブデン等の元素を添加することで、強度を低くし延性を高めた鋼材である。

3 鋼材の溶接性に関する数値として、炭素当量（C_{eq}）や溶接割れ感受性組成（P_{CM}）がある。

4 鋼材の材質を変化させるための熱処理には、焼入れ、焼戻し、焼ならしなどの方法がある。

No.12 左官材料に関する記述として、**最も不適当なもの**はどれか。

1 せっこうプラスターは、水硬性であり、多湿で通気不良の場所で使用できる。

2 ドロマイトプラスターは、それ自体に粘性があるためのりを必要としない。

3 セメントモルタルの混和材として消石灰を用いると、こて伸びがよく、平滑な面が得られる。

4 しっくい用ののりには、海藻、海藻の加工品、メチルセルロース等がある。

No.13 JIS（日本産業規格）のサッシに規定されている性能項目に関する記述として、**不適当なもの**はどれか。

1 スライディングサッシでは、「気密性」が規定されている。

2 スイングサッシでは、「水密性」が規定されている。

3 スライディングサッシでは、「ねじり強さ」が規定されている。

4 スイングサッシでは、「遮音性」が規定されている。

No.14 建築用シーリング材に関する記述として、**最も不適当なもの**はどれか。

1 シリコーン系シーリング材は、表面にほこりが付着しないため、目地周辺に撥水汚染が生じにくい。

2 2成分形シーリング材は、施工直前に基剤と硬化剤を調合し、練り混ぜて使用する。

3 弾性シーリング材は、液状ポリマーを主成分としたもので、施工後は硬化し、ゴム状弾性を発現する。

4 シーリング材のクラスは、目地幅に対する拡大率及び縮小率で区分が設定されている。

No.15 内装材料に関する記述として、**最も不適当なもの**はどれか。

1 構造用せっこうボードは、芯材のせっこうに無機質繊維等を混入したうえ、くぎ側面抵抗を強化したものである。

2 ロックウール化粧吸音板は、ロックウールのウールを主材料として、結合材及び混和材を用いて成形し、表面化粧加工したものである。

3 けい酸カルシウム板は、石灰質原料、けい酸質原料、石綿以外の繊維、混和材料を原料として、成形したものである。

4 強化せっこうボードは、両面のボード用原紙と芯材のせっこうに防水処理を施したものである。

問題番号No.16～No.20までの5問題は、全問題を解答してください。

No.16 構内アスファルト舗装に関する記述として、**最も不適当なもの**はどれか。

1 盛土をして路床とする場合は、一層の仕上り厚さ300 mm程度ごとに締め固めながら、所定の高さに仕上げる。

2 アスファルト混合物の敷均し時の温度は、一般に110℃以上とする。

3 アスファルト混合物の締固め作業は、一般に継目転圧、初転圧、2

次転圧、仕上げ転圧の順に行う。

4 アスファルト舗装の継目は、既設舗装の補修、延伸等の場合を除いて、下層の継目の上に上層の継目を重ねない。

No.17 避雷設備に関する記述として、**最も不適当なもの**はどれか。

1 高さが15 mを超える建築物には、原則として、避雷設備を設けなければならない。

2 指定数量の10倍以上の危険物を貯蔵する倉庫には、高さにかかわらず、原則として、避雷設備を設けなければならない。

3 受雷部システムの配置は、保護しようとする建築物の種類、重要度等に応じた保護レベルの要求事項に適合しなければならない。

4 鉄骨造の鉄骨躯体は、構造体利用の引下げ導線の構成部材として利用することができる。

No.18 空気調和設備に関する記述として、**最も不適当なもの**はどれか。

1 ファンコイルユニット方式における2管式は、冷水管及び温水管をそれぞれ設置し、各ユニットや系統ごとに選択、制御して冷暖房を行う方式である。

2 パッケージユニット方式は、小容量の熱源機器を内蔵するパッケージ型空調機を、各空調区域や各室に設置して空調を行う方式である。

3 定風量単一ダクト方式は、還気と外気を空調機内で温度、湿度、清浄度を総合的に調整した後、ダクトにより各室に一定の風量で送風する方式である。

4 二重ダクト方式は、2系統のダクトで送られた温風と冷風を、混合ユニットにより熱負荷に応じて混合量を調整して吹き出す方式である。

No.19 消火設備に関する記述として、**最も不適当なもの**はどれか。

1 屋内消火栓設備は、建物の内部に設置し、人がノズルを手に持ち、火点に向けてノズルより注水を行い、冷却効果により消火するものである。

2 閉鎖型ヘッドのスプリンクラー消火設備は、火災による煙を感知したスプリンクラーヘッドが自動的に開き、散水して消火するものである。

3 泡消火設備は、特に低引火点の油類による火災の消火に適し、主として泡による窒息作用により消火するものである。

4 連結散水設備は、散水ヘッドを消火活動が困難な場所に設置し、地上階の連結送水口を通じて消防車から送水して消火するものである。

No.20 数量積算に関する記述として、「公共建築数量積算基準（国土交通省制定）」上、**正しいもの**はどれか。

1 根切り又は埋戻しの土砂量は、地山数量に掘削による増加、締固めによる減少を見込んで算出する。

2 鉄筋コンクリート造のコンクリート数量は、鉄筋及び小口径管類によるコンクリートの欠除を見込んで算出する。

3 鉄骨鉄筋コンクリート造のコンクリート数量は、コンクリート中の鉄骨及び鉄筋の体積分を差し引いて算出する。

4 鉄筋の数量は、ガス圧接継手の加工による鉄筋の長さの変化はないものとして算出する。

問題番号No.21～No.33までの13問題のうちから、5問題を選択し、
解答してください。

No.21 乗入れ構台の計画に関する記述として、**最も不適当なもの**はどれか。

1 乗入れ構台の支柱と山留めの切梁支柱は、荷重に対する安全性を確認したうえで兼用した。

2 道路から乗入れ構台までの乗込みスロープは、勾配を$\frac{1}{8}$とした。

3 幅が6mの乗入れ構台の交差部は、使用する施工機械や車両の通行の安全性を高めるため、隅切りを設置した。

4 乗入れ構台の支柱は、使用する施工機械や車両の配置によって、位置を決めた。

No.22 土工事に関する記述として、**最も不適当なもの**はどれか。

1 ヒービングとは、軟弱な粘性土地盤を掘削する際に、山留め壁の背面土のまわり込みにより掘削底面の土が盛り上がる現象をいう。

2 盤ぶくれとは、掘削底面付近の砂地盤に上向きの水流が生じ、砂が持ち上げられ、掘削底面が破壊される現象をいう。

3 クイックサンドとは、砂質土のように透水性の大きい地盤で、地下水の上向きの浸透力が砂の水中での有効重量より大きくなり、砂粒子が水中で浮遊する状態をいう。

4 パイピングとは、水位差のある砂質地盤中にパイプ状の水みちができて、砂混じりの水が噴出する現象をいう。

No.23 ソイルセメント柱列山留め壁に関する記述として、**最も不適当なもの**はどれか。

1 多軸のオーガーで施工する場合、大径の玉石や礫が混在する地盤では、先行削孔併用方式を採用する。

2 掘削土が粘性土の場合、砂質土に比べて掘削攪拌（かくはん）速度を速くする。

3 H形鋼や鋼矢板などの応力材は、付着した泥土を落とし、建込み用の定規を使用して建て込む。

4 ソイルセメントの硬化不良部分は、モルタル充填や背面地盤への薬液注入などの処置を行う。

No.24 場所打ちコンクリート杭地業に関する記述として、**最も不適当なもの**はどれか。

1 リバース工法における2次孔底処理は、一般にトレミー管とサクションポンプを連結し、スライムを吸い上げて排出する。

2 オールケーシング工法における孔底処理は、孔内水がない場合やわずかな場合にはハンマーグラブにより掘りくずを除去する。

3 杭頭部の余盛り高さは、孔内水がない場合は50 cm以上、孔内水がある場合は80〜100 cm程度とする。

4 アースドリル工法における鉄筋かごのスペーサーは、D 10以上の鉄筋を用いる。

No.25 異形鉄筋の継手及び定着に関する記述として、**最も不適当なもの**はどれか。

1 梁の主筋を柱内に折曲げ定着とする場合、仕口面からの投影定着長さは、柱せいの$\frac{3}{4}$倍以上とする。

2 D 35以上の鉄筋には、原則として、重ね継手を用いない。

3 大梁主筋にSD 390を用いる場合のフック付定着の長さは、同径のSD 345を用いる場合と同じである。

4 腹筋に継手を設ける場合の継手長さは、150 mm程度とする。

No.26 鉄筋の機械式継手に関する記述として、**最も不適当なもの**はどれか。

1 ねじ節継手とは、鉄筋表面の節がねじ状に熱間成形されたねじ節鉄筋を使用し、雌ねじ加工されたカップラーを用いて接合する工法である。

2 充填継手とは、異形鉄筋の端部に鋼管（スリーブ）をかぶせた後、

外側から加圧して鉄筋表面の節にスリーブを食い込ませて接合する工法である。

3 端部ねじ継手とは、端部をねじ加工した異形鉄筋、あるいは加工したねじ部を端部に圧接した異形鉄筋を使用し、雌ねじ加工されたカップラーを用いて接合する工法である。

4 併用継手とは、2種類の機械式継手を組み合わせることでそれぞれの長所を取り入れ、施工性を改良した工法である。

No.27 型枠の設計に関する記述として、**最も不適当なもの**はどれか。

1 支保工以外の材料の許容応力度は、長期許容応力度と短期許容応力度の平均値とする。

2 コンクリート型枠用合板の曲げヤング係数は、長さ方向スパン用と幅方向スパン用では異なる数値とする。

3 パイプサポートを支保工とするスラブ型枠の場合、打込み時に支保工の上端に作用する水平荷重は、鉛直荷重の5%とする。

4 コンクリート打込み時の側圧に対するせき板の許容たわみ量は、5mmとする。

No.28 構造体コンクリートの調合に関する記述として、**最も不適当なもの**はどれか。

1 アルカリシリカ反応性試験で無害でないものと判定された骨材であっても、コンクリート中のアルカリ総量を3.0 kg/m³ 以下とすれば使用することができる。

2 コンクリートの単位セメント量の最小値は、一般に250 kg/m³ とする。

3 細骨材率が大きくなると、所定のスランプを得るのに必要な単位セメント量及び単位水量は大きくなる。

4 水セメント比を小さくすると、コンクリート表面からの塩化物イオンの浸透に対する抵抗性を高めることができる。

令和2年度 学科試験問題（午前の部）

161

No.29 コンクリートの運搬及び打込みに関する記述として、**最も不適当なもの**はどれか。

1　高性能AE減水剤を用いた高強度コンクリートの練混ぜから打込み終了までの時間は、原則として、120分を限度とする。

2　普通コンクリートを圧送する場合、輸送管の呼び寸法は、粗骨材の最大寸法の2倍とする。

3　コンクリート棒形振動機の加振は、セメントペーストが浮き上がるまでとする。

4　打継ぎ面への打込みは、レイタンスを高圧水洗により取り除き、健全なコンクリートを露出させてから行うものとする。

No.30 高力ボルト接合に関する記述として、**最も不適当なもの**はどれか。

1　締付け後の高力ボルトの余長は、ねじ1山から6山までの範囲であることを確認した。

2　ねじの呼びがM 22の高力ボルトの1次締付けトルク値は、150 N·mとした。

3　ねじの呼びがM 20のトルシア形高力ボルトの長さは、締付け長さに20 mmを加えた値を標準とした。

4　高力ボルトの接合部で肌すきが1 mmを超えたので、フィラープレートを入れた。

No.31 大空間鉄骨架構の建方に関する記述として、**最も不適当なもの**はどれか。

1　スライド工法は、移動構台上で所定の部分の屋根鉄骨を組み立てた後、構台を移動させ、順次架構を構築する工法である。

2　総足場工法は、必要な高さまで足場を組み立てて、作業用の構台を全域にわたり設置し、架構を構築する工法である。

3　リフトアップ工法は、地上又は構台上で組み立てた屋根架構を、先行して構築した構造体を支えとして、ジャッキ等により引き上げてい

く工法である。

4　ブロック工法は、地組みした所定の大きさのブロックを、クレーン等で吊り上げて架構を構築する工法である。

No.32　木質軸組構法に関する記述として、**最も不適当なもの**はどれか。

1　1階及び2階の上下同位置に構造用面材の耐力壁を設けるため、胴差し部において、構造用面材相互間に、6 mmのあきを設けた。

2　接合に用いるラグスクリューの締付けは、先孔をあけ、スパナを用いて回しながら行った。

3　接合金物のボルトの締付けは、座金が木材へ軽くめり込む程度とし、工事中、木材の乾燥収縮により緩んだナットは締め直した。

4　接合金物のボルトの孔あけは、ねじの呼びにかかわらず公称軸径に1.5 mmを加えたものとした。

No.33　揚重運搬機械に関する記述として、**最も不適当なもの**はどれか。

1　建設用リフトは、人及び荷を運搬することを目的とするエレベーターで、土木、建築等の工事の作業で使用される。

2　建設用リフトは、組立て又は解体の作業を行う場合、作業を指揮する者を選任して、その者の指揮のもとで作業を実施する。

3　移動式クレーンは、10分間の平均風速が10 m/s以上の場合、作業を中止する。

4　移動式クレーンは、旋回範囲内に6,600 Vの配電線がある場合、配電線から安全距離を2 m以上確保する。

問題番号No.34〜No.45までの12問題のうちから、5問題を選択し、解答してください。

No.34 合成高分子系ルーフィングシート防水に関する記述として、**最も不適当なもの**はどれか。

1 塩化ビニル樹脂系シート防水において、シート相互の接合にクロロプレンゴム系の接着剤を用いた。

2 塩化ビニル樹脂系シート防水において、接合部のシートの重ね幅は、幅方向、長手方向とも 40 mm 以上とした。

3 加硫ゴム系シート防水接着工法において、防水層立上り端部の処理は、テープ状シール材を張り付けた後にルーフィングシートを張り付け、末端部は押さえ金物で固定し、不定形シール材を充填した。

4 加硫ゴム系シート防水接着工法において、平場の接合部のシートの重ね幅は100 mm 以上とし、立上りと平場との重ね幅は150 mm 以上とした。

No.35 シーリング工事に関する記述として、**最も不適当なもの**はどれか。

1 ALC など表面強度が小さい被着体に、低モジュラスのシーリング材を用いた。

2 ボンドブレーカーは、シリコーン系シーリング材を充填するため、シリコーンコーティングされたテープを用いた。

3 先打ちしたポリサルファイド系シーリング材の硬化後に、変成シリコーン系シーリング材を打ち継いだ。

4 プライマーの塗布及びシーリング材の充填時に、被着体が5℃以下になるおそれが生じたため、作業を中止した。

No.36 セメントモルタルによる壁タイル後張り工法に関する記述として、**最も不適当なもの**はどれか。

1 モザイクタイル張りの張付けモルタルは、2度塗りとし、総塗厚を3mm程度とした。

2 マスク張りの張付けモルタルは、ユニットタイル裏面に厚さ4mmのマスク板をあて、金ごてで塗り付けた。

3 改良積上げ張りの張付けモルタルは、下地モルタル面に塗厚4mm程度で塗り付けた。

4 密着張りの化粧目地詰めは、タイル張付け後、24時間以上経過したのち、張付けモルタルの硬化を見計らって行った。

No.37 金属板葺屋根工事に関する記述として、**最も不適当なもの**はどれか。

1 下葺きのルーフィング材は、上下（流れ方向）の重ね幅を100mm、左右（長手方向）の重ね幅を200mmとした。

2 塗装溶融亜鉛めっき鋼板を用いた金属板葺きの留付け用のドリルねじは、亜鉛めっき製品を使用した。

3 心木なし瓦棒葺の通し吊子の鉄骨母屋への取付けは、平座金を付けたドリルねじで、下葺、野地板を貫通させ母屋に固定した。

4 平葺の吊子は、葺板と同種同厚の材とし、幅20mm、長さ50mmとした。

No.38 軽量鉄骨壁下地に関する記述として、**最も不適当なもの**はどれか。

1 鉄骨梁に取り付く上部ランナーは、耐火被覆工事の後、あらかじめ鉄骨梁に取り付けられた先付け金物に溶接で固定した。

2 コンクリート壁に添え付くスタッドは、上下のランナーに差し込み、コンクリート壁に打込みピンで固定した。

3 スタッドは、上部ランナーの上端とスタッド天端との隙間が15mmとなるように切断した。

4 上下のランナーの間隔が3 mの軽量鉄骨壁下地に取り付ける振れ止めの段数は、2段とした。

No.39 防水形合成樹脂エマルション系複層仕上塗材(防水形複層塗材E)仕上げに関する記述として、**最も不適当なもの**はどれか。

1 下塗材は、0.2 kg/m²を1回塗りで、均一に塗り付けた。

2 主材の基層塗りは、1.2 kg/m²を1回塗りで、下地を覆うように塗り付けた。

3 主材の模様塗りは、1.0 kg/m²を1回塗りで、見本と同様の模様になるように塗り付けた。

4 上塗材は、0.3 kg/m²を2回塗りで、色むらが生じないように塗り付けた。

No.40 アルミニウム製建具工事に関する記述として、**最も不適当なもの**はどれか。

1 表面処理が着色陽極酸化皮膜のアルミニウム製部材は、モルタルに接する箇所の耐アルカリ性塗料塗りを省略した。

2 外部建具周囲の充填モルタルは、NaCl換算0.04％（質量比）まで除塩した海砂を使用した。

3 建具枠のアンカーは、両端から逃げた位置から、間隔を500 mm以下で取り付けた。

4 水切りと下枠との取合いは、建具枠まわりと同一のシーリング材を使用した。

No.41 コンクリート素地面の塗装工事に関する記述として、**最も不適当なもの**はどれか。

1 常温乾燥形ふっ素樹脂エナメル塗りにおいて、塗料を素地に浸透させるため、下塗りはローラーブラシ塗りとした。

2 合成樹脂エマルションペイント塗りにおいて、屋内の水がかり部分は、塗料の種類を1種とした。

3 アクリル樹脂系非水分散形塗料塗りにおいて、中塗りを行う前に研磨紙P 80を用いて研磨した。

4 つや有合成樹脂エマルションペイント塗りにおいて、最終養生時間を48時間とした。

No.42 合成樹脂塗床に関する記述として、**最も不適当なもの**はどれか。

1 エポキシ樹脂系モルタル塗床の防滑仕上げは、トップコート1層目の塗布と同時に骨材を散布した。

2 エポキシ樹脂系コーティング工法のベースコートは、コーティング材を木ごてで塗り付けた。

3 プライマーは、下地の吸込みが激しい部分に、硬化後、再塗布した。

4 弾性ウレタン樹脂系塗床材塗りは、塗床材を床面に流し、金ごてで平滑に塗り付けた。

No.43 壁のせっこうボード張りに関する記述として、**最も不適当なもの**はどれか。

1 ボードの下端部は、床面からの水分の吸上げを防ぐため、床面から10 mm程度浮かして張り付けた。

2 テーパーエッジボードの突付けジョイント部の目地処理における上塗りは、ジョイントコンパウンドを幅200～250 mm程度に塗り広げて平滑にした。

3 軽量鉄骨壁下地にボードを直接張り付ける際、ボード周辺部を固定するドリリングタッピンねじの位置は、ボードの端部から5 mm程度内側とした。

4 木製壁下地にボードを直接張り付ける際、ボード厚の3倍程度の長さの釘を用いて、釘頭が平らに沈むまで打ち込んだ。

★
No.44 外壁の押出成形セメント板張りに関する記述として、**最も不適当なもの**はどれか。

1 パネルの割付けにおいて、使用するパネルの最小幅は300 mmとした。

2 パネル取付け金物（Zクリップ）は、下地鋼材に30 mmのかかりしろを確保して取り付けた。

3 横張り工法のパネルは、積上げ枚数5枚ごとに構造体に固定した自重受け金物で受けた。

4 縦張り工法のパネルは、層間変形に対してロッキングにより追従するため、縦目地を8 mm、横目地を15 mmとした。

No.45 鉄筋コンクリート造の外壁改修工事に関する記述として、**最も不適当なもの**はどれか。

1 コンクリート打放し仕上げにおいて、コンクリートに生じた幅が0.5 mmの挙動のおそれのあるひび割れ部分は、軟質形エポキシ樹脂を用いた樹脂注入工法で改修した。

2 コンクリート打放し仕上げにおいて、コンクリートのはく落が比較的大きく深い欠損部分は、ポリマーセメントモルタル充填工法で改修した。

3 小口タイル張り仕上げにおいて、1箇所当たりの下地モルタルと下地コンクリートとの浮き面積が0.2 m²の部分は、アンカーピンニング部分エポキシ樹脂注入工法で改修した。

4 小口タイル張り仕上げにおいて、タイル陶片のみの浮きの部分は、浮いているタイルを無振動ドリルで穿孔して、注入口付アンカーピンニングエポキシ樹脂注入タイル固定工法で改修した。

問題番号No.46～No.50までの5問題は、全問題を解答してください。

No.46 仮設計画に関する記述として、**最も不適当なもの**はどれか。

1 塗料や溶剤等の保管場所は、管理をしやすくするため、資材倉庫の一画を不燃材料で間仕切り、設ける計画とした。

2 ガスボンベ類の貯蔵小屋は、通気を良くするため、壁の1面を開口とし、他の3面は上部に開口部を設ける計画とした。

3 工事で発生した残材を高さ3mの箇所から投下するため、ダストシュートを設けるとともに、監視人を置く計画とした。

4 前面道路に設置する仮囲いは、道路面を傷めないようにするため、ベースをH形鋼とする計画とした。

No.47 仮設設備の計画に関する記述として、**最も不適当なもの**はどれか。

1 工事用の給水設備において、水道本管からの供給水量の増減に対する調整のため、2時間分の使用水量を確保できる貯水槽を設置する計画とした。

2 工事用の溶接用ケーブル以外の屋外に使用する移動電線で、使用電圧が300Vのものは、1種キャブタイヤケーブルを使用する計画とした。

3 作業員の仮設便所において、男性用大便所の便房の数は、同時に就業する男性作業員が60人ごとに、1個設置する計画とした。

4 工事用の照明設備において、普通の作業を行う作業面の照度は、150ルクスとする計画とした。

No.48 施工計画に関する記述として、**最も不適当なもの**はどれか。

1 鉄骨工事において、建方精度を確保するため、建方の進行とともに、小区画に区切って建入れ直しを行う計画とした。

2 大規模、大深度の工事において、工期短縮のため、地下躯体工事と

並行して上部躯体を施工する逆打ち工法とする計画とした。

3 鉄筋工事において、工期短縮のため、柱や梁の鉄筋を先組み工法とし、継手は機械式継手とする計画とした。

4 鉄骨工事において、施工中の粉塵の飛散をなくし、被覆厚さの管理を容易にするため、耐火被覆はロックウール吹付け工法とする計画とした。

No.49 躯体工事の施工計画に関する記述として、**最も不適当なもの**はどれか。

1 場所打ちコンクリート杭工事において、安定液を使用したアースドリル工法の1次孔底処理は、底ざらいバケットにより行うこととした。

2 鉄骨工事において、板厚が13 mmの部材の高力ボルト用の孔あけ加工は、せん断孔あけとすることとした。

3 ガス圧接継手において、鉄筋冷間直角切断機を用いて圧接当日に切断した鉄筋の圧接端面は、グラインダー研削を行わないこととした。

4 土工事において、透水性の悪い山砂を用いた埋戻しは、埋戻し厚さ300 mmごとにランマーで締め固めながら行うこととした。

No.50 仕上工事の施工計画に関する記述として、**最も不適当なもの**はどれか。

1 改質アスファルトシート防水トーチ工法において、露出防水用改質アスファルトシートの重ね部は、砂面をあぶって砂を沈め、100 mm 重ね合わせることとした。

2 メタルカーテンウォール工事において、躯体付け金物は、鉄骨躯体の製作に合わせてあらかじめ鉄骨製作工場で取り付けることとした。

3 タイル工事において、改良圧着張り工法の張付けモルタルの1回の塗付け面積は、タイル工1人当たり4 m²とすることとした。

4 塗装工事において、亜鉛めっき鋼面の化成皮膜処理による素地ごしらえは、りん酸塩処理とすることとした。

学科試験問題（午後の部）

問題番号No.51〜No.70までの20問題は、全問題を解答してください。

No.51 工事現場における材料の保管に関する記述として、**最も不適当なもの**はどれか。

1 押出成形セメント板は、平坦で乾燥した場所に平積みとし、積上げ高さを1mまでとして保管した。

2 板ガラスは、車輪付き裸台で搬入し、できるだけ乾燥した場所にそのまま保管した。

3 長尺のビニル床シートは、屋内の乾燥した場所に直射日光を避けて縦置きにして保管した。

4 ロール状に巻いたカーペットは、屋内の平坦で乾燥した場所に、4段までの俵積みにして保管した。

No.52 建設業者が作成する建設工事の記録等に関する記述として、**最も不適当なもの**はどれか。

1 発注者から直接工事を請け負った建設業者が作成した発注者との打合せ記録のうち、発注者と相互に交付したものではないものは、保存しないこととした。

2 承認あるいは協議を行わなければならない事項について、建設業者はそれらの経過内容の記録を作成し、監理者と双方で確認したものを監理者に提出することとした。

3 設計図書に定められた品質が証明されていない材料について、建設業者は現場内への搬入後に試験を行い、記録を整備することとした。

4 既製コンクリート杭工事の施工サイクルタイム記録、電流計や根固め液の記録等は、発注者から直接工事を請け負った建設業者が保存する期間を定め、当該期間保存することとした。

No.53 工程管理に関する記述として、**最も不適当なもの**はどれか。

1 バーチャート手法は、前工程の遅れによる後工程への影響を理解しやすい。

2 工事の進捗度の把握には、時間と出来高の関係を示したSチャートが用いられる。

3 間接費は、一般に工期の長短に相関して増減する。

4 どんなに直接費を投入しても、ある限度以上には短縮できない時間をクラッシュタイムという。

No.54 工程計画の立案に関する記述として、**最も不適当なもの**はどれか。

1 工程計画には、大別して積上方式と割付方式とがあり、工期が制約されている場合は、割付方式を採用することが多い。

2 算出した工期が指定工期を超える場合は、クリティカルパス上に位置する作業について、作業方法の変更や作業員増員等を検討する。

3 作業員、施工機械、資機材等の供給量のピークが一定の量を超えないように山崩しを行うことで、工期を短縮できる。

4 作業員、施工機械、資機材等の供給量が均等になるように、山均しを意図したシステマティックな工法の導入を検討する。

No.55 タクト手法に関する記述として、**最も不適当なもの**はどれか。

1 作業を繰り返し行うことによる習熟効果によって生産性が向上するため、工事途中でのタクト期間の短縮や作業者数の削減を検討する。

2 タクト手法は、同一設計内容の基準階を多く有する高層建築物の仕上工事の工程計画手法として、適している。

3 設定したタクト期間では終わることができない一部の作業については、当該作業の作業期間をタクト期間の整数倍に設定する。

4 各作業が独立して行われているため、1つの作業に遅れがあっても

タクトを構成する工程全体への影響は小さい。

No.56 ネットワーク工程表に関する記述として、**最も不適当なもの**はどれか。

1 ディペンデントフロートは、後続作業のトータルフロートに影響を及ぼすようなフロートである。

2 フリーフロートは、その作業の中で使い切ってしまうと後続作業のフリーフロートに影響を及ぼすようなフロートである。

3 クリティカルパスは、トータルフロートが0の作業を開始結合点から終了結合点までつないだものである。

4 トータルフロートは、当該作業の最遅終了時刻（LFT）から当該作業の最早終了時刻（EFT）を差し引いて求められる。

No.57 品質管理に関する記述として、**最も適当なもの**はどれか。

1 品質管理は、計画段階より施工段階で検討するほうが、より効果的である。

2 品質確保のための作業標準を作成し、作業標準どおり行われているか管理を行う。

3 工程（プロセス）の最適化より検査を厳しく行うことのほうが、優れた品質管理である。

4 品質管理は、品質計画の目標のレベルにかかわらず、緻密な管理を行う。

No.58 品質管理の用語に関する記述として、**最も不適当なもの**はどれか。

1 目標値とは、仕様書で述べられる、望ましい又は基準となる特性の値のことをいう。

2 ロットとは、等しい条件下で生産され、又は生産されたと思われるものの集まりをいう。

3 かたよりとは、観測値又は測定結果の大きさが揃っていないことを

いう。

4 トレーサビリティとは、対象の履歴、適用又は所在を追跡できることをいう。

No.59 建築施工の品質を確保するための管理値に関する記述として、**最も不適当なもの**はどれか。

1 鉄骨工事において、一般階の柱の階高寸法は、梁仕口上フランジ上面間で測り、その管理許容差は、±3mmとした。

2 コンクリート工事において、ビニル床シート下地のコンクリート面の仕上がりの平坦さは、3mにつき7mm以下とした。

3 カーテンウォール工事において、プレキャストコンクリートカーテンウォール部材の取付け位置の寸法許容差のうち、目地の幅は、±5mmとした。

4 断熱工事において、硬質吹付けウレタンフォーム断熱材の吹付け厚さの許容差は、±5mmとした。

No.60 品質管理における検査に関する記述として、**最も不適当なもの**はどれか。

1 中間検査は、不良なロットが次工程に渡らないよう事前に取り除くことによって、損害を少なくするために行う検査である。

2 間接検査は、購入者側が受入検査を行うことによって、供給者側の試験を省略する検査である。

3 非破壊検査は、品物を試験してもその商品価値が変わらない検査である。

4 全数検査は、工程の品質状況が悪いために不良率が大きく、決められた品質水準に修正しなければならない場合に適用される検査である。

No.61 普通コンクリートの試験及び検査に関する記述として、**最も不適当なもの**はどれか。

1 スランプ18 cmのコンクリートの荷卸し地点におけるスランプの許容差は、±2.5 cmとした。

2 1回の構造体コンクリート強度の判定に用いる供試体は、複数の運搬車のうちの1台から採取した試料により、3個作製した。

3 構造体コンクリート強度の判定は、材齢28日までの平均気温が20℃であったため、工事現場における水中養生供試体の1回の試験結果が調合管理強度以上のものを合格とした。

4 空気量4.5%のコンクリートの荷卸し地点における空気量の許容差は、±1.5%とした。

No.62 壁面の陶磁器質タイル張り工事における試験に関する記述として、**最も不適当なもの**はどれか。

1 引張接着力試験の試験体の個数は、300 m²ごと及びその端数につき1個以上とした。

2 接着剤張りのタイルと接着剤の接着状況の確認は、タイル張り直後にタイルをはがして行った。

3 セメントモルタル張りの引張接着力試験は、タイル張り施工後、2週間経過してから行った。

4 二丁掛けタイル張りの引張接着力試験は、タイルを小口平の大きさに切断した試験体で行った。

No.63 鉄筋コンクリート造建築物の解体工事における振動、騒音対策に関する記述として、**最も不適当なもの**はどれか。

1 内部スパン周りを先に解体し、外周スパンを最後まで残すことにより、解体する予定の躯体を防音壁として利用した。

2 周辺環境保全に配慮し、振動や騒音が抑えられるコンクリートカッターを用いる切断工法とした。

3 振動レベルの測定器の指示値が周期的に変動したため、変動ごとに

指示値の最大値と最小値の平均を求め、そのなかの最大の値を振動レベルとした。

4 転倒工法による壁の解体工事において、先行した解体工事で発生したガラは、転倒する位置に敷くクッション材として利用した。

No.64 労働災害に関する記述として、**最も不適当なもの**はどれか。

1 労働損失日数は、一時労働不能の場合、暦日による休業日数に $\frac{300}{365}$ を乗じて算出する。

2 労働災害における労働者とは、所定の事業又は事務所に使用される者で、賃金を支払われる者をいう。

3 度数率は、災害発生の頻度を表すもので、100万延べ実労働時間当たりの延べ労働損失日数を示す。

4 永久一部労働不能で労働基準監督署から障がい等級が認定された場合、労働損失日数は、その等級ごとに定められた日数となる。

No.65 市街地の建築工事における公衆災害防止対策に関する記述として、**最も不適当なもの**はどれか。

1 工事現場周囲の道路に傾斜があったため、高さ3mの鋼板製仮囲いの下端は、隙間を土台コンクリートで塞いだ。

2 飛来落下物による歩行者への危害防止等のために設置した歩道防護構台は、構台上で雨水処理し、安全のために照明を設置した。

3 鉄筋コンクリート造の建物解体工事において、防音と落下物防護のため、足場の外側面に防音パネルを設置した。

4 外部足場に設置した防護棚の敷板は、厚さ1.6 mmの鉄板を用い、敷板どうしの隙間は3 cm以下とした。

No.66 作業主任者の職務として、「労働安全衛生法」上、**定められていないもの**はどれか。

1 型枠支保工の組立て等作業主任者は、作業中、要求性能墜落制止用器具等及び保護帽の使用状況を監視すること。

2 有機溶剤作業主任者は、作業に従事する労働者が有機溶剤により汚染され、又はこれを吸入しないように、作業の方法を決定し、労働者を指揮すること。

3 建築物等の鉄骨の組立て等作業主任者は、作業の方法及び順序を作業計画として定めること。

4 はい作業主任者は、はい作業をする箇所を通行する労働者を安全に通行させるため、その者に必要な事項を指示すること。

No.67 足場に関する記述として、**最も不適当なもの**はどれか。

1 単管足場の建地を鋼管2本組とする部分は、建地の最高部から測って31 mを超える部分とした。

2 くさび緊結式足場の支柱の間隔は、桁行方向2 m、梁間方向1.2 mとした。

3 移動式足場の作業床の周囲は、高さ90 cmで中桟付きの丈夫な手すり及び高さ10 cmの幅木を設置した。

4 高さが8 mのくさび緊結式足場の壁つなぎは、垂直方向5 m、水平方向5.5 mの間隔とした。

No.68 事業者が行わなければならない点検に関する記述として、「労働安全衛生規則」上、**誤っているもの**はどれか。

1 作業構台における作業を行うときは、その日の作業を開始する前に、作業を行う箇所に設けた手すり等及び中桟等の取り外し及び脱落の有無について点検を行わなければならない。

2 高所作業車を用いて作業を行うときは、その日の作業を開始する前に、制動装置、操作装置及び作業装置の機能について点検を行わなければ

ならない。

3 つり足場における作業を行うときは、その日の作業を開始する前に、脚部の沈下及び滑動の状態について点検を行わなければならない。(☆)

4 繊維ロープを貨物自動車の荷掛けに使用するときは、その日の使用を開始する前に、繊維ロープの点検を行わなければならない。

No.69 ゴンドラを使用して作業を行う場合、事業者の講ずべき措置として、「ゴンドラ安全規則」上、**誤っているもの**はどれか。

1 ゴンドラの操作の業務に就かせる労働者は、当該業務に係る技能講習を修了した者でなければならない。

2 ゴンドラを使用して作業するときは、原則として、1月以内ごとに1回自主検査を行わなければならない。

3 ゴンドラを使用して作業を行う場所については、当該作業を安全に行うため必要な照度を保持しなければならない。

4 ゴンドラについて定期自主検査を行ったときは、その結果を記録し、これを3年間保存しなければならない。

No.70 酸素欠乏危険作業に労働者を従事させるときの事業者の責務として、「酸素欠乏症等防止規則」上、**誤っているもの**はどれか。

1 酸素欠乏危険作業については、所定の技能講習を修了した者のうちから、酸素欠乏危険作業主任者を選任しなければならない。

2 酸素欠乏危険作業に労働者を就かせるときは、当該労働者に対して酸素欠乏危険作業に係る特別の教育を行わなければならない。

3 酸素欠乏危険場所で空気中の酸素の濃度測定を行ったときは、その記録を3年間保存しなければならない。

4 酸素欠乏危険場所では、原則として、空気中の酸素の濃度を15%以上に保つように換気しなければならない。

問題番号No.71～No.82までの12問題のうちから、8問題を選択し、解答してください。

No.71 建築確認等の手続きに関する記述として、「建築基準法」上、**誤っているもの**はどれか。

1 防火地域及び準防火地域内において、建築物を増築しようとする場合、その増築部分の床面積の合計が10 m²以内のときは、建築確認を受ける必要はない。

2 延べ面積が150 m²の一戸建ての住宅の用途を変更して旅館にしようとする場合、建築確認を受ける必要はない。

3 鉄筋コンクリート造3階建ての共同住宅において、2階の床及びこれを支持する梁に鉄筋を配置する特定工程に係る工事を終えたときは、中間検査の申請をしなければならない。

4 確認済証の交付を受けた建築物の完了検査を受けようとする建築主は、工事が完了した日から4日以内に建築主事に到達するように、検査の申請をしなければならない。（☆）

No.72 次の記述のうち、「建築基準法」上、**誤っているもの**はどれか。

1 建築主は、延べ面積が1,000 m²を超え、かつ、階数が2以上の建築物を新築する場合、一級建築士である工事監理者を定めなければならない。

2 特定行政庁は、飲食店に供する床面積が200 m²を超える建築物の劣化が進み、そのまま放置すれば著しく保安上危険となると認める場合、相当の猶予期限を付けて、所有者に対し除却を勧告することができる。

3 建築監視員は、建築物の工事施工者に対して、当該工事の施工の状況に関する報告を求めることができる。

4 建築主事は、建築基準法令の規定に違反した建築物に関する工事の請負人に対して、当該工事の施工の停止を命じることができる。

No.73 避難施設等に関する記述として、「建築基準法」上、**誤っている**
ものはどれか。

1 小学校には、非常用の照明装置を設けなければならない。

2 集会場で避難階以外の階に集会室を有するものは、その階から避難
階又は地上に通ずる2以上の直通階段を設けなければならない。

3 映画館の客用に供する屋外への出口の戸は、内開きとしてはならない。

4 高さ31 mを超える建築物には、原則として、非常用の昇降機を設
けなければならない。

★
No.74 建設業の許可に関する記述として、「建設業法」上、**誤ってい**
るものはどれか。

1 建設業の許可を受けようとする者は、許可を受けようとする建設業
に係る建設工事に関して10年の実務の経験を有する者を、一般建設業
の営業所に置く専任の技術者とすることができる。

2 建設業の許可を受けようとする者は、複数の都道府県の区域内に営
業所を設けて営業をしようとする場合、それぞれの都道府県知事の許
可を受けなければならない。

3 内装仕上工事など建築一式工事以外の工事を請け負う建設業者であっ
ても、特定建設業の許可を受けることができる。

4 特定建設業の許可を受けた者でなければ、発注者から直接請け負っ
た建設工事を施工するために、建築工事業にあっては下請代金の額の
総額が6,000万円以上となる下請契約を締結してはならない。

No.75 請負契約に関する記述として、「建設業法」上、**誤っているも**
のはどれか。

1 注文者は、請負人に対して、建設工事の施工につき著しく不適当と
認められる下請負人があるときは、あらかじめ注文者の書面等による
承諾を得て選定した下請負人である場合を除き、その変更を請求する
ことができる。

2 注文者は、工事一件の予定価格が5,000万円以上である工事の請負

契約の方法が随意契約による場合であっても、契約の締結までに建設業者が当該建設工事の見積りをするための期間は、原則として、15日以上を設けなければならない。

3　元請負人は、その請け負った建設工事を施工するために必要な工程の細目、作業方法その他元請負人において定めるべき事項を定めようとするときは、あらかじめ、注文者の意見をきかなければならない。

4　請負人は、請負契約の履行に関し工事現場に現場代理人を置く場合に、注文者の承諾を得て、現場代理人に関する事項を、省令で定める情報通信の技術を利用する方法で通知することができる。

★
No.76 工事現場に置く技術者に関する記述として、「建設業法」上、**誤っているもの**はどれか。

1　発注者から直接建築一式工事を請け負った特定建設業者は、下請契約の総額が6,000万円以上の工事を施工する場合、監理技術者を工事現場に置かなければならない。

2　工事一件の請負代金の額が6,000万円である診療所の建築一式工事において、工事の施工の技術上の管理をつかさどるものは、工事現場ごとに専任の者でなければならない。

3　専任の主任技術者を必要とする建設工事のうち、密接な関係のある2以上の建設工事を同一の建設業者が同一の場所又は近接した場所において施工するものについては、同一の専任の主任技術者がこれらの建設工事を管理することができる。

4　発注者から直接防水工事を請け負った特定建設業者は、下請契約の総額が3,500万円の工事を施工する場合、主任技術者を工事現場に置かなければならない。

No.77 労働契約に関する記述として、「労働基準法」上、**誤っているもの**はどれか。

1　使用者は、労働者の退職の場合において、請求があった日から、原則として、7日以内に賃金を支払い、労働者の権利に属する金品を返

還しなければならない。

2　満60歳以上の労働者との間に締結される労働契約は、契約期間の定めのないものを除き、一定の事業の完了に必要な期間を定めるもののほかは、5年を超える期間について締結してはならない。

3　使用者は、労働者が業務上負傷し、休業する期間とその後30日間は、やむを得ない事由のために事業の継続が不可能となった場合においても解雇してはならない。

4　使用者は、試の使用期間中の者で14日を超えて引き続き使用されるに至った者を解雇しようとする場合、原則として、少なくとも30日前にその予告をしなければならない。

No.78　建設業の事業場における安全衛生管理体制に関する記述として、「労働安全衛生法」上、**誤っているもの**はどれか。

1　統括安全衛生責任者を選任すべき特定元方事業者は、元方安全衛生管理者を選任しなければならない。

2　安全衛生責任者は、安全管理者又は衛生管理者の資格を有する者でなければならない。

3　統括安全衛生責任者は、その事業の実施を統括管理する者でなければならない。

4　元方安全衛生管理者は、その事業場に専属の者でなければならない。

No.79　労働者の就業に当たっての措置に関する記述として、「労働安全衛生法」上、**正しいもの**はどれか。

1　事業者は、従事する業務に関する安全又は衛生のため必要な事項の全部又は一部に関し十分な知識及び技能を有していると認められる労働者については、当該事項についての雇入れ時の安全衛生教育を省略することができる。

2　就業制限に係る業務に就くことができる者が当該業務に従事するときは、これに係る免許証その他その資格を証する書面の写しを携帯していなければならない。

3 元方安全衛生管理者は、作業場において下請負業者が雇入れた労働者に対して、雇入れ時の安全衛生教育を行わなければならない。

4 事業者は、作業主任者の選任を要する作業において、新たに職長として職務に就くことになった作業主任者について、法令で定められた安全又は衛生のための教育を実施しなければならない。

No.80 「建設工事に係る資材の再資源化等に関する法律」上、特定建設資材を用いた建築物等の解体工事又は新築工事等のうち、分別解体等をしなければならない建設工事に**該当しないもの**はどれか。

1 建築物の増築工事であって、当該工事に係る部分の床面積の合計が 500 m² の工事

2 建築物の大規模な修繕工事であって、請負代金の額が 8,000 万円の工事

3 建築物の解体工事であって、当該工事に係る部分の床面積の合計が 80 m² の工事

4 擁壁の解体工事であって、請負代金の額が 500 万円の工事

No.81 「騒音規制法」上、指定地域内における特定建設作業の実施の届出に関する記述として、**誤っているもの**はどれか。
　　　　ただし、作業はその作業を開始した日に終わらないものとする。

1 さく岩機を使用する作業であって、作業地点が連続的に移動し、1日における当該作業に係る2地点間の距離が 50 m を超える作業は、特定建設作業の実施の届出をしなければならない。

2 さく岩機の動力として使用する作業を除き、電動機以外の原動機の定格出力が 15 kW 以上の空気圧縮機を使用する作業は、特定建設作業の実施の届出をしなければならない。

3 環境大臣が指定するものを除き、原動機の定格出力が 40 kW 以上のブルドーザーを使用する作業は、特定建設作業の実施の届出をしなければならない。

4　環境大臣が指定するものを除き、原動機の定格出力が80 kW以上の
バックホウを使用する作業は、特定建設作業の実施の届出をしなけれ
ばならない。

★
No.82　貨物自動車に分割できない資材を積載して運転する際に、「道
路交通法」上、当該車両の出発地を管轄する警察署長の**許可を
必要とするもの**はどれか。
　　　　ただし、貨物自動車は、軽自動車を除くものとする。

1　長さ11 mの自動車に、車体の前後に0.5 mずつはみ出す長さ12 m
の資材を積載して運転する場合
2　荷台の高さが1 mの自動車に、高さ2.7 mの資材を積載して運転す
る場合
3　幅2.2 mの自動車に、車体の左右に0.1 mずつはみ出す幅2.4 mの資
材を積載して運転する場合
4　積載された資材を看守するため、必要な最小限度の人員として1名
を荷台に乗車させて運転する場合

1級建築施工管理技術検定

令和6年度

第二次検定

■**試験内容**　施工管理法

■**試験形式**　記述式（4問）と五肢択一式（2問）

■**試験時間**　13：00〜16：00

1級 建築施工管理技術検定

第二次検定問題

令和6年度1級建築施工管理技術検定の第二次検定については、本書専用ブログ（http://www.s-henshu.info/1kskm2409/）にて、問題文及び解答例・正答・解説を掲載する予定です（令和7年3月下旬を予定）。

1級建築施工管理技術検定

令和5年度
第二次検定

試験時間に合わせて解いてみましょう！

■**試験内容**　施工管理法

■**試験形式**　記述式（4問）と五肢一択式（2問）

■**試験時間**　13:00〜16:00

◆第二次検定結果データ◆

受検者数	14,391人
合格者数	6,544人
合格率	45.5%

P.245〜252に解答用紙がありますので、コピーしてお使いください。
解答例・正答は別冊P.187以下にあります。

令和5年度

1級 建築施工管理技術検定

第二次検定問題

問題 1　建築工事の施工者は、発注者の要求等を把握し、施工技術力等を駆使して品質管理を適確に行うことが求められる。

　あなたが経験した**建築工事**のうち、要求された品質を満足させるため、品質計画に基づき**品質管理**を行った工事を1つ選び、工事概要を具体的に記入した上で、次の1. 及び2. の問いに答えなさい。

　なお、**建築工事**とは、建築基準法に定める建築物に係る工事とし、建築設備工事を除くものとする。

〔工事概要〕
イ. 工 事 名
ロ. 工 事 場 所
ハ. 工 事 の 内 容 （新築等の場合：建物用途、構造、階数、延べ面積又は施工数量、主な外部仕上げ、主要室の内部仕上げ
改修等の場合：建物用途、建物規模、主な改修内容及び施工数量）
ニ. 工 期 等 （工期又は工事に従事した期間を年号又は西暦で年月まで記入）
ホ. あなたの立場
ヘ. あなたの業務内容

1. 工事概要であげた工事で、あなたが現場で**重点的に品質管理を行っ**た事例を３つあげ、それぞれの事例について、次の①から③を具体的に記述しなさい。

　　ただし、３つの事例の①は同じものでもよいが、②及び③はそれぞれ異なる内容を記述するものとする。

① **工種名又は作業名等**
② 施工に当たって設定した**品質管理項目**及びそれを**設定した理由**
③ ②の品質管理項目について**実施した内容**及びその**確認方法又は検査方法**

2. 工事概要であげた工事に係わらず、あなたの今日までの建築工事の経験を踏まえて、次の①及び②を具体的に記述しなさい。

　　ただし、１．の③と同じ内容の記述は不可とする。

① 品質管理を適確に行うための作業所における**組織的な取組**
② ①の取組によって得られる**良い効果**

問題 2 建築工事における次の１．から３．の仮設物の設置を計画するに当たり、**留意すべき事項**及び**検討すべき事項**を、それぞれ２つ具体的に記述しなさい。

　　ただし、解答はそれぞれ異なる内容の記述とし、申請手続、届出及び運用管理に関する記述は除くものとする。
　　また、使用資機材に不良品はないものとする。

1. くさび緊結式足場
2. 建設用リフト
3. 場内仮設道路

問題 3

市街地での事務所ビル新築工事について、右の基準階の躯体工事工程表及び作業内容表を読み解き、次の1. から4. の問いに答えなさい。

　工程表は工事着手時のもので、各工種の作業内容は作業内容表のとおりであり、型枠工事の作業④と、鉄筋工事の作業⑦については作業内容を記載していない。

　基準階の施工は型枠工10人、鉄筋工6人のそれぞれ1班で施工し、③柱型枠、壁型枠返しは、⑧壁配筋が完了してから開始するものとし、⑨梁配筋（圧接共）は、⑤床型枠組立て（階段を含む）が完了してから開始するものとする。

　なお、仮設工事、設備工事及び検査は、墨出し、型枠工事、鉄筋工事、コンクリート工事の進捗に合わせ行われることとし、作業手順、作業日数の検討事項には含めないものとする。

〔工事概要〕

用　　　途：事務所
構造、規模：鉄筋コンクリート造、地上6階、延べ面積
　　　　　　3,000 m²、基準階面積480 m²

1. 型枠工事の作業④及び鉄筋工事の作業⑦の**作業内容**を記述しなさい。

2. 型枠工事の③柱型枠、壁型枠返しの**最早開始時期（EST）**を記入しなさい。

3. 型枠工事の⑥型枠締固め及び鉄筋工事の⑩床配筋の**フリーフロート**を記入しなさい。

4. 次の記述の［　　　］に当てはまる**数値**を記入しなさい。

　ある基準階において、②片壁型枠建込み及び③柱型枠、壁型枠返しについて、当初計画した型枠工の人数が確保できず、②片壁型枠建込みでは2日、③柱型枠、壁型枠返しでは1日、作業日数が増加することとなった。

　このとき、墨出しからコンクリート打込み完了までの**総所要日数**は　　　日となる。

基準階の躯体工事工程表（当該階の柱及び壁、上階の床及び梁）

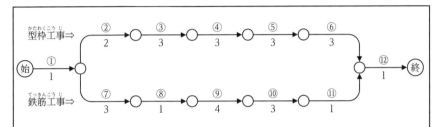

（凡例）〇—②→〇 ： ②片壁型枠建込み作業の所要日数が2日であることを表している。
　　　　　2

※　工程表にダミーアローは記載していない。

作業内容表（所要日数には仮設、運搬を含む）

工　種	作　業　内　容	所要日数（日）
墨出し	①墨出し	1
型枠工事	②片壁型枠建込み	2
	③柱型枠、壁型枠返し	3
	④	3
	⑤床型枠組立て（階段を含む）	3
	⑥型枠締固め	3

鉄筋工事	⑦		3
	⑧壁配筋		1
	⑨梁配筋（圧接共）		4
	⑩床配筋		3
	⑪差筋		1
コンクリート工事	⑫コンクリート打込み		1

ネットワーク工程表検討用

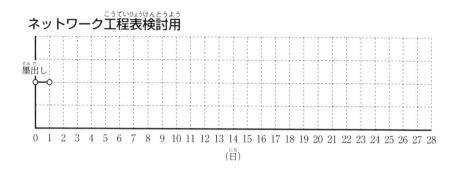

問題 4

次の1.から4.の問いに答えなさい。

ただし、解答はそれぞれ異なる内容の記述とし、材料（仕様、品質、搬入、保管等）、作業環境（騒音、振動、気象条件等）、養生及び安全に関する記述は除くものとする。

1. 土工事において、山留め壁に鋼製切梁工法の支保工を設置する際の施工上の**留意事項**を2つ、具体的に記述しなさい。

ただし、地下水の処理及び設置後の維持管理に関する記述は除くものとする。

2. 鉄筋工事において、バーサポート又はスペーサーを設置する際の施工上の**留意事項**を2つ、具体的に記述しなさい。

3. 鉄筋コンクリート造の型枠工事において、床型枠用鋼製デッキプレート（フラットデッキプレート）を設置する際の施工上の**留意事項**を2つ、具体的に記述しなさい。

4. コンクリート工事において、普通コンクリートを密実に打ち込むための施工上の**留意事項**を2つ、具体的に記述しなさい。

問題 5

次の1.から8.の各記述において、□□に当てはまる**最も適当な語句又は数値の組合せ**を、下の枠内から1つ選びなさい。

1. 塩化ビニル樹脂系シート防水の接着工法において、シート相互の接合部は、原則として水上側のシートが水下側のシートの上になるよう張り重ねる。

また、シート相互の接合幅は、幅方向、長手方向とも、最小値 a mmとし、シート相互の接合方法は、 b と c を併用して接合する。

令和5年度 第二次検定試験問題

	a	b	c
①	40	接着剤	液状シール材
②	100	接着剤	テープ状シール材
③	100	溶着剤又は熱風	テープ状シール材
④	40	溶着剤又は熱風	液状シール材
⑤	100	溶着剤又は熱風	液状シール材

2. セメントモルタルによる外壁タイル後張り工法の引張接着強度検査は、施工後2週間以上経過した時点で、油圧式接着力試験機を用いて、引張接着強度と a 状況に基づき合否を判定する。

また、下地がモルタル塗りの場合の試験体は、タイルの目地部分を b 面まで切断して周囲と絶縁したものとし、試験体の数は100 ㎡以下ごとに1個以上とし、かつ、全面積で c 個以上とする。

	a	b	c
①	破 壊	下地モルタル	2
②	破 壊	コンクリート	2
③	破 壊	コンクリート	3
④	打 音	コンクリート	3
⑤	打 音	下地モルタル	3

3. 鋼板製折板葺屋根におけるけらば包みの継手位置は、端部用タイトフレームの位置よりできるだけ a ほうがよい。

また、けらば包み相互の継手の重ね幅は、最小値 b mmとし、当該重ね内部に不定形又は定形シーリング材をはさみ込み、 c 等で留め付ける。

	a	b	c
①	近い	100	ドリリングタッピンねじ
②	離す	60	溶接接合
③	近い	60	ドリリングタッピンねじ
④	近い	100	溶接接合
⑤	離す	100	ドリリングタッピンねじ

4. 軽量鉄骨壁下地のランナー両端部の固定位置は、端部から a mm内側とする。

ランナーの固定間隔は、ランナーの形状、断面性能及び軽量鉄骨壁の構成等により b mm程度とする。

また、上部ランナーの上端とスタッド天端の隙間は10 mm以下とし、スタッドに取り付けるスペーサーの間隔は c mm程度とする。

	a	b	c
①	100	600	900
②	50	900	600
③	50	600	900
④	50	900	900
⑤	100	900	600

5. 仕上げ材の下地となるセメントモルタル塗りの表面仕上げには、金ごて仕上げ、木ごて仕上げ、はけ引き仕上げがあり、その上に施工する仕上げ材の種類に応じて使い分ける。

　一般塗装下地、壁紙張り下地の仕上げの場合は、 a 仕上げとする。

　壁タイル接着剤張り下地の仕上げの場合は、 b 仕上げとする。

　セメントモルタル張りタイル下地の仕上げの場合は、 c 仕上げとする。

	a	b	c
①	金ごて	木ごて	はけ引き
②	金ごて	金ごて	はけ引き
③	木ごて	木ごて	はけ引き
④	金ごて	金ごて	木ごて
⑤	木ごて	金ごて	木ごて

6. アルミニウム製建具工事において、枠のアンカー取付け位置は、枠の隅より150 mm内外を端とし、中間の間隔を [a] mm以下とする。

くつずりをステンレス製とする場合は、厚さ [b] mmを標準とし、仕上げはヘアラインとする。

また、一般的に、破損及び発音防止のためのくつずり裏面のモルタル詰めは、取付け [c] に行う。

	a	b	c
①	500	1.5	後
②	600	1.5	前
③	600	1.6	後
④	500	1.6	前
⑤	500	1.5	前

7. せっこうボード面の素地ごしらえのパテ処理の工法には、パテしごき、パテかい、パテ付けの3種類がある。

[a] は、面の状況に応じて、面のくぼみ、隙間、目違い等の部分を平滑にするためにパテを塗る。

また、パテかいは、[b] にパテ処理するもので、素地とパテ面との肌違いが仕上げに影響するため、注意しなければならない。

なお、パテ付けは、特に [c] を要求される仕上げの場合に行う。

	a	b	c
①	パテしごき	全面	美装性
②	パテしごき	全面	付着性
③	パテかい	局部的	美装性
④	パテかい	全面	美装性
⑤	パテかい	局部的	付着性

8. タイルカーペットを事務室用フリーアクセスフロア下地に施工する場合、床パネル相互間の段差と隙間を $\boxed{\text{a}}$ mm以下に調整した後、床パネルの目地とタイルカーペットの目地を $\boxed{\text{b}}$ mm程度ずらして割付けを行う。

　また、カーペットの張付けは、粘着剥離形の接着剤を $\boxed{\text{c}}$ の全面に塗布し、適切なオープンタイムをとり、圧着しながら行う。

	a	b	c
①	1	100	床パネル
②	2	50	床パネル
③	1	100	カーペット裏
④	2	100	カーペット裏
⑤	1	50	カーペット裏

問題 **6** 次の1.から3.の各法文において、□に当てはまる正しい語句又は数値を、下の該当する枠内から**1つ**選びなさい。

1. 建設業法 （下請代金の支払）
　　第24条の3　元請負人は、請負代金の出来形部分に対する支払又は工事完成後における支払を受けたときは、当該支払の対象となった建設工事を施工した下請負人に対して、当該元請負人が支払を受けた金額の出来形に対する割合及び当該下請負人が施工した出来形部分に相応する下請代金を、当該支払を受けた日から　①　以内で、かつ、できる限り短い期間内に支払わなければならない。
　　2　前項の場合において、元請負人は、同項に規定する下請代金のうち　②　に相当する部分については、現金で支払うよう適切な配慮をしなければならない。
　　3　（略）

| ① | ① 10日 | ② 20日 | ③ 1月 | ④ 3月 | ⑤ 6月 |

| ② | ① 労務費 | ② 交通費 | ③ 材料費 | ④ 事務費 | ⑤ 諸経費 |

2. 建築基準法施行令 （根切り工事、山留め工事等を行う場合の危害の防止）
　　第136条の3　建築工事等において根切り工事、山留め工事、ウエル工事、ケーソン工事その他基礎工事を行なう場合においては、あらかじめ、地下に埋設されたガス管、ケーブル、水道管及び下水道管の損壊による危害の発生を防止するための措置を講じなければならない。
　　2　（略）
　　3　（略）

令和5年度　第二次検定試験問題

199

4　建築工事等において深さ　③　メートル以上の根切り工事を行なう場合においては、地盤が崩壊するおそれがないとき、及び周辺の状況により危害防止上支障がないときを除き、山留めを設けなければならない。この場合において、山留めの根入れは、周辺の地盤の安定を保持するために相当な深さとしなければならない。

5　（略）

6　建築工事等における根切り及び山留めについては、その工事の施工中必要に応じて点検を行ない、山留めを補強し、排水を適当に行なう等これを安全な状態に維持するための措置を講ずるとともに、矢板等の抜取りに際しては、周辺の地盤の　④　による危害を防止するための措置を講じなければならない。

| ③ | ① 0.5 | ② 1.0 | ③ 1.5 | ④ 2.0 | ⑤ 2.5 |

| ④ | ① 沈下 | ② ゆるみ | ③ 崩落 | ④ 陥没 | ⑤ 倒壊 |

3.　労働安全衛生法　（総括安全衛生管理者）

　　第10条　事業者は、政令で定める規模の事業場ごとに、厚生労働省令で定めるところにより、総括安全衛生管理者を選任し、その者に安全管理者、衛生管理者又は第25条の2第2項の規定により技術的事項を管理する者の指揮をさせるとともに、次の業務を統括管理させなければならない。

　　一　労働者の　⑤　又は健康障害を防止するための措置に関すること。

　　二　労働者の安全又は衛生のための教育の実施に関すること。

　　三　健康診断の実施その他健康の保持増進のための措置に関すること。

　　四　労働災害の原因の調査及び　⑥　防止対策に関すること。

　　五　前各号に掲げるもののほか、労働災害を防止するため必要な

業務で、厚生労働省令で定めるもの

2 （略）

3 （略）

| ⑤ | ①危害 | ②損傷 | ③危機 | ④損害 | ⑤危険 |

| ⑥ | ①発生 | ②拡大 | ③頻発 | ④再発 | ⑤被害 |

MEMO

1級建築施工管理技術検定

令和4年度
第二次検定

試験時間に合わせて解いてみましょう！

■**試験内容**　施工管理法

■**試験形式**　記述式（4問）と五肢一択式（2問）

■**試験時間**　13:00〜16:00

◆第二次検定結果データ◆

受検者数	13,010人
合格者数	5,878人
合格率	45.2%

P.253〜260に解答用紙がありますので、コピーしてお使いください。
解答例・正答は別冊P.195以下にあります。

1級 建築施工管理技術検定

第二次検定問題

問題 **1**
建設業を取り巻く環境の変化は著しく、労働生産性の向上や担い手の確保に対する取組は、建設現場において日々直面する課題となり、重要度が一層増している。

　あなたが経験した**建築工事**のうち、要求された品質を確保したうえで行った**施工の合理化**の中から、労働生産性の向上に繋がる**現場作業の軽減**を図った工事を1つ選び、工事概要を具体的に記入したうえで、次の1. 及び2. の問いに答えなさい。

　なお、**建築工事**とは、建築基準法に定める建築物に係る工事とし、建築設備工事を除くものとする。

〔工事概要〕
イ. 工 事 名
ロ. 工 事 場 所
ハ. 工事の内容
　　新築等の場合：建物用途、構造、階数、延べ面積又は施工数量、主な外部仕上げ、主要室の内部仕上げ
　　改修等の場合：建物用途、建物規模、主な改修内容及び施工数量
ニ. 工 期 等（工期又は工事に従事した期間を年号又は西暦で年月まで記入
ホ. あなたの立場
ヘ. あなたの業務内容

1. 工事概要であげた工事において、あなたが実施した**現場作業の軽減**の事例を3つあげ、次の①から③について具体的に記述しなさい。

　ただし、3つの事例の②及び③はそれぞれ異なる内容を記述するものとする。

① **工種名等**
② 現場作業の軽減のために**実施した内容**と軽減が必要となった**具体的な理由**
③ ②を実施した際に低下が懸念された**品質**と品質を確保するための**施工上の留意事項**

2. 工事概要であげた工事にかかわらず、あなたの今日までの建築工事の経験を踏まえて、建設現場での労働者の確保に関して、次の①及び②について具体的に記述しなさい。

　ただし、労働者の給与や賃金に関する内容及び1.の②と同じ内容の記述は不可とする。

① 労働者の確保を困難にしている建設現場が直面している**課題や問題点**
② ①に効果があると考える建設現場での**取組や工夫**

問題 **2**
建築工事における次の1.から3.の災害について、施工計画に当たり事前に検討した事項として、災害の発生するおそれのある**状況又は作業内容**と災害を防止するための**対策**を、**それぞれ2つ**具体的に記述しなさい。

　ただし、解答はそれぞれ異なる内容の記述とする。また、保護帽や要求性能墜落制止用器具の使用、朝礼時の注意喚起、点検や整備などの日常管理、安全衛生管理組織、新規入場者教育、資格や免許に関する記述は除くものとする。

1. 墜落、転落による災害
2. 崩壊、倒壊による災害
3. 移動式クレーンによる災害

問題 3 市街地での事務所ビル新築工事において、同一フロアをA、Bの2工区に分けて施工を行うとき、右の内装工事工程表（3階）に関し、次の1. から4. の問いに答えなさい。

工程表は計画時点のもので、検査や設備関係の作業については省略している。

各作業日数と作業内容は工程表及び作業内容表に記載のとおりであり、Aで始まる作業名はA工区の作業を、Bで始まる作業名はB工区の作業を、Cで始まる作業名は両工区を同時に行う作業を示すが、作業A1、B1及び作業A6、B6については作業内容を記載していない。

各作業班は、それぞれ当該作業のみを行い、各作業内容共、A工区の作業が完了してからB工区の作業を行う。また、A工区における作業A2と作業C2以外は、工区内で複数の作業を同時に行わず、各作業は先行する作業が完了してから開始するものとする。

なお、各作業は一般的な手順に従って施工されるものとする。

〔工事概要〕
用　　　途：事務所
構造・規模：鉄筋コンクリート造、地上6階、塔屋1階、延べ面積2,800m²
仕　上　げ：床は、フリーアクセスフロア下地、タイルカーペット仕上げ
壁は、軽量鉄骨下地、せっこうボード張り、ビニルクロス仕上げ
天井は、システム天井下地、ロックウール化粧吸

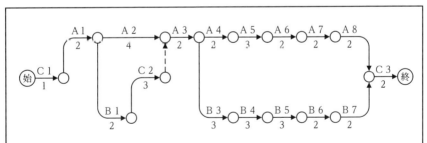

音板仕上げ
Ａ工区の会議室に可動間仕切設置

1. 作業Al、Bl及び作業A6、B6の**作業内容**を記述しなさい。

2. 始から終までの**総所要日数**を記入しなさい。

3. 作業A4の**フリーフロート**を記入しなさい。

4. 次の記述の □ に当てはまる**作業名と数値**をそれぞれ記入しなさい。

　建具枠納入予定日の前日に、Ａ工区分の納入が遅れることが判明したため、Ｂ工区の建具枠取付けを先行し、その後の作業もＢ工区の作業が完了してからＡ工区の作業を行うこととした。

　なお、変更後のＢ工区の建具枠取付けの所要日数は２日で、納入の遅れたＡ工区の建具枠は、Ｂ工区の壁せっこうボード張り完了までに取り付けられることが判った。

　このとき、当初クリティカルパスではなかった作業 あ から作業A8までがクリティカルパスとなり、始から終までの総所要日数は い 日となる。

内装工事工程表（3階）

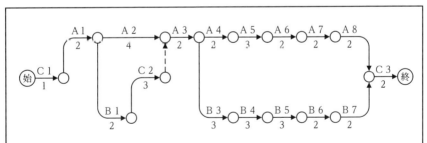

※　凡例　○─B1─○ ：作業B1の所要日数が2日であることを表している。
　　　　　　2
※　所要日数には、各作業に必要な仮設、資機材運搬を含む。

作業内容表（各作業に必要な仮設、資機材運搬を含む）

作業名	作業内容
C1	墨出し
A1、B1	
A2	可動間仕切レール取付け（下地共）
C2	建具枠取付け
A3、B3	壁せっこうボード張り
A4、B4	システム天井組立て（ロックウール化粧吸音板仕上げを含む）
A5、B5	壁ビニルクロス張り
A6、B6	
A7、B7	タイルカーペット敷設、幅木張付け
A8	可動間仕切壁取付け
C3	建具扉吊込み

検討用

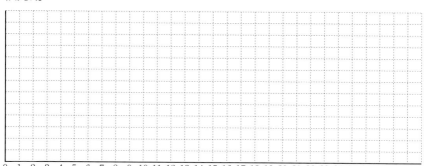

0 1 2 3 4 5 6 7 8 9 10 11 12 13 14 15 16 17 18 19 20 21 22 23 24 25 26 27 28 29 30

問題 **4** 次の1.から4.の問いに答えなさい。
　　　　ただし、解答はそれぞれ異なる内容の記述とし、材料（仕様、品質、運搬、保管等）、作業環境（騒音、振動、気象条件等）、下地、養生及び作業員の安全に関する記述は除くものとする。

1. 屋根保護防水断熱工法における保護層の平場部の施工上の**留意事項**を2つ、具体的に記述しなさい。
　　なお、防水層はアスファルト密着工法とし、保護層の仕上げはコンクリート直均し仕上げとする。

2. 木製床下地にフローリングボード又は複合フローリングを釘留め工法で張るときの施工上の**留意事項**を2つ、具体的に記述しなさい。

3. 外壁コンクリート面を外装合成樹脂エマルション系薄付け仕上塗材（外装薄塗材E）仕上げとするときの施工上の**留意事項**を2つ、具体的に記述しなさい。

4. 鉄筋コンクリート造の外壁に鋼製建具を取り付けるときの施工上の**留意事項**を2つ、具体的に記述しなさい。

問題 **5** 次の1.から8.の各記述において、□□□に当てはまる**最も適当な語句又は数値の組合せ**を、下の枠内から1つ選びなさい。

1. 地盤の平板載荷試験は、地盤の変形及び支持力特性を調べるための試験である。
　　試験は、直径 □a□ cm以上の円形の鋼板にジャッキにより垂直荷重を与え、載荷圧力、載荷時間、□b□ を測定する。
　　また、試験結果により求められる支持力特性は、載荷板直径の1.5～ □c□ 倍程度の深さの地盤が対象となる。

令和4年度　第二次検定試験問題

209

	a	b	c
①	30	載荷係数	2.0
②	30	沈下量	2.0
③	20	載荷係数	3.0
④	20	沈下量	3.0
⑤	30	沈下量	3.0

2. 根切りにおいて、床付け面を乱さないため、機械式掘削では、通常床付け面上30〜50cmの土を残して、残りを手掘りとするか、ショベルの刃を a のものに替えて掘削する。

　床付け面を乱してしまった場合は、礫や砂質土であれば b で締め固め、粘性土の場合は、良質土に置換するか、セメントや石灰等による地盤改良を行う。

　また、杭間地盤の掘り過ぎや掻き乱しは、杭の c 抵抗力に悪影響を与えるので行ってはならない。

	a	b	c
①	平状	水締め	水平
②	爪状	水締め	鉛直
③	平状	転圧	水平
④	爪状	転圧	水平
⑤	平状	転圧	鉛直

3. 場所打ちコンクリート杭地業のオールケーシング工法において、地表面下 [a] m程度までのケーシングチューブの初期の圧入精度によって以後の掘削の鉛直精度が決定される。

掘削は [b] を用いて行い、一次スライム処理は、孔内水が多い場合には、[c] を用いて処理し、コンクリート打込み直前までに沈殿物が多い場合には、二次スライム処理を行う。

	a	b	c
①	10	ハンマーグラブ	沈殿バケット
②	5	ハンマーグラブ	沈殿バケット
③	5	ドリリングバケット	底ざらいバケット
④	10	ドリリングバケット	沈殿バケット
⑤	5	ハンマーグラブ	底ざらいバケット

4. 鉄筋のガス圧接を手動で行う場合、突き合わせた鉄筋の圧接端面間の隙間は [a] mm以下で、偏心、曲がりのないことを確認し、還元炎で圧接端面間の隙間が完全に閉じるまで加圧しながら加熱する。

圧接端面間の隙間が完全に閉じた後、鉄筋の軸方向に適切な圧力を加えながら、[b] により鉄筋の表面と中心部の温度差がなくなるように十分加熱する。

このときの加熱範囲は、圧接面を中心に鉄筋径の [c] 倍程度とする。

	a	b	c
①	2	酸化炎	3
②	2	酸化炎	2
③	2	中性炎	2
④	5	中性炎	2
⑤	5	酸化炎	3

5. 型枠に作用するコンクリートの側圧に影響する要因として、コンクリートの打込み速さ、比重、打込み高さ及び柱、壁などの部位の影響等があり、打込み速さが速ければコンクリートヘッドが a なって、最大側圧が大となる。

　また、せき板材質の透水性又は漏水性が b と最大側圧は小となり、打ち込んだコンクリートと型枠表面との摩擦係数が c ほど、液体圧に近くなり最大側圧は大となる。

	a	b	c
①	大きく	大きい	大きい
②	小さく	小さい	大きい
③	大きく	小さい	大きい
④	小さく	大きい	小さい
⑤	大きく	大きい	小さい

6. 型枠組立てに当たって、締付け時に丸セパレーターのせき板に対する傾きが大きくなると丸セパレーターの a 強度が大幅に低下するので、できるだけ垂直に近くなるように取り付ける。

締付け金物は、締付け不足でも締付け過ぎでも不具合が生じるので、適正に使用することが重要である。締付け金物を締め過ぎると、せき板が b に変形する。

締付け金物の締付け過ぎへの対策として、内端太（縦端太）を締付けボルトとできるだけ c 等の方法がある。

	a	b	c
①	破断	内側	近接させる
②	圧縮	外側	近接させる
③	破断	外側	近接させる
④	破断	内側	離す
⑤	圧縮	外側	離す

7. コンクリート工事において、暑中コンクリートでは、レディーミクストコンクリートの荷卸し時のコンクリート温度は、原則として a ℃以下とし、コンクリートの練混ぜから打込み終了までの時間は、 b 分以内とする。

打込み後の養生は、特に水分の急激な発散及び日射による温度上昇を防ぐよう、コンクリート表面への散水により常に湿潤に保つ。

湿潤養生の開始時期は、コンクリート上面ではブリーディング水が消失した時点、せき板に接する面では脱型 c とする。

	a	b	c
①	30	90	直後
②	35	120	直前
③	35	90	直後
④	30	90	直前
⑤	30	120	直後

8. 鉄骨工事におけるスタッド溶接後の仕上がり高さ及び傾きの検査は、 a 本又は主要部材1本若しくは1台に溶接した本数のいずれか少ないほうを1ロットとし、1ロットにつき1本行う。

検査する1本をサンプリングする場合、1ロットの中から全体より長いかあるいは短そうなもの、又は傾きの大きそうなものを選択する。

なお、スタッドが傾いている場合の仕上がり高さは、軸の中心でその軸長を測定する。

検査の合否の判定は限界許容差により、スタッド溶接後の仕上がり高さは指定された寸法の± b mm以内、かつ、スタッド溶接後の傾きは c 度以内を適合とし、検査したスタッドが適合の場合は、そのロットを合格とする。

	a	b	c
①	150	2	5
②	150	3	15
③	100	2	15

④	100	2	5
⑤	100	3	5

問題 **6** 次の1.から3.の各法文において、□□に当てはまる正しい語句又は数値を、下の該当する枠内から1つ選びなさい。

1. 建設業法 （特定建設業者の下請代金の支払期日等）

第24条の6　特定建設業者が ① となった下請契約（下請契約における請負人が特定建設業者又は資本金額が政令で定める金額以上の法人であるものを除く。以下この条において同じ。）における下請代金の支払期日は、第24条の4第2項の申出の日（同項ただし書の場合にあっては、その一定の日。以下この条において同じ。）から起算して ② 日を経過する日以前において、かつ、できる限り短い期間内において定められなければならない。

2　（略）

3　（略）

4　（略）

①	① 注文者　② 発注者　③ 依頼者　④ 事業者　⑤ 受注者

②	① 20　② 30　③ 40　④ 50　⑤ 60

2. 建築基準法施行令 （落下物に対する防護）

第136条の5　（略）

2　建築工事等を行なう場合において、建築のための工事をする部分が工事現場の境界線から水平距離が ③ m以内で、かつ、地盤面から高さが ④ m以上にあるとき、その他はつり、除却、外壁

の修繕等に伴う落下物によって工事現場の周辺に危害を生ずるお
それがあるときは、国土交通大臣の定める基準に従って、工事現
場の周囲その他危害防止上必要な部分を鉄網又は帆布でおおう等
落下物による危害を防止するための措置を講じなければならない。

③	① 3	② 4	③ 5	④ 6	⑤ 7

④	① 3	② 4	③ 5	④ 6	⑤ 7

3. 労働安全衛生法　（元方事業者の講ずべき措置等）

第29条の2　建設業に属する事業の元方事業者は、土砂等が崩壊す
るおそれのある場所、機械等が転倒するおそれのある場所その他
の厚生労働省令で定める場所において関係請負人の労働者が当該
事業の仕事の作業を行うときは、当該関係請負人が講ずべき当該
場所に係る ⑤ を防止するための措置が適正に講ぜられるよう
に、 ⑥ 上の指導その他の必要な措置を講じなければならない。

⑤	① 破損	② 損壊	③ 危険	④ 労働災害	⑤ 事故

⑥	① 教育	② 技術	③ 施工	④ 作業	⑤ 安全

1級建築施工管理技術検定

令和3年度

第二次検定

試験時間に合わせて解いてみましょう！

■**試験内容**　施工管理法

■**試験形式**　記述式（4問）と五肢一択式（2問）

■**試験時間**　13：00～16：00

◆第二次検定結果データ◆

受検者数	12,813人
合格者数	6,708人
合格率	52.4%

P.261～266に解答用紙がありますので、コピーしてお使いください。
解答例は別冊P.203以下にあります。

1級 建築施工管理技術検定

第二次検定問題

建築工事における品質確保は、建築物の長寿命化を実現するために重要である。このため、施工者は、発注者のニーズ及び設計図書等を把握し、決められた工期やコスト等の条件の下で適切に品質管理を行うことが求められる。

　あなたが経験した**建築工事**のうち、発注者及び設計図書等により要求された品質を確保するため、重点的に**品質管理**を行った工事を1つ選び、工事概要を具体的に記述したうえで、次の1.及び2.の問いに答えなさい。

　なお、**建築工事**とは、建築基準法に定める建築物に係る工事とし、建築設備工事を除くものとする。

〔工事概要〕
イ. 工 事 名
ロ. 工 事 場 所
ハ. 工 事 の 内 容　（新築等の場合：建物用途、構造、階数、延べ面積又は施工数量、主な外部仕上げ、主要室の内部仕上げ
改修等の場合：建物用途、建物規模、主な改修内容及び施工数量）
ニ. 工 期 等　（工期又は工事に従事した期間を年号又は西暦で年月まで記入）
ホ. あなたの立場
ヘ. あなたの業務内容

1. 工事概要であげた工事で、あなたが現場で重点をおいて実施した**品質管理**の事例を**2つ**あげ、次の①から④について具体的に記述しなさい。

　　ただし、**2つ**の事例の②から④は、それぞれ異なる内容を記述するものとする。

① **工種名**

② 施工に当たっての**品質の目標**及びそれを達成するために定めた**重点品質管理項目**

③ ②の重点品質管理項目を**定めた理由**及び発生を予測した**欠陥又は不具合**

④ ②の重点品質管理項目について、**実施した内容**及びその**確認方法又は検査方法**

2. 工事概要にあげた工事にかかわらず、あなたの今日までの工事経験を踏まえて、現場で行う**組織的な品質管理活動**について、次の①、②を具体的に記述しなさい。

　　ただし、**1.** ④と同じ内容の記述は不可とする。

① 品質管理活動の**内容**及びそれを協力会社等に伝達する**手段又は方法**

② 品質管理活動によってもたらされる**良い影響**

問題 **2**　次の1.から3.の建築工事における仮設物の設置を計画するに当たり、**留意及び検討すべき事項**を**2つ**具体的に記述しなさい。

　　ただし、解答はそれぞれ異なる内容の記述とし、申請手続、届出及び運用管理に関する記述は除くものとする。また、使用資機材に不良品はないものとする。

1. 仮設ゴンドラ

2. 場内仮設事務所

3. 工事ゲート（車両出入口）

問題 3 市街地での事務所ビルの新築工事において、各階を施工数量の異なるＡ工区とＢ工区に分けて工事を行うとき、右の躯体工事工程表（基準階の柱、上階の床、梁部分）に関し、次の1．から4．の問いに答えなさい。

工程表は検討中のもので、型枠工10人、鉄筋工6人をそれぞれ半数ずつの2班に割り振り、両工区の施工を同時に進める計画とした。

各作業班の作業内容は作業内容表のとおりであり、Ａで始まる作業名はＡ工区の作業を、Ｂで始まる作業名はＢ工区の作業を、Ｃで始まる作業名は両工区同時に行う作業を示すが、作業A4、B4及び作業A8、B8については作業内容を記載していない。

各作業は一般的な手順に従って施工されるものとし、検査や設備関係の作業については省略している。

なお、安全上の観点から鉄筋工事と型枠工事の同時施工は避け、作業A3、B3及び作業A7、B7はＡ、Ｂ両工区の前工程が両方とも完了してから作業を行うこととする。

〔工事概要〕

用　　　途：事務所
構造・規模：鉄筋コンクリート造、地上6階、塔屋1階、延べ
　　　　　　面積 3,000 m²
　　　　　　階段は鉄骨造で、別工程により施工する。

1. 作業A4、B4及びA8、B8の**作業内容**を記述しなさい。

2. 作業B6の**フリーフロート**を記入しなさい。

3. 次の記述の ☐ に**当てはまる数値**をそれぞれ記入しなさい。

A工区とB工区の施工数量の違いから、各作業に必要な総人数に差
のある作業A1、B1から作業A4、B4までについて、最も効率の良い
作業員の割振りに変え、所要日数の短縮を図ることとした。
　　ただし、一作業の1日当たりの最少人数は2人とし、一作業の途中
での人数の変更は無いものとする。
　　このとき、変更後の1日当たりの人数は、作業A1は2人、作業
B1は4人に、作業A2は4人、作業B2は2人に、**作業A3の人数
は あ 人となり、作業A4の人数は い 人となる。**

4.　3. で求めた、作業A1、B1から作業A4、B4の工事ごと、工区ごと
の割振り人数としたとき、㊀から㊀までの**総所要日数**を記入しなさい。

躯体工事工程表 （基準階の柱、上階の床、梁部分）

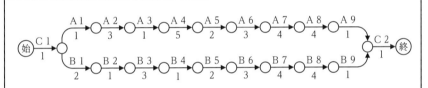

※　　凡例　〇B1／2〇 ：作業B1の所要日数が2日であることを表している。

　　　なお、工程表にダミー線は記載していない。

作業内容表（所要日数、必要総人数には仮設、運搬を含む）

作業名	作業員 （人）	所要日数 （日）	必要総人数 （人）	作 業 内 容
C1	2	1	2	墨出し
A1	3	1	2	柱配筋※1
B1	3	2	4	
A2	3	3	8	壁配筋
B2	3	1	2	
A3	5	1	5	柱型枠建込み
B3	5	3	14	
A4	5	5	24	
B4	5	1	5	
A5	5	2	10	梁型枠組立て
B5	5	2	10	
A6	5	3	15	床型枠組立て
B6	5	3	15	
A7	3	4	12	梁配筋※1
B7	3	4	12	
A8	3	4	12	
B8	3	4	12	
A9	5	1	5	段差、立上り型枠建込み
B9	5	1	5	
C2	2（台）	1	2（台）	コンクリート打込み

※1：圧接は、配筋作業に合わせ別途作業員にて施工する。

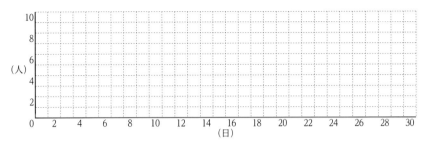

検討用

問題 4 次の1.から4.の問いに答えなさい。

ただし、解答はそれぞれ異なる内容の記述とし、材料（仕様、品質、運搬、保管等）、作業環境（騒音、振動、気象条件等）及び作業員の安全に関する記述は除くものとする。

1. 杭工事において、既製コンクリート杭の埋込み工法の施工上の**留意事項**を2つ、具体的に記述しなさい。

ただし、養生に関する記述は除くものとする。

2. 型枠工事において、柱又は梁型枠の加工、組立ての施工上の**留意事項**を2つ、具体的に記述しなさい。

ただし、基礎梁及び型枠支保工に関する記述は除くものとする。

3. コンクリート工事において、コンクリート打込み後の養生に関する施工上の**留意事項**を2つ、具体的に記述しなさい。

なお、コンクリートに使用するセメントは普通ポルトランドセメントとし、計画供用期間の級は標準とする。

令和3年度 第二次検定試験問題

4. 鉄骨工事において、トルシア形高力ボルトの締付けに関する施工上の**留意事項**を2つ、具体的に記述しなさい。
　　ただし、締付け器具に関する記述は除くものとする。

 次の1.から8.の各記述において、@から@の下線部のうち**最も不適当な語句又は数値の下線部下の記号**とそれに替わる**適当な語句又は数値との組合せ**を、**下の枠内から1つ選びなさい**。

1. 改質アスファルトシート防水常温粘着工法・断熱露出仕様の場合、立上り際の風による<u>負圧</u>は平場の一般部より大きくなるため、断熱材
　　　　　　　　　　　　　　　　　　　@
の上が絶縁工法となる立上り際の平場部の幅<u>300</u> mm程度は、防水層
　　　　　　　　　　　　　　　　　　　　　　　ⓑ
の<u>1</u>層目に粘着層付改質アスファルトシートを張り付ける。
　　ⓒ
　　なお、<u>入隅部</u>では立上りに<u>100</u> mm程度立ち上げて、浮きや口あき
　　　　　　ⓓ　　　　　　　ⓔ
が生じないように張り付ける。

① @－正	② ⓑ－500	③ ⓒ－2	④ ⓓ－出隅	⑤ ⓔ－150

2. セメントモルタルによるタイル張りにおいて、まぐさ、庇先端<u>下部</u>
　　　　　　　　　　　　　　　　　　　　　　　　　　　　　　@
など剥落のおそれが大きい箇所に<u>小口</u>タイル以上の大きさのタイルを
　　　　　　　　　　　　　　　　ⓑ
張る場合、径が<u>0.6</u> mm以上のなまし鉄線を剥落防止用引金物として
　　　　　　ⓒ　　　　　　　　　　　　　　ⓓ
張付けモルタルに塗り込み、必要に応じて、受木を添えて<u>24</u>時間以上
　　　　　　　　　　　　　　　　　　　　　　　　　　　　ⓔ
支持する。

① @－見付	② ⓑ－モザイク	③ ⓒ－0.4	④ ⓓ－ステンレス	⑤ ⓔ－72

3. 長尺金属板葺の下葺のアスファルトルーフィングは軒先と平行に敷
き込み、軒先から順次棟へ向かって張り、隣接するルーフィングと
の重ね幅は、流れ方向（上下）は100 mm以上、長手方向（左右）は
150 mm以上重ね合わせる。
　金属板を折曲げ加工する場合、塗装又はめっき及び地肌に亀裂が生
じないよう切れ目を入れないで折り曲げる。金属板を小はぜ掛けとす
る場合は、はぜの折返し寸法と角度に注意し、小はぜ内に3〜6 mm
程度の隙間を設けて毛細管現象による雨水の浸入を防ぐようにする。

① ⓐ－垂直　② ⓑ－200　③ ⓒ－200　④ ⓓ－入れて　⑤ ⓔ－風

4. 内装の床張物下地をセルフレベリング材塗りとする場合、軟度を一
定に練り上げたセルフレベリング材を、レベルに合わせて流し込む。
流し込み中はできる限り通風を良くして作業を行う。
　施工後の養生期間は、常温で7日以上、冬期間は14日以上とし、
施工場所の気温が5℃以下の場合は施工しない。

① ⓐ－硬　② ⓑ－避けて　③ ⓒ－3　④ ⓓ－28　⑤ ⓔ－3

5. PCカーテンウォールのファスナー方式には、ロッキング方式、スウェ
イ方式がある。ロッキング方式はPCパネルを回転させることにより、
また、スウェイ方式は上部、下部ファスナーの両方をルーズホールな
どで滑らせることにより、PCカーテンウォールを層間変位に追従さ

せるものである。

① ⓐ−取付　② ⓑ−滑らせる　③ ⓒ−どちらか　④ ⓓ−回転させる　⑤ ⓔ−地震

6. 塗装工事における研磨紙ずりは、素地の汚れや錆、下地に付着している塵埃を取り除いて素地や下地を粗面にし、かつ、次工程で適用する塗装材料の付着性を確保するための足掛かりをつくり、仕上りを良くするために行う。

　　研磨紙ずりは、下層塗膜が十分乾燥した後に行い、塗膜を過度に研がないようにする。

① ⓐ−油分　② ⓑ−平滑　③ ⓒ−作業　④ ⓓ−付着　⑤ ⓔ−硬化

7. 居室の壁紙施工において、壁紙及び壁紙施工用でん粉系接着剤のホルムアルデヒド放散量は、一般にF☆☆☆☆としている。また、防火材の認定の表示は防火製品表示ラベルを1区分（1室）ごとに1枚以上張り付けて表示する。

① ⓐ−溶剤　② ⓑ−シンナー　③ ⓒ−☆☆　④ ⓓ−シール　⑤ ⓔ−2

8. コンクリート打放し仕上げ外壁のひび割れ部の改修における樹脂注入工法は、外壁のひび割れ幅が0.2 mm以上2.0 mm以下の場合に主に $\underset{ⓐ}{}$ 適用され、シール工法や $\underset{ⓑ}{\underline{U}}$ カットシール材充填工法に比べ耐久性が期待できる工法である。 $\underset{ⓒ}{}$

挙動のあるひび割れ部の注入に用いるエポキシ樹脂の種類は、軟質 $\underset{ⓓ}{}$ 形とし、粘性による区分が低粘度形又は中粘度形とする。 $\underset{ⓔ}{}$

① ⓐ－1.0	② ⓑ－V	③ ⓒ－耐水	④ ⓓ－硬	⑤ ⓔ－高

問題 6 次の1.から3.の各法文において、□□に当てはまる正しい語句を、下の該当する枠内から1つ選びなさい。

1. 建設業法（請負契約とみなす場合）
第24条　委託その他いかなる □①□ をもってするかを問わず、□②□ を得て建設工事の完成を目的として締結する契約は、建設工事の請負契約とみなして、この法律の規定を適用する。

①	① 業務	② 許可	③ 立場	④ 名義	⑤ 資格

②	① 報酬	② 利益	③ 許可	④ 承認	⑤ 信用

2. 建築基準法施行令（建て方）
第136条の6　建築物の建て方を行なうに当たっては、仮筋かいを取り付ける等荷重又は外力による □③□ を防止するための措置を講じなければならない。
2　鉄骨造の建築物の建て方の □④□ は、荷重及び外力に対して安全

なものとしなければならない。

③	① 事故	② 災害	③ 変形	④ 傾倒	⑤ 倒壊

④	① ワイヤロープ	② 仮筋かい	③ 仮締	④ 本締	⑤ 手順

3. 労働安全衛生法（元方事業者の講ずべき措置等）

　　第29条　元方事業者は、関係請負人及び関係請負人の労働者が、当
　　該仕事に関し、この法律又はこれに基づく命令の規定に違反しな
　　いよう必要な ⑤ を行なわなければならない。

　　2　元方事業者は、関係請負人又は関係請負人の労働者が、当該仕
　　事に関し、この法律又はこれに基づく命令の規定に違反している
　　と認めるときは、 ⑥ のため必要な指示を行なわなければならない。

　　3　（略）

⑤	① 説明	② 教育	③ 指導	④ 注意喚起	⑤ 契約

⑥	① 衛生	② 是正	③ 改善	④ 安全	⑤ 健康

1級建築施工管理技術検定

令和2年度
実 地 試 験

試験時間に合わせて解いてみましょう！

■**試験内容**　施工管理法

■**試験形式**　記述式

■**試験時間**　13：00〜16：00

◆ 実地試験結果データ ◆

受検者数	16,946人
合格者数	6,898人
合格率	40.7%

P.267〜271に解答用紙がありますので、コピーしてお使いください。
解答例は別冊P.210以下にあります。

問題1　建築工事の施工者は、設計図書に基づき、施工技術力、マネジメント力等を駆使して、要求された品質を実現させるとともに、設定された工期内に工事を完成させることが求められる。

　　あなたが経験した**建築工事**のうち、品質を確保したうえで、**施工の合理化**を行った工事を1つ選び、工事概要を具体的に記述したうえで、次の1.及び2.の問いに答えなさい。

　　なお、**建築工事**とは、建築基準法に定める建築物に係る工事とし、建築設備工事を除くものとする。

〔工事概要〕

イ．工　事　名

ロ．工　事　場　所

ハ．工事の内容｜新築等の場合：建物用途、構造、階数、延べ面積又は施工数量、主な外部仕上げ、主要室の内部仕上げ
改修等の場合：建物用途、建物規模、主な改修内容及び施工数量

ニ．工期（年号又は西暦で年月まで記入）

ホ．あなたの立場

1.　工事概要であげた工事において、あなたが実施した現場における労務工数の軽減、工程の短縮などの**施工の合理化**の事例を2つあげ、次の①から④について記述しなさい。

　　ただし、2つの事例の②から④は、それぞれ異なる内容を具体的に記述するものとする。

①　工種又は部位等

②　実施した**内容**と品質確保のための**留意事項**

③　実施した内容が**施工の合理化となる理由**

④　③の施工の合理化以外に得られた**副次的効果**

2.　工事概要にあげた工事にかかわらず、あなたの今日までの工事経験に照らして、施工の合理化の取組みのうち、品質を確保しながらコスト削減を行った事例を**2つ**あげ、①工種又は部位等、②施工の**合理化の内容**とコスト削減できた**理由**について具体的に記述しなさい。

　なお、コスト削減には、コスト増加の防止を含む。

　ただし、2つの事例は、1.②から④とは異なる内容のものとする。

問題 **2**　次の1.から3.の設備又は機械を安全に使用するための**留意事項**を、**それぞれ2つ**具体的に記述しなさい。

　ただし、解答はそれぞれ異なる内容の記述とし、保護帽や要求性能墜落制止用器具などの保護具の使用、気象条件、資格、免許及び届出に関する記述は除くものとする。また、使用資機材に不良品はないものとする。

1.　外部枠組足場

2.　コンクリートポンプ車

3.　建設用リフト

次の1.から8.の各記述において、記述ごとの箇所番号①から③の下線部の語句又は数値のうち**最も不適当な箇所番号**を1つあげ、**適当な語句又は数値**を記入しなさい。

1. つり足場における作業床の最大積載荷重は、現場の作業条件等により定めて、これを超えて使用してはならない。

　つり足場のつり材は、ゴンドラのつり足場を除き、定めた作業床の最大積載荷重に対して、使用材料の種類による安全係数を考慮する必要がある。

　安全係数は、つりワイヤロープ及びつり鋼線は<u>7.5</u>以上、つり鎖及びつりフックは<u>5.0</u>以上、つり鋼帯及びつり足場の上下支点部は鋼材①　　　　　　　　　　　　　　②
の場合<u>2.5</u>以上とする。
　　　③

2. 地下水処理における排水工法は、地下水の揚水によって水位を必要な位置まで低下させる工法であり、地下水位の低下量は揚水量や地盤の<u>透水性</u>によって決まる。
　　①
　必要揚水量が非常に<u>多い</u>場合、対象とする帯水層が深い場合や帯水②
層が砂礫層である場合には、<u>ウェルポイント</u>工法が採用される。
　　　　　　　　　　　　　　　③

3. 既製コンクリート杭の埋込み工法において、杭心ずれを低減するためには、掘削ロッドの振れ止め装置を用いることや、杭心位置から直角二方向に逃げ心を取り、掘削中や杭の建込み時にも逃げ心からの距離を随時確認することが大切である。

　一般的な施工精度の管理値は、杭心ずれ量が$\frac{D}{4}$以下（Dは杭直径）、
　　　　　　　　　　　　　　　　　　　①
かつ、<u>150</u> mm以下、傾斜$\frac{1}{100}$以内である。
　　②　　　　　　　③

4. 鉄筋工事において、鉄筋相互のあきは粗骨材の最大寸法の1.25倍、
<u>20</u> mm及び隣り合う鉄筋の径（呼び名の数値）の平均値の<u>1.5</u>倍のう
①　　　　　　　　　　　　　　　　　　　　　　　　　　②
ち最大のもの以上とする。

　鉄筋の間隔は鉄筋相互のあきに鉄筋の最大外径を加えたものとする。

　柱及び梁の主筋のかぶり厚さはD29以上の異形鉄筋を使用する場合
は径（呼び名の数値）の<u>1.5</u>倍以上とする。
　　　　　　　　　　　　③

5. 型枠工事における型枠支保工で、鋼管枠を支柱として用いるものにあっ
ては、鋼管枠と鋼管枠との間に<u>交差筋かい</u>を設け、支柱の脚部の滑動
　　　　　　　　　　　　　　　　　①
を防止するための措置として、支柱の脚部の固定及び<u>布枠</u>の取付けな
　　　　　　　　　　　　　　　　　　　　　　　　②
どを行う。

　また、パイプサポートを支柱として用いるものにあっては、支柱の
高さが3.5 mを超えるときは、高さ2 m以内ごとに<u>水平つなぎ</u>を2方
　　　　　　　　　　　　　　　　　　　　　　　　③
向に設けなければならない。

6. 型枠の高さが<u>4.5</u> m以上の柱にコンクリートを打ち込む場合、たて
　　　　　　　①
形シュートや打込み用ホースを接続してコンクリートの分離を防止する。

　たて形シュートを用いる場合、その投入口と排出口との水平方向の
距離は、垂直方向の高さの約$\frac{1}{2}$以下とする。
　　　　　　　　　　　　②

　また、斜めシュートはコンクリートが分離しやすいが、やむを得ず
斜めシュートを使用する場合で、シュートの排出口に漏斗管を設けな
い場合は、その傾斜角度を水平に対して<u>15</u>度以上とする。
　　　　　　　　　　　　　　　　　　　　③

7. 溶融亜鉛めっき高力ボルト接合に用いる溶融亜鉛めっき高力ボルトは、建築基準法に基づき認定を受けたもので、セットの種類は1種、ボルトの機械的性質による等級はF8Tが用いられる。
　　　　　　　　　　　　　　　　　　　　　　　　　　①

　溶融亜鉛めっきを施した鋼材の摩擦面の処理は、すべり係数が0.4以上確保できるブラスト処理又はりん酸塩処理とし、H形鋼ウェブ接
　　　　　　　　　　　　　　　　　②
合部のウェブに処理を施す範囲は、添え板が接する部分の添え板の外周から5mm程度外側とする。
　　　　　　　　　③

8. 鉄骨の現場溶接作業において、防風対策は特に配慮しなければならない事項である。

　アーク熱によって溶かされた溶融金属は大気中の酸素や窒素が混入
　　　　　　　　　　　　　　　　　　　　　　　　　　①
しやすく、凝固するまで適切な方法で外気から遮断する必要があり、このとき遮断材料として作用するものが、ガスシールドアーク溶接の場合はシールドガスである。
　　　　　②

　しかし、風の影響によりシールドガスに乱れが生じると、溶融金属
　　　　　　　　　　　　　②
の保護が不完全になり溶融金属内部にアンダーカットが生じてしまう。
　　　　　　　　　　　　　　　　　③

問題 **4** 次の1.から4.の問いに答えなさい。
　　　ただし、解答はそれぞれ異なる内容の記述とし、材料（仕様、品質、保管等）、作業環境（騒音、振動、気象条件等）及び作業員の安全に関する記述は除くものとする。

1. タイル工事において、有機系接着剤を用いて外壁タイル張りを行うときの施工上の**留意事項**を2つ、具体的に記述しなさい。
　　ただし、下地及びタイルの割付けに関する記述は除くものとする。

2. 屋根工事において、金属製折板屋根葺を行うときの施工上の**留意事項**を2つ、具体的に記述しなさい。

3. 内装工事において、天井仕上げとしてロックウール化粧吸音板を、せっこうボード下地に張るときの施工上の**留意事項**を2つ、具体的に記述しなさい。
　　ただし、下地に関する記述は除くものとする。

4. 断熱工事において、吹付け硬質ウレタンフォームの吹付けを行うときの施工上の**留意事項**を2つ、具体的に記述しなさい。
　　ただし、下地に関する記述は除くものとする。

令和2年度

実地試験問題

問題 **5**　市街地での事務所ビルの内装工事において、各階を施工量の異なるA工区とB工区に分けて工事を行うとき、右の内装仕上げ工事工程表(3階)に関し、次の1.から4.の問いに答えなさい。

　　工程表は計画時点のもので、検査や設備関係の作業については省略している。

　　各作業班の作業内容及び各作業に必要な作業員数は作業内容表のとおりであり、Aで始まる作業名はA工区の作業を、Bで始まる作業名はB工区の作業を、Cで始まる作業名は両工区同時に行う作業を示すが、作業A4及び作業B4については作業内容を記載していない。

　　各作業班は、それぞれ当該作業のみを行い、各作業内容共、A工区の作業が完了してからB工区の作業を行うものとする。また、工区内では複数の作業を同時に行わず、各作業は先行する作業が完了してから開始するものとする。なお、各作業は一般的な手順に従って施工されるものとする。

〔工事概要〕

用　　　途：事務所

構造・規模：鉄筋コンクリート造、地上6階、塔屋1階、延べ
　　　　　　面積2,800 m²

仕　上　げ：床は、フリーアクセスフロア下地、タイルカーペット仕上げ
　　　　　　間仕切り壁は、軽量鉄骨下地せっこうボード張り、ビニルクロス仕上げ
　　　　　　天井は、システム天井下地、ロックウール化粧吸音板取付け

なお、3階の仕上げ工事部分床面積は455 m²(A工区：273 m²、B工区182 m²)である。

1.　作業A4及び作業B4の**作業内容**を記述しなさい。

2. 作業B2の**フリーフロート**を記入しなさい。

3. 始から終までの**総所要日数**と、工事を令和3年2月8日（月曜日）より開始するときの**工事完了日**を記入しなさい。

　ただし、作業休止日は、土曜日、日曜日及び祝日とする。

　なお、2月8日以降3月末までの祝日は、建国記念の日（2月11日）、天皇誕生日（2月23日）、春分の日（3月20日）である。

4. 次の記述の　　　に当てはまる**数値**をそれぞれ記入しなさい。

　総所要日数を変えずに、作業B2及び作業B4の1日当たりの作業員の人数をできるだけ少なくする場合、作業B2の人数は　あ　人に、作業B4の人数は　い　人となる。

　ただし、各作業に必要な作業員の総人数は変わらないものとする。

内装仕上げ工事工程表 （3階）

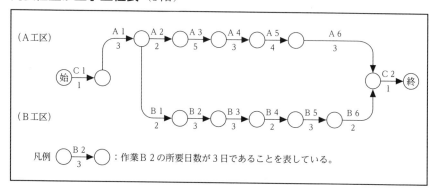

作業内容表

作業名	各作業班の作業内容注)	1日当たりの作業員数
C1	3階墨出し	2人
A1、B1	壁軽量鉄骨下地組立て（建具枠取付けを含む）	4人
A2、B2	壁せっこうボード張り（A工区：1枚張り、B工区：2枚張り）	5人
A3、B3	システム天井組立て（ロックウール化粧吸音板取付けを含む）	3人
A4、B4		4人
A5、B5	フリーアクセスフロア敷設	3人
A6、B6	タイルカーペット敷設、幅木張付け	3人
C2	建具扉の吊込み	2人

注）各作業内容には、仮設、運搬を含む。

検討用

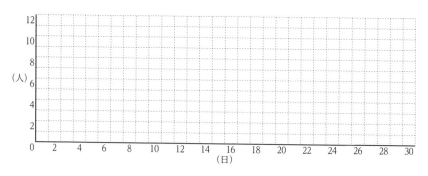

次の1.から3.の問いに答えなさい。

1. 「建設業法」に基づく建設工事の完成を確認するための検査及び引渡しに関する次の文章において、□□に**当てはまる語句又は数値**を記入しなさい。

　　元請負人は、下請負人からその請け負った建設工事が完成した旨の通知を受けたときは、当該通知を受けた日から □①□ 日以内で、かつ、できる限り短い期間内に、その完成を確認するための検査を完了しなければならない。

　　元請負人は、前項の検査によって建設工事の完成を確認した後、下請負人が申し出たときは、直ちに、当該建設工事の目的物の引渡しを受けなければならない。ただし、下請契約において定められた工事完成の時期から □①□ 日を経過した日以前の一定の日に引渡しを受ける旨の □②□ がされている場合には、この限りでない。

2. 「建築基準法施行令」に基づく山留め工事等を行う場合の危害の防止に関する次の文章において、□□に**当てはまる語句**を記入しなさい。

　　建築工事等における根切り及び山留めについては、その工事の施工中必要に応じて □③□ を行ない、山留めを補強し、排水を適当に行なう等これを安全な状態に維持するための措置を講ずるとともに、矢板等の抜取りに際しては、周辺の地盤の □④□ による危害を防止するための措置を講じなければならない。

3. 「労働安全衛生法」に基づく総括安全衛生管理者に関する次の文章において、□□に**当てはまる語句**を記入しなさい。

事業者は、政令で定める規模の事業場ごとに、厚生労働省令で定めるところにより、総括安全衛生管理者を選任し、その者に安全管理者、衛生管理者又は第二十五条の二第二項の規定により技術的事項を管理する者の指揮をさせるとともに、次の業務を統括管理させなければならない。

　一　労働者の ⑤ 又は健康障害を防止するための措置に関すること。

　二　労働者の安全又は衛生のための ⑥ の実施に関すること。

　三　健康診断の実施その他健康の保持増進のための措置に関すること。

　四　労働災害の原因の調査及び再発防止対策に関すること。

　五　前各号に掲げるもののほか、労働災害を防止するため必要な業務で、厚生労働省令で定めるもの

MEMO

令和6年度　第一次検定解答用紙

正解数

問	
	/60問

午前の部

番号	正答番号	番号	正答番号	番号	正答番号	番号	正答番号	番号	正答番号
No.1	①②③④	No.11	①②③④	No.21	①②③④	No.31	①②③④	No.41	①②③④
No.2	①②③④	No.12	①②③④	No.22	①②③④	No.32	①②③④	No.42	①②③④
No.3	①②③④	No.13	①②③④	No.23	①②③④	No.33	①②③④	No.43	①②③④
No.4	①②③④	No.14	①②③④	No.24	①②③④	No.34	①②③④	No.44	①②③④
No.5	①②③④	No.15	①②③④	No.25	①②③④	No.35	①②③④		
No.6	①②③④	No.16	①②③④	No.26	①②③④	No.36	①②③④		
No.7	①②③④	No.17	①②③④	No.27	①②③④	No.37	①②③④		
No.8	①②③④	No.18	①②③④	No.28	①②③④	No.38	①②③④		
No.9	①②③④	No.19	①②③④	No.29	①②③④	No.39	①②③④		
No.10	①②③④	No.20	①②③④	No.30	①②③④	No.40	①②③④		

問	
	/36問

午後の部

番号	正答番号	番号	正答番号	番号	正答番号	番号	正答番号
No.45	①②③④	No.52	①②③④⑤	No.59	①②③④⑤	No.66	①②③④
No.46	①②③④	No.53	①②③④⑤	No.60	①②③④⑤	No.67	①②③④
No.47	①②③④	No.54	①②③④⑤	No.61	①②③④	No.68	①②③④
No.48	①②③④	No.55	①②③④⑤	No.62	①②③④	No.69	①②③④
No.49	①②③④	No.56	①②③④⑤	No.63	①②③④	No.70	①②③④
No.50	①②③④	No.57	①②③④⑤	No.64	①②③④	No.71	①②③④
No.51	①②③④⑤	No.58	①②③④⑤	No.65	①②③④	No.72	①②③④

応用能力

問	
	/10問

問	
	/24問

合格基準は別冊P.222の正答一覧でご覧ください。　　　　　※この解答用紙はコピーしてお使いください。

令和5・4・3年度　第一次検定解答用紙

午前の部

番号	正答番号	番号	正答番号	番号	正答番号	番号	正答番号	番号	正答番号	番号	正答番号
No.1	①②③④	No.11	①②③④	No.21	①②③④	No.31	①②③④	No.41	①②③④
No.2	①②③④	No.12	①②③④	No.22	①②③④	No.32	①②③④	No.42	①②③④
No.3	①②③④	No.13	①②③④	No.23	①②③④	No.33	①②③④	No.43	①②③④
No.4	①②③④	No.14	①②③④	No.24	①②③④	No.34	①②③④	No.44	①②③④
No.5	①②③④	No.15	①②③④	No.25	①②③④	No.35	①②③④		
No.6	①②③④	No.16	①②③④	No.26	①②③④	No.36	①②③④		
No.7	①②③④	No.17	①②③④	No.27	①②③④	No.37	①②③④		
No.8	①②③④	No.18	①②③④	No.28	①②③④	No.38	①②③④		
No.9	①②③④	No.19	①②③④	No.29	①②③④	No.39	①②③④		
No.10	①②③④	No.20	①②③④	No.30	①②③④	No.40	①②③④		

問
／36問

午後の部

番号	正答番号	番号	正答番号	番号	正答番号	番号	正答番号
No.45	①②③④	No.52	①②③④	No.59	①②③④⑤	No.66	①②③④
No.46	①②③④	No.53	①②③④	No.60	①②③④⑤	No.67	①②③④
No.47	①②③④	No.54	①②③④	No.61	①②③④	No.68	①②③④
No.48	①②③④	No.55	①②③④⑤	No.62	①②③④	No.69	①②③④
No.49	①②③④	No.56	①②③④⑤	No.63	①②③④	No.70	①②③④
No.50	①②③④	No.57	①②③④⑤	No.64	①②③④	No.71	①②③④
No.51	①②③④	No.58	①②③④⑤	No.65	①②③④	No.72	①②③④

応用能力
問 ／6問

問
／24問

合格基準は別冊P.222、223の正答一覧でご覧ください。　　　　※この解答用紙はコピーしてお使いください。

令和２年度　学科試験解答用紙

正解数

問／60問

午前の部

番号	正答番号	番号	正答番号	番号	正答番号	番号	正答番号	番号	正答番号
No.1	①②③④	No.11	①②③④	No.21	①②③④	No.31	①②③④	No.41	①②③④
No.2	①②③④	No.12	①②③④	No.22	①②③④	No.32	①②③④	No.42	①②③④
No.3	①②③④	No.13	①②③④	No.23	①②③④	No.33	①②③④	No.43	①②③④
No.4	①②③④	No.14	①②③④	No.24	①②③④	No.34	①②③④	No.44	①②③④
No.5	①②③④	No.15	①②③④	No.25	①②③④	No.35	①②③④	No.45	①②③④
No.6	①②③④	No.16	①②③④	No.26	①②③④	No.36	①②③④	No.46	①②③④
No.7	①②③④	No.17	①②③④	No.27	①②③④	No.37	①②③④	No.47	①②③④
No.8	①②③④	No.18	①②③④	No.28	①②③④	No.38	①②③④	No.48	①②③④
No.9	①②③④	No.19	①②③④	No.29	①②③④	No.39	①②③④	No.49	①②③④
No.10	①②③④	No.20	①②③④	No.30	①②③④	No.40	①②③④	No.50	①②③④

問／32問

午後の部

番号	正答番号	番号	正答番号	番号	正答番号	番号	正答番号	番号	正答番号
No.51	①②③④	No.58	①②③④	No.65	①②③④	No.72	①②③④	No.79	①②③④
No.52	①②③④	No.59	①②③④	No.66	①②③④	No.73	①②③④	No.80	①②③④
No.53	①②③④	No.60	①②③④	No.67	①②③④	No.74	①②③④	No.81	①②③④
No.54	①②③④	No.61	①②③④	No.68	①②③④	No.75	①②③④	No.82	①②③④
No.55	①②③④	No.62	①②③④	No.69	①②③④	No.76	①②③④		
No.56	①②③④	No.63	①②③④	No.70	①②③④	No.77	①②③④		
No.57	①②③④	No.64	①②③④	No.71	①②③④	No.78	①②③④		

問／28問

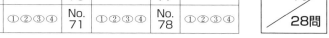

合格基準は別冊P.224の正答一覧でご覧ください。　　　　　※この解答用紙はコピーしてお使いください。

問題1

品質管理を行った工事

イ	工事名	
ロ	工事場所	
ハ	工事の内容	
ニ	工期等	
ホ	あなたの立場	
ヘ	あなたの業務内容	

1. 重点的に品質管理を行った事例

	①	工種名又は作業名等	
事例1	②	施工に当たって設定した品質管理項目及びそれを設定した理由	
	③	②の品質管理項目について実施した内容及びその確認方法又は検査方法	

事例2	①	工種名又は作業名等	
	②	施工に当たって設定した品質管理項目及びそれを設定した理由	
	③	②の品質管理項目について実施した内容及びその確認方法又は検査方法	

事例3	①	工種名又は作業等	
	②	施工に当たって設定した品質管理項目及びそれを設定した理由	
	③	②の品質管理項目について実施した内容及びその確認方法又は検査方法	

2. 建築工事の経験を踏まえて

①	品質管理を適確に行うための作業所における組織的な**取組**	
②	①の取組によって得られる**良い効果**	

問題2

1. くさび緊結式足場　**記述１**

留意すべき事項及び**検討すべき事項**：

1. くさび緊結式足場　**記述2**

留意すべき事項及び検討すべき事項：

2. 建設用リフト　**記述1**

留意すべき事項及び検討すべき事項：

2. 建設用リフト　**記述2**

留意すべき事項及び検討すべき事項：

3. 場内仮設道路　記述1

留意すべき事項及び検討すべき事項：

3. 場内仮設道路　記述2

留意すべき事項及び検討すべき事項：

問題3

1.

型枠工事の作業① 及び鉄筋工事の作 業⑦の**作業内容**	型枠工事の作業④：
	鉄筋工事の作業⑦：

2. 型枠工事の③柱型枠、
   壁型枠返しの**最早開始時期**（EST）：　　　　　　　　　日

3. 型枠工事の⑥型枠締固め及び鉄筋工事の⑩床配筋の**フリーフロート**：

⑥型枠締固めのフリーフロート：	日
⑩床配筋のフリーフロート：	日

4. 当てはまる**数値**：

総所要日数：	日

問題4

1. 土工事において、山留め壁に鋼製切梁工法の支保工を設置する際の施工上の**留意事項2つ**

①	
②	

2. 鉄筋工事において、バーサポート又はスペーサーを設置する際の施工上の**留意事項2つ**

①	
②	

3. 鉄筋コンクリート造の型枠工事において、床型枠用鋼製デッキプレート（フラットデッキプレート）を設置する際の施工上の**留意事項2つ**

①	
②	

4. コンクリート工事において、普通コンクリートを密実に打ち込むための施工上の**留意事項2つ**

①	
②	

問題5

	最も適当な語句又は数値の組合せ				
1.	①	②	③	④	⑤
2.	①	②	③	④	⑤
3.	①	②	③	④	⑤
4.	①	②	③	④	⑤
5.	①	②	③	④	⑤
6.	①	②	③	④	⑤
7.	①	②	③	④	⑤
8.	①	②	③	④	⑤

問題6

		正しい語句又は数値				
1.	①	①	②	③	④	⑤
	②	①	②	③	④	⑤
2.	③	①	②	③	④	⑤
	④	①	②	③	④	⑤
3.	⑤	①	②	③	④	⑤
	⑥	①	②	③	④	⑤

問題1

現場作業の軽減を図った工事

イ	工事名	
ロ	工事場所	
ハ	工事の内容	
ニ	工期等	
ホ	あなたの立場	
ヘ	あなたの業務内容	

1. **現場作業の軽減**の事例

	①	**工種名等**	
事例1	②	現場作業の軽減のために**実施した内容**と軽減が必要となった**具体的な理由**	
	③	②を実施した際に低下が**懸念された品質**と品質を確保するための**施工上の留意事項**	

事例2	①	工種名等	
	②	現場作業の軽減のために**実施した内容**と軽減が必要となった**具体的な理由**	
	③	②を実施した際に低下が懸念された**品質**と品質を確保するための**施工上の留意事項**	

事例3	①	工種名等	
	②	現場作業の軽減のために**実施した内容**と軽減が必要となった**具体的な理由**	
	③	②を実施した際に低下が懸念された**品質**と品質を確保するための**施工上の留意事項**	

2. 建設現場での労働者の確保に関して

①	労働者の確保を困難にしている建設現場が直面している**課題や問題点**	
②	①に効果があると考える建設現場での**取組や工夫**	

問題2

1. 墜落、転落による災害　記述1

①状況又は作業内容
②対策

1. 墜落、転落による災害　記述2

①状況又は作業内容

②対策

2. 崩壊、倒壊による災害　記述1

①状況又は作業内容

②対策

2. 崩壊、倒壊による災害　記述2

①状況又は作業内容

②対策

3. 移動式クレーンによる災害　記述1

①状況又は作業内容

②対策

3. 移動式クレーンによる災害　記述2

①状況又は作業内容

②対策

問題3

1.

作業A1、B1及び作業A6、B6の**作業内容**	作業A1、B1： 作業A6、B6：

2. 始から終までの**総所要日数**：

	日

3. 作業A4の**フリーフロート**：

4. 当てはまる**作業名と数値**

作業　　　あ：	
総所要日数　い：	日

問題4

1. 屋根保護防水断熱工法における保護層の平場部の施工上の**留意事項**

①	
②	

2. 木製床下地にフローリングボード又は複合フローリングを釘留め工法で張る
ときの施工上の**留意事項**

①	
②	

3. 外壁コンクリート面を外装合成樹脂エマルション系薄付け仕上塗材（外装薄塗材E）仕上げとするときの施工上の**留意事項**

①	
②	

4. 鉄筋コンクリート造の外壁に鋼製建具を取り付けるときの施工上の**留意事項**

①	
②	

問題5

	最も適当な語句又は数値の組合せ				
1.	①	②	③	④	⑤
2.	①	②	③	④	⑤
3.	①	②	③	④	⑤
4.	①	②	③	④	⑤
5.	①	②	③	④	⑤
6.	①	②	③	④	⑤
7.	①	②	③	④	⑤
8.	①	②	③	④	⑤

問題6

		正しい語句又は数値				
1.	①	①	②	③	④	⑤
	②	①	②	③	④	⑤
2.	③	①	②	③	④	⑤
	④	①	②	③	④	⑤
3.	⑤	①	②	③	④	⑤
	⑥	①	②	③	④	⑤

問題1

品質管理を行った工事

イ	工事名	
ロ	工事場所	
ハ	工事の内容	
ニ	工期等	
ホ	あなたの立場	
ヘ	あなたの業務内容	

1. **品質管理**の事例

	①	**工種名**	
	②	**品質の目標**及び**重点品質管理項目**	
事例1	③	②の重点品質管理項目を**定めた理由**及び発生を予測した**欠陥又は不具合**	
	④	②の重点品質管理項目について、**実施した内容**及びその**確認方法又は検査方法**	

事例2	①	工種名	
	②	品質の目標及び重点品質管理項目	
	③	②の重点品質管理項目を定めた理由及び発生を予測した欠陥又は不具合	
	④	②の重点品質管理項目について、実施した内容及びその確認方法又は検査方法	

2. 組織的な品質管理活動

①	品質管理活動の内容及び協力会社等に伝達する手段又は方法	
②	品質管理活動によってもたらされる良い影響	

問題2

	建築工事における仮設物の設置を計画するに当たり、**留意及び検討すべき事項**
1. 仮設ゴンドラ	①
	②
2. 場内仮設事務所	①
	②
3. 工事ゲート（車両出入口）	①
	②

問題3

1. 作業A4、B4及びA8、B8の**作業内容**

作業A4、B4	作業A8、B8

2. 作業B6の**フリーフロート**

3. **当てはまる数値**

作業A3の人数　あ	人
作業A4の人数　い	人

4.

㊙から㊗までの**総所要日数**	日

問題4

1. 杭工事において、既製コンクリート杭の埋込み工法の施工上の**留意事項**（養生に関する記述は除く）

①	
②	

264

2. 型枠工事において、柱又は梁型枠の加工、組立ての施工上の**留意事項**（基礎梁及び型枠支保工に関する記述は除く）

①	
②	

3. コンクリート工事において、コンクリート打込み後の養生に関する施工上の**留意事項**（コンクリートに使用するセメントは普通ポルトランドセメントとし、計画供用期間の級は標準とする）

①	
②	

4. 鉄骨工事において、トルシア形高力ボルトの締付けに関する施工上の**留意事項**（締付け器具に関する記述は除く）

①	
②	

問題5

	最も不適当な語句又は数値の記号と適当な語句又は数値との組合せ
1.	① ② ③ ④ ⑤
2.	① ② ③ ④ ⑤
3.	① ② ③ ④ ⑤
4.	① ② ③ ④ ⑤
5.	① ② ③ ④ ⑤
6.	① ② ③ ④ ⑤
7.	① ② ③ ④ ⑤
8.	① ② ③ ④ ⑤

問題6.

		当てはまる正しい語句
1.	①	① ② ③ ④ ⑤
	②	① ② ③ ④ ⑤
2.	③	① ② ③ ④ ⑤
	④	① ② ③ ④ ⑤
3.	⑤	① ② ③ ④ ⑤
	⑥	① ② ③ ④ ⑤

※141%に拡大コピーして
お使いください。

問題1

施工の合理化を行った工事

イ	工事名	
ロ	工事場所	
ハ	工事の内容	
ニ	工期	
ホ	あなたの立場	

1. **施工の合理化**の事例

事例1	① 工種又は部位等	
	② 実施した**内容**と品質確保のための**留意事項**	
	③ 実施した内容が**施工の合理化となる理由**	
	④ ③の施工の合理化以外に得られた**副次的効果**	
事例2	① 工種又は部位等	
	② 実施した**内容**と品質確保のための**留意事項**	
	③ 実施した内容が**施工の合理化となる理由**	
	④ ③の施工の合理化以外に得られた**副次的効果**	

2.

事例1	① 工種又は部位等	
	② 施工の**合理化の内容**とコスト削減できた**理由**	
事例2	① 工種又は部位等	
	② 施工の**合理化の内容**とコスト削減できた**理由**	

問題2

		設備又は機械を安全に使用するための**留意事項**
1. 外部枠組足場	①	
	②	
2. コンクリートポンプ車	①	
	②	

268

3.建設用リフト	①	
	②	

問題3

	最も不適当な箇所番号	適当な語句又は数値
1.		
2.		
3.		
4.		
5.		
6.		
7.		
8.		

問題4

1. タイル工事において、有機系接着剤を用いて外壁タイル張りを行うときの施工上の**留意事項**（下地及びタイルの割付けに関する記述は除く）

①	
②	

2. 屋根工事において、金属製折板屋根葺を行うときの施工上の**留意事項**

①	
②	

3. 内装工事において、天井仕上げとしてロックウール化粧吸音板を、せっこうボード下地に張るときの施工上の**留意事項**（下地に関する記述は除く）

①	
②	

4. 断熱工事において、吹付け硬質ウレタンフォームの吹付けを行うときの施工上の**留意事項**（下地に関する記述は除く）

①	
②	

問題5

1.

作業A4及び作業B4の**作業内容**	

2.

作業B2の**フリーフロート**	

3.

㊀から㊀までの**総所要日数**	
工事完了日	

4.

	当てはまる数値
あ	
い	

問題6

		当てはまる語句又は数値
1.	①	
	②	
2.	③	
	④	
3.	⑤	
	⑥	

271

本書の正誤情報等は、下記のアドレスでご確認ください。
http://www.s-henshu.info/1kskm2409/

上記掲載以外の箇所で正誤についてお気づきの場合は、**書名・発行日・質問事項（該当ページ・行数・問題番号**などと誤りだと思う理由）・氏名・連絡先を明記のうえ、お問い合わせください。
・web からのお問い合わせ：上記アドレス内【正誤情報】へ
・郵便または FAX でのお問い合わせ：下記住所または FAX 番号へ
※電話でのお問い合わせはお受けできません。

〔宛先〕コンデックス情報研究所「詳解 1級建築施工管理技術検定過去 5 年問題集 '25年版」係
　　住　　所：〒 359-0042　所沢市並木 3-1-9
　　FAX番号：04-2995-4362（10：00 ～ 17：00　土日祝日を除く）

※**本書の正誤以外に関するご質問にはお答えいたしかねます。**また、受検指導などは行っておりません。
※ご質問の受付期限は、2025 年の 7 月と 10 月の各試験日の 10 日前必着といたします。
※回答日時の指定はできません。また、ご質問の内容によっては回答まで 10 日前後お時間をいただく場合があります。
あらかじめご了承ください。

編著：コンデックス情報研究所
1990年6月設立。法律・福祉・技術・教育分野において、書籍の企画・執筆・編集、大学および通信教育機関との共同教材開発を行っている研究者・実務家・編集者のグループ。

詳解 1級建築施工管理技術検定過去5年問題集 '25年版
2024年12月20日発行

編　著　コンデックス情報研究所

発行者　深見公子

発行所　成美堂出版
　　　　〒162-8445　東京都新宿区新小川町 1-7
　　　　電話(03)5206-8151　FAX(03)5206-8159
印　刷　大盛印刷株式会社

©SEIBIDO SHUPPAN 2024　PRINTED IN JAPAN
ISBN978-4-415-23920-0

詳解 **'25年版**
1級建築施工
管理技術検定
過去5年問題集

別冊

正答・解説編

※矢印の方向に引くと
　正答・解説編が取り外せます

別冊
正答・解説編

成美堂出版

目　次

第一次検定及び学科試験　正答・解説

令和6年度………………… 1　　令和5年度…………………… 36
令和4年度………………… 75　　令和3年度…………………… 111
令和2年度…………………147

第二次検定及び実地試験　解答例・正答

※令和6年度、令和5年度及び令和4年度の問題5・問題6以外の第二
次検定・実地試験の解答例・正答は、本書独自の見解です。

令和6年度
本書専用ブログ（http://www.s-henshu.info/1kskm2409/）で令
和7年3月下旬掲載予定

令和5年度…………………187　　令和4年度…………………… 195
令和3年度…………………203　　令和2年度…………………… 210

第一次検定及び学科試験　正答一覧………222〜224

★：法改正等により、選択肢の内容の正誤が変わり正答となる肢
　がなくなるなど、問題として成立しないもの。
　→問題編、解説編ともに、問題番号に★をつけ、正答は出題
　　当時のものを掲載し、解説は出題当時の法律等に基づいた解
　　説をしたのち、※以下に、現在の法律等に照らした解説を加
　　えました。

☆：問題文の正誤に影響はありませんが、関連する事項に法改正
　等のあった問題です。問題編では、法改正等によって問題文
　が変更される部分に下線をひき、問題文（選択肢）の末尾に（☆）
　をつけました。また、正答・解説編では、法改正等の変更箇
　所に下線をひき、☆印のあとに改正等により変更となった後
　の表記について記しました。

本書の編集基準日である令和6年10月1日から令和7年度の検定の出
題法令基準日（令和7年1月1日予定）までの法改正等については、問
題編の最終ページに記載してある本書専用ブログアドレスから閲覧して
ください。

凡例
建設リサイクル法…建設工事に係る資材の再資源化等に関す
　　　　　　　　　る法律
契約約款…公共工事標準請負契約約款

令和6年度

1級建築施工管理技術検定 第一次検定 正答・解説

第一次検定試験（午前の部）

No. 1 建設設備（空気調和設備） 正答 3

室内空気の建築物環境衛生管理基準（厚生労働省）は以下のように規定されている。

建築物環境衛生管理基準（厚生労働省）

浮遊粉じんの量	0.15 mg/m³ 以下
一酸化炭素の含有率	100万分の6以下（= 6 ppm以下）
二酸化炭素の含有率	100万分の1000以下（= 1000 ppm以下）
温度	(1) 18℃以上28℃以下 (2) 居室における温度を外気の温度より低くする場合は、その差を著しくしないこと
相対湿度	40%以上70%以下
気流	0.5 m/秒以下
ホルムアルデヒドの量	0.1 mg/m³以下（= 0.08 ppm以下）

室内空気の**気流の速さ**は、一般に0.5 m/s以下としなければならない。

したがって、最も不適当なものは3である。

No. 2 環境工学（熱貫流率） 正答 3

熱伝導抵抗とは、熱の伝わりにくさを示す値。また、**熱伝達抵抗**とは、熱の伝達のしにくさを表す値である。**熱貫流率**は、壁体の熱の通しやすさを示す値である。

熱貫流率は下記の公式で算出できる。

$$熱貫流率 = \frac{1}{熱抵抗合計}\ [W/(m^2 \cdot K)]$$

熱抵抗合計 = 屋外側の表面熱伝達抵抗 + **コンクリート壁の熱抵抗** + 室内側の表面熱伝達抵抗

$$コンクリート壁の熱抵抗 = \frac{材質の厚み[m]}{熱伝導率[W/(m \cdot K)]}$$

$$コンクリート壁の熱抵抗 = \frac{0.15}{1.6} = 0.09375$$

$$熱抵抗合計 = 0.043 + 0.09375 + 0.111 = 0.24775$$

$$熱貫流率 = \frac{1}{0.24775} ≒ 4.036\ [W/(m^2 \cdot K)]$$

したがって、鉄筋コンクリート壁の熱貫流率として、最も近い値は、3である。

No. 3 建築構造（鉄筋コンクリート構造） 正答 4

1 ○ 柱の主筋とは、柱の**軸方向**に配筋する鉄筋をいう。**異形鉄筋**とは、コンクリートの付着性を向上させるために、周囲にリブと呼ばれる**突起**を設けた鉄筋をいう。柱の主筋は直径が**D13以上**の異形鉄筋とし、その断面積の和は、柱のコンクリート全断面積の**0.8%以上**とする。（鉄筋コンクリート構造計算規準・同解説）

2 ○ 梁、柱のせん断補強筋は軽微な場合を除き、**直径9 mm以上**の

1

丸鋼、または D10 以上の**異形鉄筋**を用いる。梁、柱のせん断補強筋（帯筋及びあばら筋）比は **0.2%以上**とする。（柱の軸を含むコンクリートの断面の面積に対する帯筋の断面積の和の割合）

3 ○ **梁のせん断補強筋**とは、梁のせん断応力に対抗する鉄筋のことで**あばら筋**が該当する。**あばら筋**とは、梁の周方向に配筋される鉄筋である。梁のあばら筋は、せん断やひび割れに対する補強に使用し、間隔は折曲げ筋の有無にかかわらず、D10 の**異形鉄筋**を用いて梁せいの $\frac{1}{2}$ の以下、かつ、250 mm 以下とする。（同規準・同解説）

4 × 梁に 2 個以上の貫通孔を設ける場合、孔径は**梁せい**の $\frac{1}{3}$ **以下**とし、孔の中心間隔は孔径の平均値の 3 **倍以上**とする。（同規準・同解説）

No. 4	建築構造（地盤及び基礎構造）	正答	**1**

1 × **独立基礎**とは、柱ごとに独立して点で支持する基礎をいう。**べた基礎**とは、柱全体を面で支持する基礎をいう。圧密による沈下の**限界値**は、独立基礎のほうがべた基礎に比べて**小さい**。
（右段の図参照）

独立基礎　　　べた基礎

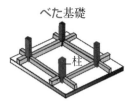

柱　　　　　　柱

2 ○ **滑動抵抗**とは、基礎底面が土圧により水平に移動しようとする力に抵抗することをいう。根入れを深くしなければ、基礎底面の**摩擦抵抗が主体**となり、滑動を防止する。しかし、根入れを深くすることにより、基礎側面に**受動土圧**がかかるため、さらに抵抗力が**上がる**。

3 ○ 直接基礎における地盤の許容応力度は、基礎荷重面の底面積が同一であっても、その形状が**異なっていれば異なる値**となる。

4 ○ **基礎梁**とは、基礎部分や地下部分を支える梁のことで、地面の中に施工されるので、**地中梁**とも呼ばれる。基礎梁の剛性を高くすると、基礎梁が**変形しにくくなる**ので、不同沈下を**均等化**することができる。

No. 5	力学（反力）	正答	**3**

はじめに、H_A、H_B を左側への力、また、V_A、V_B を上への力とする。
$$\Sigma H = -H_A + (-H_B) + 4\ \mathrm{kN} = 0$$
$$\Sigma V = V_A + V_B - 3\ \mathrm{kN} = 0$$

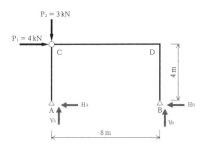

続いて、曲げモーメントよりV_A、V_Bを計算する。

点Aにおけるモーメント $M_A = 0$ より

$M_A = 4 \text{ kN} \times 4 \text{ m} - V_B \text{ [kN]} \times 8 \text{ m} = 0$

$16 - 8V_B = 0$

$-8V_B = -16$

$V_B = 2 \text{ kN}$

垂直方向の力のつり合いより

$V_A \text{ [kN]} + V_B \text{ [kN]} - 3 \text{ kN} = 0$ より、

$V_A \text{ [kN]} + 2 \text{ kN} - 3 \text{ kN} = 0$

$V_A \text{ [kN]} = 1 \text{ kN}$

ヒンジ部分は曲げモーメントが発生しないため、ヒンジ部分（C点）から右側のみを計算し、H_Bを求める。

$M_C = -2 \text{ kN} \times 8 \text{ m} + H_B \text{ [kN]} \times 4 \text{ m} = 0$

$-16 + 4H_B = 0$

$4H_B = 16$

$H_B = 4 \text{ kN}$

したがって、正しいものは3である。

No. 6	建築材料（内装材料）	正答	2

1 ○　強化せっこうボードは、せっこうボードの芯に**ガラス繊維**などの**無機質繊維**を混入したもので、性能項目として耐衝撃性や耐火炎性等が規定されている。

2 ×　パーティクルボードは、木材などの**小片**を主な原料として**接着剤を用いて成形・熱圧**した板をいう。木毛等の木質原料及びセメントを用いて圧縮成形した板は、**木質系セメント板**である。

3 ○　コルク床タイルは、**天然コルク外皮**を主原料とし、必要に応じて**塩化ビニル樹脂**または**ウレタン樹脂**で加工した床タイルである。

4 ○　クッションフロアはビニル床シートの一種で、表面に**透明ビニル層**、その下に印刷層、発泡ビニル層を持ったものである。

No. 7	環境工学（換気）	正答	2

1 ○　**第3種機械換気方式**は、自然給気と排気機によって室内の空気を排出する方式で、台所、浴室、便所、湯沸室等の室内を**負圧にする場所**に用いられる。

2 ×　自然換気は自然の力を利用して換気するもので、常に一定の換気量を維持するのは難しいが、維持経費が安い等の特徴があり、**風力**によるものと室内外の温度差によるもの（重力換気）がある。室温が外気温より高い場合、温度の高い空気は密度が小さく上昇し、温度の低い空気は下降する。換気量は、**流入口**と**流出口**の高低差に比

例する。

3 ○ 室内外の温度差による自然換気で、上下に大きさの異なる開口部を用いる場合、**中性帯**の位置は、**開口部の大きい方に近づく**。なお、**中性帯**とは、ある高さにおいて室内外の**圧力差がゼロ**になる部分をいう。下図右のように上部に大きな開口があれば、**中性帯**は、下図左に比べて開口部に近い**上方に移**動する。

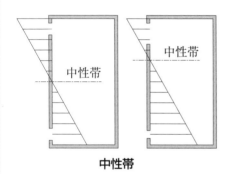

中性帯

4 ○ 換気回数は**換気量を室容積で除**した値であり、必要換気量が一定の場合、室容積が**大きいほど換気回数は少なく**なる。そのため、室容積が**大きな空間**に比べて**小さな空間**の方が、必要な**換気回数が多**い。

| No. 8 | 環境工学 （音） | 正答 | 3 |

1 ○ 音の大きさの特性をふまえて、ある音の大きさを、これと同じ大きさに聞こえる**1,000 Hz**の純音の音圧レベル［dB］の値で表

したものを**ラウドネスレベル**といい、単位は**phon**を用いる。同じ音圧レベルの場合、一般に**100 Hz**の音よりも**1,000 Hz**の音の方が**大きく**感じる。

2 ○ **残響時間**とは、音源を停止した後、音圧レベルが**60 dB**（デシベル）**減衰**するのに要する時間をいい、室容積に**比例**し、室内の総吸音力に**反比例**する。

3 × 点音源からの距離が**2倍**になると、音の強さのレベルは**約6 dB低下**する。

4 ○ **マスキング効果**とは、目的の音が**別の音によって聞こえなくなる現象**をいう。隠ぺい効果ともいう。それぞれの音の周波数が**近いほど効果が大きく**なる。

| No. 9 | 建築構造（鉄筋コンクリート造の構造計画） | 正答 | 4 |

1 ○ **ねじれ剛性**（ねじれの力に対して歪まない性質）は、耐震壁等の耐震要素を、平面上の中心部に配置するよりも**外側**に**均一**に配置した方が高まる。剛性より、ねじれ剛性の方が、**柔軟性**があるため、**外側**に配置する。

2 ○ 耐力壁（耐震壁）の構造としては、建築基準法施行令第78条の2に定められており、耐力壁の構造は、第1項第二号で開口部周囲に**径12 mm以上**の補強筋を配置することとある。したがって、壁に

換気口等の**小開口がある場合**でも定められた条件では**耐震壁として扱うことができる。**

3 ○ 鉄筋コンクリート構造の構造計画において、腰壁、垂れ壁、そで壁等は、柱及び梁の**剛性**や**じん性**への影響を考慮して計画する必要がある。

4 × 柱は、地震時の脆性破壊の危険を避けるため、**軸方向圧縮応力度**（断面積に対する軸方向の割合）が**小さくなる**ようにする。圧縮応力度を弱める代わりに、地震に対する**粘り強さを向上**させる。

No.10	建築構造（鉄骨構造の設計）	正答	3

1 ○ **座屈**とは、縦長の部材が縦方向に圧縮荷重を受けたとき、限度を超えて横方向に曲がる現象をいう。座屈長さとは、部材の座屈が生じる部分の長さをいう。**柱頭が水平移動するラーメン構造の柱**の場合、座屈長さは設計上、**節点間の距離より長く**なる。

2 ○ 梁の変形は曲げ、圧縮、せん断変形のいずれも荷重条件、部材断面が同じであれば、ヤング係数に**比例**する。鋼材のヤング係数は、材質に関係なく2.05×10^5 N/mm²で一定であり（鋼構造設計規準）、材質を変えてもたわみは変わらない。SN 400 AとSN 490 Bでは、**強度は異なる**が同じ鋼材

である。部材断面と荷重条件が同一ならば、梁のたわみは同一である。

3 × 柱脚には、**露出形式、根巻き形式、埋込み形式**がある。柱脚の回転拘束の大小関係は、露出形式＜根巻き形式＜埋込み形式である。**露出形式より根巻き形式の方が高い回転拘束力をもつ。**

4 ○ **トラス構造**とは、直線の軸材をピン節点で組み上げた骨組構造をいう。この軸材は、**引張り**や、**圧縮の軸力のみを伝達する**ものである。

No.11	力学（座屈荷重）	正答	4

座屈荷重を求める際の公式は、

座屈荷重（P）$= \dfrac{\pi^2 EI}{\ell^2}$ [kN]

ℓ：座屈長さ、E：ヤング係数、I：断面二次モーメント

座屈長さ＝部材長さ(L)×境界条件で与えられた数値＝$(10 \times 10^3) \times 0.5 = 5 \times 10^3$ mm

両端ピン：1.0、両端固定：0.5
一端ピン、他端固定：0.7
片持ち：2.0

座屈荷重（P）$= \dfrac{\pi^2 \times (2.0 \times 10^5) \times (3.0 \times 10^8)}{(5 \times 10^3)^2} = 2{,}400\,\pi^2$ [kN]

したがって、角形鋼管柱の座屈荷重の値として、正しいものは4である。

はじめに、等分布荷重の力をまとめる。

4 kN/m × 6 m = 24 kN

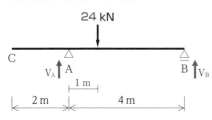

V_A、V_Bを上への力とする。

$\Sigma V = V_A + V_B - 24 \text{ kN} = 0$

続いて、曲げモーメントよりV_A、V_Bを計算する。

点Aにおけるモーメント$M_A = 0$より

$M_A = 24 \text{ kN} \times 1m - V_B [\text{kN}] \times 4m = 0$

$24 - 4V_B = 0$

$-4V_B = -24$

$V_B = 6 \text{ kN}$

垂直方向の力のつり合いより

$V_A [\text{kN}] + V_B [\text{kN}] - 24 \text{ kN} = 0$より、

$V_A [\text{kN}] + 6 \text{ kN} - 24 \text{ kN} = 0$

$V_A = 18 \text{ kN}$

続いてQ図を描く。Q図の等分布荷重は斜めに描く。

C点からA点の等分布荷重の最大値は、4 kN × 2 m = 8 kNとなる。

等分布荷重として-8 kNがかかっているが、V_Aが18 kNのため、18 - 8 = 10 kNとなる。

C点を0とし、A点の10へ斜め線を描く。

その後も、等分布荷重はマイナスの荷重がB点まで続く。

A点からB点の等分布荷重は-16 kN + 10 kN = -6 kNである。

A点の10からB点の-6へ斜め線を描く。

B点は6 kNの力がかかっているため、6 kN - 6 kN = 0でつり合ったQ図の作図が完成する。

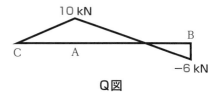

Q図

曲げモーメント図は、**上側がマイナス、下側がプラス**となる。また、**放物線で**描く。

A点からB点は、下に凸のため、**プラス側（下側）**。

C点からA点は、**マイナス側（上側）**となる。

Q図の0地点が曲げモーメント図の最大値となる。

したがって、曲げモーメント図として正しいものは、1である。

1○ 鋼は、炭素量が**多く**なると、引張強さは増加し、伸びや靱性は**低下**する。炭素量が**少なくなる**と、粘りが増大し、加工しやすくなる。

2× SN材は、建築構造用圧延鋼材で、溶接性の保証の有無、板厚方

向の引張特性の保証等を強度区分
の末尾記号A、B、Cで表示する。
A種は炭素当量の**上限の規定がな
く**、**B種**及び**C種**は、炭素当量の
上限の規定がある。

3 ○ 鋼材の材質を変化させるための
熱処理には、焼入れ、焼戻し、焼
ならしなどの方法がある。**焼入れ**
とは、鋼材を加熱後、水などで**急
冷して硬度を大きくする**熱処理で
ある。**焼戻し**とは、焼入れ後に**再
加熱**して、**じん性を高める**熱処理
である。**焼ならし**とは、加熱後、
空冷し、**鋼の組織の均一化**を図る
熱処理である。

4 ○ **低降伏点鋼**とは、添加元素を極
力低減した純鉄に近い鋼材である。
従来の軟鋼に比べ強度が**低い**が、
延性が極めて高いため、制振装置
に使用され、地震時に早期に降伏
させることで**制振効果を発揮させ
る**。

No.14	建築材料 （左官材料）	正答	**2**

1 ○ セメントモルタルの混和材とし
て消石灰、ドロマイトプラスター
を用いると、**こて伸びがよく**、平
滑な塗り面が得られる。また貧調
合とすることができ、保水性を向
上し、ヤング率を減少することで
収縮によるひび割れ、**発生応力を
低減**させる等の目的で一般に用い
られる。

2 × **ドロマイト**とは、炭酸カルシウ
ムと炭酸マグネシウムを主成分と
した**鉱物**をいい、左官材料に用い
られる。ドロマイトを用いたドロ
マイトプラスターは、それ自体に
粘性があるので、**のりは不要**である。

3 ○ メチルセルロースは、水溶性の
微粉末でセメントモルタルなどに
添加すると**水量を減らす**ことで調
合でも**作業性がよい**。**吸水の大き
い下地**や、平滑な下地面の処理に
用いる。

4 ○ セメントモルタルは、普通セメ
ントと細骨材（砂）に水を加えて
練り混ぜて作られる。細骨材が適
切な粒度分布の場合、セメントモ
ルタルの**乾燥収縮**や**ひび割れを抑
制**する効果がある。

No.15	建築材料 （建具）	正答	**4**

スイングドアセット、スライディング
ドアセット、スイングサッシ、スライ
ディングサッシの種類（普通）におけ
る性能項目は次ページの表のとおりで
ある。「**ねじり強さ**」が規定されてい
るのは**スイングドアセット**だけとなる。
したがって、性能項目に関する記述と
して、不適当なものは4である。
日射熱取得性はJIS A 4702（ドアセッ
ト）並びにJIS A 4706（サッシ）の性
能値として令和3年2月の改正におい
て追加された。（建築工事監理指針）
（次ページの表参照）

1 ○ 直接水準測量は、レベルと標尺を用いて地表面の2点間の高低差を求めることで、既知の基準点から必要な地点の標高を求める測量である。

2 × スタジア測量は、2点間の距離・高低差をトランジットやセオドライト等の望遠鏡につけられた**スタジア線**を用いて**間接的**に求める測量方法である。細部測量に主として利用され、特に**起伏の多い地形**に用いられる。

3 ○ 水準測量には直接水準測量と間接水準測量がある。**直接水準測量**は、レベルと標尺によって**2点間の高低差**を直接測定する方法である。一方、**間接水準測量**は、傾斜角や斜距離などを読み取り、**計算**によって高低差を求める方法である。

4 ○ GNSSとは、Global Navigation Satellite System の略語で、**全地球衛星測位システム**と訳される。GNSSを用いたGNSS測量は、**複数の人工衛星から受信機への電波信号の到達する時間差を測定**することにより、**位置を求める測位方法**である。

1 × 高さが20 mを超える建築物には、原則として、**雷撃から保護**するよう避雷設備を設けなければならない。（建築基準法第33条）

2 ○ 避雷設備の構造は、**雷撃によって生ずる電流**を建築物に被害を及ぼすことなく**安全に地中に流すことができるもの**として、国土交通大臣が定めた構造方法を用いるものまたは国土交通大臣の認定を受けたものでなければならない。（同施行令第129条の15第一号）

3 ○ 接地極の施工である**外周環状接地極**は、0.5 m以上の深さで壁か

No.15　　　　各ドアセット・サッシ（種類：普通）における性能項目

	スイングドアセット	スライディングドアセット	スイングサッシ	スライディングサッシ
ねじり強さ	◎			
鉛直荷重強さ	◎			
開閉力	◎	◎	◎	◎
開閉繰り返し	◎	◎	◎	◎
耐衝撃性	◎			
耐風圧性	○	○	◎	◎
気密性	○	○	◎	◎
水密性	○	○	◎	◎
戸先かまち強さ				◎

◎印は必須性能とし、○印は選択性能とする。

ら1m以上離して埋設するのが望ましい。（JIS A 4201：2003）

4 ○ 受雷部システムで受けた雷撃を接地システムに導く**引下げ導線システム**は、被保護物に沿って避雷導線を引き下げる方法によるもののほか、要件を満たす場合には、**被保護物の鉄筋または鉄骨を引下げ導線**の構成部材として**利用する**ことができる。

No. 18 建設設備（空気調和設備） 正答 4

1 ○ **空気調和機**は、室内に温度を調整した空気を送る機器をいう。一般にエアフィルタ、空気冷却器、空気加熱器、加湿器、送風機等で構成される装置である。

2 ○ **冷却塔**は、冷凍機内で温度上昇した冷却水を、**空気と直接接触**させて、一部の冷却水を**蒸発**させ、気化熱により残りの冷却水の温度を低下させる装置である。

3 ○ **二重ダクト方式**とは、冷風ダクト、温風ダクトの**2系統のダクト**で送られた冷風と温風を吹出し口近傍の混合ユニットにより混合し、各所に吹き出す方式である。

4 × ファンコイルユニット方式における2管式は、冷温水管を設置し、**各ユニット**や**系統ごとに選択、制御**して冷暖房を行う方式である。ゾーンごとに冷暖房の**同時運転**が可能なものは4管式である。

No. 19 建設設備（消火設備） 正答 4

1 ○ **不活性ガス消火設備**は、二酸化炭素等の消火剤を放出することにより、酸素濃度の希釈作用や気化するときの**熱吸収による冷却効果**で消火する設備である。消火剤がガスなので消火後の汚損は少なく、**電気や油火災及び水損を嫌うコンピューター**や電気通信機室あるいは図書館や美術館等に設置される。

2 ○ **開放型スプリンクラー設備**は、火災感知装置の作動、又は手動起動弁の開放によって放水区域のすべてのヘッドから**一斉に散水する設備**であり、**劇場**などの舞台部に用いられる。

3 ○ **泡消火設備**は、特に引火点の低い油類による火災の消火に適し、泡で可燃物を覆い、空気を遮断して酸素の供給を断つことによる**窒息作用**により消火するものである。

4 × **屋外消火栓設備**は、工場や倉庫群のように広い敷地内に多数の建物がある場合等に、建物の各部分からホース接続口までの**水平距離が40m以下**となるように設置するものである。

No. 20 契約図書（積算） 正答 3

公共建築工事共通費積算基準表-1共通仮設費及び表-2現場管理費による。

1 ○ **現場事務所、下小屋**に要する費

9

用は、共通仮設費に含まれる。

2 ○ 共通的な**工事用機械器具**（測量機器、揚重機械器具、雑機械器具）に要する費用は、共通仮設費に**含まれる**。

3 × **消火設備**等の施設の設置、**隣接物等の養生**に要する費用は、共通仮設費に**含まれる**。

4 ○ **火災保険、工事保険**の保険料は、**現場管理費**に含まれる。

No. 21	仮設工事 （乗入れ構台）	正答	**3**

1 ○ 道路から乗入れ構台までの乗込みスロープの勾配は、一般に$\frac{1}{10}$〜$\frac{1}{6}$とする。（建築工事監理指針）

2 ○ 乗入れ構台の幅員は、使用する施工機械、車両、アウトリガーの幅、配置及び動線等により決定する。通常計画される**幅員**は、**4〜10ｍ**である。最小限**1車線**で**4ｍ**、**2車線**で**6ｍ**程度は必要である。また、クラムシェルが作業する乗入れ構台の幅は、ダンプトラック通過時にクラムシェルが旋回して対応する計画とし、**8〜10ｍ**とする。（JASS 2）

3 × 乗入れ構台の支柱は、**使用する基礎**などの地下構造部の配置によって位置を決める。

4 ○ 乗入れ構台の支柱と山留めの切梁支柱を兼用する場合は、**荷重**に対する**安全性**を**確認**した上で**兼用**する。

No. 22	地盤調査 （土質試験）	正答	**1**

1 × 圧密試験は地盤沈下を解析するために、**粘性土に荷重**を加え、必要な沈下特性（**沈下量**と**沈下速度**）を測定する試験である。

2 ○ 粘性土のせん断強度は、**一面せん断試験、一軸圧縮試験、三軸圧縮試験**によって求めることができる。

3 ○ 原位置での**透水試験**は、単一のボーリング孔あるいは単一の**井戸**を利用して、水位を一時的に低下または上昇させ、**平衡状態に戻るときの水位変化**を経時的に測定して、地盤の**透水係数**を求める試験である。

4 ○ **粒度試験**は、土の粒度組成をグラフ化し、土を構成する土粒子の粒径の**分布状態を把握**する試験である。この試験で求められた**土粒子粒径**の構成より、**透水係数の概略値**を推定することができる。また、均等係数や細粒分含有率など粒度特性を表す指標を得ることができる。

No. 23	土工事 （山留め壁）	正答	**4**

1 ○ ソイルセメント柱列壁工法は、山留め壁としてセメントミルクを注入しつつ、その位置の土を撹拌して**ソイルセメント壁**を造成し、（12ページへ続く）

山留め工法の分類

分 類	特 徴	
親杭横矢板工法	鉛直に設置した親杭に、掘削の進行に伴って横矢板をかませ山留め壁としながら掘り進む工法。止水性はない。比較的硬い地盤でも玉石層でも施工可能。湧水処理に問題があるが、水圧がかからないので支保工には有利である。打込み時の振動・騒音が問題になるが、オーガーなどの削孔併用で低減が可能。	
鋼矢板工法	接続性のある仕口を有する鋼矢板をかみ合わせて連続して打込み、あるいは埋め込んで山留め壁とする工法。止水性がよい。打込み時の振動・騒音や、かみ合わせ部の強度的信頼性、外れた場合の止水方法が問題となる。水圧を受けるので、親杭横矢板工法と比べて支える支保工応力が大きい。	
ソイルセメント柱列山留め壁工法	山留め壁としてセメントミルクを注入しつつ、その位置の土を撹拌してソイルセメント壁を造成し、骨組みにH鋼等を建込む工法。汚水処理が不要。上記2工法と比べて振動・騒音が少ない。壁の剛性も比較的大きくできる。止水性が期待でき、場所打ち鉄筋コンクリート山留め壁工法より施工性もよく経済的である。	
場所打ち鉄筋コンクリート山留め壁工法	地中に掘削したトレンチに鉄筋かごを入れてコンクリートを打って造成した山留め壁。親杭横矢板工法、鋼矢板工法と比べて振動・騒音の問題が少ない。壁の剛性は大きくできる。孔壁保護に安定液を用いるので、安定液の処理が問題になる。止水性は極めてよい。また親杭横矢板工法に比べて支保工応力が大きい。コストは高い。	鉄筋かご

骨組みにH鋼等を建込む工法であり、剛性や遮水性に優れている。**地下水位の高い軟弱地盤**に適している。

2 ○ ソイルセメント柱列壁工法の**削孔撹拌速度**は、砂質土や粘性土などの**土質**によって異なるが、引上げ撹拌**速度**は土質によらず**おおむね同じ**である。

3 ○ オーガーには、**単軸オーガー**と**多軸オーガー**があり、単軸オーガーによる削孔は、**大径の玉石や礫が混在する地盤**に用いられる。

4 × セメント系注入液と混合撹拌する原位置土が**粗粒土になるほど**、ソイルセメントの一軸圧縮強度は**大きくなる**。

| No. 24 | 地業工事（場所打ちコンクリート杭） | 正答 | **1** |

1 × 鉄筋かごの主筋と帯筋は、原則鉄線で結束して組み立てる。帯筋の継手は片面**10 d以上**のフレアーグルーブアーク溶接とする。（JASS 4）

2 ○ アースドリル工法の**掘削深さ**は、**検測テープ**等の検測器具により検測する。その場合、孔底の**2か所以上**で行う。

3 ○ 杭の上部に余分に盛ったコンクリートである杭頭部の**余盛り高さ**は、掘削孔内に水がない場合は**50 cm以上**、掘削孔内に水がある場合は**80 cm以上**確保する。（JASS 4）

4 ○ リバース工法における二次孔底

異形鉄筋の重ね継手の長さ 表1

コンクリートの設計基準強度（N/mm²）	L_1（L_{1h}）		
	SD295	SD345	SD390
18	45d（35d）	50d（35d）	—
21	40d（30d）	45d（30d）	50d（35d）
24、27	35d（25d）	40d（30d）	45d（35d）
30、33、36	35d（25d）	35d（25d）	40d（30d）

（注1）L_1：重ね継手の長さ及びL_{1h}：フック付き重ね継手の長さ。
（注2）軽量コンクリートの場合は、表の値に5dを加えたものとする。

定着の長さ 表2

コンクリートの設計基準強度（N/mm²）	L_2（L_{2h}）			L_3（L_{3h}）	
	SD295	SD345	SD390	下端筋	
				小梁	スラブ
18	40d（30d）	40d（30d）	—	20d（10d）	10dかつ150mm以上
21	35d（25d）	35d（25d）	40d（30d）		
24、27	30d（20d）	35d（25d）	40d（30d）		
30、33、36	30d（20d）	30d（20d）	35d（25d）		

（注1）dは、異形鉄筋の呼び名の数値を表す。
（注2）（　）内は、フック付き定着の長さL_{2h}、L_{3h}を示す。

処理は、一般にコンクリート打設用の**トレミー管**を**サクションポンプ**（吸込みポンプ）と**連結**して、孔底の泥状沈殿物であるスライムを**吸い上げて排出**する。

| No. 25 | 鉄筋工事（継手及び定着） | 正答 | **1** |

1 × 主筋等の継手の重ね長さは、**径の異なる主筋等を継ぐ場合**にあっては細い主筋等の径を用いることが規定されている。（表1参照）（建築基準法施行令第73条第2項）

2 ○ D 35以上の異形鉄筋には、原則として**重ね継手は用いない**。（JASS 5）

3 ○ 180°フック付き重ね継手の長さは、フックの折曲げ**開始点間の距離**とする。

4 ○ 梁主筋の重ね継手は、水平重ね、または**上下重ね**とする。

| No. 26 | コンクリート工事（型枠工事） | 正答 | **2** |

1 ○ 等価材齢換算式とは、コンクリートの温度の影響を等価な材齢に換算した式によって計算する方法である。**等価材齢換算式**による方法で計算した**圧縮強度**が所定の強度以上となった場合、**柱のせき板を取り外してもよい**。

2 × 合板せき板のたわみは、**各支点間を単純梁として計算**する。

3 ○ 各部材のたわみ検討に変更するものとし、各部材の**許容たわみを**3 mmとする。許容たわみはコンクリート面に要求される仕上り精度によって決めるべきであり、できれば計算上の**たわみの設定は2 mm以下**を目安とすることが望ましい。（型枠の設計・施工指針）

4 ○ 普通コンクリートでは固定荷重の計算に用いる場合、型枠の自重は400 N/m²とする。（同指針）

| No. 27 | コンクリート工事（コンクリートの養生） | 正答 | **1** |

1 × コンクリートの湿潤養生の期間は、**早強ポルトランドセメント**を用いた場合には3日以上、**普通ポルトランドセメント**を用いた場合には**5日以上**としている。（JASS 5）

2 ○ コンクリート養生は連続的または断続的に**散水噴霧**等を行う。湿潤養生は、コンクリートの**凝結が終了した後**に開始する。（JASS 5）

3 ○ 打込み後のコンクリートが**透水性の低いせき板で保護されている場合**は、湿潤**養生**と考えてもよい。（建築工事監理指針）

4 ○ マスコンクリートとは、**部材断面の最小寸法が大きく**、かつ、セメントの水和熱による温度上昇で有害な**ひび割れが入る**おそれのある部分のコンクリートをいう。部材断面が大きいため、内部温度が上昇している期間は、コンクリート表面部の温度が**急激に低下しない**ように養生を行う。

13

1 ○ スライド工法は、作業構台上で所定の部分の屋根鉄骨を組み立てた後、そのユニットを所定位置まで順次滑動横引きしていき、最終的に架構全体を構築する工法である。

2 × 移動構台工法とは、移動構台上で所定の部分の屋根鉄骨を組み立てた後、構台のみを移動させ、順次架構を構築する工法である。

3 ○ ブロック工法とは、地組みした所定の大きさのブロックをクレーン等で吊り上げて架構を構築する工法である。

4 ○ リフトアップ工法とは、地上または構台上で組み立てた屋根等架構を、先行して構築した構造体を支えとして、ジャッキ等により引き上げていく工法である。

1 ○ アンカーボルトと土台との緊結は、座金とナットが十分に締まり、かつ、ねじ山が2～3山出るようにする。（公共建築木造工事標準仕様書6.5.3（4））

2 ○ 木材の接合等に用いるラグスクリュー（ヘッドがナット状の木ねじ）の締付けは、そのまま締め付けると木材が割れるので、先に孔をあけてから、スパナを用いて回しながら行う。

3 × ラグスクリューのスクリュー部の孔あけは、スクリュー径の50～70%程度とし、その長さはスクリュー部長さと同じとする。（同仕様書6.4.5（2）（ウ））

4 ○ 接合金物のボルトの締付けは、座金が木材へ軽くめり込む程度とし、工事中、木材の乾燥収縮により緩んだナットを締め直す。

1 ○ 工事用エレベーターは、定格速度が0.75 m/sを超える場合、次第ぎき非常止め装置を設ける。非常止め装置には、「早ぎき式」と「次第ぎき式」があり、次第ぎき式は、かごの落下を徐々に減速させる。

2 ○ クレーンの定格荷重とは、その構造及び材料並びにジブ若しくはブームの傾斜角及び長さまたはジブの上におけるトロリの位置に応じて負荷させることができる最大の荷重から、それぞれフック等のつり具の重量に相当する荷重を控除した荷重をいう。（クレーン等安全規則第1条第六号）

3 ○ アームを有するゴンドラにあっては、アームを最小の傾斜角にした状態において、その構造上作業床に人または荷をのせて上昇させることができる最大の荷重をいう。

（ゴンドラ安全規則第1条第二号イ）

4 × ロングスパン工事用エレベーターは、**搬器の傾きが$\frac{1}{10}$の勾配を超えると自動停止装置が作動する**ように設定しなければならない。（エレベーター構造規格第32条第三号）

| No. 31 | 防水工事（ルーフィングシート防水） | 正答 | 3 |

1 ○ 加硫ゴム系シート防水接着工法において、重ね幅は**平場部の接合部は100 mm以上、立上り部と平場部の接合部は150 mm以上**とする。（公共建築工事標準仕様書建築工事編9.4.4（6）（エ）（a））

2 ○ 塩化ビニル樹脂系シート防水において、シート相互の接合には、**熱風融着または溶着剤により行う。**

3 × 塩化ビニル樹脂系シート防水の接着工法の場合、シート防水の出入隅角の処理は、**シートを張り付けた後に成形役物を張り付け、**その端部はシール材を用いて処理する。（JASS 8）

4 ○ エチレン酢酸ビニル樹脂系シート相互の接合部は、原則として**水上側のシートが水下側のシートの上になるように張り重ね、その平場の接合幅は、長手、幅方向とも100 mm以上**とする。（JASS 8）

| No. 32 | 屋根工事（長尺亜鉛鉄板葺） | 正答 | 4 |

1 ○ 塗装溶融亜鉛めっき鋼板を用いた金属板葺の留付け用釘類は、溶融亜鉛めっき**釘またはステンレス鋼釘**とする。

2 ○ 通し吊子はマーキングに合わせて平座金を付けたドリリングタッピンねじで下葺材、野地板を貫通させ**母屋**に固定する。（JASS 12）

3 ○ 横葺の葺板の継手位置は、**目違い継ぎ、一文字継ぎ、廻し継ぎ**とし、直継ぎは行わない。

4 × 平葺の葺板の周囲四辺には、は**ぜを付け、上はぜは15 mm、下はぜは18 mm程度**とする。

| No. 33 | 金属工事（軽量鉄骨壁下地） | 正答 | 1 |

1 × 間仕切壁出入口等の開口部の縦の補強材は、上部ランナーが鋼製天井下地材に取り付けられる場合でも、**上部は梁下、スラブ下に固定する。**（建築工事監理指針）

2 ○ スタッドには、50形、65形、75形、90形、100形の種類があり、それぞれスタッドの断面によって長さが次の通り制限される。（JASS 26）
①50形：2,700 mm以下
②65形：4,000 mm以下
③75形：4,000 mm以下
④**90形：4,000 mmを超え4,500 mm以下**
⑤100形：4,500 mmを超え5,000

15

mm以下

3 ○ スペーサは、**各スタッドの端部を押さえ**、間隔**600 mm程度**に留め付ける。（公共建築工事標準仕様書建築工事編14.5.4（4））

4 ○ スタッドがコンクリート壁に添え付く場合は、上下ランナに差し込み、**打込みピンでコンクリート壁に固定**する。

No. 34	左官工事 （複層仕上塗材）	正 答	**3**

1 ○ プレキャストコンクリート面の下地調整は、**合成樹脂エマルションシーラーを全面**に塗り付ける。ただし、仕上塗材の下塗材で**代用する場合**は、省略することができる。（公共建築工事標準仕様書建築工事編15.6.5（2）（イ））

2 ○ **屋外**でのALCパネル面の下地調整は、仕上塗材の製造所の仕様により**下地調整塗材C-1**または**下地調整塗材E**を全面に塗り付けて、平滑にする。（同仕様書同編15.6.5（4）（ウ））

3 × 主材の基層塗りは**2回塗り**とし、だれ、ピンホール、塗り残しのないよう下地を覆うように塗り付ける。主材基層の所要量は**1.7 kg/m² 以上**とする。（同仕様書同編15.6.1、表15.6.1その3）

4 ○ 主材の模様塗りは、**0.9 kg/m² 以上**を**1回塗り**で、見本と同様の模様になるように塗り付け、

ゆず肌状仕上げは、**ローラー塗り工法**により行う。（同仕様書同編15.6.1、表15.6.1その3）

No. 35	建具工事（アルミニウム製建具工事）	正 答	**2**

1 ○ 充填モルタルに使用する砂の塩化物量は、**NaCl換算0.04%（質量比）以下**とする。**海砂等を使用する場合は除塩**する。（公共建築工事標準仕様書建築工事編16.6.3（6）、表15.3.3）

2 × アンカーの位置は、開口部より**150 mm内外を端**とし、中間は**500 mm内外の間隔**とする。アンカーと差し筋は**最短距離で溶接**する。（JASS 16）

3 ○ 水切りと下枠との取合いは、建具枠回りと**同一**のシーリング材を用いる。

4 ○ 建具の組立てにおいて、隅部の突付け小ねじ締め部分は、漏水防止のためのシーリング材または**シート状の止水材を使用**する。

No. 36	塗装工事 （塗装工事）	正 答	**4**

1 ○ アクリル樹脂系非水分散形塗料塗りの工程は、下塗り、中塗り、上塗りの順に**同じ塗料**を用い、塗付け量はともに**0.10 kg/m²**とする。（JASS 18）

2 ○ 常温乾燥形ふっ素樹脂エナメル塗りは、塗料を**素地に浸透**させるために、下塗りはローラーブラシ

塗りとする。

3 ○ 2液形ポリウレタンエナメル塗りの**中塗り後から上塗りまでの工程間隔時間**は、準条件下において**16時間以上7日以内**とする。

4 × 合成樹脂エマルションペイントは、合成樹脂共重合エマルションやラテックスをベースとして、着色顔料や添加剤等を加えた**水系塗料**で、水による希釈で塗料に**流動性をもたせる**ことができる。

No. 37	内装工事（合成樹脂塗床）	正答	3

1 ○ 樹脂における主剤と硬化剤等の**1回の練混ぜ量は、通常30分以内**に使い切れる量とする。夏季は硬化反応が早くなるので、これよりも短時間を設定することが望ましい。（JASS 26）

2 ○ ウレタン樹脂は、硬化する時に少量のガスを発生することがあり、1回の塗厚があまり厚いと内部にガスを封じ込めて仕上がり不良となるので、**1回の塗付け量は2 kg/m²**（硬化物比重1.0の場合で塗付け厚さ2 mm）**以下**とし、これを超える場合は塗り回数を増す。（建築工事監理指針）

3 × エポキシ樹脂系塗床の流しのべ工法では、調合した流しのべ材を下地塗布面に金ごてなどで1～3 mm程度の厚みに塗布し、材料の自己流動性で、**平滑な塗膜を得る**

工法である。（JASS 26）

4 ○ プライマーの吸込みが激しく、塗膜を形成しない場合は、全体が硬化した後、吸込みが止まるまで数回にわたり塗る。

No. 38	内装工事（断熱工事）	正答	1

1 × 作業者は吹付け作業中**ワイヤーゲージ**等を用いて随時**厚みを測定**する。吹付け厚さの**許容誤差は0から＋10 mm**とする。（建築工事監理指針）

2 ○ ウレタンフォームは**自己接着性を有している**ので、硬質ウレタンフォーム吹付け工法において、**吹き付ける前**にコンクリート面に**接着剤を塗布する必要はない**。

3 ○ 押出法ポリスチレンフォーム張付け工法において、断熱材を張り付ける下地コンクリート面の**不陸は3 mm以下**とし、数ミリメートル程度であれば、接着剤を厚くすることによっても調整できるが、これを超える場合は、グラインダーなどで平滑にすることが望ましい。（JASS 24）

4 ○ 断熱材の継目にコンクリートがはみ出している場合は、一般には**使用断熱材または簡易発泡硬質ウレタンフォーム**によりそのまま補修する。**継目の幅が大きい場合は、Vカット**した後に補修する。

| No. 39 | 押出成形セメント板工事（セメント板張り） | 正答 | **4** |

1 ○ パネル取付け金物（Ｚクリップ）及び自重受金物の**防錆処理**は、原則として電気亜鉛めっき、高湿度の環境に使用する場合は、溶融亜鉛めっきとする。（JASS 27）

2 ○ **長辺の目地幅（横目地）は10 mm以上、短辺の目地幅（縦目地）は15 mm以上とする。**（公共建築工事標準仕様書建築工事編8.5.3 (9)）

3 ○ 層間変形に対して、縦張り工法の場合はロッキング、横張り工法の場合はパネルのスライドにより変位を吸収する。また、横張り工法のパネル取付け金物（**Ｚクリップ**）は、パネル**左右端部の下地鋼**材に取り付ける。（JASS 27）

4 × 横張り工法のパネルは、**パネル2～3枚ごとに荷重受けが必要で**ある。（建築工事監理指針）

| No. 40 | 改修工事（外壁改修工事） | 正答 | **3** |

1 ○ 注入口付アンカーピンニングエポキシ樹脂注入タイル固定工法は、タイル陶片の浮きに適用する唯一の工法で、無振動ドリルの注入口付アンカーピンの開発によって可能になった工法である。タイルの中心に穿孔するので、**小口タイル以上の大きさのタイルの浮きの補修に適した工法**である。

2 ○ 小口タイル張り仕上げにおいて、**下地モルタルを含むタイル陶片の剥落欠損が発生している場合**は、ポリマーセメントモルタルを用いた**タイル張替え工法**で改修する。

3 × 外壁コンクリート打放し仕上げにおいて、生じたひび割れの幅が**1.0 mmを超える**場合で挙動のおそれがある**ひび割れ**には、シーリング材を用いた**Ｕカットシール材充填工法**で改修する。

4 ○ 外壁コンクリート打放し仕上げにおいて、生じたひび割れの幅が**0.2 mm未満**で挙動のおそれがない場合には、**パテ状エポキシ樹脂を用いたシール工法**で改修する。

| No. 41 | 施工計画（事前調査・準備作業） | 正答 | **1** |

1 × 地下工事による崩壊事故、周辺地盤の沈下等を防止するため、**事前に近隣建物、工作物の近接状況、基礎構造、仕上げ等の現状を調査することが大切**である。

2 ○ 労働安全衛生法第88条第3項の厚生労働省令で定める仕事のうち、建築物、工作物または船舶に張り付けられている石綿等が使用されている保温材、耐火被覆材（耐火性能を有する被覆材をいう。）等の除去、封じ込めまたは囲い込みの作業（石綿等の粉じんを著しく発散するおそれのあるものに限る。）を行う仕事は建設工事計画

届を提出しなければならないが、**石綿などを含有する建材が無い場合**は、当該**届を提出**しなくてよい。（同規則第90条第五の三号）

3 ○ 一般に、敷地内の排水工事の事前調査では、**公設桝までの排水管の勾配確保**に関する調査等が実施される。

4 ○ アスファルト舗装駐車場の撤去後、建設副産物アスファルトがらが発生する。**アスファルトがら**を**再資源**にするため、アスファルト舗装駐車場の撤去工事計画に当たって、**再資源化施設の場所を調査**する必要がある。（建設工事に係る資材の再資源化等に関する法律第16条、同施行規則第3条）

No. 42	施工計画（施工計画）	正答	4

1 ○ 地下躯体工事と並行して上部躯体を施工する**逆打ち工法**は、**大規模大深度の工事で不成形な平面形状**において、工期短縮が有効な計画である。

2 ○ 土工事の施工計画において、TS（トータルステーション）やGNSS（衛星測位システム）を用いた3次元の測量データ、設計データ及び衛星位置情報を活用し、**ICT建設機械**による**自動掘削**とする。

3 ○ 柱や梁の鉄筋を**先組み工法**とし、継手を**機械式継手**とする計画は、

鉄筋工事における**工期短縮**に有効である。

4 × 鉄骨工事における**建方精度を確保**するためには、建方の進行とともにできるだけ**小区画**に区切って建入れ直しを行う計画とする。

No. 43	施工計画（工事の記録等）	正答	3

1 ○ 発注者から直接工事を請け負った建設業者が作成した発注者との打合せ記録のうち、**発注者と相互に交付したものを**保存する。

2 ○、3 × 建設工事の施工上の必要に応じて作成し、または**発注者から受領した完成図**、建設工事の施工上の必要に応じて作成した工事内容に関する**発注者との打合せ記録**、施工体系図の保存期間は、請け負った建設工事ごとに、当該建設工事の目的物の引渡しをしたときから**10年間**とする。（建設業法施行規則第28条第2項）

4 ○ 設計図書に定められた内容に疑義が生じた場合は**協議を行い**、監理者と協議を行った結果、設計図書の**訂正に至らない事項**があった場合は、**記録を整備**する。

No. 44	施工計画（工程の実施計画）	正答	2

1 ○ タクト手法は、**主に繰り返し作業**の工程管理に用いられる。作業を繰り返し行うことによる習熟効果によって生産性が向上する。作

19

業期間がタクト期間の**2倍となる**
作業は、その作業班を**2班投入**し、
切れ目のない工程としなければな
らない。

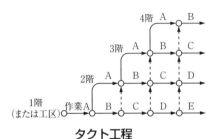

タクト工程

2 × **タワークレーン**による鉄骨の取
付け歩掛りは、**1台1日当たり、**
40〜45ピース程度とされてい
る。（鉄骨工事技術指針・工場現
場施工編）

3 ○ 現場の作業時間を午前8時〜午
後5時までの9時間とすると、**9**
時間の60%は5時間24分とな
る。（同指針・同編）したがって、
鉄骨建方機械の稼働時間を1台1
日当たり5時間30分として計画
するのは不適当ではないと判断さ
れる。

4 ○ ビルの鉄骨建方において、タワー
クレーンの**鉄骨建方作業占有率**（鉄
骨建方作業のみに占める時間の割
合）は、同時期作業が多く、**補助**
クレーンを用いる場合でおおむね
60%前後とされている。（同指針・
同編）

No. 45	品質管理（品質管理）	正答	**3**

1 × 品質計画の目標のレベルにかか
わらず、**緻密な管理を行うことは**
適当ではない。品質計画の目標の
レベルに合わせた品質管理を行う
ことが有効である。

2 × 品質の目標値を大幅に上回る品
質が確保されている場合、**過剰品**
質として工期、コストの面から優
れた品質管理とはいえない。

3 ○ 品質管理とは、工事中に問題点
や改善方法などを見出しながら、
合理的、かつ、経済的に施工する
ことや、品質計画を施工計画書に
具体的に記述し、実施することを
いう。

4 × 品質に与える影響が大きい前段
階や生産工程の上流にできるだけ
手を打つことを、**川上管理**といい、
施工段階より**計画段階で検討する**
方がより効果的である。

No. 46	品質管理（振動・騒音対策）	正答	**3**

1 ○ 鉄筋コンクリート造建築物の解
体工事における**コンクリートカッ**
ターを用いる切断工法は、**振動や**
騒音の発生を抑制できるので、周
辺環境保全に配慮した工法である。

2 ○ 内部スパン周りを先に解体し、
外周スパンを最後まで残すことに
より、解体する予定の外周スパン

の躯体を防音壁として利用することは、振動、騒音対策として有効である。

3 ×　振動レベルの測定器の**指示値が周期的に変動**する場合は、変動ごとに指示値の最大値の平均を求め、その値を**振動レベル**とする。

4 ○　壁等を転倒解体する際の振動対策として、先行した解体作業で発生した**ガラ**（コンクリート破片）を**クッション材**として転倒する位置に敷くことは、**振動、騒音の発生抑制**に有効である。

No. 47	法規 （労働安全衛生規則）	正答	1

1 ×　建地の間隔は、桁行方向を1.85 m以下、梁間方向は1.5 m以下とする。（労働安全衛生規則第571条第1項第一号）

2 ○　足場（一側足場を除く）における**高さ2 m以上**の作業場所に設けなければならない**作業床**は、**幅40 cm以上、床材間の隙間3 cm以下**とする。ただし、つり足場の場合は、床材間の隙間があってはならない。（同規則第563条第1項第二号）

3 ○　**移動はしご**は、丈夫な構造とし、著しい損傷、腐食等がなく、**幅は30 cm以上**とすること。また、すべり止め装置の取付けその他転位を防止するために必要な措置を講じなければならない。（同規則

第527条）

4 ○　作業床の周囲には、高さ90 cm以上で中桟付きの丈夫な手すり及び高さ10 cm以上の幅木を設けること。ただし、手すりと作業床との間に丈夫な金網等を設けた場合は、中桟及び幅木を設けないことができる。（移動式足場の安全基準に関する技術上の指針3－6）

No. 48	法規 （労働安全衛生規則）	正答	3

1 ○　特定元方事業者と関係請負人との間及び関係請負人相互間における、**作業間の連絡及び調整を随時**行うことと規定されている。（労働安全衛生規則第636条）

2 ○　特定元方事業者は、その労働者及び関係請負人の労働者の作業が同一の場所において行われる場合において、当該場所に**有機溶剤等を入れてある容器**が集積されるときは、当該容器を**集積**する箇所を統一的に定め、これを関係請負人に**周知**させなければならない。（同規則第641条第1項柱書、第一号）

3 ×　関係請負人が新たに雇い入れた労働者に対して、**雇入れ時の安全衛生教育を行うのは、特定元方事業者ではない**。雇入れ教育はその関係請負人の事業者が行うものである。（同法第59条第1項）

4 ○　特定元方事業者は、同法30条

第1項第五号の計画の作成については、工程表等の当該仕事の工程に関する計画並びに当該作業場所における主要な機械、設備及び作業用の仮設の建設物の配置に関する計画を作成しなければならない。（同規則第638条の3）

No. 49	法規 （ゴンドラ安全規則）	正答	**4**

1 ○　事業者は、ゴンドラについて、1月以内ごとに1回、定期に、一定の事項について**自主検査を行わなければならない**。ただし、1月を超える期間使用しないゴンドラの当該使用しない期間においては、この限りでない。（ゴンドラ安全規則第21条第1項柱書）

2 ○　事業者は、ゴンドラを使用して作業を行うときは、ゴンドラの操作について一定の合図を定め、合図を行う者を指名して、その者に**合図を行わせなければならない。**ただし、ゴンドラを操作する者に単独で作業を行わせるときは、この限りでない。（同規則第16条第1項）

3 ○　事業者は、ゴンドラを使用して作業を行う場所については、当該作業を**安全に行うため必要な照度**を保持しなければならない。（同規則第20条）

4 ×　製造検査または使用検査を受けた後設置されていないゴンドラで

あって、その間の保管状況が良好であると都道府県労働局長が認めたものについては、当該ゴンドラの検査証の有効期間を**製造検査または使用検査の日から起算して2年を超えず**、かつ、当該ゴンドラを設置した日から起算して1年を超えない範囲内で延長することができる。（同規則第9条第1項、第2項）したがって、**検査証の有効期限は2年ではない。**

No. 50	法規（酸素欠乏 症等防止規則）	正答	**2**

1 ○　事業者は、労働安全衛生法施行令第21条第九号に掲げる作業場について、**その日の作業を開始する前**に、当該作業場における空気中の酸素（第2種酸素欠乏危険作業に係る作業場にあっては、酸素及び硫化水素）の濃度を測定しなければならない。事業者は、測定を行ったときは、そのつど、**測定日時、測定方法、測定箇所、測定条件、測定結果などを記録して、**これを3年間**保存**しなければならない。（酸素欠乏症等防止規則第3条）

2 ×　事業者は、酸素欠乏危険作業に労働者を従事させる場合は、当該作業を行う場所の空気中の酸素の濃度を18％以上（第2種酸素欠乏危険作業に係る場所にあっては、**空気中の酸素の濃度を18％以上、**

かつ、硫化水素の濃度を100万分の10以下）に保つように換気しなければならない。ただし、爆発、酸化等を防止するため換気することができない場合または作業の性質上換気することが著しく困難な場合は、この限りでない。（同規則第5条第1項）

3 ○　事業者は、酸素欠乏危険作業については、第1種酸素欠乏危険作業にあっては酸素欠乏危険作業主任者技能講習または酸素欠乏・硫化水素危険作業主任者技能講習を修了した者のうちから、第2種酸素欠乏危険作業にあっては酸素欠乏・硫化水素危険作業主任者技能講習を修了した者のうちから、**酸素欠乏危険作業主任者を選任**しなければならない。（同規則第11条第1項）

4 ○　事業者は、第1種酸素欠乏危険作業に係る業務に労働者を就かせるときは、当該労働者に対し、**特別の教育**を行わなければならない。（同規則第12条第1項柱書）

No.51	鉄筋工事（ガス圧接）	正答	5

1 ○　径の異なる鉄筋の**ガス圧接部の**
ふくらみの直径は、**細い方の径の**
1.4倍以上とする。（公共建築工事標準仕様書建築工事編5.4.4（ア））

2 ○　ガス圧接すると鉄筋の**長さ方向**が**縮む**ので、鉄筋径の1.0〜1.5

倍程度の長さ方向の**縮み量**を、圧接継手において**考慮**する。（建築工事監理指針）

3 ○　圧接部における鉄筋中心軸の偏心量は、**鉄筋径（径が異なる場合は細い方の鉄筋径）**の$\frac{1}{5}$以下であること。（同仕様書同編5.4.4（エ））

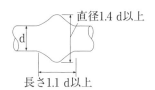

（a）ふくらみの直径と長さ

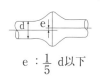

$e : \frac{1}{5}$ d以下

（b）鉄筋中心軸の偏心量

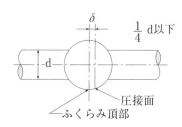

（c）圧接面のずれ

良好なガス圧接部の形状

4 ○　圧接端面は**平滑**に仕上げられ、その周辺は**軽く面取り**がされていることとする。

5 ×　圧接部の加熱は、圧接端面が相互に**密着するまでは還元炎（アセレン過剰炎）**で行い、その後は火

力の強い中性炎（標準炎）、圧接面を中心としてバーナー揺動幅を鉄筋径の2倍程度としながら加熱する。（同指針）

No. 52	コンクリート工事 （運搬・打込み・締固め）	正答	5

1 ○ 暑中コンクリートの荷卸し時の**コンクリート温度は、原則として35℃以下**とする。（JASS 5）

2 ○ コンクリートポンプによる圧送には、圧送負荷を算定し、ポンプの能力と対比し判定する。圧送負荷の算定時、**ベント管の水平換算距離は実長の3倍の長さがあるもの**として計算する。

3 ○ 同一区画の打込み継続中における打重ね時間は、**コールドジョイント**を発生させないために、先に打ち込まれたコンクリートの**再振動可能時間以内**とする。

4 ○ 梁及びスラブの鉛直打継ぎ部は、一般に**せん断応力の小さいスパンの中央付近**または**曲げ応力の小さいスパン**の $\frac{1}{3} \sim \frac{1}{4}$ 付近に設ける。（建築工事監理指針）

5 × コンクリート内部振動機で締め固める場合の**加振時間**は、打ち込まれたコンクリートがほぼ水平になり、コンクリート表面にセメントペーストが浮き上がる時間を標準とし、**1箇所5〜15秒の範囲**とするのが一般的である。（同指針）

No. 53	鉄骨工事（鉄骨の 加工及び組立て）	正答	4

1 ○ 鋼材の開先開口は、**自動ガス切断機で開先を加工**し、切断部分に**凹凸が発生した場合は修正**する。

2 ○ 鉄骨鉄筋コンクリート造の鉄骨の工作図検討の際に、鉄骨と鉄骨梁の接合部のダイアフラムに、空気孔を設置することは、**コンクリートの充填性**に有効である。

3 ○ 鉄骨工事の工作におけるけがきは、**490 N/mm² 級以上の高張力鋼**または**曲げ加工される400 N/mm² 級の軟鋼**の外面には、ポンチ、たがねによる打こんを残してはならない。（JASS 6）

4 × 高力ボルト孔の径は、高力ボルトの径より**2 mmを超えて大きくしてはならない**。よって、公称軸径が24 mmの高力ボルト用の孔あけは、ドリルあけで（24 mm ＋ 2.0 mm ＝ 26 mm）26 mmの径とする。（建築基準法施行令第68条第2項）

5 ○ 鉄骨工事におけるアンカーボルト用孔あけ加工の方法は、**板厚に関係なくドリルあけ（せん断孔あけ）**とする。（JASS 6）

No. 54	防水工事 （塗膜防水）	正答	3

1 ○ ウレタンゴム系塗膜防水の絶縁工法の**立上り部**、ドレン回り及びパイプ回りなどでは、**補強布の重**

ね幅は100 mm以上とする。（建築工事監理指針）

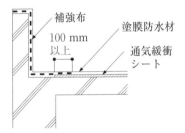

100 mm以上
補強布
塗膜防水材
通気緩衝シート

立上り部の施工

2 ○ ウレタンゴム系塗膜防水の絶縁工法において、平場部の防水材の**総使用量**は、硬化物比重が1.0の場合3.0 kg/m²、1.3の場合3.9 kg/m²とする。（同指針）

硬化物比重の異なる防水材における標準使用量

硬化物比重	平場部(kg/m²)	立上り部(kg/m²)
1.0	3.0	2.0
1.1	3.3	2.2
1.2	3.6	2.4
1.3	3.9	2.6
1.4	4.2	2.8

3 × 通気緩衝シートの継ぎ目は**突付け**とし、**突付け部分は50 mm以上の幅の接着剤付きポリエステル不織布**または**織布のテープ**を張り付ける。（公共建築工事標準仕様書建築工事編9.5.4（4）（ウ））

4 ○ ゴムアスファルト系塗膜防水工法の塗継ぎの重ね幅は100 mm以上とし、補強布の重ね幅は50 mm以上とする。（同仕様書同編9.5.4（4）（ウ））

5 ○ ゴムアスファルト系室内仕様防水材の**総使用量**は、**固形分60%**（質量）を使用した場合、4.5 kg/m²とする。ただし、固形分がこれ以外の場合にあっては、所定の塗膜厚を確保するように使用量を換算する。（同仕様書同編9.5.3（2）、表9.5.2）

No.55 タイル工事（セメントモルタルによるタイル張り） 正答 1

1 × 改良積上げ張りは、張付けモルタルを**塗厚7〜10 mm**として**タイル裏面に塗り付けた状態**で張り付ける。（JASS 19）

2 ○ 密着張りの張付けモルタルの**1回の塗付け面積の限度**は、張付けモルタルに触れると手に付く状態のままタイル張りが完了できることとし、**2 m²/人以内**とする。（公共建築工事標準仕様書建築工事編11.2.6（2）（イ））

3 ○ モザイクタイル張りの張付けモルタルの**塗付け**は、いかに薄くとも2度塗りとし、1層目は薄く下地面にこすりつけるように塗り、下地モルタル面の微妙な凸凹に張付けモルタルが食い込むようにし、次いで張付けモルタルを塗り重ね、**3 mm程度の厚さ**とし定規を用いてむらのないように塗厚を**均一**にする。（建築工事監理指針）

4 ○ マスク張りの張付けモルタルは、ユニットタイル裏面にタイルの大きさに見合ったマスク（**マスク厚**

25

さ4mm程度）を用い、張付け
モルタルを金ごてで下地に均一に
塗り付ける。（同指針）

5 ○　改良圧着張りの下地面への張
付モルタルは2度塗りとし、その
合計の塗厚を4〜6mmとする。
タイル側への塗付けの場合、1
〜3mmとする。（同仕様書同編
11.2.6（3）（ア）、表11.2.3）

No. 56	内装工事 （ボード張り）	正 答	2

1 ○　軽量鉄骨壁下地にボードを直接
張り付ける場合の留付け用小ねじ
の間隔は、**周辺部で200mm程
度、中間部で300mm程度**であ
り、中間部の方が間隔が**大きい**。
（JASS 26）

2 ×　せっこうボードを鋼製天井下地
にねじ留めする場合は、鋼製天井
下地の裏面に**10mm以上**の余長
が得られる長さのドリリングタッ
ピンねじを用い、頭がせっこうボー
ドの表面から**少しへこむ**ように確
実に締め込む。（JASS 26）

3 ○　ボードの下端部は、床面から
の**吸水を防止**するため、床面から
10mm程度浮かして張り付ける。
（建築工事監理指針）

4 ○　ボード類下地に対してロック
ウール化粧吸音板を重ねて張る場
合、下張りとロックウール化粧吸
音板の**目地の位置が重ならないよ
うに、50mm以上**ずらして取り

付ける。（JASS 26）

5 ○　せっこうボードの留付けに用
いられる**ステープルの足の長さは
20mm**などが用いられる。保持
力は低いので、接着剤による取付
け時の仮留め金物とするのが適切
である。（JASS 26）

No. 57	施工計画 （仮設計画）	正 答	4

1 ○　傾斜地に設置する仮囲いの下端
に隙間が生じた場合、**隙間を塞ぐ**
ため、**土台コンクリートや木製の
幅木等**を設けることとする。

2 ○　建築基準法施行令第136条の2
の20の仮囲いの規定内に「工事
現場の周辺若しくは工事の状況に
より**危害防止上支障がない場合に
おいては、この限りでない**」とある。

3 ○　道路の一部を借用して仮囲いを
行う計画を検討する場合、**道路管
理者**の「道路占用許可」や**所管警
察署**の「道路使用許可」を得る必
要がある。（道路法第32条第1項
第七号、第2項、道路交通法第77
条第1項第一号）

4 ×　女性用便所の便房の数に関して
は、労働安全衛生規則第628条第
1項第四号に、20人を超えた場合
の便房の数は、「1に、同時に就業
する女性労働者の数が**20人を超
える20人又はその端数を増すご
とに1を加えた数**」とあり、便房
を2個設置する計画は**不適切**であ

る。**45人の場合は3個**である。

5 ○ ガスボンベ類の貯蔵小屋は、ガスが滞留しないように通気を良くするため、**壁の1面を開口**とし、他の壁の**3面は上部に開口部を設**ける計画とする。（JASS 2）

No. 58	工程管理（工期と費用）	正答	1

1 × **総工事費**は直接費と間接費を合わせたものである。工期を最適な工期より**短縮**すると、直接費の増加が**大きくなる**ため総工事費は**増加**する。（最たる例が突貫工事である）また、最適工期を**超えて延長**すると、間接費が工期に比例し**増える**ため、総工事費は**増加**する。

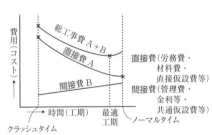

工期とコスト

2 ○ **間接費**とは、建築物としては残らないが工事に必要な仮設の費用など間接的な費用のことをいう。間接費は工期の長短に相関して増減し、一般に、**工期が長くなると間接費**は増加する。

3 ○ **最適工期**とは、直接費と間接費を合わせた**総工事費**が最小となるときの工期である。

4 ○ **ノーマルタイム**（標準時間）とは、**直接費が最小**となるときに要する工期をいう。なお、直接費とは、工事に直接かかる費用のことで、**材料費や労務費等が含まれる**。

5 ○ **クラッシュタイム**（特急時間）とは、どんなに直接費を投入しても、ある限度以上には**短縮できない工期**をいう。

No. 59	品質管理（試験及び検査）	正答	5

1 ○ フレッシュコンクリートのスランプ試験は、**高さ300 mmの金属製スランプコーン**を用いて行い、試料をほぼ等しい量の3層に分けて詰め、各層ごとに、突き棒で均した後、25回一様に突く。この割合で突いて材料の分離を生ずるおそれのあるときは、分離を生じない程度に突き数を減らす。（JIS A 1101）

2 ○ コンクリートスランプ**18 cm**のスランプの許容差は、スランプ**8 cm以上18 cm以下**のため、**±2.5 cm**である。（JIS A 5308）

JIS A 5308
荷卸し地点でのスランプの許容差

（単位cm）

スランプ	スランプの許容差
2.5	± 1.0
5及び6.5	± 1.5
8以上18以下	± 2.5
21	± 1.5

3 ○ 塩化物量の測定は、同一試料か

らとった3個の分取試料について各1回測定し、その平均値とする。コンクリート運搬車から採取する場合、アジテーターを高速回転させて十分に撹拌した後、採取する。（公共建築工事標準仕様書建築工事編6.5.4（1）、表6.9.1）

4 ○ 超音波探傷試験において、1検査ロットは、1作業班が1日に行った箇所とする。（同仕様書同編5.4.10（イ）（a）①）

5 × 超音波探傷試験の抜取検査の箇所数は1検査ロットに対し30か所とし、ロットから無作為に抜き取る。1検査ロットに対して3か所行うのは、破壊検査である引張試験である。（同仕様書同編5.4.10（イ）（a）②）

| No. 60 | 安全管理 （労働災害） | 正答 | **3** |

1 ○ 労働災害とは、労働者の就業に係る建設物、設備、原材料、ガス、蒸気、粉じん等により、または作業行動その他業務に起因して、労働者が負傷し、疾病にかかり、または死亡することをいう。（労働安全衛生法第2条第一号）

2 ○ 休業日数は、労働災害により労働者が労働できない日数であり、休日であっても休業日数に含まれる。休業日数については労働災害発生日の翌日から起算して日数をカウントする。（厚生労働省の統計調査）

3 × 強度率とは、1,000延労働時間当たりの労働損失日数で表すもので、災害の重さの程度を示す。
強度率＝延労働損失日数／延実労働時間数×1,000（同調査）
年千人率は、労働者1,000人当たりの1年間に発生した死傷者数を示すもので、発生頻度を示す。
年千人率＝1年間の死傷者数／1年間の平均労働者数×1,000（同調査）

4 ○ 度数率とは、100万延実労働時間当たりの労働災害による死傷者数で、災害発生の頻度を表す。
度数率＝労働災害による死傷者数／延実労働時間数×1,000,000（同調査）

5 ○ 労働損失日数は、死亡及び永久全労働不能障害（身体障害等級1～3級）の場合は、7,500日/件とする。（同調査）

| No. 61 | 法規 （建築基準法） | 正答 | **3** |

1 ○ 高さが4mを超える広告塔、広告板、装飾塔、記念塔その他これらに類するものは確認の申請書を提出して建築主事等の確認を受け、確認済証の交付を受けなければならない。（建築基準法第88条第1項、同法第6条第1項、同施行令第138条第1項第三号）

2 ○ 建築主が建築物を建築しようと

する場合または建築物の除却の工事を施工する者が建築物を除却しようとする場合においては、これらの者は、**建築主事等**を経由して、**その旨を都道府県知事に届け出なければならない。**ただし、当該建築物または当該工事に係る部分の床面積の合計が **10 m² 以内**である場合においては、この限りでない。（同法第15条第1項）

3 ×　建築物の建築等に関する申請及び確認の規定は、**防火地域及び準防火地域外**において建築物を増築し、改築し、または移転しようとする場合で、その増築、改築または移転に係る部分の床面積の合計が **10 m² 以内**であるときについては、適用しない。（同法第6条第2項）

4 ○　木造3階建ての戸建て住宅について、大規模の修繕をしようとする場合において、建築主は、当該工事に着手する前に、その計画が**建築基準関係規定その他建築物の敷地、構造または建築設備に関する法律並びにこれに基づく命令及び条例の規定で政令で定めるもの**に適合するものであることについて、確認の申請書を提出して**建築主事等の確認を受け、確認済証の交付を受けなければならない。**（同法第6条第1項）

No. 62	法規（建築基準法）	正答	4

1 ○　特定行政庁、建築主事等または建築監視員は、建築物の工事の計画若しくは施工の状況等に関する報告を**工事施工者に求めることができる。**（建築基準法第12条第5項）

2 ○　特定行政庁は、建築物の敷地、構造または建築設備について、**損傷、腐食その他の劣化が生じ、そのまま放置すれば保安上危険となり、または衛生上有害となるおそれがある**と認める場合においては、当該建築物またはその敷地の所有者、管理者または占有者に対して、修繕、防腐措置その他当該建築物またはその敷地の維持保全に関し必要な**指導及び助言をすることができる。**（同法第9条の4）

3 ○　建築基準法第5条の6第4項に、「建築主は、第1項に規定する工事をする場合においては、それぞれ**建築士法第3条第1項**、第3条の2第1項若しくは第3条の3第1項に規定する建築士又は同法第3条の2第3項の規定に基づく条例**に規定する建築士である工事監理者を定めなければならない。**」と規定があり、建築士法第3条第1項には、「各号に掲げる建築物（建築基準法第85条第1項又は第2項に規定する応急仮設建築物を除く。）を新築する場合においては、

29

一級建築士でなければ、その設計又は工事監理をしてはならない。」同項第四号に、「**延べ面積が1,000㎡をこえ、且つ、階数が2以上の建築物**」と規定されている。したがって、建築主は、**延べ面積が1,000㎡を超え、かつ、階数2以上の建築物を新築する場合、一級建築士である工事監理者**を定めなければならない。

4 × 　建築士法第3条第1項柱書及び同項第二号により、木造の建築物または建築物の部分で、**高さが13mまたは軒の高さが9mを超える**ものを新築する場合においては、一級建築士でなければ、その設計または工事監理をしてはならないと規定されている。したがって、建築主は、**軒の高さが9mを超える木造の建築物**を新築する場合においては、**一級建築士である工事監理者**を定めなければならない。

| No.63 | 法規（建築基準法） | 正答 | **1** |

1 × 　**小学校**、中学校、高等学校または中等教育学校における**児童用**または生徒用のもので、両側に居室がある廊下の幅は、**2.3m以上**としなければならない。（建築基準法施行令第119条）

2 ○ 　建築物の**避難階以外の階**が、劇場、映画館、演芸場、観覧場、公

会堂または**集会場**の用途に供する階で、その階に客席、集会室その他これらに類するものを有するものに該当する場合においては、その階から避難階または地上に通ずる**2以上の直通階段を設けなければ**ならない。（同施行令第121条第1項柱書、第一号）

3 ○ 　回り階段の部分における踏面の寸法は、踏面の狭い方の端から**30cmの位置**において測るものとする。（同施行令第23条第2項）

4 ○ 　建築物の高さ**31m以下の部分**にある**3階以上の階**には、**非常用の進入口**を設けなければならない。（同施行令第126条の6柱書本文）

| No.64 | 法規（建設業法） | 正答 | **4** |

1 ○ 　許可は、建設業法第3条第2項に、別表第一の上欄に掲げる**建設工事の種類ごと**に、それぞれ同表の下欄に掲げる建設業に分けて与えるものとすると規定されている。建設業の許可は、内装仕上工事など建設業の種類ごとに与えられ、建築一式工事以外の工事を請け負う建設業者であっても、**特定建設業の許可を受けることができる**。

2 ○ 　特定建設業の許可を受けようとする者は、発注者との間の請負契約で、その請負代金の額が**8,000万円以上**であるものを**履行するに足りる財産的基礎**を有していなけ

ればならない。（同法第15条第三号、同施行令第5条の4）

3 ○　特定建設業の**許可**を受けた者でなければ、発注者から**直接**請け負った建設工事を施工するために、建築工事業にあっては下請代金の額の総額が**政令で定める金額**（建築工事業の場合**7,000万円**）**以上**となる下請契約を締結してはならない。（同法第16条第二号、同法第3条第1項第二号、同施行令第2条）

4 ×　建設業の許可を受けようとする者は、複数の都道府県の区域内に営業所を設けて営業をしようとする場合、**国土交通大臣**の**許可**を受けなければならない。（同法第3条第1項）

No.65	法規（建設業法）	正答	**1**

1 ×　元請負人は、その請け負った建設工事を施工するために**必要な工程の細目、作業方法**その他**元請負人において定めるべき事項**を定めようとするときは、あらかじめ、**下請負人の意見**をきか**なければならない**。（同法第24条の2）

2 ○　特定建設業者は、当該特定建設業者が注文者となった下請契約に係る下請代金の支払につき、当該下請代金の支払期日までに**一般の金融機関**（預金または貯金の受入れ及び資金の融通を業とする者を

いう。）**による割引を受けることが困難であると認められる手形を交付してはならない。**（同法第24条の6第3項）

3 ○　元請負人は、同法第24条の3第1項に規定する下請代金のうち**労務費**に相当する部分については、**現金**で支払うよう適切な配慮をしなければならない。（同法第24条の3第2項）

4 ○　注文者は、請負人に対して建設工事の施工につき著しく不適当と認められる**下請負人**があるときは、その**変更を請求**することができる。ただし、あらかじめ**注文者**の書面による**承諾を得て選定**した下請負人については、この限りではない。（同法第23条第1項）

No.66	法規（建設業法）	正答	**3**

1 ○　発注者から直接**建築一式工事**を請け負った**特定建設業者**は、下請契約の総額が政令で定める金額（建築工事業の場合**7,000万円**）以上の工事を施工する場合には、工事現場に**監理技術者**を置かなければならない。（建設業法第26条第2項、同法第3条第1項第二号、同施行令第2条）

2 ○　特定専門工事の元請負人及び下請負人は、その合意により、当該元請負人が当該特定専門工事につき建設業法の規定により置かなけ

ればならない主任技術者が、その行うべき規定する職務と併せて、当該下請負人がその下請負に係る建設工事につき建設業法の規定により置かなければならないこととされる**主任技術者の行うべき規定する職務を行うこととすることができる**。この元請負人が置く主任技術者は、当該特定専門工事と同一の**種類の建設工事に関し1年以上指導監督的な実務の経験を有**すること。(同法26条の3第1項、第7項第一号)

3 × 工事一件の請負代金の額が政令で定める金額(建築一式工事の場合**8,000万円**)以上である事務所等の**建築一式工事**において、工事の施工の技術上の管理をつかさどるものは、工事現場ごとに**専任**の者でなければならないが、設問では7,000万円なので、**専任の者でなくてもよい**。(同法第26条第3項、同施行令第27条第1項)

4 ○ 専任の者でなければならない**監理技術者**は、**当該選任の期間中のいずれの日においても**、登録を受けた講習を受講した日の属する年の**翌年から起算して5年を経過しない者**でなければならない。(同法第26条第5項、同施行規則第17条の19)

1 ○ 使用者は、満18才に満たない者を**午後10時から午前5時まで**の間において使用してはならない。ただし、交替制によって使用する満16才以上の男性については、この限りでない。(労働基準法第61条第1項)

2 ○ 使用者は、満18才に満たない者を、高さが5m以上の場所で、墜落により危害を受けるおそれのあるところにおける業務に就かせてはならないと規定されている。(同法第62条第1項、年少者労働基準規則第8条第二十四号)

3 ○ 使用者は、満18才以上で**妊娠中**の女性及び**産後1年**を経過しない女性を、動力により駆動される**土木建築用機械**又は船舶荷扱用機械の運転の業務に就かせてはならない。(同法第64条の3第1項、女性労働基準規則第2条第1項第七号)

4 × 使用者は、満18才以上で**妊娠中**の女性及び**産後1年**を経過しない女性を、解体又は変更の業務(**地上又は床上における補助作業の業務を除く。**)に就かせてはならない。したがって、**地上又は床上における補助作業の業務は除かれる**。(同法第64条の3第1項、女性労働基準規則第2条第1項第十五号)

No. 68	法規（労働安全衛生法）	正答	**2**

1 ○ 統括安全衛生責任者を選任した**事業者**で、建設業その他政令で定める業種に属する事業を行うものは、厚生労働省令で定める資格を有する者のうちから、厚生労働省令で定めるところにより、**元方安全衛生管理者**を選任し、その者に技術的事項を管理させなければならない。（労働安全衛生法第15条の2第1項）

2 × 統括安全衛生責任者を選任すべき事業者以外の請負人で、当該仕事を自ら行うものは、**安全衛生責任者を選任**し、その者に統括安全衛生責任者との連絡その他の厚生労働省令で定める事項を行わせなければならない。（同法第16条第1項）安全衛生責任者の資格要件は、**定められていない。**

3 ○ **元方安全衛生管理者**の選任は、その事業場に専属の者を選任して行わなければならない。（同規則第18条の3）

4 ○ **統括安全衛生責任者**は、当該場所においてその事業の**実施**を統括管理する者をもって**充てなければならない。**（同法第15条第2項）

No. 69	法規（労働安全衛生法）	正答	**3**

1 × 事業者は、その事業場の業種が政令で定めるものに該当するときは、新たに職務に就くこととなった職長その他の作業中の労働者を**直接**指導または**監督**する者（作業主任者を除く。）に対し、安全または衛生のための教育を行わなければならないと規定があり、作業主任者は除かれている。（労働安全衛生法第60条柱書）

2 × 就業制限に係る当該業務に就くことができる者は、当該業務に従事するときは、これに係る**免許証**その他その**資格を証する書面を携帯**していなければならない。免許証その他書面の**写しではない。**（同法第61条第3項）

3 ○ 作業床の高さが**10 m以上の高所作業車の運転**（道路上を走行させる運転を除く。）の業務（同施行令20条第十五号）は、都道府県労働局長の当該業務に係る免許を受けた者又は都道府県労働局長の登録を受けた者が行う**当該業務に係る**技能講習を修了した者その他厚生労働省令で定める資格を有する者でなければ、当該業務に就かせてはならない。（同法61条第1項）

4 × つり上げ荷重が**5 t以上のク**レーンの運転の業務（同施行令20条第六号）については、**クレーン・デリック運転士免許**を受けた者でなければ、当該業務に就かせてはならない。**移動式クレーンの運転**

業務は、**移動式クレーン運転士免許**が必要である。（クレーン等安全規則第22条）

No. 70　法規（建設工事に係る資材の再資源化等に関する法律）　正答 **2**

分別解体等実施義務について、建設工事に係る資材の再資源化等に関する法律第9条第1項に、「特定建設資材を用いた建築物等に係る解体工事又はその施工に特定建設資材を使用する新築工事等であって、その規模が第3項又は第4項の**建設工事の規模に関する基準以上**のもの（以下「対象建設工事」という。）の受注者（当該対象建設工事の全部又は一部について下請契約が締結されている場合における各下請負人を含む。以下「対象建設工事受注者」という。）又はこれを請負契約によらないで自ら施工する者（以下単に「自主施工者」という。）は、正当な理由がある場合を除き、分別解体等をしなければならない。」と規定されている。また、分別解体等をしなければならない建設工事については、建設工事に係る資材の再資源化等に関する法律施行令第2条第1項に、建設工事の規模に関する基準は以下の通りとすると規定されている。

一　建築物（建築基準法（昭和25年法律第201号）第2条第一号に規定する建築物をいう。以下同じ。）に係る**解体工事**については、当該建築物（当該解体工事に係る部分に限る。）の床面積の合計が80 m²であるもの

二　建築物に係る**新築又は増築**の工事については、当該建築物（増築の工事にあっては、当該工事に係る部分に限る。）の床面積の合計が500 m²であるもの

三　建築物に係る**新築工事等**（法第2条第3項第二号に規定する新築工事等をいう。以下同じ。）であって前号に規定する新築又は増築の工事に該当しないものについては、その請負代金の額（法第9条第1項に規定する自主施工者が施工するものについては、これを請負人に施工させることとした場合における適正な請負代金相当額。次号において同じ。）が1億円であるもの

四　**建築物以外**のものに係る**解体工事又は新築工事**等については、その請負代金の額が500万円であるもの

1 ○　建築物の増築工事であって、当該工事に係る部分の床面積の合計が500 m²の工事は、第二号により**該当する**。

2 ×　建築物の大規模な修繕工事であって、請負代金の額が8,000万円の工事は、第三号により**該当しない**。

3 ○　擁壁の解体工事であって、請負代金の額が500万円の工事は、第四号により**該当する**。

4 ○　建築物の解体工事であって、当

該工事に係る部分の床面積の合計が80 m²の工事は、第一号により該当する。

No.71 法規（騒音規制法） 正答 4

1 ○ 環境大臣が指定するものを除き、**原動機の定格出力が80 kW以上**の**バックホウ**を使用する作業は、特定建設作業の実施の**届出**が必要である。（騒音規制法第14条、同施行令第2条、別表第二第六号）

2 ○ 環境大臣が指定するものを除き、**原動機の定格出力が70 kW以上**の**トラクターショベル**を使用する作業は、特定建設作業の実施の**届出**が必要である。（同法第14条、同施行令第2条、別表第二第七号）

3 ○ さく岩機の動力として使用する作業を除き、**電動機以外の原動機の定格出力が15 kW以上の空気圧縮機**を使用する作業は、特定建設作業の実施の**届出**が必要である。（同法第14条、同施行令第2条、別表第二第四号）

4 × さく岩機を使用する作業であって、作業地点が連続的に移動し、1日における当該作業に係る2地点間の距離が**50 mを超える作業**は、特定建設作業の実施の**届出**が**不要**である。（同法第14条、同施行令第2条、別表第二第三号）

No.72 法規（道路交通法） 正答 2

1 ○ **出発地警察署長**は、制限外許可をしたときは、許可証を**交付**しなければならない。よって、制限外許可証は、当該車両の出発地を管轄する警察署長から交付を受ける。（道路交通法第58条）

2 ×、3 ○、4 ○ 積載した貨物の長さまたは幅が規定する制限等に基づき公安委員会が定める制限を超えるものであるときは、その貨物の見やすい箇所に、**昼間**にあっては0.3 m²以上の大きさの**赤色の布**を、**夜間**にあっては**赤色の灯火**または反射器をつけること。（同法施行令第24条第1項第一号）

1級建築施工管理技術検定 第一次検定 正答・解説

No.1	環境工学（日照及び日射）	正答 **3**

1 ○ 南面の垂直壁面の可照時間は、**太陽が東西軸より南側にある時間**となる。夏至日よりも冬至日の方が**長くなる**。

壁面の方位と可照時間（北緯35°）

壁面の方位	夏至	春・秋分	冬至
南面	7時間0分	12時間0分	9時間30分
東西面	7時間15分	6時間0分	4時間45分
北面	7時間30分	0分	0分

2 ○ **日影規制**とは、**中高層建築物**により生ずる日影を一定の時間内に抑えることで、周辺の**居住環境を保護する**規制である。中高層建築物の敷地境界線から定められた**距離を超える範囲**で、冬至日における日影の時間を制限する。

3 × 羽板が水平に並ぶ**水平ルーバー**は、日射を遮るために南側の開口部に取り付けると、太陽の高度が高くなる**夏季に南面の日射を防ぐ**のに効果がある。羽板が垂直に並ぶ縦**ルーバー**は、冬季の太陽の高度が低くなった**西日を遮る**のに効果がある。

4 ○ **日射**とは、地表面または大気中における太陽放射の総称である。大気層を通り抜けて直接地表面に達する太陽光線の日射を**直達日射**、途中で乱反射されて地上に達する太陽光線の日射を**天空放射**といい、直達日射と天空放射を合計したものを**全天日射**という。

No.2	環境工学（採光及び照明）	正答 **4**

1 ○ **室指数**とは光源から出た光束がどれくらい作業面に達するかを計算する要素の一つで、光源の距離が被照面（作業面）から離れるほど、室指数が小さくなる。

2 ○ 設計用全天空照度は、快晴の青空のときのほうが薄曇りのときよりも**小さな値**となる。全天空照度とは、直射日光を除いた全天空の**照度**をいう。

3 ○ **照度**とは、**受照面の明るさを表し**、単位面積当たりに入射する光束の量をいう。単位は**ルクス（lx）**で示す。

No.2 肢1の式

$$室指数(k) = \frac{間口(X)m \times 奥行(Y)m}{(間口(X)m + 奥行(Y)m) \times 被照面から光源までの距離(H)m}$$

4 × 光度とは、**ある方向への光源の明るさの程度を表し、点光源からある方向へ発する単位立体角当たりの光束の量をいう。単位はカンデラ（cd）**で示す。**反射面を有する受照面の光の面積密度**とは輝度であり、単位は**カンデラ毎平方メートル（cd/m²）**で示す。

| No. 3 | 環境工学（吸音及び遮音） | 正答 | **3** |

1 ○ 壁面に音が入射されると、入射音エネルギーは、反射、吸音等により**減少**し、一部が**透過**する。
透過率＝透過音エネルギー／入射音エネルギー
反射率＝反射音エネルギー／入射音エネルギー
上記の公式により、音を吸収する吸音材は、**透過率が高い**ため、反射音エネルギーは**少なくなり**、遮音性能は低くなる。

2 ○ 多孔質の吸音材は、一般に低音域より高音域の方が**吸音率**（音を吸収する程度を表す指数）は**大きい**。すなわち、**低い音よりも高い音の方が吸音されやすい。**

3 × **透過損失**とは、壁体等の遮音の程度を示すもので、値が**大きい**ほど、壁体等の**遮音性能が高い**ことを表す。単層壁の透過損失は、一般に壁の**面密度**（単位面積当たりの質量）が**大きい**ほど、**周波数**が高いほど大きくなる。これを単層

壁の質量則という。

4 ○ **室間音圧レベル差**とは、音が発生している室の音圧レベルと音が**透過する**側の室の音圧レベルの**差**をいい、この差が**大きい**ほど、**遮音性能が高い**。したがって、室間音圧レベル差の遮音等級を表す**D値**は、その値が**大きい**ほど遮音性能が高い。

| No. 4 | 建築構造（免震構造） | 正答 | **4** |

1 ○ **アイソレータ**は、地震入力に対して**絶縁機能**を持つもので、地震の水平方向の動きに対して縁を切り、**上部構造を動かない**ようにする。水平方向の変位を抑制する役割はダンパーが受け持つ。

2 ○ **ねじれ応答**とは、地震時に建物全体が**ねじれるような挙動**をいう。免震部材の配置を調整し、上部構造の**重心**と免震層の**剛心**を合わせることで、ねじれ応答を低減することができる。

3 ○ 大きな地震動を免震構造が受けた場合、上部構造は長周期で大きく水平移動するため、上部構造と周辺との接触、衝突を避けるため十分な**クリアランス**をとる必要があり、設計で考えられる変化量の**1.5〜2.0倍程度の離隔寸法を確保**する。

4 × 免震構造における**ダンパー**（減衰器）の役割は、**免震層の過大な**

変形を抑制し、地震時の応答を**安定化**させることである。

No. 5 建築構造（鉄筋コンクリート構造） 正答 **3**

1 ○ 普通コンクリートを使用する場合の**柱の最小径**は、構造耐力上主要な支点間の距離（通常上下の梁の内法寸法）の$\frac{1}{15}$**以上**とする。（建築基準法施行令第77条第五号）

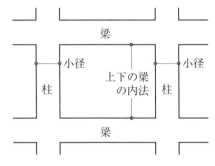

柱の小径と上下の梁の内法寸法

2 ○ 鉄筋コンクリート構造の壁板のせん断補強筋比は、地震力により生ずるせん断ひび割れを**分散化**し、急激な**剛性低下を防ぐ**ため、直交する各方向に関して0.0025**以上**（0.25％以上）とする。

3 × 床スラブの配筋は、**温度応力**や**収縮応力**に対する配筋として、各方向の全幅について、鉄筋全断面積のコンクリート全断面積に対する割合を0.2％以上とする。

4 ○ 梁に貫通孔が設けられると、梁断面の欠損により**せん断強度が低下**するので、適切に補強を行う必要がある。鉄筋コンクリート構造

の場合、円形孔の直径は梁せいの$\frac{1}{3}$**以下**とし、梁端部への配置は避ける。

No. 6 建築構造（鉄骨構造） 正答 **2**

1 ○ **ダイアフラム**とは、梁と柱の相互で曲げ応力を伝達できるように配置する鉄骨プレートで、**通しダイアフラム**と**内ダイアフラム**がある。通しダイアフラムは、切断された柱がダイアフラムを挟んで取り付くタイプであり、角形鋼管柱の仕口部に多用されている。**内ダイアフラム**は柱の板材を挟んで梁のフランジと柱内部のダイアフラムとが取り付くタイプであり、**せいの異なる梁を**1本の柱に取り付ける場合等に用いられる。

2 × H形鋼のフランジ及びウェブの**幅厚比が大きくなる**と、相対的に**板の厚さが薄く**なり、圧縮材は部材としての耐力を発揮する前に**局部座屈を生じ**やすくなる。幅厚比とは、部材の板幅と板厚の比（幅／厚）のことで、幅厚比が**大きい**と板の厚さが**薄く**なることを示す。

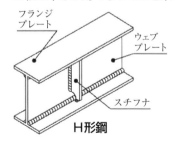

H形鋼

3 ○ **シヤコネクタ**とは、2つの部材を一体化するための接合部材をいう。シヤコネクタでコンクリートスラブと結合された鋼製梁は、梁の上端が**圧縮**となるような**曲げ応力**に対して、梁の水平方向への座屈である**横座屈**が**生じにくい**。

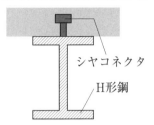

シヤコネクタ

H形鋼

4 ○ 普通ボルト接合の場合、部材に引張力が作用すると接合部にずれが生じ、ボルトと鋼板が支圧力で支持するため、**ボルト孔周辺に応力が集中する**。一方、高力ボルトによる摩擦接合は、ボルトの支圧力ではなく、添え板（スプライスプレート）の**摩擦力で支持する**ため、ボルト孔周辺の応力は、普通ボルト接合と比較すると**小さくなる**。

No. 7	建築構造（杭基礎）	正答	**1**

1 × 杭周囲の地盤沈下によって杭の沈下より地盤の沈下が**大きくなる**と、杭周囲面には**下向きの摩擦力が働く**が、**摩擦杭は杭と共に沈下する**ため、負の摩擦力は支持杭の方が摩擦杭より**大きくなる**。

2 ○ 杭と杭との中心間隔の**最小値**は、**埋込み杭**の場合は、その杭頭部の径2.0倍以上、**打込み杭**の場合は、その杭頭部の径の**2.5倍以上**かつ**75 cm以上**とする。
よって、埋込み杭の方が打込み杭より、中心間隔を小さくすることができる。

3 ○ 杭の極限鉛直支持力は、**極限先端支持力**と**極限周面摩擦力**を加算したものとする。

4 ○ 杭の引抜き力は、杭自体の引張強度と、地盤の引抜き抵抗の小さい方で決まる。地盤の引抜き抵抗による値は、極限の引抜き抵抗の$\frac{1}{3}$を長期許容引抜き力とするが、杭の自重も引抜きに抵抗すると考えてよい。その場合、**地下水位以下の部分の浮力を考慮する**。
tR_a＝杭の長期許容引抜き抵抗力、tR_u＝地盤による杭の極限引抜き抵抗力、W_p＝杭の自重（**地下水位以下の部分については浮力を考慮する**）とすると、
$tR_a = \frac{1}{3} tR_u + W_p$

No. 8	力学（応力度）	正答	**2**

はじめに軸方向力Nによる圧縮応力度σcを求める。

σc＝－P/Aより、

断面積Aは、

A = 300 mm × 200 mm = 60 × 10^3 mm²

σc ＝ （－ 180 × 10^3 N） ÷ （60 × 10^3 mm²） ＝ － 3 N/mm²

次に、水平力Qによる柱脚の曲げモーメントMを求める。

M＝Q×Hより、

M＝（15×10^3 N）×（2×10^3 mm）＝30×10^6 Nmm

次に曲げ方向の断面係数Z（b＝200、h＝300）を求めると、

$Z = \dfrac{b \times h^2}{6}$ より、

$Z = 200 \times \dfrac{300^2}{6} = 3 \times 10^6$ mm³

次に、曲げ応力度を求める。

圧縮縁応力度の曲げ応力度$c\sigma b$は、

$c\sigma b = -\dfrac{M}{Z}$ より、

$c\sigma b$＝（-30×10^6 Nmm）÷（3×10^6 mm³）＝-10 N/mm²

引張縁応力度の曲げ応力度$t\sigma b$

$t\sigma b = -c\sigma b$ より、

$-(-10$ N/mm²$) \rightarrow 10$ N/mm²

最後に、引張縁応力度の最大値$t\sigma$maxは、

$t\sigma$max＝$\sigma c + t\sigma b$より、

-3 N/mm² ＋ 10 N/mm² ＝ 7 N/mm²

したがって、2が正しい。

No. 9	力学 （反力）	正答	4

はじめに、等分布荷重の力をまとめる。

$3 \times 6 = 18$ kN

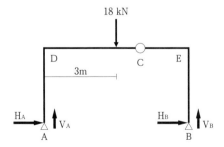

次に、鉛直方向の力、V_AとV_Bを求める。

点Aにおけるモーメント$M_A = 0$より、

M_A＝18 kN×3 m － V_B［kN］×6 m ＝0

$54 - 6V_B = 0$

$-6V_B = -54$

$V_B = 9$ kN

垂直方向の力のつり合いより

V_A［kN］＋V_B［kN］－18 kN ＝0より、

V_A［kN］＋9 kN－18 kN ＝0

$V_A = 9$ kN

次に、点Cで等分布荷重を分ける。

左側12 kN

右側6 kN

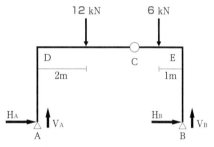

点Cの左側におけるモーメントM_C左＝0より、

M_C左＝－12 kN×2 m ＋9 kN×4 m－H_A［kN］×3 m ＝0

$-24 + 36 - 3H_A = 0$

$-3H_A = -12$

$H_A = 4$ kN

点Cの右側におけるモーメントM_C右＝0より、

M_C右＝6 kN×1 m－9 kN×2 m－H_B［kN］×3 m ＝0

$6 - 18 - 3H_B = 0$

−3H_B = 12

H_B = −4 kN

したがって、4が正しい。

No. 10 | 力学（曲げモーメント） | 正答 2

はじめに、鉛直方向の力、V_AとV_Bを求める。

$V_A + V_B = 0$

点Aにおけるモーメント$M_A = 0$より

$M_A = M$ [kN] $− V_B$ [kN] $× 2l = 0$

$M − 2lV_B = 0$

$−2lV_B = −M$

$V_B = \dfrac{M}{2l}$ [kN]

垂直方向の力のつり合いより

V_A [kN] $+ V_B$ [kN] $= 0$より、

V_A [kN] $+ \dfrac{M}{2l}$ [kN] $= 0$

$V_A = −\dfrac{M}{2l}$ [kN]

次に水平方向の力を求める。

点Cの右側におけるモーメントM_C右 $= 0$より、

M_C右 $= − V_B$ [kN] $× l_m + H_B$ [kN] $× 2l_m = 0$

$−\dfrac{M}{2l} × l + H_B × 2l = 0$

$2lH_B = \dfrac{M}{2}$

$H_B = \dfrac{M}{4l}$

水平方向の力のつり合いより

H_A [kN] $+ H_B$ [kN] $= 0$より、

H_A [kN] $+ \dfrac{M}{4l}$ [kN] $= 0$

$H_A = −\dfrac{M}{4l}$ [kN]

次に左側の柱の部分を求める。

（右段の図参照）

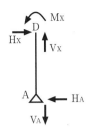

$ΣH = 0$より、

$H_X − H_A = 0$

$H_X = −\dfrac{M}{4l}$

$ΣV = 0$より、

$V_X + V_A = 0$

$V_X = \dfrac{M}{2l}$

$ΣM = 0$より、

$−M_X + H_A × 2l = 0$

$−M_X − \dfrac{M}{4l} × 2l = 0$

$−M_X = \dfrac{M}{2}$

$M_X = −\dfrac{M}{2}$

ラーメン架構による曲げモーメント図は、外側が**マイナス**、内側が**プラス**となる。

点Aと点Bは曲げモーメントの力が作用しないため、**0**となる。

また、中央のヒンジ部分（点C）も**0**となる。

まずはじめに、点Aから点Dの柱を作図する。

点Aは点Dに進むにつれて$−\dfrac{M}{2}$の力がかかっていく。

マイナスのため、外側に作図するので、**3**と**4**は誤りであることがわかる。

次に、点Dから点Cの梁を作図する。

点Dは**Mの力**（時計回りのためプラス

の力）が加わっているので、点Cに進むにつれて0になる。

点Dはプラスのため、内側からスタートし0（点C）に向けて作図する。

これにより、1は誤りであることがわかる。

よって、2が正しい。

No.11	建築材料（コンクリート材料）	正答	**1**

1 ×　**減水剤**は、所要のスランプ（コンクリートの軟らかさの程度を示す数値）を得るのに必要な**単位水量を減少させる**とともに**単位セメント量も減少させる**ことができる混和剤である。**耐凍害性**を向上させることができるのは、AE剤である。

2 ○　**流動化剤**は、あらかじめ現場で練り混ぜられたコンクリートに添加する混和剤で、**流動性**（流れやすさ）**を向上させる**ことが目的であり、**スランプロスを低減**させる効果がある。

3 ○　**早強ポルトランドセメント**は、粒子の細かさを**比表面積**（ブレーン値（単位：cm²/g））で表し、**粒子が細かいほど質量当たりの表面積が大きい**。ブレーン値の値が大きくなるほど細かく、**早期強度が得られる**。水和発熱量が大きく、冬期の工事に適している。

4 ○　高炉セメントB種は、**耐海水性、化学抵抗性**が大きいので、海水の作用を受けるコンクリートや、**地下構造物**に使用される。普通ポルトランドセメントと比較するとセメントの水和反応時に生成する遊離石灰が**少ない**ので、次のような特徴がある。

①アルカリ骨材反応の抑制に効果がある。

②耐海水性や化学抵抗性が**大きい**。

③初期強度はやや**小さい**が、4週以降の**長期強度は同等以上**。

No.12	建築材料（金属材料）	正答	**3**

1 ○　ステンレスは、ニッケル、クロムを含んだ炭素量の少ない、**耐食性の極めて大きい特殊鋼**である。炭素量が少ないものほど軟質で**耐食性**がよい。

2 ○　**銅**は、軟らかく**加工性が大きい**。大気中のガスや水分によって緑青の保護被膜がつくられる。

3 ×　**鉛**は比重が**11.36**と大きく、そして軟らかく、展延性に富み、耐酸性があり、X線遮蔽効果が**大きい**。しかし、アルカリには**非常に弱く**、湿気を帯びたコンクリート中では**腐食しやすい**。

4 ○　**チタン**は、比重が**4.51**と鋼材に比べて軽く**密度が小さい**。しかも極めて腐食しにくく、**耐食性が高い**。

No. 13	建築材料（石材料）	正答	4

1 ○ **花崗岩**はいわゆる御影石と呼ばれ、地下深部のマグマが地殻内で冷却固結した結晶質の石材で、硬く、耐摩耗性、耐久性に**優れた石材**として、**建築物外部の壁、床、階段**等に最も多く用いられている。ただし、**耐火性の点でやや劣る**。

2 ○ **大理石**は石灰岩が結晶化したもので、美観に**優れ**強度も十分ある。しかし、**耐酸性、耐火性に劣り**、外装材には用いることができないため、主に**内装用**の材料として用いられる。

3 ○ **粘板岩**（スレート）（変成岩）は、**吸水性**が少なく、**耐久性**に**優れて**いることに加えて、剥がれる際は層状となる性質があるため、**屋根材や床材**として用いられる。

4 × **石灰岩**（堆積岩）は、軟らかく、加工が容易なため、コンクリートの骨材や、セメント材料に用いられる。一方で、取付け部**耐力**、**曲げ強度**等は他の石材に比べて小さく、耐水性、耐酸性に劣る。

No. 14	建築材料（防水材料）	正答	4

1 ○ ウレタンゴム系防水材は、湿気硬化形（なにも混ぜない）の**1成分形**、反応硬化形（主剤と硬化剤を混ぜる）の**2成分形**がある。2成分形のウレタンゴム系防水材は、主剤と硬化剤を施工直前に配合する。必要に応じて硬化促進剤や充填材等を混合して使用する。

2 ○ **フラースぜい化点温度**とは、アスファルトの低温における**変形しやすさ**を示すもので、鋼板の表面に作製したアスファルト薄膜を曲げたとき、**亀裂の生じる最初の温度**を示す。つまり、フラースぜい化点温度が低いものは、低温でも脆性破壊を生じることなく変形する、低温特性のよいアスファルトである。

3 ○ ストレッチルーフィングの種類及び品質はJIS A 6022に定められており、ストレッチルーフィング1,000の数値1,000は、製品の抗張積（**引張強さと最大荷重時の伸び率との積**）を表している。

4 × 改質アスファルトルーフィングシートには、**Ⅰ類とⅡ類**があり、**Ⅱ類**の方が**低温時**の**耐折り曲げ性**がよい。

No. 15	建築材料（塗料）	正答	3

1 ○ **アクリル樹脂系非水分散形塗料**は、屋内のコンクリート面やモルタル面等、平滑な箇所の仕上げには**適している**が、微細な隙間のあるガラス繊維補強セメント面やせっこうボード面の塗装には**適さない**（下地処理が必要となる）。

2 ○ **クリヤラッカー**は、顔料が入っ

ていない**透明**な塗料である。自然乾燥で、**短時間**に溶剤が蒸発して塗膜を形成するもので、**木部面に**適していることが特徴である。**コンクリート面**には適さない。

3 × つや有合成樹脂エマルションペイントの塗膜硬化機構は、合成樹脂エマルションペイントと同様である。**耐アルカリ性**があり、**コンクリート面**、鉄鋼面、モルタル面、**プラスター面、せっこうボード面**等に適している。

4 ○ **2液形ポリウレタンワニス**は、主剤と硬化剤を**混合**させて作られた塗料であり、顔料が入っていない**透明**な塗料である。クリヤラッカーと同様、**木部面**に適していることが特徴であり、**ALCパネル面**には適さない。

No. 16	植栽及び屋上緑化工事（植栽）	正答	1

1 × **枝張り**（葉張り）は、樹木の四方面に伸長した枝の**幅**のことで、測定方向により長短がある場合は、**最長と最短の平均値**とする。

2 ○ **支柱**は、中高木を新植する際に、樹木の風による**倒れや傾きの防止**、根部の**活着**を**助ける**ために用いられる。

3 ○ 樹木を移植する際は、樹木が**移植に耐え得る状態**としなければならない。根巻き等で大きく根を減らすと、養分や水分の吸収量が低

くなるため、枝抜き剪定を行い、**吸水量と蒸散量**との**バランス**をとるようにする。**枝抜き剪定**とは、太めの枝を付け根から切り、**形を良くする**ことである。これにより、風通しが良くなることや、養分を効率よく利用することで**成長を促進**する。

4 ○ **樹木**は、現場搬入後速やかに植え付ける。なお、搬入日に植え付けが不可能な場合は、仮植えまたは十分な**保護養生**により乾燥などによる傷みを防止する。

No. 17	建設設備（電気設備）	正答	2

1 ○ 合成樹脂製可とう電線管には、**CD管**や**PF管**が用いられている。**PF管**は**自己消火性（耐熱性）**があるため、屋内隠ぺい配管に用いることができる。

2 × 下表のとおり、電圧の種別における低圧とは、**直流**にあっては**750 V以下**、**交流**にあっては**600 V以下**のものをいう。（電気設備に関する技術基準を定める省令第2条第一号）

電圧の種別

	直 流	交 流
低 圧	750 V以下	600 V以下
高 圧	750 Vを超え7,000 V以下	600 Vを超え7,000 V以下
特別高圧	7,000 Vを超えるもの	

3 ○ **低圧屋内配線**に使用する**金属管の厚さ**は、コンクリートに埋め込

む場合、規定値未満（1.2 mm）のものを用いてはならない。（電気設備の技術基準の解釈第159条第2項第二号イ）

4 ○ 低圧屋内配線の使用電圧が300 Vを超える場合の金属製の**電線接続箱**などには、原則として、**C種接地工事**を施さなければならない。（同解釈第159条第3項第五号）

機械器具の区分による接地工事の適用

機械器具の区分	接地工事
300 V以下の低圧用のもの	D種接地工事
300 Vを超える低圧用のもの	C種接地工事
高圧用のもの	A種接地工事

No. 18	建設設備 （給排水設備）	正 答	4

1 ○ **高置水槽方式**（高置タンク方式）は、上水や井水を**一度受水槽**に貯水し、ポンプで屋上等の**高置水槽**に揚水し、この水槽から**重力**によって各所に**給水**する方式で、中層、中規模以上の建物の一般的な給水方式である。

2 ○ **圧力水槽方式**は、上水や井水を**一旦受水槽に貯水し**、これを**ポンプで圧力水槽に送水**し、圧力水槽内の空気を**圧縮・加圧**して、その圧力により各所に**給水**する方式である。建物の**意匠上**や**地下街等の高置水槽**を設けることが**できない場合**等に設置する。

3 ○ **横走り排水管設備**は、汚水・雑排水、雨水に分類される。配管勾配は、緩勾配にすると排水の流下が悪く、急勾配にすると水だけが流下して**固形物が残る**。標準的な勾配は、**管径75～100 mm**の場合、$\frac{1}{100}$**以上**とする。

4 × 排水槽の**底の勾配**は、吸い込みピットに向かって$\frac{1}{15}$**以上**$\frac{1}{10}$**以下**とする。また、下り勾配とし、排水・汚泥の排出及び清掃が容易かつ安全に行える構造とする。

No. 19	建設設備 （昇降機設備）	正 答	3

1 ○ **乗用エレベーター**または寝台用エレベーターにあっては、停電の場合においても、床面で**1ルクス以上**の照度を確保することができる**照明装置**を設けなければならない。（建築基準法施行令第129条の10第3項第四号ロ）

2 ○ **乗用エレベーター**にあっては、1人当たりの体重を**65 kg**として計算する。**最大積載量750 kg**のエレベーターの場合は、750 ÷ 65 ÷ 11.54となるため、最大定員**11名**と明示する。（同施行令第129条の6第五号）

3 × **火災時管制運転**は、火災発生時にエレベーターを避難階に呼び戻す機能である。この装置は防災センターで切換スイッチによる火災報知機の防炎信号によってすべてのエレベーターを一斉に避難階に呼び戻し帰着させるものである。

（機械設備工事監理指針）

4 ○ エレベーターの**群管理方式**とは、絶えず変動するビル内の**交通需要**に応じて、エレベーター運転方式を**適応的**に**選定**し、複数台あるエレベーターを**効率的**に**運転**することを目的とする。

No. 20	契約約款（公共工事標準請負契約約款）	正答	1

1 × **設計図書**とは、図面、仕様書、現場説明書及び現場説明に対する質問回答書をいう。（公共工事標準請負契約約款1条）現寸図その他これらに類するもの（施工図・施工計画書等）を除く。

2 ○ **発注者**は、工事完成の通知を受けたときは、通知を受けた日から**14日以内**に受注者の立会いの上、設計図書に定めるところにより、工事の完成を確認するための検査を完了し、当該検査の**結果を受注者に通知**しなければならない。この場合において、発注者は、必要があると認められるときは、その**理由を受注者に通知**して、**工事目的物を最小限度破壊して検査することができる**。（同約款第32条第2項）

3 ○ **工期の変更**については、発注者と受注者が**協議**して定める。ただし、あらかじめ定めた期間内に**協議が整わない場合**には、発注者が**定め、受注者に通知**すると規定さ

れている。（同約款第24条第1項）

4 ○ 公共工事標準請負契約約款第29条第2項により**正しい**。ただし、その損害のうち工事の施工につき**受注者（請負者）が善良管理者の注意業務を怠ったことにより生じたものについては、受注者（請負者）が負担**する。

No. 21	仮設工事（乗入れ構台・荷受け構台）	正答	2

1 ○ 乗入れ構台の支柱の位置は、地下構造図と重ね合わせるなどして、**基礎、柱、梁及び耐力壁の位置**と重ならないように配置し、支柱の間隔は**3～6m**程度として計画する。（JASS 2）

2 × 乗入れ構台の大引下端を、躯体コンクリート打設時に床の均し作業ができるように、**1階スラブ上端**より**20～30cm**程度上に設定する。（建築工事監理指針）

3 ○ 荷受け構台の構造計算に用いる作業荷重は、**自重と積載荷重の合計**の**10%**とする。（JASS 2）

4 ○ 荷受け構台を構成する部材については、積載荷重の偏りを考慮して検討し、通常は**構台全スパンの60%**にわたって、**積載荷重が分布する**ものと仮定する。（JASS 2）

No. 22	土工事（地下水処理工法）	正答	2

1 ○ **ディープウェル工法**は、掘削溝内・外にディープウェル（**深井戸**）

を設置し、ウェル内に流入する**地下水をポンプで排水させる工法**である。施工時の特徴として、**初期のほうが安定期よりも地下水の排水量が多い。**

2 ×　ディープウェル工法は、砂層や砂礫層等、**透水性の高い地盤**で、**排水量が多い場合に適している。**（建築工事監理指針）

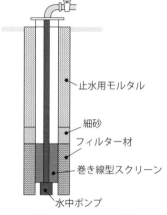

ディープウェル工法

3 ○　**ウェルポイント工法**は、吸水管を地中に設置し、**真空ポンプにより強制的に地下水を集めて排水する**工法で、透水性の高い粗砂層から低い**シルト質細砂層**程度の地盤に適用可能である。

4 ○　ウェルポイント工法の留意事項は、地下水位低下の際に地盤が多少沈下するため、**周辺環境の調査**をすること、ポンプの故障に備え**予備ポンプの設置**をすること、気密保持のため、**パイプの接続箇所**

で漏気が発生しないようにすること等が挙げられる。（同指針）

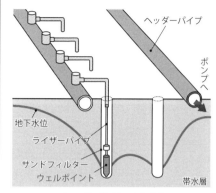

ウェルポイント工法

No.23	地業工事（既製コンクリート杭の施工）	正答	1

1 ×　既製コンクリート杭には、**曲げモーメントが最小となる支持点位置**がある（**2点支持**の場合は杭の両端から杭長の$\frac{1}{5}$の点）。積込み・荷降しは、必ず**支持点近くの2点**で支持しながら、杭に衝撃を与えることのないように注意して取り扱う。

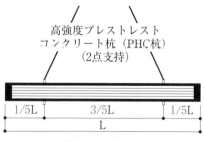

高強度プレストレストコンクリート杭（PHC杭）（2点支持）

1/5L　　3/5L　　1/5L

L

積込み・荷降し

2 ○　既製コンクリート杭に**現場溶接継手**を設ける場合は、原則として

アーク溶接とする。

3 ○ **継ぎ杭**とは、1本の杭では長さが不足し、**継手を設けて**もう1本の杭を連結させて打込む杭をいう。下杭の上に杭を建て込む場合、下杭を**保持する装置**を設けて、接合時に**動かないように**留意する。

4 ○ PHC杭（プレテンション方式遠心力高強度プレストレストコンクリート杭）の**杭頭を切断した場合**は、切断面から**350 mm**程度プレストレスが**減少**しているので、設計図書により**補強**を行う。（建築工事監理指針）

No. 24	鉄筋工事 （機械式継手）	正 答	**3**

1 ○ トルク方式のねじ節継手は、ねじ節鉄筋とねじ鉄筋に、**カップラー（接合金具）**を用いて接合し、ロックナットにより**締め付け固定**する方法で、鉄筋とカップラーとの間の緩みを解消する。

2 ○ グラウト方式のねじ節継手とは、ねじ節鉄筋とねじ節鉄筋を、**カップラー**を用いて接合し、**グラウト材を充填**して鉄筋とカップラーの節を固定する方法で、**グラウト材**を注入することで、緩みを解消する。

3 × 異形鉄筋の端部に鋼管（スリーブ）をかぶせた後、外側から加圧して鉄筋表面の節にスリーブを食い込ませて接合する工法は、圧着継手である。**充填継手**とは、内面に凹凸のついた比較的径の**大きい**鋼管（スリーブ）に異形鉄筋の端部を挿入した後、スリーブ内に高強度の**無収縮モルタル**等を充填して接合する工法である。

4 ○ 端部ねじ継手とは、**端部をねじ加工した異形鉄筋**、または加工したねじ部を端部に摩擦圧接した異形鉄筋を使用し、**雌ねじ加工された**カップラーを用いて接合する工法である。

No. 25	コンクリート工事 （型枠支保工）	正 答	**1**

1 × 支柱として用いる**パイプサポート**の高さが**3.5 m**を超える場合、**水平つなぎ**を設ける位置は、高さ**2.0 m以内**ごとに水平つなぎを2方向に設けなければならない。（労働安全衛生規則第242条第六号イ、第七号ハ）

2 ○ 「**最上層及び5層以内ごとの箇所**において、型枠支保工の側面並びに枠面の方向及び交差筋かいの方向における**5枠以内ごとの箇所**に、**水平つなぎ**を設け、かつ、水平つなぎの変位を防止すること。」と定められている。（同規則第242条第八号ロ）

3 ○ 「鋼管枠以外のものを支柱として用いるものであるときは、当該型枠支保工の上端に、設計荷重の$\frac{5}{100}$に相当する**水平方向の荷重**

が作用しても安全な構造のものとすること。」と定められている。（同規則第240条第3項第四号）

4 ○ 「鋼管枠を支柱として用いるものであるときは、当該型枠支保工の上端に、設計荷重の$\frac{2.5}{100}$に相当する水平方向の荷重が作用しても安全な構造のものとすること。」と定められている。（同規則第240条第3項第三号）

No. 26	コンクリート工事（運搬、打込み及び締固め）	正答	4

1 ○ コンクリートの圧送に先立ち圧送される先送りモルタルは、**型枠内に打ち込まず破棄する**。また、先送モルタルは、セメントの配分を多くした**富調合**のものとする。（公共建築工事標準仕様書建築工事編6.6.1（3）（ウ））

2 ○ コンクリート輸送管の径は、コンクリートポンプの圧送性に直接影響し、径が大きいほど圧力損失が少なくなり、**圧送性**も良くなる。**粗骨材の最大寸法が20 mmの場合の輸送管の呼び寸法は100 A以上**とする。（同仕様書同編6.6.1（3）（イ）、表6.6.1）

粗骨材の最大寸法に対する輸送管の呼び寸法

粗骨材の最大寸法[mm]	輸送管の呼び寸法
20	100 A以上
25	
40	125 A以上

3 ○ コンクリートの打込み時におけるコンクリート**棒形振動機による**

コンクリートへの加振は、セメントペーストが浮き上がるまで実施する。（同仕様書同編6.6.5（3））

4 × コンクリートの練混ぜから打込み終了までの時間の限度は、**外気温が25℃以下で120分以内、25℃を超える場合は90分以内**とする。（同仕様書同編6.6.2（1））

No. 27	鉄骨工事（鉄骨の建方）	正答	4

1 ○ 鉄骨の建方時に架構の**倒壊防止としてワイヤロープを使用する場合**、このワイヤロープを建入れ直し用に**兼用してよい**。（JASS 6）

2 ○ 工場で計測した寸法と現場で測定した寸法は、鋼製巻尺の違いや、搬入時までの温度変化による材料の伸縮により、**異なる場合がある**。そのため、各部材の**寸法誤差**は、**累積値以内**となるように、建入れ直し前に**スパン調整**を行う必要がある。

3 ○ 建方に先立って施工するベースモルタルは、モルタル中心塗り部分のモルタルの塗厚さを**30 mm以上50 mm以下**とし、養生期間を**3日**とらなければならない。（JASS 6）

4 × 高力ボルト接合における**仮ボルトの締付け**は、1群のボルト数の$\frac{1}{2}$**以上、かつ2本以上**バランスよく配置して締め付ける。（公共建築工事標準仕様書建築工事編

7.10.5（3））

また、ウェブを高力ボルト接合、フランジを工事現場溶接接合とする混用接合は、原則としてウェブの高力ボルトを先に**本締め**まで行った後、フランジ溶接を行う。

No. 28 | 木工事（大断面集成材） | 正答 **2**

1 ○　梁材の曲がりの許容誤差は、長さの $\frac{1}{1,000}$ 以下とする。（下表を参照）

2 ×　集成材にあける**ドリフトピンの孔の径**の許容誤差は、特記がなければピン径と同径とする。

木造建築物における大断面集成材の許容誤差

項目		許容誤差
ボルト孔の間隔		±2 mm
ボルト孔の径	16 mm未満	+1 mm
	16 mm以上	+2 mm
ドリフトピン孔の径		±0 mm（ピン径と同径）
柱材の長さ		±3 mm
梁材の曲がり		長さの $\frac{1}{1,000}$ 以下

3 ○　大断面集成材に設ける標準的な**ボルト孔の心ずれ**は、許容誤差を±2 mm以内とする。

4 ○　接合金物のボルトの孔あけ加工の大きさは、ねじの呼びが**M16未満**の場合は公称軸径に**1 mm**を加えたものとし、**M16以上**の場合は1.5 mmを加える。（公共建築木造工事標準仕様書5.2.4（1）（c）⑦、表5.2.1）

No. 29 | 仮設工事（建設機械） | 正答 **3**

1 ○　**ブルドーザー**は、車体の前方に**ブレード（排土板）**がついており、地面を整地するために用いられる。盛土、押土、整地の作業に適している。

2 ○　**ホイールクレーン**は、同じ運転室内でクレーンと走行の操作ができ、小回りが利くので狭い場所でも設置できる。つり上げ荷重はトラッククレーンに比べて小さい。

3 ×　**リバース掘削機**は、一般に**アースドリル掘削機**に比べて深い掘削能力がある。リバース掘削機の施工深さは約70 m程度、アースドリル掘削機は約50 m程度である。

4 ○　**バックホウ**は、アームの先端に**バケット**を装着した掘削に用いられる建設機械で、機械の位置より低い場所の掘削に適し、水中掘削も可能だが、高い山の切取りには適さない。

No. 30 | 改修工事（耐震改修工事） | 正答 **3**

1 ○　耐震改修工事における現場打ち鉄筋コンクリート耐震壁の施工においては、現場施工時に**水温の管理**を十分に行い、**水温10℃以上**の水を用いて**グラウト材**を練り上げ、練上り時の温度が10～35℃の範囲のものを注入する。

2 ○　あと施工アンカー工事の接着系

アンカーの固着において、**上向き作業**の場合は、接着剤の漏出防止及び取付けボルトまたは**アンカー筋**の脱落防止の処置を行う。（公共建築改修工事標準仕様書建築工事編8.12.5（2）（オ））

3 × **コンクリート圧入工法**は、既存の梁面との間に隙間が**生じないよ**うにポンプ等で圧力を加えながら打ち込む工法なので、打継ぎ面の施工には**適している**。圧入工法は、**既存梁と増設壁との接合をより確実に行う**ことができる。

4 ○ 既存コンクリート表面は、平滑であり、打継ぎ面として適当でないので、**目荒しを施す**。この目荒しの程度は、特記によるが、特記のない場合は、一般には、既存柱・梁の目荒しは、**電動ピック**等を用いて、平均深さで2〜5 mm（最大で5〜7 mm）程度の凹面を**合計が打継ぎ面の15〜30%程度の面積**となるように全体にわたってつける。（建築改修工事監理指針）

No.31	防水工事（防水工事）	正答	**4**

1 ○ アスファルトルーフィング類の張付けにおいて、**出隅、入隅**には**一般平場**のルーフィング類の張付けに先立ち、幅**300 mm以上**のストレッチルーフィングを用いて均等に**増張り**（捨張り）する。（公共建築工事標準仕様書建築工事編

9.2.4（4）（ア）（c）、表9.2.10（注））

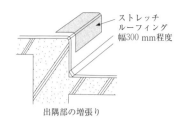

出隅部の増張り

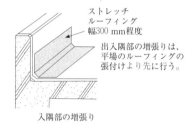

出入隅部の増張りは、平場のルーフィングの張付けより先に行う。

入隅部の増張り

出隅・入隅部の増張り

2 ○ 改質アスファルトシートの**重ね幅**は幅方向、長手方向とも**100 mm以上**とし、2層の場合は上下層の改質アスファルトシートの接合部が重ならないようにする。（同仕様書同編9.3.4（5）（ア）（a）②）

3 ○ **立上り部**よりも水下側の平場部が**下側**になるよう、立上り部のアスファルトルーフィング類の張付けに**先立ち**、平場部のルーフィング類を**150 mm以上**、**張り重ねる**。（同仕様書同編9.2.4（4）（イ）（f））

4 × ALCパネル下地の短辺接合部は、ルーフィングシート張付けに先立ち、目地部に幅**50 mm程度**の絶縁用テープを張り付ける。（同仕様書同編9.3.4（3）（ア）（c））

No. 32	石工事（乾式工法）	正答	**1**

1 ×　厚さ30 mm、大きさ500 mm角の石材のだぼ孔の端あき寸法は、**石材の厚みの3倍以上の90 mm以上**とする。（公共建築工事標準仕様書建築工事編10.5.2 (2)（ア））

2 ○　乾式工法のロッキング方式において、**ファスナーの通しだぼは、**上下固定で**径4.0 mm、埋込み長さ20 mm**のものを使用する。（同仕様書同編10.2.2 (2)、表10.2.4）

3 ○　外壁乾式工法において、下地コンクリート面の**寸法精度**は、**±10 mm以内**とする。この精度を考慮するため、±10 mmが調整できる**ファスナー**を用いる。（同仕様書同編10.1.3 (3)、表10.1.1）

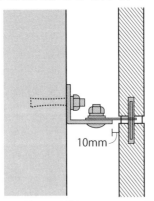

4 ○　石材間の**目地**には、**シーリング材**を充填する。目地幅は特記がなければ**幅、深さとも8 mm以上**とする。（同仕様書同編10.5.3 (6)（イ））

No. 33	屋根工事（金属製折板葺屋根工事）	正答	**1**

1 ×　端部用タイトフレーム（けらば用タイトフレーム）は、けらば包みの下地として、間隔を1,200 mmで取り付ける。（建築工事監理指針）

2 ○　重ね形折板は、**各山ごとに**タイトフレームに固定し、重ね部の緊結のボルトは**流れ方向の間隔を600 mm程度**とする。（公共建築工事標準仕様書建築工事編13.3.3 (3)（ウ））

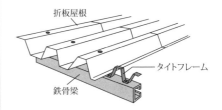

金属製折板葺きのタイトフレーム

3 ○　折板の底に設ける雨水の落とし口は円形にし、孔の周囲に5～10 mm以上の**尾垂れ**を付け、裏側への雨水の回り込みを防止する。（JASS 12）

4 ○　金属製折板葺屋根の軒先のアール曲げ加工は、**曲げ半径（R）を450 mm**とする。（JASS 12）

No. 34	金属工事（軽量鉄骨天井下地工事）	正答	**4**

1 ○　天井のふところが**3 m**を超える場合は、特記による。天井のふところが1.5 m以上の場合は、

原則として、吊りボルトの水平補強、**斜め補強**を行う。**水平補強は**縦横方向に間隔1.8 m程度に配置し、**斜め補強**は相対する斜め材を1組とし、縦横方向に間隔3.6 m程度に配置する。（公共建築工事標準仕様書建築工事編14.4.4 (8)）

2 ○　下り壁、間仕切壁等を境として、天井に**段違い**がある場合は、野縁受けと同材またはL－30×30×3（mm）程度の部材で、**間隔2.7 m程度に斜め補強**を行う。（同仕様書同編14.4.4 (7)）

3 ○　下地張りのある場合の野縁の間隔は、**シングル野縁360 mm程度、ダブル野縁1,800 mm程度**とする。ただし、屋外の場合は、特記による。ダブル野縁1,800 mm程度の間隔であり、ダブル野縁の間隔に**4本のシングル野縁の間隔を揃えて配置する**と、シングル野縁の間隔は1,800÷5＝360 mmとなり、**適当と判断できる**。（同仕様書同編14.4.3 (2)、表14.4.2）

4 ×　**野縁**は、野縁受けから150 mm**以上はね出してはならない**。（同仕様書同編14.4.4 (6)）

| No. 35 | 左官工事（セメントモルタル塗り） | 正答 | 2 |

1 ○　吸水調整材塗布後の**下塗りまでの間隔**は、一般に**1時間以上**とし、乾燥を確認してから行う。

2 ×　**下塗り用モルタルの調合**（容積比）は**セメント1：砂2.5、むら直し・中塗り・上塗りはセメント1：砂3**とする。（公共建築工事標準仕様書建築工事編表15.3.3）

3 ○　下塗りは、**14日以上放置して、ひび割れ等を十分発生させてから**、次の塗付けを行う。ただし、気象条件等により、**モルタルの接着が確保できる場合**には、放置期間を短縮することができる。（同仕様書同編15.3.5 (1) (ア) (e)）

4 ○　**むら直しとは、塗厚または仕上厚が大きいとき、あるいは塗りむらが著しいときに下塗りの上にモルタルを塗り付けること**をいう。これにより中塗り、上塗りの塗厚が均一となる。セメントモルタル塗りの工程は、**下塗り→むら直し→中塗り→上塗り**の順で行う。

| No. 36 | 建具工事（鋼製建具） | 正答 | 2 |

1 ○　鋼板類の厚さは、特記による。特記がなければ、片開き、親子開き及び両開き戸の1枚の戸の有効開口幅が950 mmまたは有効高さが2,400 mmを超える場合を除き次ページの表とする。そのため、外部に面する両面フラッシュ戸の**表面板は鋼板製**とし、厚さを1.6 mmとする。（公共建築工事標準仕様書建築工事編16.4.4 (1)、表16.4.2）

（次ページの表参照）

鋼製建具に使用する鋼板類の厚さ

区分		使用箇所	厚さ(mm)
窓	枠類	枠、方立、無目、ぜん板、額縁、水切り板	1.6
出入口	枠類	一般部分	1.6
		くつずり	1.5
	戸	かまち、鏡板、表面板	1.6
		力骨	2.3
		中骨	1.6
	その他	額縁、添え枠	1.6
	補強板の類		2.3以上

2 × 外部に面する両面フラッシュ戸は、**下部を除き、三方の見込み部を表面板で包む**。

3 ○ 上表より、**たて枠**は鋼板製とし枠類に分類される。厚さを1.6 mmとする。

4 ○ 枠の**丁番、ドアクローザ、ピボットヒンジ**等が取り付く箇所には、裏面に補強板を取り付ける。上表より、大きな力が加わる建具枠の補強板は、厚さを2.3 mmとする。（同仕様書同編16.4.4、表16.4.2）

No. 37 塗装工事（塗装工事） 正答 3

1 ○ アクリル樹脂系非水分散形塗料塗りの工程は、素地調整、下塗り、パテかい、**研磨**、中塗り、上塗りと進む。**研磨**には研磨紙P220を用いる。

2 ○ 合成樹脂エマルションペイント塗りでは、各塗装工程の**標準工程間隔時間**は、**気温20℃**においては**3時間以上**である。

3 × 木材保護塗料塗りは通常**屋外で使用される木質系素地**に対して適用される。**木材保護塗料**は、原液で**使用する**ことを基本とし、**希釈はしない**。

4 ○ 亜鉛めっき鋼面の常温乾燥形ふっ素樹脂エナメル塗りの**下塗り**には、**変性エポキシ樹脂プライマー**を使用する。（JASS 18）

No. 38 ALCパネル工事（ALCパネル工事） 正答 1

1 × 床版敷設筋構法において、屋根及び床パネルの孔あけ加工は、**補強鉄筋を切断しない範囲**で1枚当たり1か所、かつ、**直径50 mm以下**とする。（建築工事監理指針）

2 ○ 横壁アンカー構法においては、**パネル重量による下段パネルの損傷を避けるため**、ALCパネル積上げ段数**3～5段以下毎**にALCパネルの重量を支持する自重受け金物を設ける。（一般社団法人ALC協会 ALCパネル取付け構法標準・同解説第2章第2節3.1b）

3 ○ 縦壁フットプレート構法において、デッキプレート下面への下地鋼材の取付けは、下地鋼材が**デッキプレートの溝方向と平行となる場合**、下地鋼材の取付けに先立ち、下地として平鋼などを**デッキ**

プレート下面にアンカーなどにより取り付けておく必要がある。（同構法標準・同解説第3章第2節2.2）

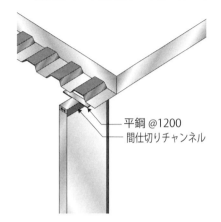

── 平鋼 @1200
── 間仕切りチャンネル

デッキプレートへの下地鋼材の取付け

4 ○ **床版敷設筋構法**において、建物周辺部・隅角部、階段室廻りなどで目地鉄筋により ALC パネルの**固定ができない箇所**は、ボルトと座金（丸座金または角座金・角座金R）を用いて取り付ける。（同構法標準・同解説第4章第1節3c）

No. 39	改修工事 （内装改修工事）	正答	3

1 ○ ビニル床シート張りの下地モルタルの浮き部分の撤去の際、**ダイヤモンドカッターの刃の出**は、モルタル厚さ以下とする。（公共建築改修工事標準仕様書6.2.2(1)(ア)(c)）

2 ○ 既存合成樹脂塗床材を除去せずに同じ塗床材で塗り重ねる場合は、既存仕上げ材の表面をディスクサ

ンダー等により**目荒し**して接着性を高める。（同仕様書6.2.2(1)(イ)(b)）

3 × 壁紙の張替えは、**既存の壁紙を残さず撤去し、下地基材面を露出させてから新規の壁紙を張り付けなければ防火材料に認定されない。**（建築改修工事監理指針）

4 ○ 既存床仕上げ材の撤去に関して、下地面に残ったビニル床タイルの接着剤は、アスベストを含有していない場合、**新規仕上げの施工に支障のないように**、ディスクサンダー等により除去する。（同監理指針）

No. 40	施工計画（事前 調査・準備作業）	正答	4

1 ○ 地下水の排水計画に当たっては、公共下水道の排水方式等の**必要な調査を行う**。

2 ○ 鉄骨工事計画に当たって、**タワークレーンによる電波障害が予想される場合**には、近隣に対する説明を行って**了解を得る必要がある**。

3 ○ **ベンチマーク**は、建物の高さ及び位置の基準となるものであり、敷地付近の**移動のおそれのない箇所**に設置し、監理者の検査を受ける。またベンチマークは通常2箇所以上設け、**相互にチェック**を行う。

4 × コンクリートポンプ車等を道路に設置するために提出する**道路使**

用許可申請書は、警察署長に提出する。（道路交通法第77条第1項第一号）

| No. 41 | 施工計画
（仮設設備） | 正答 | **1** |

1 × **男性用大便所**の便房の数は、同時に就業する男性労働者60人以内ごとに1個以上、**男性用小便所数**は同時に就業する男性労働者30人以内ごとに1個以上とする。（労働安全衛生規則第628条第1項第二号、第三号）

2 ○ 工事用電気設備の**建物内幹線の立上げ**は、出来るだけ最終工程まで支障の少ない場所で**計画**する。

3 ○ 仮設電力契約は、工事完了までは変更しない計画とするが、**短期的に電力需要が増加する場合**は、工事に影響が出ないよう**臨時電力契約**をして、使用する電力の量を**増量**する。臨時電力契約は、通常の電力供給契約に比べて割高となる。

4 ○ 仮設の給水設備において、**工事事務所**の**使用水量**は、40〜50 L/人・日を目安とする。

| No. 42 | 施工計画
（材料の保管） | 正答 | **2** |

1 ○ 長尺のビニル床シートは、屋内の乾燥した場所に、**直射日光を避けて**、**縦置き**にする。（JASS 26）

2 × 砂付ストレッチルーフィングは、接着不良にならないように**砂の付**いていないラップ部分（張付け時の重ね部分）を上に向けて縦置きとし、ラップ部分の保護のため2段積みは行わない。

3 ○ フローリング類は、木質材のため湿気を含むと変形するので、保管には十分注意する。**やむを得ずコンクリートの上に置く場合は、シートを敷き、角材を並べた上に保管する。**

4 ○ 木製建具は、取付け工事直前に搬入し、**障子や襖は縦置き、フラッシュ戸は平積み**とする。（JASS 16）

| No. 43 | 施工計画
（届出） | 正答 | **3** |

1 ○ **高さ31mを超える**建築物または工作物の建設、改造、解体または破壊の仕事を行う場合は、仕事開始の日の**14日前**までに、**労働基準監督署長**に届け出なければならない。（労働安全衛生法第88条第3項、同規則第90条第一号）

2 ○ 二以上の建設業に属する事業の事業者が、一の場所において行われる当該事業の仕事を**共同連帯して請け負った場合**においては、厚生労働省令で定めるところにより、そのうちの一人を代表者として定め、届出に係る仕事の開始の日の**14日前**までに、届書を、当該仕事が行われる場所を管轄する都道府県労働局長に提出しなければな

らない。届書の提出は、当該仕事が行われる場所を管轄する**労働基準監督署長を経由して**行うものとする。（同法第5条第1項、同規則第1条第2項、第4項）

3 × **つり上げ荷重3 t以上の**クレーンを設置する場合、工事開始日の**30日前**までに、**労働基準監督署長**にクレーン設置届を提出しなければならない。（同法第88条第1項、クレーン等安全規則第5条）

4 ○ 耐火建築物で**石綿等の除去の作業**を行う場合は、仕事の開始の日の**14日前**までに、**労働基準監督署長**に届け出なければならない。（同法第88条第3項、同規則第90条第五の三号）

No.44	施工計画（工程計画）	正答	**3**

1 ○ 工程計画を作成するためには、まず各作業をどのような手順で行うかの**手順計画**を立て、次にその手順を**いつ実施するか**の日程計画を決定して作成する。

2 ○ 工程計画の立案においては、工事用機械が連続して作業を実施し得るように**作業手順を定め**、作業量を**平準化**し、工事用機械の不稼働をできるだけ**少なくする**。

3 × **山崩し**とは、1日の作業員、施工機械、資機材等の供給量のピークが、一定の量を超えないように**平準化**を図るもので、**工期短縮**は

できない。**工程短縮できる**のは、フォローアップによる工程の見直し試しである。

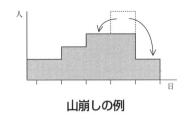

山崩しの例

4 ○ **クリティカルパス**とは、工程上、最も重要な経路で、クリティカルパスの**工程経路が遅れると、工程全体が遅れる**こととなる。また、鉄骨工事の地組とは、鉄骨躯体に用いられる柱や梁をあらかじめ地上で組み立てることで、**鉄骨躯体組立て時の作業量を**減らすことができる。そのため、工期短縮を図る上で、**クリティカルパス上の鉄骨建方**は、部材を地組してユニット化し、建方のピース数を減らすよう検討する。

第一次検定試験（午後の部）

No.45	工程計画（作業の能率）	正答	**4**

1 ○ 鉄骨の**ガスシールドアーク溶接**による現場溶接は、**1人1日当たり6 mm換算で80 mとして**計画する。一般に現場溶接の1日の平均能率は、溶接技能者1人当たり箱形（ボックス）柱で2本、梁で5箇所といわれている。（鉄骨

工事技術指針・工事現場施工編）

2 ○ タワークレーンの1回のクライ ミングに要する日数は、準備を含めて1.5日である。（同指針・同編）

3 ○ ビルの鉄骨建方において、タワークレーンの**鉄骨建方作業占有率**（鉄骨建方作業のみに占める時間の割合）は、同時期作業が**多く**、**補助クレーンを用いる場合**でおおむね60%前後とされている。（同指針・同編）

4 × トルシア形高力ボルトの1日における締付け作業能率は、ビルで450～700本、工場建屋等で400～600本である。（同指針・同編）したがって、トルシア形高力ボルトの締付け作業は、**3人1組で作業する**ものなので、1人1日当たり150～200本として計画する。

| No. 46 | 工程計画（ネットワーク工程表） | 正答 | **4** |

1 ○ 最早終了時刻（EFT）は、作業が最も早く完了できる時刻である。よって、**最早開始時刻（EST）に作業日数（D）**を加えて得られる。

2 ○ 最遅開始時刻（LST）は、全体の工期を守るために、必ず着手しなければならない時刻である。よって、**当該作業の最遅終了時刻（LFT）から作業日数（D）**を減じた値となる。

3 ○ トータルフロートは、当該作業

の**最遅終了時刻（LFT）**から当該作業の**最早終了時刻（EFT）**を差し引いて求められる。当該作業の**トータルフロートが0となる場合**、**フリーフロート**（後続作業の開始時刻に影響を及ぼさない余裕時間）は0になる。

4 × フリーフロートとは、その作業の中で使い切ってしまうと後続作業の最早開始時刻に**影響を及ぼす**ようなフロートをいう。フリーフロートは次式で定まる。

フリーフロート＝後続作業の最早開始時刻－当該作業の最早終了時刻

したがって、**フリーフロートに影響を及ぼすもの**は、後続作業の最早開始時刻と当該作業の最早終了時刻である。

トータルフロートに影響を及ぼすものは、最遅終了時刻である。

| No. 47 | 品質管理（管理値） | 正答 | **3** |

1 ○ 鉄骨工事におけるスタッド溶接後の**スタッドの傾きの限界許容差**は、5°以内とする。（公共建築工事標準仕様書建築工事編7.7.3 (2)）

2 ○ 構造体コンクリートの部材の仕上りにおける**柱、梁、壁の断面寸法の許容差は0～＋20 mm**である。（同仕様書同編表6.2.3）

3 × 鉄骨梁の製品検査で梁の長さの**管理許容差は±3 mm**、限界許容

差は±5mmである。（JASS 6）

鉄骨梁の許容差

名称	図	管理許容差	限界許容差
梁の長さ⊿L		−3mm≦⊿L≦+3mm	−5mm≦⊿L≦+5mm

4 ○ コンクリート工事において、ビニル系床材張りなど**仕上げ厚さが極めて薄い場合**、下地コンクリートの仕上がりの**平たんさは、3m につき7mm以下**とする。（同仕様書同編表6.2.5）

No. 48	品質管理（品質管理の図表）	正答	**1**

1 × **ヒストグラム**は、ばらつきをもつデータの範囲をいくつかの区間に分け、各区間を底辺とし、**その区間での出現度数を高さとした長方形（柱状）を並べた図**で、柱状図とも呼ばれる。データの分布の形をみたり、規格値との関係（目標値からのばらつき状態）をみることができる。計量特性の度数分布のグラフ表示で、**製品の品質の状態が規格値に対して満足のいくものか等を判断するため**に用いられる。観測値若しくは統計量を時間順またはサンプル番号順に表し、工程が管理状態にあるかどうかを評価するために用いられる図は、管理図である。

2 ○ **散布図**とは、**2つの特性を横軸と縦軸とし**、観測値を打点して作るグラフ表示である。QCの7つ

道具の1つとして広く普及しており、主に2つの変数間の関連を調べるために用いられる。

3 ○ **パレート図**とは、**不良品、欠点、故障等の発生個数を現象や要因別に分類し層別**にして、出現度数の大きい順に並べるとともに累積和を示した図である。

4 ○ **系統図**は、**目的や目標を達成する**ために、**目的と手段を系統づけて、枝分かれに展開した図**である。

No. 49	品質管理（検査）	正答	**1**

1 × **中間検査**は、不良なロットが次工程に渡らないように、**事前に取り除くことにより損害を少なくする**ために行う。完成したものを判定する**検査**は**完了検査**である。

2 ○ **無試験検査**とは、**品質情報・技術情報**などに基づいて、サンプルの**試験を省略できる検査**をいう。検査なしで次の工程に流すものであり、一般に次のような場合に適用する。

①管理図に異常がなく製造工程が安定状態にあり、そのまま次工程に流しても損失は問題にならない状態の場合、**ロットの試験を省略**する。

②JIS指定商品等、品質保証のある商品の場合、**購入検査を省略**する。

③長期にわたって検査結果が良く、

使用実績も良好な品物の受入検査の場合、供給者の検査成績表の確認によってサンプルの試験を省略する間接検査に切り替える。

3 ○ 提供品の受入可否判定のための**検査**であり、特に**外部からの購入品の検査**を**購入検査**という。不適合品が生産工程に流入したり顧客に流出したりすることを防止し、品質上の責任の所在を明確化する。購入検査において、供給側が行った検査結果を必要に応じて確認することによって、購入者の試験を省略する検査を**間接検査**という。

4 ○ **抜取検査**とは、調査を行う製品、材料の一定の範囲から**無作為に抜き取り**、**少数のサンプルを検査しその値をもとに全体の品質を決定する**方法をいう。そして、その結果に基づき、ロットの合否を判定する。

No.50	安全管理（公衆災害防止対策）	正答	2

1 ○ 建築工事等において工事現場の**境界線からの水平距離が5m以内**で、かつ、**地盤面からの高さが3m以上**の場所からくず、ごみその他飛散するおそれのある物を投下する場合においては、**ダストシュート**を用いる等、当該くず、ごみ等が工事現場の周辺に飛散することを防止するための措置を講じなければならない。（建築基準

法施行令第136条の5第1項）

2 × 防護棚は骨組の外側から**水平距離で2m以上**突き出させ、**水平面となす角度を20°以上**とし、風圧、振動、衝撃、雪荷重等で脱落しないように骨組に堅固に取り付ける。（建設工事公衆災害防止対策要綱建築工事編第4章第28第1四）

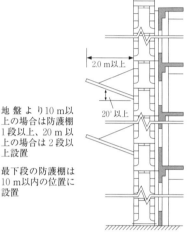

地盤より10m以上の場合は防護棚1段以上、20m以上の場合は2段以上設置

最下段の防護棚は10m以内の位置に設置

防護棚

3 ○ 仮囲いは**1.8m以上**としなければならない。（建築基準法施行令第136条の2の20）また、傾斜地に設置した鋼板製仮囲いの下端に生じた**隙間**は、**土台コンクリート等で塞ぐ**計画とする。

4 ○ 道路法施行令第7条第四号より、道路の占用許可対象とされているものに、**工事用板囲、足場**が含まれている。道路占有許可は、道路管理者の許可が必要であり、道路管理者の基準に従う必要がある。

国土交通省北陸地方整備局や関東地方整備局等で、仮囲いの幅は、1 m以内と定められている。

No. 51 法規（労働安全衛生法） 正答 4

1○ 事業者は、**建築物等の鉄骨の組立て等作業主任者**に、器具、工具、要求性能墜落制止用器具等及び保護帽の機能を点検し、**不良品を取り除く**ことを行わせなければならない。（労働安全衛生規則第517条の5第二号）

2○ **有機溶剤作業主任者**は、作業に従事する労働者が有機溶剤により汚染され、またはこれを吸入しないように、**作業の方法を決定し、労働者を指揮すること**と規定されている。（有機溶剤中毒予防規則第19条の2第一号）

3○ 事業者は、**土止め支保工作業主任者**に、要求性能墜落制止用器具等及び保護帽の使用状況を監視することを行わせなければならない。（労働安全衛生規則第375条第三号）

4× 事業者は、つり足場、張出し足場または高さが2 m以上の構造の足場の組立て、解体または変更の作業を行うときは、**組立て、解体または変更の時期、範囲及び順序**を当該作業に従事する労働者に**周知**させなければならない。（同規則第564条第1項第一号）

No. 52 法規（労働安全衛生規則） 正答 3

1○ **踊場**は、階段と一体になって機能する架設通路であり、労働安全衛生規則第552条を準用し、**高さが8 m以上の階段**には、**7 m以内**ごとに踊場を設ける。（労働安全衛生規則第552条第1項第六号）

2○ つり足場の場合を除き、幅、床材間の隙間及び床材と建地との隙間は、次に定めるところによること。（同規則第563条第1項第二号）
イ 幅は、**40 cm以上**とすること。
ロ **床材間の隙間**は、**3 cm以下**とすること。
ハ **床材と建地との隙間**は、**12 cm未満**とすること。

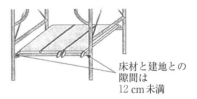

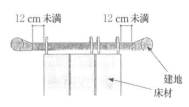

作業床

3× 単管足場の**壁つなぎの間隔**は、**垂直方向5 m以下、水平方向5.5 m以下**とする。（同規則第570条第1項第五号イ）

4 ○　脚立は、脚と水平面との角度を75°以下とし、足場板を長手方向に重ねるときは、**踏さん上で重ね**、その重ね長さは、**20 cm以上**とする。（同規則第528条、第563条第4項第一号ハ）

| No. 53 | 法規（労働安全衛生法） | 正答 | **2** |

1 ○　**協議組織の設置及び運営**を行うことは、労働安全衛生法第30条第1項第一号に規定されており、すべての関係請負人が参加する**協議組織**を設置し、会議を定期的に**開催**する必要がある。

2 ×　事業者は、**つり足場における作業**を行うときは、その日の作業を開始する前に、同規則第567条第2項**第一号から第五号まで**、**第七号及び第九号**に掲げる事項について、点検し、異常を認めたときは、直ちに補修しなければならないと規定されている。（同規則第568条）しかし、同規則第567条第2項で**脚部の沈下及び滑動の状態**は第六号に、**建地、布及び腕木の損傷の有無**は第八号に規定されているため、つり足場における作業開始前の点検項目から除外されている。

☆令和5年10月1日施行の同規則第567条・第568条の改正により、事業者が**自ら点検**する義務が、**点検者を指名**して、**点検者に点検させる**義務に変更された。したがって、現在では、こ の部分も誤りとなる。

3 ○　事業者は、**高さが2 m以上の箇所**での作業で、墜落により労働者に危険を及ぼすおそれのあるときは、**作業床を設けなければならない**。（同規則第518条第1項）

4 ○　**特定元方事業者**は、作業場所を巡視することについては、**毎作業日に少なくとも1回**、これを行わなければならない。（同規則第637条第1項）

| No. 54 | 法規（クレーン等安全規則） | 正答 | **4** |

1 ○　クレーン、移動式クレーンまたはデリックの玉掛用具であるワイヤロープの**安全係数**については、**6以上**でなければ使用してはならない。（クレーン等安全規則第213条第1項）

2 ○　**移動式クレーンを用いて作業を行うとき**は、当該移動式クレーンに、その移動式クレーン検査証を備え付けておかなければならない。（同規則第63条）

3 ○　クレーンを設置している者が当該クレーンについて、その使用を**廃止**したとき、またはつり上げ荷重を**3 t未満に変更**したときは、その者は、**遅滞なく**、クレーン検査証を所轄労働基準監督署長に返還しなければならない。（同規則第52条）

4 ×　事業者は、移動式クレーンを用

いて作業を行うときは、移動式クレーンの運転について一定の合図を定め、原則として、**合図を行う者を指名**して、その者に合図を行わせなければならない。(同規則第71条第1項)

No. 55	鉄筋工事(加工及び組立て)	正答	2,4

1 ○ 鉄筋相互のあきは、次の値のうち**最大のもの以上**とする。(公共建築工事標準仕様書建築工事編5.3.5(4))

①**粗骨材の最大寸法の1.25倍**

②**25 mm**

③隣り合う鉄筋の平均径(異形鉄筋の呼び名の数値)の1.5倍

設問の場合、①20 mm × 1.25 = 25 mm②25 mm③16 mm × 1.5 = 24 mmとなり、**25 mm**のあき寸法は**適切**である。

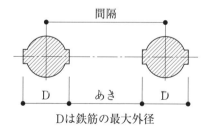

間隔

Dは鉄筋の最大外径

鉄筋相互のあき及び間隔

2 × D 25の鉄筋を90°**折曲げ加工**する場合、鉄筋の種類がSD295、SD345の場合、**4 d以上**。SD390、SD490の場合、**5 d以上**とする。

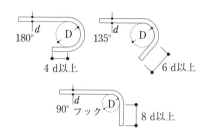

180° *d* D   135° *d* D
4 d以上   6 d以上

90° *d* D
フック   8 d以上

鉄筋の折曲げ加工

鉄筋の折曲げ形状・寸法

曲げ角度	鉄筋の種類	鉄筋の径による区分	鉄筋の折曲げ内法直径(D)
180° 135° 90°	SD295 SD345	D16以下	3d以上
		D19～D38	4d以上
	SD390	D41以下	5d以上

3 ○ 基礎梁の**梁せいが2 m以上**となり、基礎梁断面内にコンクリートの水平打継ぎを設ける際、あばら筋に重ね継手を設ける場合は、異形鉄筋で**フック付き**とする。

4 × **あばら筋・帯筋・スパイラル筋の末端**は、原則として**135°フック**とする。**末端部の135°フックの余長**は、**6 d**(dは異形鉄筋の呼び名の数値)**以上**とする。(鉄筋コンクリート造配筋指針・同解説)

5 ○ あばら筋の加工については、幅、**高さの加工寸法の許容差**をそれぞれ**±5 mm**とする。

No. 56	コンクリート工事(調合)	正答	1,5

1 × **ワーカビリティー**はコンクリー

トの運搬、締固め、仕上げ等の**作業のしやすさ**のことをいう。粗骨材の粒径が揃っておらず、偏平した骨材や角ばった骨材を使用すると、ワーカビリティーが**よくならないため、球形に近い**骨材を使用する。

2 ○ JASS 5の寒中コンクリートの項に「使用するコンクリートはAEコンクリートとし、空気量は特記による。特記の無い場合は、4.5〜5.5％の範囲で定め、工事監理者の承認を受ける。」と規定されている。したがって、**AE剤、AE減水剤または高性能AE減水剤**を用いる普通コンクリートについては、調合を定める場合の空気量を4.5〜5.5％の範囲で定める。

3 ○ 国土交通省「アルカリ骨材反応抑制対策（土木・建築共通）」において、下記のように記述されている。構造物に使用するコンクリートは、アルカリ骨材反応を抑制するため、次の3つの対策の中のいずれか1つについて確認をとらなければならない。

① コンクリート中のアルカリ総量の抑制
アルカリ量が表示されたポルトランドセメント等を使用し、**コンクリート1 m³**に含まれるアルカリ総量をNa_2O換算で**3.0 kg以下**にする。

② 抑制効果のある混合セメント等の使用

③ **安全と認められる骨材の使用**
したがって、アルカリシリカ反応性試験で無害でないものと判定された骨材であっても、コンクリート中の**アルカリ総量を3.0 kg/m³以下**とすれば**使用することができる。**

4 ○ コンクリート調合管理強度は、調合強度を管理する場合の基準となる強度で、**品質基準強度**（設計基準強度と耐久設計基準強度の大きい方）に**構造体強度補正値を加えた値**とする。（JASS 5）

5 × 調合管理強度が**21 N/mm²**の普通コンクリートのスランプは、**18cm以下**とする。（JASS 5）

普通コンクリートのスランプ

調合管理強度	スランプ
33 N/mm²以上	21 cm以下
33 N/mm²未満	18 cm以下

No. 57	鉄骨工事（鉄骨の溶接）	正答 **3,5**

1 ○ 溶接部の**表面割れの範囲**を確認した上で、その両端から**50 mm以上**をアークエアガウジングで**はつり取って船底型の形状に仕上げ、補修溶接する。**

2 ○ **裏当て金の材質**は、原則として、**母材の鋼種と同等**のものを使用する。裏当て金は母材に適し溶接性に問題のない材質で、溶落ちが生

じない板厚を使用する。一般的に、裏当て金は、板厚9 mmの平鋼が用いられる。

3 ×　突合せ継手の食い違いは、鋼材の厚さが15 mm以下の場合にあっては1.5 mm以下とし、厚さが15 mmを超える場合にあっては厚さの10分の1の値以下かつ3 mm以下でなければならない。(JASS 6)

4 ○　490 N/mm²級以上の高張力鋼の組立て溶接を被覆アーク溶接で行う場合には、耐割れ性、耐気孔性、耐衝撃性に優れた**低水素系溶接棒**を使用する。(公共建築工事標準仕様書建築工事編7.6.5 (4)(オ))延性や靭性等の機械的性能も良好であり、重要構造物や、良好な耐割れ性が要求される高強度鋼や低合金鋼、厚板の溶接等にも広く使用されている。

5 ×　気温が低いと溶接部の冷却速度が**速く**なり、溶接部に割れが生じやすくなるので、溶接作業場所の気温が−5℃を**下回る**場合は、**溶接を行ってはならない**。なお、溶接作業場所の気温が−5℃から5℃までの場合は、**溶接部より100 mmの範囲**の母材部分を加熱して溶接を行うことができる。(同仕様書同編7.6.8 (1) (2))

No. 58	防水工事 (シーリング工事)	正答 **1,5**

1 ×　シリコーン系シーリング材を充填する場合、ポリエチレンテープのボンドブレーカーを用いるのが一般的である。(JASS 8)

2 ○　ポリサルファイド系シーリング材に**後打ち**できるシーリング材には、変成シリコーン系、シリコーン系、ポリウレタン系等がある。(JASS 8)

No.57

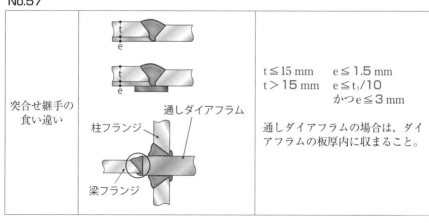

突合せ継手の食い違い		$t \leqq 15$ mm　$e \leqq 1.5$ mm $t > 15$ mm　$e \leqq t_1/10$ 　　　　　かつ$e \leqq 3$ mm 通しダイアフラムの場合は、ダイアフラムの板厚内に収まること。

3 ○ **ワーキングジョイント**に装填する丸形ポリエチレン発泡体は、**目地幅より20～30％大きい直径**のものを選定する。（JASS 8）

4 ○ **ワーキングジョイントの寸法、打継ぎ目地及びひび割れ誘発目地**は、幅20 mm以上、深さ10 mm以上とする。

5 × **目地への打始め**は、原則として、**目地の交差部または角部から行い**、隙間、打残し、気泡が入らないよう目地の隅々まで充填する。なお、**打継ぎ箇所**は、目地の交差部及び角部を避けて、**そぎ継ぎ**とする。（公共建築工事標準仕様書建築工事編9.7.4 (4) (キ)）

No. 59	内装工事（ビニル床シート張り）	正答	2,4

1 ○ 施工時の作業環境温度が5℃以下になると、床タイルは硬く下地になじみにくくなり、割れ・欠けが生じるものもある。さらに接着剤の**オープンタイム、張付け可能時間が極端に長くなる**ので、ジェットヒーターなどで採暖を行い、室温を10℃以上に保つようにする。（JASS 26）

2 × ビニル床シートは、施工に先立って温度20℃以上の室温にて**仮敷**きし、**24時間以上放置**して巻きぐせをとる。

3 ○ **床シートの張付け**は、床シートを送り込みながら**圧着棒を用いて**空気を押し出すように行い、その後45 kgローラーで圧着する。

4 × 接合部の処理は、特記がなければ、**熱溶接工法**とし、**溝**は、V字形またはU字形とし、均一な幅に床シート厚さの $\frac{2}{3}$ 程度まで溝切りする。（公共建築工事標準仕様書建築工事編19.2.3 (2) (ウ) (b)）

5 ○ 熱溶接工法においては、**熱風溶接機**を用いて床シートの溝部分と**溶接棒**を180～200℃の熱風で溶融し、余盛が断面両側にできる程度に圧着溶接する。

No. 60	仕上工事（仕上工事）	正答	4,5

1 ○ 施工に先立ち、見本帳または見本塗板を監督職員に提出する。なお、見本塗板は、**所要量または塗厚**が工程ごとに確認できるものとする。所要量等の確認方法は、**防水形の仕上塗材**の場合、単位面積当たりの使用量によることを標準とする。（公共建築改修工事標準仕様書建築工事編4.5.3 (1) (6)）

2 ○ シーリング材は、同一種類のものであっても、**製造所ごとに組成が異なっていて**性能に問題が起こる場合があるので、**接着性試験**は、**製造所ごとに行う**。

3 ○ 室内空気中に含まれるホルムアルデヒド等の化学物質の濃度測定を実施する場合には、**パッシブ型採取機器**を用いる**パッシブ法**と、

吸引ポンプなどの動力を用いて強制的に採取する**アクティブ法**が用いられる。

4 ✕ アスファルト防水下地となるコンクリート面の**乾燥状態**は、次のような方法によって判断する。(建築工事監理指針)

① 高周波水分計による下地水分の測定

② 下地をビニルシートやルーフィング等で覆い、一昼夜後に結露の状態を確認

③ コンクリート打込み後の経過日数

④ 目視による乾燥状態の確認

渦電流式測定計は、アルミニウム製外壁パネルの陽極酸化被膜の厚さの測定に使用される。

5 ✕ 屋外及び屋内の吹抜け部分等の壁タイル張り仕上げ面は、施工後2週間以上経過した時点で、全面にわたり**タイル用テストハンマー**を用いて**打音検査**を行い、浮きの有無を確認する。リバウンドハンマー（シュミットハンマー）は、コンクリートの表面を打撃したときの**反発度を測定**し、その反発度音から**反縮強度を推定する**ための機器である。

| No.61 | 法規（建築基準法） | 正答 | 1 |

1 ✕ **大規模の模様替**とは、建築物の主要構造部の一種以上について行

う過半の模様替をいう。構造上重要でない間仕切壁は主要構造部ではないため、大規模の模様替には該当しない。(建築基準法第2条第十五号)

2 ○ **主要構造部**とは、壁（構造上重要でない間仕切壁を除く）、柱、床（最下階の床を除く）、はり、屋根、階段（屋外階段を除く）等をいう。したがって、屋根は主要構造部に含まれる。(同法第2条第五号)

3 ○ **観覧のための工作物**は、建築物である。(同法第2条第一号)

4 ○ **居室**とは、居住、執務、作業、集会、娯楽その他これらに類する目的のために継続的に使用する室をいう。したがって、百貨店の売場は居室である。(同法第2条第四号)

| No.62 | 法規（建築基準法） | 正答 | 4 |

1 ○ 延べ面積が200 m²を超えない一戸建ての住宅の用途を変更して旅館にしようとする場合、建築確認を受ける必要はない。(建築基準法第6条第1項第一号、第87条第1項)

2 ○ 木造以外の建築物で延べ面積が200 m²を超えるものの新築工事においては、**検査済証の交付を受けた後**でなければ、**使用することができない**。ただし、特定行政庁の仮使用の承認を受けたときは、

建築主は**検査済証の交付を受ける前**においても、仮に、当該建築物を**使用することができる。**（同施行規則第4条の16）

3 ○　避難施設等に関する工事を含む建築物の完了検査を受けようとする建築主は、<u>建築主事の検査申請受理日から**7日**を経過したとき</u>は、**検査済証の交付を受ける前**においても、仮に、当該建築物を**使用**し、または**使用させる**ことが**できる。**（同法第7条の6第1項）

☆令和6年4月1日施行の同法第7条の6の改正により、**建築主事**が**建築主事等**に変更されましたが、本問の正答に影響はありません。

4 ×　建築物の建築等に関する**申請及び確認**の規定は、**防火地域及び準防火地域外**において建築物を増築し、改築し、または移転しようとする場合で、その増築、改築または移転に係る部分の床面積の合計が**10 ㎡以内**であるときについては、**適用しない。**（同法第6条第2項）

No.63	法規 （建築基準法施行令）	正答	**2**

1 ○　給水管、配電管その他の管が、**1時間準耐火構造の防火区画を貫通する**場合においては、当該管と防火区画との隙間をモルタルその他の**不燃材料で埋めなければならない。**（建築基準法施行令第112

条第20項）

2 ×　**主要構造部を耐火構造とした建築物**で、**延べ面積が1,500 ㎡を超えるもの**は、床面積の合計1,500 ㎡以内ごとに1時間準耐火基準に適合する準耐火構造の床若しくは壁または**特定防火設備**で<u>区画しなければならない。ただし、次の各号のいずれかに該当する建築物の部分でその用途上**やむを得ない場合においては、この限りでない。**</u>（同施行令第112条第1項柱書）同項第一号に、**劇場、映画館、演芸場、観覧場、公会堂**または集会場の**客席、体育館、工場**その他これらに類する用途に供する建築物の部分が規定されている。

☆令和6年4月1日施行の同施行令第112条の改正により、**主要構造部**は**特定主要構造部**に、**場合においては、もの**について**と変更されましたが、本問の正答に影響はありません。

3 ○　**主要構造部が準耐火構造で3階以上の階に居室を有する建築物の昇降機の昇降路の部分**は、準耐火構造の床、壁または遮炎性能のある**防火戸等の防火設備で区画しなければならない。**（同法第2条第九の二号ロ、同条第九の三号イ、同施行令第112条第11項）

4 ○　換気空調設備等のために設けられた**風道（ダクト）が準耐火構造の防火区画を貫通する**場合、当該

風道が火災により煙が発生した場合または火災により温度が急激に上昇した場合に**自動的に閉鎖するもの**を設けなければならない。（同法第2条第九の二号ロ、同条第九の三号、同施行令第112条第21項柱書、第一号）

No. 64	法規（建設業法）	正答	**3**

1 ○　許可に係る建設業者は、建設業法第5条第一号から第五号までに掲げる事項（営業所の名称及び**所在地は第5条第二号**）について**変更**があったときは、国土交通省令の定めるところにより、**30日以内**に、その旨の変更届出書を国土交通大臣または都道府県知事に提出しなければならない。（建設業法第11条第1項）

2 ○　一般建設業の許可を受けた者が、当該許可に係る建設業について**特定建設業の許可を受けたとき**は、一般建設業の許可はその**効力を失う**。（同法第3条第6項）

3 ×　建設業を営もうとする者は、2以上の都道府県の区域内に営業所を設けて営業をしようとする場合にあっては国土交通大臣の、1の都道府県の区域内にのみ営業所を設けて営業をしようとする場合にあっては当該営業所の所在地を管轄する**都道府県知事の許可を受けなければならない**。ただし、政令

で定める**軽微な建設工事のみ**を請け負うことを営業とする者は、この限りでない。（同法第3条第1項柱書）法第3条第1項のただし書の政令で定める軽微な建設工事は、工事1件の請負代金の額が**500万円**（当該建設工事が**建築一式工事である場合にあっては、1,500万円**）に満たない工事または建築一式工事のうち延べ面積が150m²に満たない木造住宅を建設する工事とする。（同施行令第1条の2第1項）

したがって、**建築一式工事**の場合、工事1件の請負代金の額が**1,500万円以上**の場合は、建設業の許可が必要となる。

4 ○　許可は、別表第一の上欄に掲げる**建設工事の種類**ごとに、それぞれ同表の下欄に掲げる建設業に分けて与えるものとする。（同法第3条第2項）建設業の許可は、**内装仕上工事**など建設業の種類ごとに与えられ、建築一式工事以外の工事を請け負う建設業者であっても、**特定建設業の許可を受けることができる**。

No. 65	法規（建設業法）	正答	**4**

1 ○　注文者は、請負人に対して、建設工事の施工につき**著しく不適当と認められる**下請負人があるときは、その**変更**を請求することがで

きる。ただし、あらかじめ注文者の書面による承諾を得て選定した下請負人については、この限りでない。（建設業法第23条第1項）

2 ○　共同住宅の新築工事を請け負った建設業者は、**いかなる方法をもってするかを問わず、一括して他人に請け負わせてはならない。**（同法第22条第1項、第3項、同施行令第6条の3）

3 ○　建設工事の請負契約の当事者は、契約の締結に際して、工事内容、請負代金の額、工事着手の時期及び工事完成の時期、天災その他不可抗力による工期の変更または損害の負担及びその額の算定方法に関する定め、第三者が損害を受けた場合における賠償金の負担に関する定め、請負代金の支払の時期及び方法、**各当事者の履行の遅滞その他債務の不履行の場合における遅延利息、違約金その他の損害金、**契約に関する紛争の解決方法等について、**書面に記載し、署名**または**記名押印**をして相互に交付しなければならない。（同法第19条）

4 ×　**請負人は、**請負契約の履行に関し工事現場に現場代理人を置く場合においては、当該現場代理人の権限に関する事項及び当該現場代理人の行為についての注文者の請負人に対する意見の申出の方法を、書面により注文者に通知しなければならない。（同法第19条の2第1項）**注文者の承諾を得る必要はない。**

No. 66　法規（建設業法）　正答 **2**

1 ○　**建設業者は、**許可を受けた建設業に係る建設工事を請け負う場合においては、当該建設工事に附帯する他の建設業に係る建設工事を**請け負うことができる。**（建設業法第4条）

2 ×　特定建設業者は、発注者から直接建築一式工事を請け負った場合において、下請契約の請負代金の総額が**7,000万円以上**になるときは、**施工体制台帳を作成し、工事現場ごとに備え置かなければならない。**（同法第24条の8第1項、同施行令第7条の4）

＊公共工事を発注者から直接請け負った建設工事を施工するために下請契約を締結した場合は、**請負代金の額にかかわらず**施工体制台帳を**作成しなければならない。**（同法第24条の8第1項、公共工事の入札及び契約の適正化の促進に関する法律第15条第1項）

3 ○　**注文者は、**建設業者に対して前金払をする前に、**保証人を立てることを請求することができる。**ただし、**政令で定める軽微な工事**については、この限りでない。軽微

な建設工事は、工事1件の請負代金の額が500万円に満たない工事である。500万円以上の場合であれば、軽微な工事に該当しないため、保証人を立てることを請求できる。（同法第21条、同施行令第6条の2）

4 ○ 特定専門工事の元請負人及び下請負人は、その**合意**により、当該元請負人が当該特定専門工事につき**主任技術者**を置かなければならないが、その行うべき職務と併せて、当該下請負人がその下請負に係る建設工事につき、**置かなければならないこととされる主任技術者の行うべき職務を行うこととすることができる**。この場合において、当該下請負人は、その下請負に係る建設工事につき**主任技術者**を置くことを要しない。（同法第26条の3第1項）

No.67	法規（労働基準法）	正答	**3**

1 ○ **使用者**は、坑内労働その他厚生労働省令で定める健康上特に有害な業務（削岩機、鋲打機等の使用によって**身体に著しい振動を与える業務**）について、1日について労働時間を延長して労働させた時間は2時間を超えないこと。（労働基準法第36条第6項第一号、同施行規則第18条第六号）

2 ○ 災害その他避けることのできない**事由**によって、臨時の必要がある場合においては、**使用者**は、**行政官庁の許可**を受けて、その必要の限度において、労働時間を**延長**し、または休日に**労働させる**ことができる。ただし、事態急迫のために行政官庁の許可を受ける暇がない場合においては、事後に遅滞なく届け出なければならない。（同法第33条第1項）

3 × **使用者**は、労働者に対して与える所定の休憩時間を、**自由に利用**させなければならない。したがって、労働者の合意があっても、**軽微な作業であっても、労働者に作業を命ずることはできない**。（同法第34条第3項）

4 ○ 使用者は、その雇入れの日から起算して6箇月間継続勤務し全労働日の8割以上出勤した労働者に対して、継続し、または分割した10労働日の有給休暇を与えなければならない。（同法第39条第1項）

No.68	法規（労働安全衛生法）	正答	**3**

1 ○ **事業者**は、事業場で、厚生労働省令で定めるところにより、**安全衛生推進者**を選任し、その者に各号の業務を担当させなければならない。（労働安全衛生法第12条の2）厚生労働省令で定める規模の事業場は、**常時10人以上50人未満**の労働者を使用する事業場とする。

（同規則第12条の2）

2 ○　**事業者**は、医師のうちから**産業医**を選任し、その者に労働者の健康管理その他の厚生労働省令で定める事項を行わせなければならない。（同法第13条第1項）法第13条第1項の政令で定める規模の事業場は、**常時50人以上**の労働者を使用する事業場とする。（同施行令第5条）

3 ×　**統括安全衛生責任者を選任すべき事業者以外の請負人**で、当該仕事を自ら行うものは、**安全衛生責任者**を選任し、その者に**統括安全衛生責任者との連絡**その他の厚生労働省令で定める事項を行わせなければならない。（同法第16条第1項）

4 ○　**事業者**は、産業医から労働者の健康管理等について必要な**勧告**を受けたときは、厚生労働省令で定めるところにより、当該勧告の内容その他の厚生労働省令で定める事項を衛生委員会**または安全衛生委員会**に報告しなければならない。（同法第13条第6項）

No. 69	法規（労働安全衛生法）	正答	**4**

事業者は、クレーンの運転その他の業務で、政令で定めるものについては、都道府県労働局長の当該業務に係る免許を受けた者または都道府県労働局長の登録を受けた者が行う当該業務に係

る技能講習を修了した者その他厚生労働省令で定める資格を有する者でなければ、当該業務に就かせてはならない。（労働安全衛生法第61条第1項）法第61条第1項の政令で定める業務は、次に示す。（同施行令第20条）

主な就業制限に係る業務一覧表

業務・職種
①つり上げ荷重が5 t以上のクレーン、デリックの運転業務（クレーン・デリック運転士免許）
②つり上げ荷重が1 t以上の移動式クレーンの運転業務（5 t以上はクレーン運転士免許。1 t以上5 t未満は技能講習）
③つり上げ荷重が1 t以上のクレーン、移動式クレーン、デリックの玉掛け業務（技能講習）
④作業床の高さが10 m以上の高所作業車の運転業務（技能講習）
⑤機体重量が3 t以上の車両系建設機械の運転業務（技能講習）
⑥最大積載量が1 t以上の不整地運搬車の運転業務（技能講習）
⑦最大荷重が1 t以上のフォークリフトの運転業務（技能講習）

1 ○　最大積載量が1 t以上の**不整地運搬車**の運転の業務（技能講習）。（同施行令第20条第十四号）

2 ○　つり上げ荷重が5 t以上の**クレーンの運転**の業務（クレーン運転免許）。（同施行令第20条第六号）

3 ○　最大荷重が1 t以上の**フォークリフトの運転**の業務（技能講習）。（同施行令第20条第十一号）

4 ×　制限荷重が1 t以上の揚貨装置またはつり上げ荷重が1 t以上のクレーン、移動式クレーン若しく

はデリックの**玉掛けの業務**（技能講習）。（同施行令第20条第十六号）玉掛けの業務は、免許ではなく、技能講習である。

No. 70	法規（廃棄物の処理及び清掃に関する法律）	正答	2

1 ○ **事業者**は、産業廃棄物の運搬または処分を委託した場合、委託契約書及び環境省令で定める書面を、**その契約の終了の日から5年間保存**しなければならない。（廃棄物の処理及び清掃に関する法律施行令第6条の2第五号、同規則第8条の4の3）

2 × 産業廃棄物（特別管理産業廃棄物を除く。）の収集または運搬を業として行おうとする者は、管轄する**都道府県知事の許可を受けなければならない**。ただし、**事業者が自らその産業廃棄物を運搬する場合**は、都道府県知事の許可を受けなくてよい。（同法第14条第1項）

3 ○ 事業活動に伴い多量の産業廃棄物を生ずる事業場を設置している事業者として政令で定めるもの（**多量排出事業者**）は、環境省令で定める基準に従い、当該事業場に係る産業廃棄物の減量その他その処理に関する**計画を作成**し、**計画及び実施の状況**について、都道府県知事に報告しなければならない。（同法第12条第9項、第10項）都道府県知事は、この計画の実施の

状況について、**公表**するものとする。（同条第11項）

4 ○ 汚泥の処理能力が1日当たり10 m³（**天日乾燥施設**にあっては100 m³）を超える乾燥処理施設を設置する場合、管轄する**都道府県知事の許可を受けなければならない**。（同法第15条第1項、同施行令第7条第二号）

No. 71	法規（宅地造成及び特定盛土等規制法）	正答	1

1 × 宅地造成等工事規制区域内の土地において、擁壁等に関する工事その他の工事で政令で定めるもの（**地表水等を排除するための排水施設の一部を除却する工事**）を行おうとする者は、その工事に着手する日の**14日前**までに、主務省令で定めるところにより、その旨を都道府県知事に届け出なければならない。（宅地造成及び特定盛土等規制法第21条第3項、同施行令第16条）

2 ○ 盛土をした土地の部分に高さが**1 m**を超える崖を生ずることとなった場合、盛土をした後の土地の部分に生じた崖の上端に続く当該土地の地盤面には、特別の事情がない限り、その**崖の反対方向**に雨水その他の**地表水が流れるよう**、勾配を付すること。（同施行令第3条第一号、第7条第2項第一号）

3 ○ 盛土または切土をした土地の

部分に生ずる崖面で擁壁を設置する場合、その裏面の排水を良くするため、壁面の面積３㎡以内ごとに少なくとも**1個の内径が7.5cm以上**の陶管その他これに類する耐水性の材料を用いた**水抜穴**を設け、かつ、擁壁の裏面の水抜穴の周辺その他必要な場所には、砂利その他の資材を用いて**透水層を設けなければならない。**（同施行令第12条）

4 ○ 宅地造成等工事規制区域内において行われる宅地造成等に関する工事、政令で定める技術的基準に従い、**擁壁、排水施設**その他の政令で定める施設の設置その他宅地造成等に伴う災害を防止するため必要な措置が講ぜられたものでなければならない。この規定により講ずべきものとされる措置のうち政令で定めるものの工事は、**政令で定める資格を有する者の設計**によらなければならない。（同法第13条第1項、第2項）法第13条第2項の政令で定める措置は、**盛土または切土をする土地の面積が**1,500㎡を超える土地における**排水施設の設置**である。（同施行令第21条第二号）

No. 72	法規（振動規制法）	正答	**1**

振動規制法第2条第3項は、この法律において「特定建設作業」とは、建設工事として行われる作業のうち、著しい振動を発生する作業であって政令で定めるものをいうと規定され、同施行令第2条で、法第2条第3項の政令で定める作業は、別表第2に掲げる作業とする。ただし、当該作業がその作業を開始した日に終わるものを除くと規定している。

＜別表第2＞

1 **くい打機**（もんけん及び圧入式くい打機を除く。）、**くい抜機**（油圧式くい抜機を除く。）又はくい打くい抜機（圧入式くい打くい抜機を除く。）を使用する作業

2 **鋼球を使用して建築物その他の工作物を破壊する作業**

3 舗装版破砕機を使用する作業（作業地点が連続的に移動する作業にあっては、1日における当該作業に係る2地点間の最大距離が50mを超えない作業に限る。）

4 ブレーカー（手持式のものを除く。）を使用する作業（作業地点が連続的に移動する作業にあっては、1日における当該作業に係る二地点間の最大距離が50mを超えない作業に限る。）

上記より、特定建設作業に**該当しないものは1である。**

1級建築施工管理技術検定 第一次検定 正答・解説

No. 1	環境工学 （換気）	正答	**4**

1 ○　必要換気量は、1時間当たりに必要な室内の空気を入れ替える量で表される。なお、必要換気量とは、室内空気の**衛生を保つ**ために、換気時に求められる必要な空気量のことを示す。

2 ○　温度差による自然換気は、冬期には**中性帯**より**下部**から外気が流入し、**上部**から流出する。なお、中性帯とは、ある高さにおいて室内外の**圧力**差がゼロになる場所をいう。

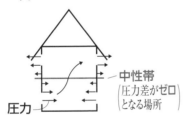

3 ○　全熱交換器とは、**換気により失われる熱エネルギーの一部を回収する**もので、全熱交換器を用いると、冷暖房時に換気による熱損失や熱取得を軽減できる。

4 ×　換気経路を長くするほうがよい。給気口から排気口に至る換気経路を短くすると、取り込んだ新鮮な外気が**スペース内に行き渡ること**なく、そのまま排出されるため**換気効率は悪く**なる。

No. 2	環境工学 （伝熱）	正答	**2**

1 ○　熱放射は物体表面から射出される**赤外線**（電磁波）によって、**熱が移動する現象**である。放射による熱の移動には空気は必要ないため、**真空中**においても放射による**熱移動は生じる**。太陽の熱は、熱放射により真空の宇宙空間を通って地球に到達している。

2 ×　壁体の含湿率が**増加**すると、その壁体の熱伝導率は**大きく**なる。含湿率は、含水率ともいい、**材料に含まれる水分の割合**を示すものである。また、熱伝導率とは、**熱の伝わりやすさを示す値**である。熱伝導率が大きいと断熱性が低くなる。（熱を遮断しにくくなる）物体内の空気量が増加すれば熱を通さないため、熱伝導率は小さくなる。物体内の質量が増えれば、熱伝導率は大きくなる。**水分の量**を増やすと**質量**が増えるため、熱伝導率は大きくなる。

3 ○　熱伝導抵抗とは、熱の**伝わりにくさ**を示す値。また、熱伝達抵抗とは、熱の**伝達のしにくさ**を表す値である。熱貫流率は、壁体の熱

の**通しやすさを示す値である**。熱貫流率は、室内外の熱伝達抵抗と熱伝導抵抗の合計の**逆数**（掛け合わせたら1になる数字）で表される。

4 ○ ある物体の温度を1℃上昇させるのに必要な熱量（J/K）を**熱容量**という。**熱容量＝比熱（J/g・K）**（単位質量当たりの物質の熱容量）×質量（g）で求められる。**熱容量が大きいと熱しにくく、冷めにくいため、熱容量の大きな建**物は、外気温度の変動に対する室内温度の変動が穏やかな変化となる。壁が厚く重いものほど熱容量は**大きくなる**。

No. 3	環境工学（音）	正答	**3**

1 ○ 音波は、**音の波**を指し、媒質粒子（波動が伝達する粒子）の振動方向と波の伝搬方向が等しい**縦波**である。

2 ○ 音速は、気温が**高くなるほど速**くなる。気温が高い場合、空気中の温度が高く、空気分子が激しく動き回ることにより、**隣の分子に速く波を伝達する**ためである。

3 × 回折とは、小穴や障害物の端を通過した音が**背後に回り込む現象**をいう。高い音ほど**直進性**が強く背後への回り込みが小さいので、塀等により遮断しやすくなる。低い音は、障害物の**背後**に回り込み

やすく塀等の遮断効果は薄くなる。よって、**高い周波数よりも低い周波数の音のほうが回折しやすい**。

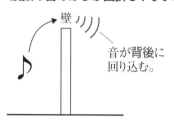

壁

音が背後に回り込む。

4 ○ マスキング効果とは、**目的の音が別の音によって聞こえなくなる**現象をいう。隠ぺい効果ともいう。それぞれの**音の周波数が近いほど**効果が**大きくなり、低い音は高い**音を聞こえなくしやすい。

No. 4	建築構造（鉄筋コンクリート造の構造計画）	正答	**4**

1 ○ ねじれ剛性（ねじれの力に対して歪まない性質）は、耐震壁等の耐震要素を、平面上の中心部に配置するよりも**外側に均一に配置し**た方が高まる。剛性より、ねじれ剛性の方が、**柔軟性があるため、外側に配置する**。

2 ○ 耐力壁（耐震壁）の構造としては、建築基準法施行令第78条の2に定められており、耐力壁の構造は、第1項第二号で開口部周囲に**径12mm以上の補強筋を配置す**ることとある。したがって、壁に換気口等の小開口がある場合でも定められた条件では耐力壁として扱うことができる。

3 ○ 平面形状が極めて長い建築物には、コンクリートの乾燥収縮や不同沈下等による問題が生じやすいため、**エキスパンションジョイント**を設ける。**エキスパンションジョイント**とは、**構造物にかかる力を逃すために設ける継目**である。

4 × 柱は、地震時の脆性破壊の危険を避けるため、軸方向圧縮応力度（断面積に対する軸方向の割合）が小さくなるようにする。圧縮応力度を弱める替わりに、**地震に対する粘り強さを向上させる**。

No. 5	建築構造 （木質構造）	正 答	1

1 × 同一の接合部にボルトと釘を併用する場合の許容耐力は、両者を加算することができない。ボルトと釘では、**最大耐力となるタイミングが異なるため**、加算することができない。

2 ○ 階数が2以上の建築物における隅柱またはこれに準ずる柱は、**通し柱としなければならない**。ただし、接合部を通し柱と**同等以上の**耐力を有するように補強した場合においてはこの限りでない。（建基準法施行令第43条第5項）

3 ○ 燃えしろ設計とは、木質材料の断面から所定の**燃えしろ寸法を除いた断面に長期荷重により生じる応力度**が、短期の許容応力度を超えないことを検証する方法である。

4 ○ 直交集成板（CLT）は、ひき板（ラミナ）を幅方向に並べたものを、その**繊維方向**が**直交**するように**積層接着**した木質系材料である。一般的な製材の繊維方向の値と比べ、**弾性係数や基準強度は小さく**なっている。

No. 6	建築構造 （鉄骨構造）	正 答	4

1 ○ 梁の変形は曲げ、圧縮、せん断変形のいずれも荷重条件、部材断面が同じであれば、**ヤング係数に比例する**。鋼材のヤング係数は、材質に関係なく2.05×10^5 N/mm^{2}で一定であり、**材質を変えてもたわみは変わらない**。SN 400 AとSN 490 Bでは、強度は異なるが同じ鋼材である。部材断面と荷重条件が同一ならば、梁のたわみは同一である。

2 ○ 座屈とは、縦長の部材が縦方向に圧縮荷重を受けたとき、**限度を超えて横方向に曲がる現象**をいう。座屈長さとは、**部材の座屈が生じる部分の長さ**をいう。**節点の水平移動が拘束**され、回転に対して両端自由なラーメン構造の柱の場合、座屈長さは設計上、節点間の距離と等しいとみなすことが可能である。

3 ○ 鉄骨造におけるトラス構造の節点は、**構造計算上、すべてピン接合として扱う**。

4 × 　柱脚には、露出柱脚、根巻き柱脚、埋込み柱脚がある。柱脚の固定度（回転拘束）の大小関係は、**露出柱脚＜根巻き柱脚＜埋込み柱脚**である。**露出柱脚より根巻き柱脚の方が高い回転拘束力をもつ。**

1 × 　**独立基礎とは、柱ごとに独立して点で支持**する基礎をいう。**べた基礎とは、柱全体を面で支持する**基礎をいう。圧密による許容沈下量は、べた基礎よりも**独立基礎の**ほうが小さい。

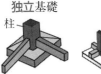
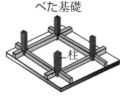

独立基礎　　　　べた基礎
柱　　　　　　　　　　柱

2 ○ 　圧密沈下とは、粘性土地盤が荷重を受け、**土中の水が排水されて体積が減少すること**により沈下する現象をいう。直接基礎下における粘性土地盤の圧密沈下は、地中の応力の増加により、長時間かかって徐々に**土中の水が絞り出されて、間隙が減少する**ために生じる。

3 ○ 　滑動抵抗とは、基礎底面が土圧により**水平に移動しようとする力に抵抗**することをいう。根入れを深くしなければ、基礎底面の摩擦抵抗が主体となり、活動を防止す

る。しかし、**根入れを深くすることにより**、**基礎側面に受動土圧が**かかるため、増して**抵抗力が上がる**。

4 ○ 　地盤の液状化は、地震時に**地下水面下の緩い砂地盤が振動を受け、地盤が液体状**になる現象である。地盤上の比重の**大きい構造物が倒れたり、比重の小さい構造物が浮き上がったりする。

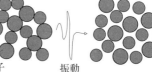

土粒子　　　　　　　振動
粒子が接触して　　　　間隙水圧の増加に
応力を伝えている　　　より、粒子間の応
　　　　　　　　　　　力がなくなる

液状化

1 × 　風圧力を求めるために用いる風力係数（C_f）は**外圧係数**（C_{pe}）と**内圧係数**（C_{pi}）との差で算出される。

2 ○ 　雪下ろしを行う慣習のある地方において、**垂直積雪量が1mを超える場合**、積雪荷重は、雪下ろしの実況に応じ**垂直積雪量を1mまで減らして**計算することができる。（建築基準法施行令第86条第6項）

3 ○ 　例えば、同施行令第85条第1項より、床の構造計算に用いる積載荷重は、劇場、映画館等の固定席の場合2,900 N/m²、その他の

場合3,500 N/m²であり、客席の積載荷重は、固定席の方が固定されていない場合より小さい。

4 ○ 同施行令第87条第2項に基づいた告示に、速度圧の算出等に用いる基準風速V_0は、その地方における過去の台風の記録に基づく風害の程度その他の風の性状に応じて、**毎秒30 mから46 mの範囲内で定められている**。これは、その地方の50年再現期間（1年間の発生確率が$\frac{1}{50}$）の10分間平均風速値に相当する。

| No. 9 | 力学 (反力) | 正答 | 1 |

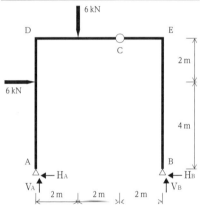

点AにおけるモーメントMₐ = 0より、
$M_A = 6\,kN × 4\,m + 6\,kN × 2\,m - V_B\,[kN] × 6\,m = 0$
$24 + 12 - 6V_B = 0$
$-6V_B = -36$

$V_B = 6\,kN$

垂直方向の力のつり合いより、
$V_A\,[kN] + V_B\,[kN] - 6\,kN = 0$より、

$V_A\,[kN] + 6\,kN - 6\,kN = 0$
$V_A = 0\,kN$

点Cの左側におけるモーメントM_C左 = 0より、
$M_C左 = -6\,kN × 2\,m - 6\,kN × 2\,m + H_A\,[kN] × 6\,m = 0$
$-12 - 12 + 6H_A = 0$
$6H_A = 24$
$H_A = 4\,kN$
水平方向の力のつり合いより
$H_A\,[kN] + H_B\,[kN] - 6\,kN = 0$より
$4\,kN + H_B\,[kN] - 6\,kN = 0$
$H_B = 2\,kN$
したがって、1が正しい。

| No. 10 | 力学 (曲げモーメント) | 正答 | 2 |

まず、図に示す梁にかかる荷重を計算する。
CD間の等分布荷重はその重心位置に等価な集中荷重Pがあるものとして計算できる。
$P = 2 × 2 = 4\,kN$となり、点Cと点Dの中点にかかる。
ここで、点A、点Bにかかる鉛直荷重をV_A、V_B（上向きを正）とする。また、点Aにかかる水平荷重をH_A（右向き正）とする。水平方向、垂直方向の力のつり合いより、
$H_A = 0\,kN$
$V_A + V_B = 4 + 6 = 10$
支点Aのモーメントのつり合いより、
$ΣA = 0$

$-4\,\mathrm{kN} \times 3\,\mathrm{m} - 6\,\mathrm{kN} \times 6\,\mathrm{m}$
$+ V_B\,[\mathrm{kN}] \times 8\,\mathrm{m} = 0$

$-12 - 36 + 8V_B = 0$

$8V_B = 48$

よって$V_B = 6\,\mathrm{kN}$

$V_A + V_B = 10\,\mathrm{kN}$より

$V_A + 6 = 10$

$V_A = 4\,\mathrm{kN}$となる。

図は点Eで12 kN/mであり、点Dまで継続する。ED間が図の最大の値となること及び点CD間は等分布荷重のため放物線状となる。

よって、ED間が最大の値でCDが放物線状となっているグラフは2のため、2が正しい。

No. 11	建築材料（鋼材）	正答	**4**

1 ○ 鋼材の熱処理には、焼入れ、焼戻し、焼なまし、焼ならしがある。焼入れは、ある特定の温度以上まで**鋼を加熱した後、急冷する方法**である。効果は鋼が硬くなり、強度が増加する。

2 ○ 鋼は、炭素量が多くなると、引張強さは増加し、伸びや靱性は低下する。炭素量が少なくなると、**粘りが増大し、加工しやすくなる。**

3 ○ SN材は、建築構造用圧延鋼材で、溶接性の保証の有無、板厚方向の引張特性の保証等を強度区分の末尾記号A、B、Cで表示する。A種は溶接を行わない部材に使用される。B種及びC種は、**塑性変**

形性能と溶接の確保が要求される部材に使用されるので、JISにより化学成分、炭素当量の上限等が規定されている。

4 × 低降伏点鋼は、添加元素を極力低減した純鉄に近い鋼で、強度が低く延性が高い鋼材である。設問は耐火鋼（FR鋼）の説明である。

No. 12	建築材料（左官材料）	正答	**2**

1 ○ しっくい（漆喰）とは、**水酸化カルシウム（消石灰）を主成分**とする建築材料で、気硬性を有し、左官材料などに使用される。

2 × せっこうプラスターは、せっこうの水和物が結晶化し、その結晶がからみ合っている組織の中の**余分な水分が蒸発・乾燥するにつれて強さが発現する。**そのため、乾燥が困難な場所や乾湿の繰返しを受ける部位では硬化不良となりやすく、耐久性が無くなるおそれがある。この場合には、多量の水分を吸収する性質の**ドロマイトプラスター**が使用される。

3 ○ セルフレベリング材は、せっこう組成物やセメント組成物に骨材や流動化剤を添加し、**セルフレベリング性**を付与し、これを床面に流し均すだけで**平坦・平滑で精度の高い床下地**をつくるものである。

4 ○ ドロマイトとは、炭酸カルシウムと炭酸マグネシウムを主成分と

した**鉱物**をいい、左官材料に用いられる。ドロマイトを用いたドロマイトプラスターは、**粘性**があり、**保水性**が良い。そのため、**こて塗**りがしやすく作業性に優れる。

| No. 13 | 建築材料（建築用板ガラス） | 正答 | **3** |

1 ○ フロート板ガラスは、**溶融した金属の上に浮かべて（フロート）製板する透明**、かつ、平滑なガラスである。一般的な板ガラスを指し、1.9 mm、2.5 mmなどの薄いガラスから22 mm、25 mmなどの厚いガラスが製板できる。

2 ○ 複層ガラスは、**複数枚の板ガラスの間に**間隙を設け、大気圧に近い圧力の**乾燥気体**を満たし、その周辺を密閉したもので、冷房負荷**の軽減**、結露防止、断熱効果のあるガラスである。

3 × 設問は熱線反射ガラスの説明である。熱線吸収**板ガラス**は、板ガラスに**鉄**、**ニッケル**、**コバルト**などを**微量添加**したもので、**冷房負荷の軽減**に効果のあるガラスである。

4 ○ 倍強度ガラスは、フロート板ガラスを軟化点まで加熱後、両表面から空気を吹き付けて冷却加工するなどにより、ガラス表面に**適切な大きさの圧縮応力層**をつくる。強度を約2倍に高め、かつ、破損したときに細片となるようにした

ガラスである。

| No. 14 | 建築材料（建築用シーリング材） | 正答 | **4** |

1 ○ シーリング材のクラスは、JIS（日本産業規格）により、**目地幅に対する拡大率及び縮小率**で区分が設定されている。（JIS A 5758）

2 ○ 1成分形シーリング材は、**あらかじめ施工に供する状態に調整されている**成分形シーリング材である。硬化機構には、**湿気硬化**（シリコーン系、変成シリコーン系、ポリサルファイド系、ポリウレタン系）、**乾燥硬化**（エマルションタイプ（アクリル系、SBR系）、溶剤タイプ（ブチルゴム系））及び**非硬化**(油性コーキング)がある。

3 ○ 2面接着とは、シーリング材が**相対する2面**で被着体と接着している状態をいう。2面接着はワーキングジョイントに適しており、**バックアップ材やボンドブレーカー**が用いられる。

4 × 2成分形シーリング材は、基剤と硬化剤を施工直前に調合して**練り混ぜて**使用する。

| No. 15 | 建築材料（内装材料） | 正答 | **1** |

1 × コンポジションビニル床タイルは、単層ビニル床タイルより**バインダー含有率（含有量）**が低い。バインダー含有率は、単層ビニル床タイルが30%以上、コンポジ

ションビニル床タイルが30％未満である。**バインダー**とは、ビニル樹脂に**可塑剤**と**安定剤**を加えたものである。

タイルの種類（JIS A 5705：2016）

区分	種類	バインダー含有率（％）
接着形	単層ビニル床タイル	30以上
	複層ビニル床タイル	30以上
	コンポジションビニル床タイル	30未満

2 ○ 段通とは、厚手の**手織り**で作られた織物で、カーペットの一種である。なお、織りカーペットは、**手織りと機械織り**がある。

3 ○ ロックウール化粧吸音板は、人造鉱物繊維のロックウールを結合**材及び混和材**を用いて成形し、表面を化粧加工した吸音板をいう。

4 ○ 強化せっこうボードは、せっこうボードの芯に**ガラス繊維などの無機質繊維**を混入したもので、性能項目として耐衝撃性や耐火炎性等が規定されている。

No. 16	舗装工事（アスファルト舗装）	正答	2

1 ○ 設計CBR（California Bearing Ratio）は、**アスファルト舗装やコンクリート舗装を決定するために用いられる**路床の支持力を表す指標であり、修正CBRは、**最大乾燥密度の95％に締め固めたもの**に対するCBRで路盤材料の品質を表す指標である。

2 × 盛土をして路床とする場合は、**一層の仕上り厚さ200 mm程度**ごとに締め固めながら、所定の高さに仕上げる。（公共建築工事標準仕様書建築工事編22.2.4（3））

3 ○ アスファルト混合物の締め固め作業は、**継目転圧→初転圧→二次転圧→仕上げ転圧**の手順で実施する。

4 ○ 初転圧は、ヘアクラックの生じない限り**できるだけ高い温度**とし、その転圧温度は、一般に110〜140℃の間で行う。なお、二次転圧終了温度は70〜90℃、交通開放時の表面温度は50℃以下で行う。

No. 17	建設設備（避雷設備）	正答	3

1 ○ 避雷設備は、**受雷部**システム、**引下げ導線**システム、**接地**システムで構成される。雷撃を受ける受雷部システムの配置は、保護しようとする**建築物の種類、重要度等に応じた4段階の保護レベル**に適合しなければならない。（JIS A 4201）

2 ○ 高さが20 mを超える建築物には、原則として、**雷撃から保護するよう避雷設備を設けなければ**ならない。（建築基準法第33条）

3 × 指定数量の10倍以上の危険物の貯蔵倉庫には、総務省令で定める**避雷設備を設ける**こと。ただし、周囲の状況によって安全上支障が

ない場合においては、この限りでない。（危険物の規制に関する政令第10条第1項第十四号）

4 ○ 受雷部システムで受けた雷撃を接地システムに導く引下げ導線システムは、**被保護物に沿って避雷導線を引き下げる方法**によるもののほか、要件を満たす場合には、被保護物の**鉄筋**または**鉄骨**を引下げ導線の構成部材として利用することができる。

No. 18	建設設備（空気調和設備）	正答	4

1 ○ 空気調和機は、室内に**湿温度を調整した空気を送る**機器をいう。一般に**エアフィルタ、空気冷却器、空気加熱器、加湿器、送風機**等で構成される装置である。

2 ○ 冷却塔は、冷凍機内で温度上昇した冷却水を、**空気**と**直接接触**させて、一部の冷却水を**蒸発**させ、**気化熱**により残りの冷却水の温度を**低下**させる装置である。

3 ○ 二重ダクト方式とは、冷風ダクト、温風ダクトの**2系統のダクト**で送られた冷風と温風を**吹出し口近傍の混合ユニットにより混合**し、各所に吹き出す方式である。

4 × 単一ダクト方式における**CAV**方式は、室内に吹き出す空気の量が**一定**で、**冷房負荷**に応じて吹き出す空気の**温度**を**変える**ことにより室温を調整する方式である。吹出し風量が**一定**のため、**各室ごとの負荷変動に対しては対応できない**。設問は、VAV方式の説明である。

No. 19	建設設備（消火設備）	正答	2

1 ○ 屋内消火栓設備は、建物の内部に設置され、人が**ノズル**を手に持って、火点に向けて**ノズルから水を放出**することにより、水の有する冷却作用により消火する設備である。

2 × スプリンクラーヘッドは、**閉鎖型、開放型、放水型、特定施設水道連結型**の**4**種類に分かれる。さらに、閉鎖型ヘッドは、**湿式、乾式、予作動式**に分かれる。湿式は、常時配管内に圧力水が満たされている一般的な方式である。閉鎖型ヘッドのスプリンクラー消火設備は、火災による**熱**を感知したスプリンクラーヘッドが自動的に開放し、散水して消火する自動消火設備である。

3 ○ 不活性ガス消火設備は、**二酸化炭素**等の消火剤を放出することにより、酸素濃度の希釈作用や気化するときの熱吸収による冷却効果で消火する設備である。消火剤がガスなので消火後の**汚損は少なく**、電気や油火災及び水損を嫌うコンピューターや電気通信機室あるいは図書館や美術館等に設置される。

4 ○ 水噴霧消火設備は、噴霧ヘッドから**微細な霧状の水を噴霧**することにより、冷却作用と窒息作用により消火する設備である。**汚損や腐食性があり**、博物館や図書館の収蔵庫などには適さない。指定可燃物の貯蔵取扱所、駐車場等、屋内消火栓やスプリンクラー設備で消火できない防火対象物に用いる。

No. 20	契約図書 (積算)	正答	1

工事費は、**工事価格**と消費税等相当額に分かれ、工事価格は、**工事原価**と一般管理費等に分別される。また、当該**工事原価**は、**純工事費**と現場管理費に分かれ、純工事費は、直接工事費と共通仮設費に分別される。

したがって、1が正しい。

No. 21	仮設工事 (乗入れ構台)	正答	3

1 ○ 乗入れ構台の支柱と山留めの切梁支柱を**兼用**する場合は、**荷重**に対する**安全性**を確認したうえで兼用する。

2 ○ 道路から乗入れ構台までの**乗込**みスロープの勾配は、一般に$\frac{1}{10}$～$\frac{1}{6}$とする。（JASS 2）

3 × 乗入れ構台の支柱は、使用する基礎などの**地下構造部の配置**によって位置を決める。

4 ○ 乗入れ構台の幅は、使用する施工機械、車両・アウトリガーの幅、配置及び動線等により決定する。通常、計画される幅員は、4～10 mである。最小限1車線で4 m、2車線で6 m程度は必要である。（JASS 2）

No. 22	土工事 (土工事)	正答	4

1 ○ ディープウェル工法とは、根切り部内あるいは外部に径500～1,000 mmの管を打ち込み、帯水層を削孔して、径300～600 mmのスクリーン付き井戸ケーシング管を設置してウェルとし、水中ポンプあるいは水中モーターポンプで帯水層の地下水を排水する工法である。**盤ぶくれの防止対策として用いられる工法である。**

＊盤ぶくれの発生が事前の検討に

No.20

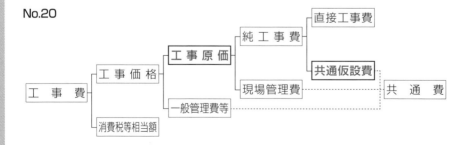

より予測された場合の対策

1）掘削底面（不透水層）下の**地下水位（圧）をディープウェル等**によって**低下させる**。

2）止水性の山留め壁を延長し、**被圧帯水層の下の不透水層に根入**れする。

3）掘削場内を地盤改良し、地下水を遮断し土被り圧を**増加**させる。

2 ○ 法付けオープンカット工法とは、**安定な斜面を残して掘削する方法**で、建物の周囲が広い場合に適用される。法付けオープンカット工法の法面は雨水、乾燥の繰り返しにより崩れやすくなっているため、モルタル吹付け、シート張り、集水・排水溝により法面を保護する。モルタル吹付けとする場合、**法面に水抜き孔を設ける**。

3 ○ 法付けオープンカット工法のすべり面の形状が経験的に円形に近いことから、粘性土地盤では、**円弧すべり面を仮定する**ことが一般的である。

4 × ウェルポイントで掘削場内外の地下水位を**低下**させるのは、**砂質地盤におけるボイリングの発生防止の対策**である。粘性土地盤で発生する**ヒービングの発生防止に有効**なのは山留め壁を良質な地盤まで根入れすることや**軟弱地盤を改良**することである。

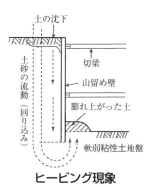

ヒービング現象

| No. 23 | 土工事（山留め工事の管理） | 正答 | 4 |

1 ○ 傾斜計を用いる方法は、**山留め壁設置直後から変形測定ができる**ので、よい方法であるが、不動点を壁下端とすることが多いため、壁下端が動いた場合、測定値の確からしさが損なわれるので注意が必要である。

2 ○ 山留め壁周辺の地盤の沈下を計測するための基準点は、**山留め壁から離れた不動点とみなせる位置に設ける**。

3 ○ 山留め壁は、変形の**管理基準値**を定め、その計測値が管理基準値に近づいた場合の**具体的な措置**をあらかじめ計画する。変形の管理基準値と具体的な措置については、特に確立されたものはないが、公共建築工事標準仕様書で以下のように記されている。「山留め設置期間中は、常に周辺地盤及び山留めの状態について、**点検及び計測する**。異常を発見した場合は、直

ちに適切な措置を講じ、監督職員に報告する。」（公共建築工事標準仕様書建築工事編3.3.2）

4× 切梁にかかる軸力は、端部より中央部の方が**低く**なるため、**盤圧計（油圧式荷重計）を切梁の中央部に設置**すると、**正確に軸力を計測できない**。また、安全上の点からも好ましくない。盤圧計は、**火打梁の基部や腹起しと切梁の接合部に設置**するのが好ましい。

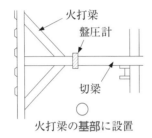

　　　　火打梁の基部に設置

　腹起しと切梁の接合部に設置

　　　切梁中央部に設置

盤圧計の位置

No. 24	地業工事（場所打ちコンクリート杭）	正答	**4**

1○ コンクリートの打込みにおいて、トレミー管のコンクリート中への挿入長さが長すぎると、**コンクリートの流出が悪くなる**ため、最長でも**9m**とする。（建築工事監理指針）

2○ ケーシングチューブを用いる場合（オールケーシング工法）、スペーサーはD13以上の鉄筋を用いる。ケーシングチューブを用いない場合（アースドリル工法、リバース工法及びBH工法）は、**鉄筋だと孔壁を損傷する**ので、杭径1.2 m以下の場合は鋼板4.5×38 mm、杭径1.2 mを超える場合は鋼板4.5×50 mm程度のものとする。

3○ オールケーシング工法における孔底処理は、**孔内水がないか少量の場合**には、掘削用の**ハンマーグラブ**を用いて、掘削時に底部に落下した掘りくずを除去する。

4× リバース工法は、掘削孔内に**水を満たし、孔壁保護を行う**工法である。孔内水位は、地下水位より**2 m以上高く**保つようにする。

No. 25	鉄筋工事（鉄筋ガス圧接）	正答	**1**

1× 隣り合うガス圧接継手の位置は、**400 mm以上ずらさなければならない**。

2○ 圧接部の**ふくらみの長さ**は、鉄

筋径の1.1倍以上とする。（公共
建築工事標準仕様書建築工事編
5.4.4（イ））

3 ○　柱主筋のガス圧接継手位置は、**梁上端**から**500**mm**以上**、**1,500**mm以下、かつ、**柱の内法高さの$\frac{3}{4}$以下**とした。

4 ○　圧接部における鉄筋中心軸の**偏心量**は、鉄筋径の$\frac{1}{5}$以下（径が異なる場合は細い方の径による）とする。（同仕様書同編5.4.4（エ）（カ））

D 29のため、29÷5＝5.8 mm。よって5 mm以下は規定値の範囲内である。

No. 26	コンクリート工事（コンクリート調合）	正答	2

1 ○　再生骨材Hとは、**建築物の解体**などによって発生した**コンクリート塊を粉砕、磨砕等**の処理を行って製造したコンクリート用の**再生骨材**である。

公共建築工事標準仕様書建築工事編6.3.2（イ）（b）より、水セメント比の最大値は、次による。

①普通、早強及び中庸熱ポルトランドセメント並びに混合セメントA種の場合は65％、低熱ポルトランドセメント及び混合セメントB種の場合は60％、普通エコセメントの場合は55％とする。

②再生骨材Hを使用する場合は60％とする。

2 ×　コンクリートの調合強度は、コンクリートの調合を決定する際に目標とする圧縮強度であり、コンクリートの調合管理強度とコンクリートの圧縮強度の**標準偏差**から定められる。コンクリート工場に実績がない場合、2.5 N/mm²または（調合管理強度）×0.1の**大きい方**の値とする。

3 ○　コンクリートの品質を確保するために、**単位水量**は一般に185 kg/m³以下とし、所要の品質が得られる範囲内で、**できるだけ小さくする**。（公共建築工事標準仕様書建築工事編6.3.2（イ）（c））単位水量が大きくなると**乾燥収縮、ブリーディング、打込み後の沈降**などが**大きくなり**、コンクリートの品質、特に耐久性上好ましくない。

4 ○　コンクリートに含まれる塩化物量は、**塩化物イオン量**で0.30 kg/m³以下とする。（同仕様書同編6.3.2（イ）（g））

No. 27	鉄骨工事（高力ボルト接合）	正答	4

1 ○　締付け後の**高力ボルトの余長**は、ねじ1山から6山までの範囲であること。（公共建築工事標準仕様書建築工事編7.4.8（1）（ア）（d））

2 ○　ねじの呼びがM 22のトルシア形高力ボルトの長さは、締付け長さに35 mmを**加えた値**を標準とする。(JASS 6)（次ページの表参照）

87

締付け長さに加える長さ

ボルトの 呼び径	締付け長さに加える長さ (mm)	
	トルシア形 高力ボルト	JIS形 高力ボルト
M12	–	25
M16	25	30
M20	30	35
M22	35	40
M24	40	45
M27	45	50
M30	50	55

3 ○ 高力ボルトの接合部で**肌すき**が**1 mm を超える場合**は、**フィラープレート**を入れる。(同仕様書同編7.4.6 (2))

4 × ナット回転法による締付け完了後の検査は、**1次締付け後**のナットの回転量が**120°±30°** の範囲にあるものを合格とする。(JASS 6)

No. 28	鉄骨工事 (大空間鉄骨架構)	正答	1

1 × 地組みした所定の大きさのブロックをクレーン等で吊り上げて架構を構築する工法は**ブロック工法**である。**リフトアップ工法**とは、地上または構台上で組み立てた屋根架構を、先行して構築した**構造体を支え**として、**ジャッキ等により引き上げていく工法**である。

2 ○ 総足場工法とは、**必要な高さまで足場を組み立てて、作業用の構台を全域にわたり設置し**、架構を構築する工法である。

3 ○ 移動構台工法とは、移動構台上で所定の部分の屋根鉄骨を組み立てた後、**構台を移動**させ、順次架

構を構築する工法である。

4 ○ **スライド工法**は、作業構台上で所定の部分の屋根鉄骨を組み立てた後、その**ユニット**を所定位置まで順次滑動横引きしていき、最終的に架構全体を構築する工法である。

No. 29	木工事 (木質軸組構法)	正答	4

1 ○ 1階及び2階部の上下同位置に構造用面材の耐力壁を設ける場合は、**胴差部**において、**構造用面材相互間**に、原則として、**6 mm以上**のあきを設ける。(木造住宅工事仕様書)

2 ○ 木材の接合等に用いるラグスクリュー(ヘッドがナット状の木ねじ)の締付けは、**そのまま締め付けると木材が割れる**ので、**先に孔をあけてから**、スパナを用いて回しながら行う。

3 ○ 接合金物のボルトの締付けは、座金が木材へ軽くめり込む程度とし、工事中、木材の**乾燥収縮により緩んだナットを締め直す**。

4 × 木造建築物に用いる大断面集成材の許容誤差は次表のとおりである。**集成材にあけるボルト孔の間隔の許容誤差**は、**±2 mm**とする。

木造建築物における大断面集成材の許容誤差

項目		許容誤差
ボルト孔の間隔		**±2 mm**
ボルト孔 の径	16 mm未満	+1 mm
	16 mm以上	+2 mm

ドリフトピンの孔の径	±0 mm（ピン径と同径）
柱材の長さ	±3 mm
梁材の曲がり	長さの$\frac{1}{1,000}$以下

No. 30 仮設工事（揚重運搬機械） 正答 1

1 × 建設用リフトは、荷のみを運搬することを目的とするエレベーターで、**土木、建築等の工事の作業に使用**されるもの（ガイドレールと水平面との角度が80°未満のスキップホイストを除く。）をいう。（労働安全衛生法施行令第1条第十号）

2 ○ タワークレーンのブーム等、**高さが地表または水面**から60 m以上となる場合、原則として、**航空障害灯を設置**する。（建築工事監理指針）

3 ○ 移動式クレーンは、**6,600 Vの配電線**からの安全距離を2 m以上確保する。（同指針）

4 ○ ロングスパン工事用エレベーターは、**安全上支障がない場合**、搬器の昇降を知らせるための警報装置を備えないことができる。（エレベーター構造規格第32条）

No. 31 防水工事（ルーフィングシート防水） 正答 2

1 ○ 加硫ゴム系シート防水接着工法において、重ね幅は**平場部の接合部**は100 mm以上、**立上り部**と

平場部の接合部は150 mm以上とする。（公共建築工事標準仕様書建築工事編9.4.4（6）（エ））

2 × 加硫ゴム系シート防水の**出隅角の処理**は、シートの張付けに先立ち、非加硫ゴム系シートを用いて増張りする。（JASS 8）

3 ○ 下地ALCパネル面に**塩化ビニル樹脂系シート防水の接着工法**で施工する場合、ALCパネル面に**プライマー**を塗布する。

4 ○ エチレン酢酸ビニル樹脂系シート相互の接合部は、原則として**水上側のシートが水下側のシートの上になるように**張り重ね、その平場の接合幅は、長手、幅方向とも100 mm以上とする。（JASS 8）

No. 32 防水工事（シーリング工事） 正答 1

1 × 外壁ALCパネル張りに取り付けるアルミニウム製建具の周囲の目地シーリングは、**ワーキングジョイント**のため、2面接着とする必要がある。

2 ○ ポリウレタン系シーリング材に後打ちできるシーリング材には、**変成シリコーン系、シリコーン系、ポリサルファイド系**等がある。（JASS 8）

3 ○ シーリング材の打継ぎ箇所は、目地の**交差部及びコーナー部を避け**、そぎ継ぎとする。シーリング材の打始めは、原則として、目地

の交差部あるいは角部から行う。
（公共建築工事標準仕様書建築工事編9.7.4（4）（キ））

4 ○　コンクリートの水平打継ぎ目地のシーリングは、**ノンワーキングジョイント**のため、3面接着とし、塗装がない場合、1・2成分形変成シリコーン系シーリング材または2成分形ポリサルファイド系シーリング材を用いる。

| No. 33 | タイル工事（壁タイル後張り工法） | 正答 | **3** |

1 ○　密着張りの張付けモルタルは**2度塗り**とし、タイルは、**上から下**に**1段置きに数段張り付けた**後、それらの間のタイルを張る。

2 ○　モザイクタイル張りの張付けモルタルの塗付けは、いかに薄くとも**2度塗り**とし、**1度目は薄く下地面にこすりつけるように塗り**、下地モルタル面の微妙な凸凹にまで張付けモルタルが食い込むようにし、次いで張付けモルタルを塗り重ね、3 mm程度の厚さとし**定規を用いてむらのないように塗厚を均一**にする。（建築工事監理指針）

3 ×　改良積上げ張りは、**張付けモルタルを塗厚7～10 mm**としてタイル裏面に塗り付けた状態で張り付ける。（JASS 19）

4 ○　改良圧着張りの下地面への張付けモルタルは2**度塗り**とし、その合計の塗厚を4～6 mmとする。

タイル側への塗付けの場合、1～3 mmとする。（公共建築工事標準仕様書建築工事編11.2.6(3)（ア）、表11.2.3）

| No. 34 | 屋根工事（心木なし瓦棒葺） | 正答 | **1** |

1 ×　水上部分と壁との取合い部に設ける雨押えは、**壁際で120 mm程度立ち上げてむだ折りを付ける。**（JASS 12）

2 ○　通し吊子はマーキングに合わせて平座金を付けたドリルねじで**下葺材、野地板を貫通させ母屋に固定する。**（JASS 12）

3 ○　棟部の納めは、溝板の**水上端部**に八千代折とした**水返し**を設ける。当該部分に**棟包み**を取り付けて覆い被せる。（建築工事監理指針）

4 ○　けらば部の溝板の幅は、**心木なし瓦棒の働き幅**の$\frac{1}{2}$以下とする。（同指針）

| No. 35 | 左官工事（複層仕上塗材） | 正答 | **3** |

1 ○　上塗材は、**0.25 kg/m²以上を2回塗り**で、**色むらが生じないように塗り付ける。**（公共建築工事標準仕様書建築工事編表15.6.1（その3））

2 ○　主材の**基層塗り**は2回塗りとし、だれ、ピンホール、塗り残しのないよう下地を覆うように塗り付ける。主材基層の所要量は1.7 kg/m²以上とする。（公共建築工事標

準仕様書建築工事編表15.6.1（その3））

3 × 入隅、出隅、目地部、開口部まわりなど均一に塗りにくい箇所は、**はけやコーナー用ローラー**などで、主材塗りの前に増塗りを行う。

4 ○ 主材の凹凸状の模様塗りは、**見本と同様**になるように、吹付け工法により行う。

No. 36	建具工事（アルミニウム製建具）	正答	4

1 ○ アルミニウム製建具の取付け精度は±2 mmとする。連窓の取付けの基準は、**ピアノ線**を張って施工する。

2 ○ アンカーの位置は、開口部より150 mm内外を端とし、中間は500 mm内外の間隔とする。アンカーと差し筋は**最短距離**で溶接する。（JASS 16）

3 ○ 充填モルタルに使用する砂の塩化物量は、NaCl換算0.04%（質量比）以下とする。**海砂等を使用する場合は除塩**する。（JASS 16）

4 × アルミニウム板を加工して、枠、かまち、**水切り**、膳板及び額縁に使用する場合の厚さは1.5 mm以上とする。（建築工事監理指針）

No. 37	内装工事（合成樹脂塗床）	正答	3

1 ○ 流し展べ工法とは、塗床材あるいは塗床材に骨材を混合することによって、平滑に仕上げるセルフ

レベリング工法で、**実験室、工場**等に使用される。（建築工事監理指針）

2 ○ **合成樹脂を配合したパテ材や樹脂モルタル**で下地調整を行う場合は、**プライマーを塗布し乾燥後に**行うのが一般的である。（同指針）

3 × コーティング工法は一般に、アクリル樹脂、エポキシ樹脂、ウレタン樹脂等の樹脂に着色剤、充填剤、溶剤または水、仕上調整剤などの添加剤を配合した低粘度の液体（**ベースコート**）を、**ローラー**あるいは**スプレー**により1～2回**塗布する工法**である。（JASS 26）

4 ○ エポキシ樹脂系モルタル塗床の防滑のための骨材散布は、**トップコート1層目の塗布と同時に行う**等、上塗り1回目が硬化する前に製造所が指定する骨材をむらのないように均一に塗布する。（同指針）

No. 38	内装工事（せっこうボード張り）	正答	2

1 ○ テーパーエッジボードの**突付けジョイント部**における目地処理の上塗りは、幅200～250 mm程度に**ジョイントコンパウンドを塗り広げて**平滑にする。（建築工事監理指針）

2 × せっこう系接着材による直張り工法における張付け用接着材の塗付け間隔は、**ボード周辺部を150～200 mm**、床上1.2 m

以下の部分を200〜250 mm、床上1.2 mを超える部分を250〜300 mmとする。

接着材の間隔

下地	部位	取付け方法	周辺部 [mm]	中間部 [mm]	
				床上 1.2 m 以下	床上 1.2 m 超える
コンクリート ALCパネル コンクリートブロック	壁	接着材	150 〜 200	200 〜 250	250 〜 300
	梁		100 〜 150	200〜250	

3 ○ せっこう系接着材による直張り工法において、躯体から仕上がり面までの寸法は、**厚さ9.5 mmのボード**で20 mm程度、**厚さ12.5 mmのボード**で25 mm程度とする。

4 ○ ボードの下端部は、**床面からの吸水を防止するため**、床面から10 mm程度浮かして張り付ける。（同指針）

No. 39	押出成形セメント板工事（セメント板張り）	正答	**1**

1 × 長辺の目地幅は10 mm以上、短辺の目地幅は15 mm以上とする。したがって、縦張り工法のパネルは、**縦目地を10 mm以上、横目地を15 mm以上**とする。（公共建築工事標準仕様書建築工事編 8.5.3（9））

2 ○ 漏水に対する対策が特に必要な場合は、**シーリングによる止水のみではなく**、二次的な漏水対策として、室内側にガスケット、パネル張り最下部に水抜きパイプを設ける。（建築工事監理指針）

3 ○ 欠込み幅の**限度**は、**パネル幅の** $\frac{1}{2}$ 以下、かつ、300 mm以下とする。

4 ○ 層間変形に対して、**縦張り工法の場合はロッキング、横張り工法の場合はパネルのスライドにより変位を吸収する**。また、横張り工法のパネル取付け金物（Ｚクリップ）は、パネル左右の**下地鋼材**に取り付ける。（JASS 27）

No. 40	施工計画（仮設計画）	正答	**1**

1 × 事業者は、労働者を常時就業させる場所の**作業面の照度**を、次の表に掲げる作業の区分に応じて、基準に適合させなければならない。普通作業の場合は150ルクス以上である。（労働安全衛生規則第604条）

作業の区分	基準
精密な作業	300ルクス以上
普通の作業	150ルクス以上
粗な作業	70ルクス以上

2 ○ 傾斜地に設置する仮囲いの下端に隙間が生じた場合、**隙間を塞ぐため、土台コンクリートや木製の幅木等を設ける**こととする。

3 ○ 前面道路に設置する**仮囲い**は、道路面を傷めないようにするため、道路に接触する下部はＨ形鋼等を

用いて保護する。

4 ○　女性用便房に関しては、労働安全衛生規則第628条第1項第四号に、**20人を超えた場合**の便房の数は、「1に、同時に就業する女性労働者の数が20人を超える20人又はその端数を増すごとに1を加えた数」とあり、女性用便房を2個設置する計画は**適切である**。

| No. 41 | 施工計画 (仮設設備の計画) | 正答 | **1** |

1 ×　工事用の動力負荷は、工事用電力量の**山積みの60%**を**実負荷**として、**最大使用電力**を決定する。(建築工事監理指針)

2 ○　水道本管からの**供給水量の増減に対する調整**のため、工事用の給水設備には、**2時間分程度の使用水量**を確保できる容量の貯水槽を設置する計画とする。

3 ○　アースドリル工法による**掘削に使用する水量**は、掘削速度などによって異なるが、計画の目安は1台当たり10 m³/hである。(JASS 2)

4 ○　道路法施行令第11条の2第1項第二号ロにより、「電線の頂部と路面との距離が、保安上又は道路に関する工事の実施上の支障のない場合を除き、車道にあっては0.8 m、歩道（歩道を有しない道路にあっては、路面の幅員の3分の2に相当する路面の中央部以外の部分。）にあっては0.6 mを超えて

いること。」と規定があることから、工事用電気設備のケーブルを直接埋設するため、その深さを、**車両その他の重量物の圧力を受けるおそれがある場所を除き**60 cm以上とし、埋設表示する計画とする。

| No. 42 | 施工計画 (施工計画) | 正答 | **3** |

1 ○　コンクリート躯体工事において、**現場作業の削減**と**能率向上**により**工期短縮**が図れるプレキャストコンクリート部材を使用する計画とする。

2 ○　地下躯体工事と並行して上部躯体を施工する逆打ち工法は、大規模、大深度の工事において、**工期短縮**に有効な計画である。

3 ×　吹付け工法は、施工中の**粉塵が飛散しやすく被覆厚さの管理もし**にくいので、鉄骨工事において、**施工中の粉塵の飛散をなくし、被覆厚さの管理を容易**にするためには、ロックウールの耐火被覆は成形板工法や巻付け工法を計画する。

4 ○　既製杭工事のプレボーリング埋込み工法において、**オーガー駆動装置の電流値や積分電流値等**の上昇変化・波形変化により**支持層への到達**を判断することができる。

| No. 43 | 施工計画 (建設工事の記録) | 正答 | **4** |

1 ○　過去の不具合事例等を調べ、監理者に確認し、**あとに問題を残し**

そうな施工や材料については、記録を残す必要がある。例えば、コンクリート打設後に鉄筋の配置について確認することができないため、後に問題となりそうな配筋箇所などは、記録に残しておく必要がある。

2○　デジタルカメラによる工事写真は、不要に有効画素を大きくすると、**ファイル容量が大きくなり、操作性も低くなる**ので、目的物及び黒板（白板）の文字等が確認できる範囲で**適切な有効画素数**を設定する。

3○　既製コンクリート杭工事の施工サイクルタイム記録、電流計や根固め液等の記録は、**発注者から直接工事を請け負った建設業者**が、保存する期間を定めて保存する。

4×　**設計図書に示された品質が証明されていない材料**について、建設業者は現場内への搬入前に試験を行い、**記録を保存**する。品質が証明されていない材料を使用した場合、不具合が起きた時の責任の所在や、発注者からのクレームにつながってしまうため記録を保存する。

No. 44	施工計画（工期と費用）	正答	2

1○　ノーマルタイム（標準時間）とは、**直接費が最小となるときに要する工期**をいう。なお、直接費と

は、工事に直接かかる費用のことで、材料費や労務費等が含まれる。

2×　間接費は、現場管理費や共通仮設費等からなり、**工期が短縮する**と現場管理費（家賃、光熱費、直接工賃金以外の給料等）は**減少する**。

3○　**クラッシュタイム**（特急時間）とは、どんなに**直接費を投入しても、ある限度以上には短縮できない工期**をいう。

4○　総工事費は直接費と間接費を合わせたものである。工期を最適な工期より短縮すると、**直接費の増加が大きくなるため総工事費は増加**する。（最たる例が突貫工事である）また、**最適工期を超えて延長**すると、間接費が工期に比例し増えるため、**総工事費は増加**する。

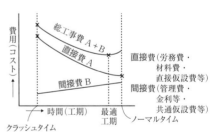

工期とコスト

第一次検定試験（午後の部）

| No. 45 | 工程計画
（工程計画及び工程表） | 正答 | 4 |

1 ○ 工程計画には、大別して**作業ご**とにかかる**日数を積み上げていく積上方式**と、工期を決めて**作業ごとの日程を割り付けていく割付方式**があり、**工期が制約されている場合**は、一般に、**割付方式**を採用する。

2 ○ 工程計画において、労務、資機材等の山積み工程を考え、**効果的な労務、資機材の活用**のために山均しによる均等化を行う。

3 ○ 工程表は、延べ日数（作業に実際に必要な日数）に対して、休日及び天候等を考慮した**実質的な作業可能日数を算出**し、暦日換算を行い作成する。

4 × 基本工程表は、**工事の主要作業の進捗**とともに、各工事の作業手順と工期を示したものである。特定の部分や職種を取り出し、それにかかわる作業、順序関係、日程などを示したものは、部分工程表や職種別工程表である。

| No. 46 | 工程計画
（タクト手法） | 正答 | 3 |

1 ○ タクト手法は、主に**繰り返し作業**の工程管理に用いられる。作業を繰り返し行うことによる**習熟効果**によって生産性が向上するため、工事途中で、**所要日数の短縮や作**

業者数の削減を検討する。

2 ○ 設定したタクト期間では終わることができない一部の作業については、**タクト期間内で終わるよう**に、当該作業の作業期間をタクト期間の**整数倍**に設定して計画する。

3 × 各作業が連続して行われているため、1つの作業に遅れがあると、タクトを構成する工程**全体への影響が大きい**。

4 ○ 一連の作業は同一の日程で行われ、**各作業が工区を順々に移動する**ことになるので、切れ目のない工程を編成することができる。

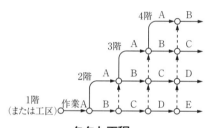

タクト工程

| No. 47 | 品質管理
（品質管理） | 正答 | 3 |

1 × 品質計画の目標のレベルにかかわらず、**緻密な管理を行うことは適当ではない**。品質計画の目標のレベルに合わせた品質管理を行うことが有効である。

2 × 品質の目標値を大幅に上回る品質が確保されている場合、**過剰品質として工期、コストの面から優**れた品質管理とはいえない。

3 ○ 品質管理では、品質確保のため

の作業標準を作成し、作業標準どおり行われているか管理を行う。

4 × 品質管理は、施工段階より計画段階で検討するほうが、**より効果的**である。

No. 48	品質管理（試験及び検査）	正答	3

1 ○ コンクリートスランプ**18 cm**のスランプの許容差は、**スランプ8 cm以上18 cm以下**のため、**±2.5 cm**である。（JIS A 5308）

JIS A 5308
荷卸し地点でのスランプの許容差
（単位cm）

スランプ	スランプの許容差
2.5	± 1.0
5及び6.5	± 1.5
8以上18以下	± 2.5
21	± 1.5

2 ○ 超音波探傷試験による抜取検査で不合格になったロットは、**圧接方法、圧接機**などに何らかの**欠陥要因がある**ものと考えられる。不合格になった**原因を確かめる**とともに同じロットの残り全数の圧接部について欠陥がないか超音波探傷試験を行う。（公共建築工事標準仕様書建築工事編5.4.11(2)（ア））

3 × 主な不良圧接の補正は、次の表のとおりとする。圧接部における相互の鉄筋の圧接面のずれ及び**鉄筋中心軸の偏心量が規定値を超えた場合**等は、圧接部を**切り取って再圧接**しなければならない。再加

熱にて修正を行うのは、ふくらみの径・長さが足りない場合、著しい折れ曲がりが生じた場合に限られる。（同仕様書同編5.4.11(1)（ウ））

不良圧接の補正

切り取って再圧接	再加熱で修正
①鉄筋中心軸の偏心量が$\frac{1}{5}$dを超えた場合	①ふくらみの径が1.4 dに満たない場合
②圧接面のずれが$\frac{1}{4}$dを超えた場合	②ふくらみの長さが1.1 dに満たない場合
③ふくらみが著しいつば形の場合	③圧接部に著しい曲がりを生じた場合（明らかな折れ曲がり）

注）d：鉄筋径

4 ○ コンクリートの**空気量の許容差**は、±1.5 %である。（JIS A 5308）

No. 49	施工計画（解体工事）	正答	2

1 ○ 壁等を転倒解体する際の振動対策として、先行した解体作業で発生したガラ（コンクリート破片）を**クッション材**として転倒する位置に敷くことは、**振動、騒音の発生抑制**に有効である。

2 × 振動レベルの測定器の**指示値が周期的に変動**する場合は、変動ごとに指示値の最大値の平均を求め、その値を**振動レベル**とする。

3 ○ 振動ピックアップとは、解体作業等の**振動を検知し電気信号に変**

換する機器である。設置場所は、緩衝物がなく、かつ、十分踏み固めた堅い場所に設定する。

4 ○ 鉄筋コンクリート造建築物の解体工事における**コンクリートカッター**を用いる切断工法は、**振動や騒音の発生を抑制できる**ので、周辺環境保全に配慮した工法である。

No. 50 安全管理（労働災害） 正答 4

1 ○ 労働者とは、職業の種類を問わず、**事業または事務所に使用される者**で、賃金を支払われる者をいう。（労働基準法第9条）

2 ○ **強度率**とは、1,000延労働時間当たりの**労働損失日数**で表すもので、災害の重さの程度を示す。

$$強度率 = \frac{延労働損失日数}{延実労働時間数} \times 1,000$$

3 ○ 労働災害における**重大災害**とは、不休災害を含む一時に3名以上の労働者が死傷または罹病した災害をいう。

4 × 労働災害とは、労働者が労務に従事したことにより、**負傷、疾病、死亡する**ことをいう。労働災害には、物的災害は含まれない。（労働安全衛生法第2条第一号）

No. 51 安全管理（公衆災害防止対策） 正答 3

1 ○ 建物解体工事における**防音と落下物防護**のため、**足場の外側面**に防音シートを設置する。

2 ○ 防護棚は、建築工事を行う部分が、地盤面からの高さが10 m以上の場合にあっては1段以上、**20 m以上の場合**にあっては2段以上設ける。（建設工事公衆災害防止対策要綱建築工事編第28の1）

3 × 防護棚（朝顔）の敷板は、厚さ30 mm程度のひき板、合板足場板、または厚さ1.6 mm以上の**鉄板**を用いて、足場板または鉄板は、隙間のないようにする。（JASS 2）

4 ○ 発注者及び施工者は、**地盤アンカーの先端が敷地境界の外に出る場合**には、敷地所有者または管理者の許可を得なければならない。（同要綱同編第55の2）

No. 52 法規（労働安全衛生規則） 正答 2

1 ○ 型枠支保工の組立て等作業主任者は、**作業中、要求性能墜落制止用器具等及び保護帽の使用状況を監視する**ことと規定されている。（労働安全衛生規則第247条第三号）

2 × 事業者が行うべき事項として、**作業の方法及び順序の作業計画を定める**ことと規定されている。（同規則第517条の2及び5）

3 ○ 地山の掘削作業主任者の職務は、**作業の方法を決定し、作業を直接指揮する**ことと規定されている。（同規則第360条第一号）

別冊 第一次検定 正答・解説

97

4 ○　土止め支保工作業主任者の職務として、**材料の欠点の有無並びに器具及び工具を点検し、不良品を取り除く**ことと規定されている。（同規則第375条第二号）

1 ×　事業者は、高さが2m以上の箇所で作業を行う場合において、**強風、大雨、大雪等の悪天候**のため、当該作業の実施について危険が予想されるときは、**当該作業に労働者を従事させてはならない。**（労働安全衛生規則第522条）

2 ○　事業者は、**高さまたは深さが1.5mを超える箇所で作業を行う**ときは、当該作業に従事する**労働者が安全に昇降するための設備**等を設けなければならない。ただし、安全に昇降するための設備等を設けることが作業の性質上著しく困難なときは、この限りでない。（同規則第526条第1項）

3 ○　事業者は、**アーク溶接等**（自動溶接を除く。）の作業に使用する**溶接棒等のホルダー**については、感電の危険を防止するため必要な**絶縁効力及び耐熱性を有する**ものでなければ、使用してはならない。（同規則第331条）

4 ○　事業者は、明り掘削の作業を行う場合において、掘削機械、積込機械及び運搬機械の使用によるガス導管、地中電線路その他地下に在する工作物の損壊により労働者に危険を及ぼすおそれのあるときは、これらの機械を使用してはならない。（同規則第363条）

1 ×　事業者は、酸素欠乏危険作業については、**第1種酸素欠乏危険作業**にあっては酸素欠乏危険作業主任者技能講習または酸素欠乏・硫化水素危険作業主任者技能講習を修了した者のうちから、**第2種酸素欠乏危険作業**にあっては酸素欠乏・硫化水素危険作業主任者技能講習を修了した者のうちから、酸素欠乏危険作業主任者を選任しなければならない。（酸素欠乏症等防止規則第11条第1項）

2 ○　事業者は、労働安全衛生法施行令第21条第九号に掲げる作業場について、**その日の作業を開始する前**に、当該作業場における空気中の酸素（第2種酸素欠乏危険作業に係る作業場にあっては、酸素及び硫化水素）の濃度を測定しなければならない。事業者は、測定を行ったときは、そのつど、**測定日時、測定方法、測定箇所、測定条件、測定結果などを記録して**、これを3年間保存しなければならない。（酸素欠乏症等防止規則第3条）

3 ○　事業者は、酸素欠乏危険作業に労働者を従事させる場合は、当該作業を行う場所の**空気中の酸素の濃度を18％以上**（第2種酸素欠乏危険作業に係る場所にあっては、空気中の酸素の濃度を18％以上、かつ、硫化水素の濃度を100万分の10以下）に保つように換気しなければならない。ただし、爆発、酸化等を防止するため換気することができない場合または作業の性質上換気することが著しく困難な場合は、この限りでない。（同規則第5条第1項）

4 ○　事業者は、酸素欠乏危険作業に労働者を従事させるときは、空気中の酸素の濃度測定を行うため必要な測定器具を備え、または**容易に利用できるような措置を講じて**おかなければならない。（同規則第4条）

No.55 施工計画（材料の保管）　正答 1,3

1 ×　**車輪付き裸台や木箱・パレットで運搬してきた板ガラスは、その**まま**保管**する。また、保管中の移動は極力避けるようにする。

2 ○　ロールカーペットの保管場所は、直射日光や湿気による変色や汚れ防止のため屋内とし、乾燥した平らな床の上に**縦置きせず、必ず横に倒して**、2〜3段までの俵積みで保管する。タイルカーペットの

場合は、5〜6段積みまでとする。

3 ×　高力ボルトは、規格、種類、径、長さ、ロット番号ごとに整理して**乾燥した場所に保管**し、施工直前に**包装を解く**。

4 ○　防水用の袋入りアスファルトを屋外で保管する場合は、シート等を掛けて雨露に当たらず、土砂等に汚れないようにする。なお、**積み重ねて保管**するときは、**荷崩れに注意して10段を超えて積まないようにする**。（建築工事監理指針）

5 ○　プレキャストコンクリートの床部材を積み重ねて平置きとする場合は、水平になるよう台木を**2本敷いて、上部の部材の台木と下部の部材の台木が同じ平面位置になる**ようにする。

No.56 コンクリート工事（型枠支保工）　正答 2,3

1 ○　材料の許容応力度は、**支保工以外**のものについては、長期許容応力度と短期許容応力度の**平均値**とする。（JASS 5）

2 ×　コンクリート打込み時に型枠に作用する鉛直荷重は、**コンクリートと型枠による**固定荷重に積載荷重**を加えた値**とする。

3 ×　支柱を立てる場所が**沈下するお**それがなくても、**脚部の固定と根がらみの取付けは行わなければならない。

4 ◯ 配筋、型枠の組立てまたはこれらに伴う資材の**運搬**、**集積**等は、これらの荷重を受けるコンクリートが有害な影響を受けない**材齢**に達してから**開始**する。（建築工事監理指針）

5 ◯ 支柱は**垂直**に立て、**上下階の支**柱は、可能な限り**平面上の同一位**置とする。また、地盤に支柱を立てる場合は、**地盤を十分締め固め**るとともに、**剛性のある板を敷く**など**支柱が沈下しない**よう必要な措置を講ずる。（同指針）

No. 57	コンクリート工事（コンクリートの養生）	正答	2,4

1 ◯ 打込み後のコンクリートが**透水性の小さいせき板で保護されている場合**は、湿潤養生と考えてもよい。（建築工事監理指針）

2 ✕ コンクリートの圧縮強度による場合、**柱のせき板の最小存置期間**は、圧縮強度が5 N/mm²に達するまでとする。（JASS 5）

型枠外しに必要な
コンクリートの圧縮強度

	コンクリートの圧縮強度
基礎、梁側、柱、壁	5 N/mm²
スラブ下、梁下	コンクリートの設計基準強度の50%

3 ◯ 短期及び標準の計画供用期間の級で、早強・普通及び中庸熱ポルトランドセメントを用いた厚さ18 cm以上の部材は、10 N/mm²以上の圧縮強度になれば、以降の**湿潤養生を打ち切ることができる。**（JASS 5）

湿潤養生を打ち切ることができる
コンクリートの圧縮強度 [N/mm²]

セメントの種類 ＼ 計画供用期間の級	短期及び標準	長期及び超長期
早強ポルトランドセメント 普通ポルトランドセメント 中庸熱ポルトランドセメント	10 以上	15 以上

4 ✕ コンクリート打込み後の温度が**2℃を下らないように養生しなければならない期間**は、原則として、コンクリート打込み後5日間と定められている。（同指針）

5 ◯ 打込み後の**コンクリート面が露出している部分に散水や水密シートによる被覆**を行うことは、**初期養生として有効**である。同指針の湿潤養生の項目では、「打込み後のコンクリートは、透水性の小さいせき板による被覆、養生マットまたは**水密シート**による被覆、散水または噴霧、膜養生剤の塗布等により湿潤養生を行う。」と記載されている。

No. 58	金属工事（軽量鉄骨壁下地）	正答	1,5

1 ✕ スタッドは、**上部ランナーの上端とスタッド天端との隙間が10 mm以下となるように切断**する。（建築工事監理指針）

2 ◯ 軽量鉄骨壁下地ランナーの固定

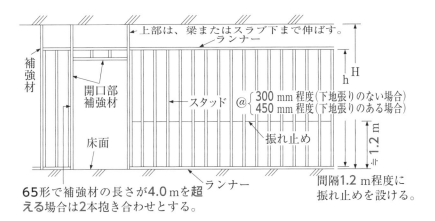

上部は、梁またはスラブ下まで伸ばす。

ランナー

補強材

開口部補強材

スタッド @ 300 mm 程度（下地張りのない場合） 450 mm 程度（下地張りのある場合）

振れ止め

床面

H
h

1.2 m

ランナー

間隔1.2 m程度に振れ止めを設ける。

65形で補強材の長さが4.0 mを超える場合は2本抱き合わせとする。

軽量鉄骨壁下地（Hが4.0 m以下の場合）

位置は、両端部から50 mm内側とし、中間部は間隔900 mm程度に打込ピンなどで床梁下・スラブ下に固定する。（同指針）

3 ○ 振れ止めは、**床面ランナー下端**より間隔約1,200 mmごとに設ける。ただし、上部ランナー上端から400 mm以内に振れ止めが位置する場合は、その振れ止めを省略することができる。（同指針）

4 ○ スペーサーは、**各スタッドの端部を押さえ**、間隔600 mm程度に留め付ける。（同指針）

5 × 65形のスタッド材を使用した袖壁端部は、垂直方向の補強材（Ｃ－60×30×10×2.3）の**長さが4.0 mを超える場合**は、同材の補強材を2本抱き合わせて、上下端及び間隔600 mm程度に溶接したものをスタッドに添えて**補強**する。（同指針）

No. 59 塗装工事（コンクリート素地面の塗装工事） 正答 1,4

1 × アクリル樹脂系非水分散形塗料塗りにおいて、**気温が20℃のとき**は、中塗りの工程間隔時間を3時間以上とする。

2 ○ 常温乾燥形ふっ素樹脂エナメル塗りの塗装方法は、はけ塗り、ローラーブラシ塗り、吹付け塗りとする。ただし、**下塗り**は、素材によく浸透させる目的ではけ塗り、ローラーブラシ塗りも用いるが、**中塗りや上塗り**は、原則として吹付け塗りとしている。

3 ○ 2液形ポリウレタンエナメル塗りは、**主剤と硬化剤を混合して**用いる。2液形ポリウレタンエナメル塗りは、製造所が指定する可使時間内に使い終える量を調合して使用する。

4 × 合成樹脂エマルションペイント

101

は、合成樹脂共重合エマルション
やラテックスをベースとして、**着
色顔料や添加剤等を加えた水系塗
料**で、水による希釈で塗料に流動
性をもたせることができる。
5 ◯ つや有り合成樹脂エマルション
ペイント塗りにおいて、塗装場所
の**気温が5℃以下**、**湿度が85%
以上**、換気が不十分で塗料の乾燥
に不適切な場合は原則として、塗
装を行わない。

No. 60	改修工事（調査方法と改修工法）	正答	2,5

1 ◯ 打診法は、打診用ハンマーなど
を用いてタイル張り壁面を**打撃し**
て、反発音の違いから浮きの有無
を調査する方法である。
2 × 赤外線装置法は、建物の外壁タ
イルやモルタル仕上げの壁面にお
いて、浮き部と健全部の熱伝導の
違いによって生じる**表面の温度差
を赤外線映像装置で測定**し、浮き
部を**検出**する方法で、撮影時の**環
境温度**、壁面が受ける**日射強度**及
び**日射の蓄積時間**、季節、天候、
時刻、気温などの影響を受ける。
3 ◯ **外壁に漏水や浮きが見られ
ず**、タイル表面のひび割れ幅が
0.2 mm以上のものは、美観上当
該タイルを斫って除去し、外装タ
イル張り用有機系接着剤によるタ
イル部分張替え工法で改修するか、
樹脂注入工法にて改修する。

4 ◯ 外壁に漏水や浮きが見られない
が、目地部に生じたひび割れ幅が
0.2 mm以上で一部目地の欠損が
見られた場合、**不良目地部を斫っ
て除去し**、既製調合目地材による
目地ひび割れ改修工法で改修する。
5 × 小口タイル張り仕上げにおい
て、1箇所当たりの下地モルタル
と下地コンクリートとの**浮き面積
が0.25 ㎡未満の部分**は、アン
カーピンニング部分エポキシ樹脂
注入工法で改修する。アンカーピ
ンニング全面セメントスラリー注
入工法は、構造体コンクリートと
モルタル間の**浮き面積が1箇所
当たり0.25 ㎡以上**、**浮き代が
1.0 mm以上**の時に適用される。

No. 61	法規（建築基準法）	正答	3

1 ◯ 建築基準法第7条の3第1項に
次のように規定されている。「建
築主は、第6条第1項の規定によ
る工事が次の各号のいずれかに該
当する工程（以下「**特定工程**」と
いう。）を含む場合において、当
該特定工程に係る工事を終えたと
きは、その都度、国土交通省令で
定めるところにより、**建築主事の
検査**を申請しなければならない。」
同条第一号に「階数が3以上であ
る共同住宅の床及びはりに**鉄筋を
配置する工事**の工程のうち政令で
定める工程」と規定されている。

☆令和6年4月1日施行の同法第6、7、7の3、15条の改正により、**建築主事**が**建築主事等**に変更されましたが、本問の正答に影響はありません。肢3及び4についても同様です。

2 ○ 木造3階建の戸建て住宅を、大規模の修繕をしようとする場合において、建築主は、当該工事に着手する前に、その計画が**建築基準関係規定その他建築物の敷地、構造または建築設備に関する法律**並びに**これに基づく命令及び条例の規定で政令で定めるもの**に適合するものであることについて、確認の申請書を提出して**建築主事の確認を受け、確認済証の交付を受け**なければならない。（同法第6条第1項）

3 × 建築基準法第7条第1項、第2項に次のように規定されている。「建築主は、第6条第1項の規定による工事を完了したときは、国土交通省令で定めるところにより、**建築主事の検査を申請しなければ**ならない。」「前項の規定による申請は、第6条第1項の規定による工事が**完了した日から4日以内に建築主事に到達するように、しな**ければならない。ただし、申請をしなかったことについて国土交通省令で定めるやむを得ない理由があるときは、この限りでない。」

4 ○ 建築主が建築物を建築しようと

する場合または建築物の除却の工事を施工する者が建築物を除却しようとする場合においては、これらの者は、**建築主事**を経由して、その旨を**都道府県知事に届け出な**ければならない。ただし、当該建築物または当該工事に係る部分の床面積の合計が**10 m²以内**である場合においては、この限りでない。（同法第15条第1項）

| No. 62 | 法規（建築基準法） | 正答 | 2 |

1 ○ 特定行政庁、**建築主事**または**建築監視員**は、**建築物の工事の計画もしくは施工の状況等に関する報告**を、工事施工者に求めることができる。（建築基準法第12条第5項）
☆令和6年4月1日施行の建築基準法第12条の改正により、**建築主事**が**建築主事等**に変更されましたが、本問の正答に影響はありません。

2 × **特定行政庁**は、違反建築物の建築主、工事の請負人などに対し当該工事の**施工の停止**を命じ、または、**違反を是正するために必要な措置**をとることを命ずることができる。（同法第9条第1項）

3 ○ 建築物の**所有者**、**管理者**または**占有者**は、その建築物の敷地、構造及び建築設備を**常時適法な状態に維持するように**努めなければならない。（同法第8条第1項）

4 ○ **特定行政庁が指定するもの**の所

有者は、これらの建築物の敷地、構造及び建築設備について、国土交通省令で定めるところにより、定期に、一級建築士若しくは二級建築士または**建築物調査員資格者証**の交付を受けている者にその状況の**調査**をさせて、その結果を**特定行政庁に報告**しなければならない。(同法第12条第1項)

No. 63	法規 (建築基準法施行令)	正答	

1 × 非常用の照明装置の設置については、**学校**は、**非常用の照明装置を設けなければならない建築物から除外**されている。(建築基準法施行令第126条の4第1項第三号)

2 ○ 劇場、**映画館**、演芸場、観覧場、公会堂または集会場の客用に供する屋外への**出口の戸は、内開き**としてはならないと規定されている。(同施行令第125条第2項)

3 ○ **回り階段の部分における踏面の寸法は、踏面の狭い方の端から**30cmの位置において測るものとする。(同施行令第23条第2項)

4 ○ **両側に居室がある場合の、小学校の児童用の廊下の幅は、**2.3m**以上**としなければならない。(同施行令第119条)

No. ★64	法規 (建設業法)	正答	

1 × 特定建設業の許可を受けようとする建設業のうち、指定建設業は、**土木工事業、建築工事業、電気工事業、管工事業、鋼構造物工事業、舗装工事業、造園工事業の7業種**である。(建設業法施行令第5条の2)

2 ○ 建設業の許可を受けようとする者は、許可を受けようとする建設業に係る建設工事に関して**10年以上の実務の経験**を有する者を、**一般建設業の営業所に置く専任の技術者とすることができる。**(同法第7条第二号ロ)

3 ○ 政令で定める軽微な建設工事は、工事一件の請負代金の額が500万円(当該建設工事が建築一式工事である場合にあっては、1,500万円)に満たない工事は、建設業の許可を**受けなくてもよい。**(同法第3条第1項ただし書、同施行令第1条の2)

4 ○ 特定建設業の**許可**を受けた者でなければ、発注者から**直接請け負った**建設工事を施工するために、建築工事業にあっては下請代金の額の総額が**政令で定める金額**(建築工事業の場合6,000万円)**以上**となる下請契約を締結してはならない。(同法第16条第二号、第3条第1項第二号、同施行令第2条)

※令和5年1月1日施行の建設業法施行令改正により、**政令で定める金額**が6,000万円から7,000万円に変更となったため、**現在では×となる。**

No.65	法規（建設業法）	正答	2

1 ○ 請負契約の方法が随意契約による場合であっても、注文者は、**工事一件の予定価格が5,000万円以上である工事の契約の締結までに建設業者が当該建設工事の見積りをするための期間は、原則として、15日以上を設ける必要がある。**（建設業法第20条第4項、同施行令第6条第1項第三号）

2 × 元請負人は、下請負人からその請け負った建設工事が完成した旨の通知を受けたときは、**当該通知を受けた日から20日以内で、かつ、できる限り短い期間内に、その完成を確認するための検査を完了しなければならない。**（同法第24条の4第1項）

3 ○ 特定建設業者は、当該特定建設業者が注文者となった下請契約に係る下請代金の支払につき、当該下請代金の支払期日までに**一般の金融機関**（預金または貯金の受入れ及び資金の融通を業とする者をいう。）**による割引を受けることが困難であると認められる手形を交付してはならない。**（同法第24条の6第3項）

4 ○ 元請負人は、その請け負った建設工事を施工するために**必要な工程の細目、作業方法**その他**元請負人において定めるべき事項**を定め

ようとするときは、あらかじめ、下請負人の意見をきかなければならない。（同法第24条の2）

No.66	法規（建設業法）	正答	2

1 ○ 専任の監理技術者を置かなければならない建設工事について、その監理技術者の行うべき職務を**補佐する者**として政令で定める者を工事現場に**専任**で置く場合には、監理技術者は2つの現場を兼任することができる。（建設業法第26条第3項ただし書）

2 × 専任の者でなければならない**監理技術者**は、**当該選任の期間中のいずれの日においても、**登録を受けた講習を受講した日の属する年の翌年から起算して5年を経過しない者でなければならない。（同法第26条第5項、同施行規則第17条の19）

3 ○ 建設業者は、請け負った建設工事を施工するときは、**現場代理人の設置にかかわらず、**主任技術者または監理技術者を置かなければならない。（同法第26条）

4 ○ 主任技術者及び監理技術者は、工事現場における建設工事を**適正に実施するため、**当該建設工事の施工計画の作成、工程管理、品質管理その他の技術上の管理及び当該建設工事の施工に従事する者の技術上の指導監督の職務を**誠実に**

行わなければならない。（同法第26条の4第1項）

1 ○　使用者は、労働者の死亡または退職の場合において、権利者の請求があった場合においては、7日以内に賃金を支払い、**積立金、保証金、貯蓄金その他名称の如何を問わず**、労働者の権利に属する**金品を返還**しなければならない。（労働基準法第23条第1項）

2 ○　労働契約は、**期間の定めのないものを除き**、一定の事業の完了に必要な期間を定めるもののほかは、3年を超える期間**について締結**してはならない。（同法第14条第1項）

3 ×　解雇制限について、使用者は、労働者が業務上負傷し、または疾病にかかり療養のために休業する期間及びその後30日間並びに産前産後の女性が第65条の規定によって**休業する期間及びその後30日間**は、解雇してはならない。ただし、使用者が、第81条の規定によって打切補償を支払う場合または天災事変その他**やむを得ない事由のために事業の継続が不可能となった場合においては、この限りでないと規定されている。**（同法第19条第1項）

4 ○　使用者は、労働契約の締結に際し、労働者に対して賃金、労働時間その他の**労働条件を明示**しなければならない。この場合において、賃金及び労働時間に関する事項その他の厚生労働省令で定める事項については、厚生労働省令で定める方法により明示しなければならない。（同法第15条第1項）この規定によって明示された労働条件が事実と**相違**する場合においては、労働者は即時に労働契約を解除することができる。（同条第2項）この場合、就業のために住居を変更した労働者が、契約解除の日から14日以内に帰郷する場合においては、使用者は、**必要な旅費を負担**しなければならない。（同条第3項）

1 ○　**元方安全衛生管理者の選任**は、その事業場に**専属**の者を選任して行わなければならない。（労働安全衛生規則第18条の3）

2 ×　統括安全衛生責任者を選任すべき事業者以外の請負人で、当該仕事を自ら行うものは、**安全衛生責任者を選任**し、その者に統括安全衛生責任者との連絡その他の厚生労働省令で定める事項を行わせなければならない。（同法第16条第1項）安全衛生責任者の資格要件は、**定められていない。**

3 ○　事業者で、一の場所において行

う事業の仕事の一部を請負人に請け負わせているもののうち、建設業その他政令で定める業種に属する事業を行う者（「特定元方事業者」という。）は、その労働者及びその請負人の労働者が当該場所において作業を行うときは、これらの**労働者の作業が同一の場所において行われることによって生ずる労働災害を防止する**ため、統括安全衛生責任者を選任し、その者に元方安全衛生管理者の指揮をさせるとともに、同法第30条第1項各号の事項を**統括管理させなければ**ならない。ただし、これらの労働者の数が政令で定める数未満であるときは、この限りでない。（同法第15条第1項）

4○ 統括安全衛生責任者は、当該場所においてその事業の実施を統括管理する者をもって**充てなければ**ならない。（同法第15条第2項）

No. 69	法規（労働安全衛生法）	正答	4

1○ 事業者は、労働者を雇い入れたときは、当該労働者に対し、厚生労働省令で定めるところにより、**その従事する業務に関する安全**または衛生のための教育を行わなければならない。（労働安全衛生法第59条第1項）

2○ 事業者は、事業場における**安全衛生の水準の向上を図るため、危**険または有害な業務に現に就いている者に対し、その従事する業務に関する**安全または衛生のための教育を行うように努めなければな**らない。（同法第60条の2第1項）

3○ 雇入れ時等の教育について、事業者は、当該教育の科目の全部または一部に関し**十分な知識及び技能を有していると認められる労働者**については、当該事項についての教育を省略することができると規定されている。（同規則第35条第2項）

4× 事業者は、その事業場の業種が政令で定めるものに該当するときは、新たに職務に就くこととなった**職長その他の作業中の労働者を直接**指導または監督する者（作業主任者を除く。）に対し、安全または衛生のための教育を行わなければならないと規定があり、**作業主任者は除かれている**。（同法第60条柱書）

No. 70	法規（建設工事に係る資材の再資源化等に関する法律）	正答	3

1○ この法律において建設資材廃棄物について「縮減」とは、焼却、脱水、圧縮その他の方法により**建設資材廃棄物の大きさを減ずる行為**をいい、「再資源化等」とは、再資源化及び縮減をいう。（建設工事に係る資材の再資源化等に関する法律第2条第7項、第8項）

107

2 ○　建設業を営む者は、建設資材廃棄物の**再資源化により得られた建設資材**を使用するよう**努めなければならない**。（同法第5条第2項）

3 ×　対象建設工事の元請業者は、当該工事に係る特定建設資材廃棄物の再資源化等が完了したときは、主務省令で定めるところにより、その旨を当該工事の**発注者に書面で報告する**とともに、当該再資源化等の**実施状況に関する記録を作成**し、これを**保存しなければならない**。都道府県知事への報告は定められていない。（同法第18条第1項）

4 ○　この法律において「分別解体等」とは、次に掲げる工事の種別に応じ定める行為をいう。建築物等の新築その他の解体工事以外の建設工事（以下「**新築工事**等」という。）に伴い**副次的に生ずる建設資材廃棄物**をその種類ごとに分別しつつ当該工事を施工する行為は「分別解体等」に含まれる。（同法第2条第3項第二号）

No. 71	法規（騒音規制法）	正答	**2**

1 ○　**指定地域内**において、特定建設作業を伴う建設工事を施工しようとする者は、当該特定建設作業の開始の日の**7日前**までに、環境省令で定めるところにより、①氏名または名称及び住所並びに法人に

あっては、その代表者の氏名、②建設工事の目的に係る施設または工作物の種類、③特定建設作業の場所及び実施の**期間**、④騒音の**防止の方法**、⑤その他環境省令で定める事項について、**市町村長に届け出なければならない**。（騒音規制法第14条第1項）

2 ×　くい打機をアースオーガーと併用する作業は、**著しく騒音を発生する特定建設作業から除かれている**。（同施行令第2条、別表第二第一号）よって、くい打機をアースオーガーと併用する作業の実施の**届出は不要**である。

3 ○　さく岩機の動力として使用する作業を除き、**電動機以外の原動機の定格出力が**15kW以上の**空気圧縮機**を使用する作業は、特定建設作業の実施の**届出は必要**である。（同法第14条、同施行令第2条、別表第二第四号）

4 ○　環境大臣が指定するものを除き、**原動機の定格出力が**70kW以上の**トラクターショベル**を使用する作業は、特定建設作業の実施の**届出は必要**である。（同法第14条、同施行令第2条、別表第二第七号）

No. 72	法規（道路交通法）	正答	**2**

1 不要　積載物の長さは、自動車の長さにその長さの10分の1の長さを加えたもの（大型自動二輪車及

び普通自動二輪車にあっては、その乗車装置又は積載装置の長さに0.3 mを加えたもの）**を超えないことと規定**されている（道路交通法施行令第22条第三号イ）。また、**積載物の前後のはみ出しは、自動車の車体の前後から自動車の長さの10分の1の長さを超えてはみ出さないこと**と規定されている（同施行令同条第四号イ）。長さ11 mの自動車に、車体の前後に0.5 mずつはみ出す長さ12 mの資材を積載して運転する場合は、積載物の長さ12 mは11 × **1.1** = **12.1** m以下、積載物の前後のはみ出し0.5 mは11 × **0.1** = **1.1** m以下であり、許可は**不要**である。

※令和4年5月13日施行の同施行令同条第三号イの改正により、積載物の長さは、自動車の長さにその長さの10分の2の長さを加えたものを超えないことと改正された。設問の積載物の長さ12 mは11 × 1.2 = 13.2 m以下であり、改正後も**不要**である。

2 **必要** **積載物の高さは、3.8 m**（大型自動二輪車、普通自動二輪車及び小型特殊自動車にあっては2 m、三輪の普通自動車並びにその他の普通自動車で車体及び原動機の大きさを基準として内閣府令で定めるものにあっては2.5 m、その他の自動車で公安委員会が道路また

は交通の状況により支障がないと認めて定めるものにあっては3.8 m以上4.1 mを超えない範囲内において公安委員会が定める高さ）からその自動車の積載をする場所の高さを減じたものを超えないことと規定されており、荷台の**高さが1 mの自動車に、高さ3 mの資材を積載**して運転する場合は、**高さ4（1 + 3）mは3.8 m以上**であり、許可は**必要**である。（同施行令第22条第三号ハ）

主な積載物等の制限：令第22条第二号・第三号（改正後）

第二号		積載物の重量は、最大積載重量を超えないこと。
第三号	イ	積載物の長さは、自動車の長さにその長さの10分の2の長さを加えたものを超えないこととする。
	ロ	積載物の幅は、自動車の幅に**その幅の10分の2の幅を加えたもの**を超えないこと。
	ハ	積載物の高さは、3.8 mから積載する場所の高さを減じたものを超えないこととする。
第四号	イ	自動車の車体の前後から自動車の長さの10分の1の長さ超えてはみ出さないこと。
	ロ	自動車の車体の左右から**自動車の幅の10分の1の幅を超えて**はみ出さないこと。

3 **不要** 車両の運転者は、当該車両について政令で定める乗車人員または積載物の重量、大きさもしくは積載の方法の**制限を超えて**乗車をさせ、または積載をして車両を運

転してはならない。制限を超えて
いなければ許可は**不要**である。（同
法第57条第1項本文）

4 不要　積載された資材を**看守**するた
め、**必要な最小限度の人員**として
1名を荷台に乗車させて運転する
場合は、道路交通法の規定により
不要である。（同法第55条第1項
ただし書）

1級建築施工管理技術検定 第一次検定 正答・解説

No. 1	環境工学（換気）	正答	3

1 ○ 風圧力による自然換気の場合、他の条件が同じであれば、換気量は、開口部の面積及び風速に比例し、**風上側と風下側の風圧係数の差の平方根**に比例する。

2 ○ 室内外の温度差による自然換気で、上下に大きさの異なる開口部を用いる場合、中性帯の位置は、**開口部の大きい方に近づく。**なお、中性帯とは、ある高さにおいて室内外の圧力差がゼロになる部分をいう。下図右のように上部に大きな開口があれば、中性帯は、下図左に比べて開口部に近い**上方**に移動する。

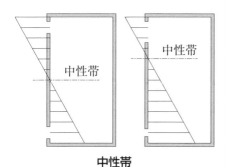

中性帯

3 × 中央管理方式の空気調和設備を設ける場合、室内空気の一酸化炭素の濃度は、<u>10 ppm以下</u>となる

ようにする必要がある。（建築基準法施行令第129条の2の5第3項）
☆令和5年4月1日施行の同施行令同条同項の改正により、一酸化炭素の含有量は100万分の10以下から100万分の6（6ppm）以下に改正されましたが、本問の正答に影響はありません。

4 ○ 中央管理方式の空気調和設備を設ける場合、室内空気の浮遊粉塵の量は、0.15 mg/m³以下となるようにする必要がある。（同施行令第129条の2の5第3項）

No. 2	環境工学（採光及び照明）	正答	3

1 ○ 演色性とは、太陽の自然光に対して、照明光による物体の色の見え方についての光源の性質をいう。

2 ○ 光束とは、単位波長当たりの放射束を標準比視感度**で重みづけした量で、光源の光の量**を表す。なお、視感度とは人の目の感度のことで、標準比視感度とは標準的な人間の目の感度特性を表したものをいう。

3 × 形状と面積が同じ側窓であっても、その位置を高くすると、昼光による室内の照度分布の**均斉度が変化する。**なお、均斉度とは、最大照度に対する**最小照度の比**をいう。また、照度とは単位面積当たりの**光束**のことで、被照射面の明

るさを表す。

4 ○ 設計用全天空照度は、快晴の青空のときが薄曇りのときよりも小さな値となる。全天空照度とは、直射日光を除いた全天空の照度をいう。

No. 3 環境工学（吸音及び遮音） 正答 3

1 ○ グラスウールなど多孔質の吸音材の吸音率は、一般に低音域より高音域の方が大きい。すなわち、低い音よりも高い音の方が吸音されやすい。

2 ○ コンクリート間仕切壁の音響透過損失は、一般に低音域より高音域の方が大きい。すなわち、低い音よりも高い音の方が、透過する時の損失が大きく、透過しにくい。一方、低い音の方が透過しやすい。

3 × 床衝撃音レベルの遮音等級を表すL値は、人が歩く時などの衝撃音を対象にした重量床衝撃音と、食器などを落とした時の衝撃音を対象にした軽量床衝撃音の遮音等級があるが、いずれもその値が小さいほど遮音性能が高い。

4 ○ 室間音圧レベル差とは、音が発生している室の音圧レベルと音が透過する側の室の音圧レベルの差をいい、この差が大きいほど、遮音性能が高い。したがって、室間音圧レベル差の遮音等級を表すD値は、その値が大きいほど遮音性能が高い。

No. 4 建築構造（免震構造） 正答 1

1 × 免震構造とは、建築物の基礎と構造体の間に積層ゴムなどを介在させて、地震による揺れが構造体に伝わらないようにした構造をいう。免震構造とした建築物は、免震構造としない場合に比べ、地震時にゆっくり揺れ、固有周期が長くなる。なお、固有周期とは、物体が自由振動するときに揺れが一往復するのにかかる時間をいう。

2 ○ ねじれ応答とは、地震時に建物全体がねじれるような挙動をいう。免震部材の配置を調整し、上部構造の重心と免震層の剛心を合せることで、ねじれ応答を低減することができる。

3 ○ 免震層を、火災のおそれがある建物の中間階に設置する場合には、耐火材で被覆する等して、火災に対して積層ゴムを保護する必要がある。

4 ○ 免震構造は、次の3つの機構で構成される。
①建築物を鉛直方向に支える機構
②水平方向に復元力を発揮する機構
③建築物に作用するエネルギーを吸収する機構

No. 5 建築構造（鉄筋コンクリート構造） 正答 2

1 ○ 柱の主筋とは、柱の軸方向に配

筋する鉄筋をいう。異形鉄筋とは、コンクリートの付着性を向上させるために、周囲に**リブ**と呼ばれる**突起**を設けた鉄筋をいう。柱の主筋は直径が**D13**以上の異形鉄筋とし、その断面積の和は、柱のコンクリート全断面積の**0.8%**以上とする。（日本建築学会：鉄筋コンクリート構造計算規準第19条）

2 × 柱のせん断補強筋（帯筋）の間隔は、**100 mm**以下とする。ただし、柱の上下端より柱の最大径の1.5倍または最小径の2倍のいずれか**大きい方の範囲外**では、帯筋間隔を前記数値の**1.5倍まで増大**することができる。（日本建築学会：鉄筋コンクリート構造計算規準第19条）

3 ○ 梁の主筋とは、梁の**軸方向**に配筋する鉄筋をいう。なお、梁とは水平方向の構造部材をいう。梁の主筋はD13以上の直径の異形鉄筋とし、その配置は、特別な場合を除き2段以下とする。2段とは、主筋の量を増やすために主筋を2重に配筋することをいう。（日本建築学会：鉄筋コンクリート構造計算規準第17条）

4 ○ 梁のせん断補強筋とは、梁のせん断応力に対抗する鉄筋のことで、あばら筋が該当する。**あばら筋**とは、**梁の周方向**に配筋される鉄筋である。梁のあばら筋は、せん断

やひび割れに対する補強に使用され、間隔は、折曲げ筋の有無にかかわらず、D 10の異形鉄筋を用いて梁せいの$\frac{1}{2}$以下、かつ、250 mm以下とする。（日本建築学会：鉄筋コンクリート構造計算規準第17条）

No. 6	建築構造（鉄骨構造）	正答	**2**

1 ○ H形鋼のフランジ及びウェブの**幅厚比が大きくなる**と、相対的に**板の厚さが薄く**なり、圧縮材は部材としての耐力を発揮する前に**局部座屈を生じ**やすくなる。

2 × 普通ボルト接合の場合、部材に引張力が作用すると接合部にずれが生じ、ボルトと鋼板が支圧力で支持するため、ボルト孔周辺に**応力が集中**する。一方、高力ボルトによる**摩擦接合**は、ボルトの支圧力ではなく、添え板（スプライスプレート）の摩擦力で支持するため、**ボルト孔周辺の応力は、普通ボルト接合と比較すると小さくなる**。

3 ○ シヤコネクタとは、2つの部材を**一体化するための接合部材**をいう。シヤコネクタでコンクリートスラブと結合された鋼製梁は、梁の上端が圧縮となるような曲げ応力に対して、梁の水平方向への座屈である**横座屈**が生じにくい。（次ページの図参照）

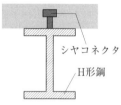

シヤコネクタ

H形鋼

4 ○ **幅厚比**とは、**厚みに対する幅**をいう。H形鋼の局部座屈の影響を考慮しなくてもよい幅厚比は、柱のウェブプレートより梁のウェブプレートの方が**大きい**。

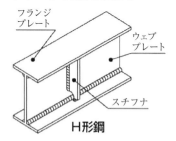

フランジプレート

ウェブプレート

スチフナ

H形鋼

No.7	建築構造 （杭基礎）	正答	**1**

1 × 杭の先端支持力は打込み杭：$300 \cdot Ne/3$ [kN/m²]、埋込み杭：$200 \cdot Ne/3$ [kN/m²]、場所打ち杭：$150 \cdot Ne/3$ [kN/m²] である。ただし、Ne：杭先端地盤の平均N値とする。よって、基礎杭の先端の地盤の許容応力度は、**アースドリル工法による場所打ちコンクリート杭の場合より**セメントミルク工法による埋込み杭の方が大きい。

2 ○ 杭の極限鉛直支持力は、極限先端支持力と極限周面摩擦力を加算したものとする。

3 ○ **杭の引抜き力**は、杭自体の引張強度と、地盤の引抜き抵抗の**小さい方で決まる**。地盤の引抜き抵抗による値は、極限の引抜き抵抗の$\frac{1}{3}$を長期許容引抜き力とするが、杭の自重も引抜きに抵抗すると考えてよい。その場合、地下水位以下の部分の**浮力を考慮する**。

$tR_a = \frac{1}{3} tR_u + W_p$

tR_u ＝地盤による杭の極限引抜き抵抗力

tR_a ＝杭の長期許容引抜き抵抗力

W_p ＝杭の自重（地下水位以下の部分については**浮力を考慮する**）

4 ○ 杭周囲の地盤沈下によって杭の沈下より地盤の沈下が大きくなると、杭周囲面には下向きの摩擦力が働くが、摩擦力は杭と共に沈下するため、**負の摩擦力は支持杭の方が摩擦杭より大きくなる**。

No.8	力学 （断面二次モーメント）	正答	**2**

長方形の断面の断面二次モーメントは次式で表される。

$I = \frac{bh^3}{12}$

b：幅、h：高さ

問題の図の形状の断面二次モーメントは、幅4a×高さ6aの長方形から幅3a×高さ4aの長方形が欠損していると考えて、**幅4a×高さ6aの長方形の断面二次モーメントから幅3a×高さ4aの長方形の断面二次モーメントを差し引いて求める**。したがって、問題の図

の断面二次モーメントは次式のとおりである。

$$I = \frac{4a \times (6a)^3}{12} - \frac{3a \times (4a)^3}{12}$$

$$= \frac{864 - 192}{12} \times a^4 = 56a^4$$

したがって、断面二次モーメントの値として、2が正しい。

No. 9	力学 (鉛直反力と曲げモーメント)	正答	2

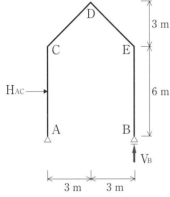

AC間の中心に集中荷重H_{AC}がかかっているとして、AにおけるモーメントM_Aのつり合いから次式が求められる。

$H_{AC} = 2 \text{ kN/m} \times 6 \text{ m} = 12 \text{ kN}$

$M_A = 12 \text{ kN} \times 3 \text{ m} - V_B \times 6 \text{ m} = 0$

（時計回りを正）

$V_B = 6 \text{ kN}$

点Dに生じる曲げモーメントM_Dは、次式のとおりである。

$M_D = V_B \times 3 \text{ m} = 6 \text{ kN} \times 3 \text{ m}$

$= 18 \text{ kN·m}$

したがって、組合せとして正しいものは、2の$V_B = 6 \text{ kN}$、$M_D = 18 \text{ kN·m}$である。

No. 10	力学 (曲げモーメント)	正答	2

問題文の図に示す**単純梁**において、CD間に**等分布荷重**が作用したときの曲げモーメント図は、2である。

1は、単純梁の一部に**集中荷重**が作用したときの曲げモーメント図である。

3は、**両端固定梁の一部に等分布荷重**が作用したときの曲げモーメント図である。

4は、**両端固定梁の一部に集中荷重**が作用したときの曲げモーメント図である。

No. 11	建築材料 (金属材料)	正答	3

1○ 黄銅（真ちゅう）は、銅と亜鉛の合金であり、**銅：60～70％、亜鉛：30～40％**の合金である。展性・延性に富み、侵食されにくく、耐食性も高い。絞り加工・機械・器具等に用いられる。また、流動性に富み精密な鋳物にも使用される。

2○ 鉛は、鋼材に比べ**熱伝導率は低**いが、**線膨張係数は大きい**。線膨張係数とは、単位温度当たりの温度上昇による長さの伸びる率をいう。

3× ステンレス鋼**SUS 430（フェライト系）**は、鉄とクロムの合金で**磁性があり、磁石に付く強磁材料**である。SUS 304（オーステナイト系）は、鉄とクロムとニッケルの合金であり、**若干の磁性を帯びる**。よって、**SUS 304**は、SUS 430に比べて**磁性**が**弱い**。

4 ○ アルミニウムは鋼材に比べ、密度、ヤング係数ともに**約$\frac{1}{3}$**である。密度とは、**単位体積当たりの質量**をいう。ヤング係数とは、縦弾性係数ともいい、**応力とひずみの比**を表したものである。

No. 12	建築材料（石材）	正答	**2**

1 ○ 花崗岩はいわゆる御影石と呼ばれ、地下深部のマグマが地殻内で冷却固結した結晶質の石材で、硬く、**耐摩耗性、耐久性に優れた**石材として、建築物の外部等に最も多く用いられている。ただし、**耐火性の点でやや劣る**。

2 × **安山岩**（火成岩）は噴出した火山岩で、組成鉱物は斜長石、角閃石などである。硬く、色調は灰褐色のものが多く**光沢がない**。また、**強度、耐久性に優れ**、特に**耐火性が大きい**。

3 ○ 砂岩は、主に砂が続成作用により固結してできた堆積岩である。

耐火性に優れるが、吸水率の高いものは耐凍害性に劣る。

4 ○ 凝灰岩は、火山から噴出された火山灰が地上や水中に堆積してできた岩石である。加工性、耐火性に優れるが、光沢がなく、**吸水性が大きく風化しやすいため、強度、耐久性に劣る**。

No. 13	建築材料（建具）	正答	**1**

1 × 下表のとおり、スライディングドアセットでは、「鉛直荷重強さ」は規定されていない。「鉛直荷重強さ」が規定されているのは、スイングドアセットである。

2 ○ 下表のとおり、スライディングドアセットでは、「**耐風圧性**」が規定されている。

3 ○ 下表のとおり、スイングドアセットでは、「**耐衝撃性**」が規定されている。

4 ○ 下表のとおり、スイングドアセットでは、「**開閉力**」が規定されて

No.13　　　　各ドアセット・サッシ（種類：普通）における性能項目

	スイングドアセット	スライディングドアセット	スイングサッシ	スライディングサッシ
ねじり強さ	◎			
鉛直荷重強さ	◎			
開閉力	◎	◎	◎	◎
開閉繰り返し	◎	◎	◎	◎
耐衝撃性	◎			
耐風圧性	○	○	◎	◎
気密性	○	○	◎	◎
水密性	○	○	◎	◎
戸先かまち強さ				◎

◎印は必須性能とし、○印は選択性能とする。

いる。

No. 14 建築材料（防水材料）　正答 4

1 ○　アスファルト防水の**下地材を**ア**スファルトプライマー**という。アスファルトプライマーには、アスファルトを水中に乳化分散させた**エマルションタイプ**と、ブローンアスファルトなどを揮発性溶剤に溶解した**有機溶剤タイプ**がある。

2 ○　ストレッチルーフィングの種類及び品質はJIS A 6022に定められており、**砂付ストレッチルーフィング800の数値800**は、製品の抗張積（引張強さと最大荷重時の伸び率との積）を表している。

3 ○　フラースぜい化点温度とは、アスファルトの**低温における変形しやすさを示す**もので、鋼板の表面に作製したアスファルト薄膜を曲げたとき、亀裂の生じる最初の温度を示す。つまり、**フラースぜい化点温度が低いもの**は、低温でも**脆性破壊を生じることなく変形する**、低温特性のよいアスファルトである。

4 ×　アスファルトルーフィングの種類及び品質はJIS A 6005に定められており、**アスファルトルーフィング1500**は、製品の単位面積質量が**1500 g/m²以上**のものをいう。

No. 15 建築材料（塗料）　正答 3

1 ○　つや有合成樹脂エマルションペイントは、乾燥過程で**水分が蒸発**すると、樹脂粒子が**結合、融着**して連続した塗膜を形成する。

2 ○　アクリル樹脂系非水分散形塗料は、乾燥過程で**溶剤が蒸発**すると、樹脂粒子が**結合、融着**して連続した塗膜を形成する。

3 ×　クリヤラッカーは、木材の透明塗装に適し、自然乾燥で**短時間**に溶剤が蒸発して塗膜を形成する。

4 ○　合成樹脂調合ペイントは、**隠ぺい力**や**耐候性**に優れた**着色顔料**、体質顔料等と耐水性や耐候性のよい長油性フタル酸樹脂ワニスとを組み合わせた塗料で、空気中の酸素によって乾性油の酸化重合が進み、**乾燥硬化して塗膜を形成する**。

No. 16 契約図書（測量）　正答 4

1 ○　水準測量には直接水準測量と間接水準測量がある。**直接水準測量は、レベルと標尺によって2点間の高低差を直接測定**する方法である。一方、**間接水準測量は、傾斜角や斜距離などを読み取り、計算によって高低差を求める**方法である。

2 ○　GNSSとは、Global Navigation Satellite Systemの略語で、全地球衛星測位システムと訳される。GNSSを用いたGNSS測量は、複

数の人工衛星から受信機への電波信号の到達する時間差を測定することにより、位置を求める測位方法である。

3 ○　平板測量は、方向をみる**アリダード**や方位を確認する磁針箱などで測定した結果を、**平板**上で**直接**作図していく方法である。精度は低いが、作業が簡便である。

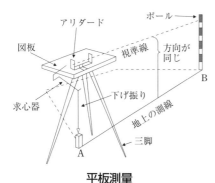

平板測量

4 ×　スタジア測量は、2点間の距離・高低差をトランシットやセオドライト等の望遠鏡につけられた**スタジア線を用いて間接的に測る測量方法**である。細部測量に主として利用され、特に起伏の多い地形に適する。

No.17	建設設備（電気設備）	正答	**3**

1 ○　次表のとおり、電圧の種別における低圧とは、**直流**にあっては**750 V以下**、**交流**にあっては**600 V以下**のものをいう。（電気設備に関する技術基準を定める省

令第2条第1項）

電圧の種別

	直　流	交　流
低　圧	750 V以下	600 V以下
高　圧	750 Vを超え 7,000 V以下	600 Vを超え 7,000 V以下
特別高圧	7,000 Vを超えるもの	

2 ○　上表のとおり、電圧の種別における高圧とは、**直流にあっては750 Vを超え、交流にあっては600 Vを超え**、直流、交流ともに7,000 Vまでのものをいう。（同省令第2条第1項）

3 ×　大型の動力機器が多数使用される場合の配電方式は、**三相4線式**が用いられる。単相2線式100Vは一般住宅に多く使用され、単相3線式100/200 Vは、負荷の大きい住宅や店舗等で比較的容量の大きい照明、コンセント用の幹線に使用される。三相3線式200 Vは、中規模建築物等で電動機等に使用されている。

4 ○　特別高圧で受電するような大規模なビルや工場などの配電方式には、**三相4線式240 V/415 V**などが用いられる。この方式は、一つの配電方式で、**三相415 Vと単相240 Vという異なる電気方式を供給**することができる。

No.18	建設設備（給水設備）	正答	**3**

1 ○　高置水槽方式（高置タンク方式）は、上水や井水を一度受水槽に貯

水し、ポンプで屋上等の**高置水槽**に揚水し、この水槽から**重力**によって各所に**給水**する方式で、中層、中規模以上の建物の一般的な給水方式である。

2 ○ 圧力水槽方式は、上水や井水を**一旦受水槽に貯水**し、これを**ポンプで圧力水槽に送水**し、**圧力水槽内の空気を圧縮・加圧**して、その**圧力により各所に給水**する方式である。建物の意匠上や地下街等の高置水槽を設けることができない場合等に設置する。

3 × ポンプ直送方式は、受水槽に貯水し、給水ポンプで直接加水した**水を各所に給水**する方式である。ポンプは水道引込み管ではなく、受水槽以降の給水管に設置される。設問の記述は、**水道直結増圧方式**である。

4 ○ 水道直結直圧方式は、水道本管から分岐した水道引込み管に給水装置を直結し、**水道本管の給水圧力により、直接、各所に給水**する方式である。

| No.19 | 建設設備（昇降設備） | 正答 | 4 |

1 ○ 乗用エレベーターにあっては、**1人当たりの体重を65 kg**として計算する。最大積載量750 kgのエレベーターの場合は、750÷65≒11.54となるため、最大定員11名と明示する。（建築基準法施行令第129条の6第五号）

2 ○ 人または物が昇降路内に落ちることを防ぐため、**昇降路の出入口の床先と搬器の床先との間隔**は、**4 cm以下**とする。（同施行令第129条の7第四号）

3 ○ **エスカレーターの踏段と踏段の隙間**は、**5 mm以下**とする。（建設省告示第1417号）

4 × 勾配が8°を超え30°以下のエスカレーターの踏段の**定格速度**は**45 m/分以下**とする。（建設省告示第1417号）

| No.20 | 契約約款（公共工事標準請負契約約款） | 正答 | 2 |

1 ○ 発注者または受注者は、**工期内で請負契約締結の日から12月を経過した後**に日本国内における**賃金水準または物価水準の変動**により請負代金額が不適当となったと認めたときは、**相手方に対して請負代金額の変更を請求することができる**。（公共工事標準請負契約約款第26条第1項）

2 × 受注者（請負人）は発注者が設計図書を変更したために**請負代金額が$\frac{2}{3}$以上減少**したときは、**契約を解除することができる**。（同約款第52条第一号）

3 ○ 発注者と受注者が協議して定める。ただし、あらかじめ定めた期間内に協議が整わない場合には、**発注者が定め、受注者に通知する**

と規定されている。（同約款第24条第1項）

4 ○　発注者は、工事完成の通知を受けたときは、通知を受けた日から14日以内に**受注者**の立会いの上、設計図書に定めるところにより、工事の完成を確認するための検査を完了し、当該検査の結果を受注者に通知しなければならない。この場合において、**発注者**は、必要があると認められるときは、その理由を受注者に通知して、**工事目的物を最小限度破壊して検査する**ことができる。（同約款第32条第2項）

<table>
<tr><td>No.
21</td><td>仮設工事
（乗入れ構台）</td><td>正
答</td><td>4</td></tr>
</table>

1 ○　使用する施工機械、車両、アウトリガーの幅、配置及び動線等により決定する。通常、計画される幅員は、4～10 mである。最小限**1車線で4 m、2車線で6 m程度は必要**である。また、クラムシェルが作業する乗入れ構台の幅は、ダンプトラック通過時にクラムシェルが旋回して対応する計画とし、8～10 mとする。

2 ○　乗入れ構台の大引下端を、躯体コンクリート打設時に床の均し作業ができるように、**1階スラブ上端より20～30 cm程度上**に設定する。

3 ○　荷受け構台を構成する部材については、積載荷重の偏りを考慮して検討し、通常は構台**全スパンの60%**にわたって、**積載荷重が分布するものと仮定**する。（JASS 2）

4 ×　荷受け構台の構造計算に用いる作業荷重は、**自重と積載荷重の合計の10%**とする。（JASS 2）

<table>
<tr><td>No.
22</td><td>地盤調査（地盤
調査・土質試験）</td><td>正
答</td><td>2</td></tr>
</table>

1 ○　常時微動を測定することにより、地震時の地盤の**振動特性**を調べることができ、その**地盤の卓越周期**を推定することができる。

2 ×　**圧密試験**は粘性土に荷重を加え、地盤の沈下を解析するために、必要な**沈下特性（沈下量と沈下速度）を測定する試験**である。

3 ○　電気検層（比抵抗検層）は、ボーリング孔内で地層の電気比抵抗を測定することにより、**地層の厚さや連続性、帯水層を把握し、地層変化**を推定することができる。

4 ○　**粘性土のせん断強度**は、一面せん断試験、一軸圧縮試験、三軸圧縮試験によって求めることができる。

<table>
<tr><td>No.
23</td><td>地業工事（既製
コンクリート杭）</td><td>正
答</td><td>1</td></tr>
</table>

1 ×　中掘り工法においては、周囲の地盤を緩めることになるため、掘削中に**必要以上に先掘りを行ってはならない**。特に砂質地盤の場合には、緩みやすいため、**先掘り長さは、杭径以内になるよう掘削**を行う。

2 ○ 既製コンクリート杭に現場溶接継手を設ける場合は、原則として**アーク溶接**とする。

3 ○ 現場溶接継手を設ける場合のルート間隔は**4 mm以下**とする。（JIS A 7201：2021 既製コンクリートくいの施工標準）なお、ルート間隔とは、ルート面における部材間の間隔で、下図のとおりである。

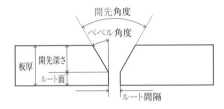

4 ○ PHC杭（プレテンション方式遠心力高強度プレストレストコンクリート杭）の**杭頭を切断した場合**は、切断面から350 mm程度プレストレスが減少しているので、設計図書により**補強を行う**。（建築工事監理指針）

No. 24	鉄筋工事 （鉄筋ガス圧接）	正答	**1**

1 ✕ 次表のとおり、SD 345のD 29を手動ガス圧接で接合するために必要となる資格は、日本産業規格（JIS）に基づく技量資格2、3、4種である。
（右段の表参照）

圧接技量資格と作業可能範囲

技量資格種別	作業可能な鉄筋径
1種	径　25 mm以下 呼び名　D 25以下
2種	径　32 mm以下 呼び名　D 32以下
3種	径　38 mm以下 呼び名　D 38以下
4種	径　50 mm以下 呼び名　D 51以下

2 ○ 径の異なる鉄筋の**ガス圧接部のふくらみの直径**は、**細い方の鉄筋径の1.4倍以上**とする。（公共建築工事標準仕様書建築工事編5.4.4（ア））

3 ○ SD 490の鉄筋を圧接する場合は、鉄筋断面に対して40 MPa以上の加圧能力を有し、**上限圧及び下限圧を設定できる機能**を有するものとする。（鉄筋のガス圧接工事標準仕様書：日本鉄筋継手協会）

4 ○ ガス圧接すると鉄筋の長さ方向が縮むので、鉄筋径の**1.0〜1.5倍程度の長さ方向の縮み量**を、圧接継手において考慮する。

No. 25	コンクリート工事 （コンクリート調合）	正答	**4**

1 ○ JASS 5の寒中コンクリートの項に「使用するコンクリートはAEコンクリートとし、空気量は特記による。特記の無い場合は、4.5〜5.5%の範囲で定め、工事監理者の承認を受ける。」と規定されている。したがって、AE剤、AE減水剤または高性能AE減水

剤を用いる普通コンクリートについては、調合を定める場合の空気量を4.5〜5.5%の範囲で定める。

2 ○ 構造体強度補正値は、JASS 5の特記による。特記のない場合は、セメントの種類及びコンクリートの打込みから**材齢28日までの予想平均気温の範囲に応じて定める。**

コンクリート強度の構造体強度補正値$_{28}S_{91}$の標準値

普通ポルトランドセメント	コンクリートの打込みから材齢28日までの期間の予想平均気温 θ の範囲(℃)	
	$0 \leq \theta < 8$	$8 \leq \theta$
構造体強度補正値$_{28}S_{91}$ (N/mm^2)	6	3

注:暑中期間における構造体強度補正値$_{28}S_{91}$は、6 N/mm^{2}とする。

3 ○ コンクリート調合管理強度は、調合強度を管理する場合の基準となる強度で、**品質基準強度（設計基準強度と耐久設計基準強度の大きい方）に構造体強度補正値を加えた値**とする。(JASS 5)

4 × 単位セメント量は、水和熱及び乾燥収縮によるひび割れを防止する観点から、**できるだけ少なくすることが必要**である。しかし、**単位セメント量が過小であると、コンクリートのワーカビリティー**が悪くなり、型枠内へのコンクリートの充填性の低下、じゃんか、す、打継ぎ部における**不具合の発生、水密性の低下**等を招きやすい。

No. 26	コンクリート工事（コンクリートの運搬・打込み・締固め）	正答	**3**

1 ○ コンクリートの練混ぜから打込み終了までの時間の限度は、外気温が25℃未満で120分以内、25℃以上で90分以内とする。(JASS 5)

2 ○ コンクリートの圧送に先立ち圧送される先送りモルタルは、**型枠内に打ち込まず破棄**する。また、先送りモルタルは、セメントの配分を多くした**富調合**のものとする。(公共建築工事標準仕様書建築工事編6.6.1（3）（ウ））

3 × コンクリート内部振動機で締め固める場合の**加振時間**は、打ち込まれたコンクリートがほぼ水平になり、コンクリート表面にセメントペーストが浮き上がる時間を標準とし、**1箇所5〜15秒**の範囲とするのが一般的である。

4 ○ 同一区画の打込み継続中における打重ね時間は、コールドジョイントを発生させないために、先に打ち込まれたコンクリートの**再振動可能時間以内**とする。

No. 27	鉄骨工事（鉄骨の溶接）	正答	**4**

1 ○ 溶接部の表面割れの範囲を確認した上で、その**両端から50 mm以上をアークエアガウジングで斫り取って船底型の形状に仕上げ、補修溶接**する。

2 ○ 余盛りは応力集中を避けるため、過大であったり、ビード表面形状に不整がある場合は、滑らかに仕上げるが、**3 mm以下の場合は不陸がなければグラインダ仕上げは不要**である。完全溶込み溶接の突合せ継ぎ手における余盛りの高さは、下表による。

完全溶込み溶接突合せ継手の余盛りの高さ

図	管理許容差	限界許容差
B ↕△h h+△h B	B < 15 mm 0 < h + △h ≦ 3 mm 15 mm ≦ B < 25 mm 0 < h + △h ≦ 4 mm	B < 15 mm 0 < h + △h ≦ 5 mm 15 mm ≦ B < 25 mm 0 < h + △h ≦ 6 mm
h+△h B	25 mm ≦ B 0 < h + △h ≦ $\left(\frac{4}{25}\right)$ B mm	25 mm ≦ B 0 < h + △h ≦ $\left(\frac{6}{25}\right)$ B mm

3 ○ サブマージアーク溶接とは、粉末の**フラックス**を溶接線状に散布し、その中に溶接ワイヤを**自動送給して行う溶接**である。自動溶接であるサブマージアーク溶接を行うに当たっては、溶接中の状況判断とその対応は**オペレータ**が行う必要がある。

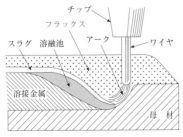

サブマージアーク溶接

4 × 気温が低いと溶接部の冷却速度が**速く**なり、溶接部に**割れ**が生じやすくなるので、**溶接作業場所の気温が−5℃を下回る場合は、溶接を行ってはならない**。なお、溶接作業場所の気温が−5℃から5℃までの場合は、溶接部より100 mmの範囲の母材部分を加熱して溶接を行うことができる。

No. 28	鉄骨工事 (鉄骨の建方)	正答	**4**

1 ○ 鉄骨の建方時に架構の倒壊防止としてワイヤロープを使用する場合、このワイヤロープを**建入れ直し用に兼用してよい**。（JASS 6）

2 ○ 建方精度の測定では、日照による温度の影響を避けるために、**早朝の一定時間に行う**などの考慮を払う。また、長時間にわたる場合は気候も変わるので、測定器の温度補正を行わなければならない。

3 ○ ウェブを高力ボルト接合、フランジを工事現場溶接接合とする混用接合は、原則としてウェブの**高力ボルトを先に本締め**まで行った後、フランジ溶接を行う。

4 × 柱の溶接継手の**エレクションピースの仮ボルト**は、建方に必要な本数だけが設けられているので、**高力ボルトを使用して全数**締め付ける。（公共建築工事標準仕様書建築工事編7.10.5（4））

1 ○　日本集成材工業協同組合では、**材長10ｍ未満の柱材の管理許容差を±３mm**としている。

2 ×　集成材にあける**ドリフトピンの孔の径の許容誤差は、特記がなければピン径と同径**とする。

（下表を参照）

木造建築物における大断面集成材の許容誤差

項目		許容誤差
ボルト孔の間隔		±２mm
ボルト孔の径	16mm未満	＋１mm
	16mm以上	＋２mm
ドリフトピン孔の径		**±０mm（ピン径と同径）**
柱材の長さ		±３mm
梁材の曲がり		長さの$\frac{1}{1,000}$以下

3 ○　大断面集成材に設ける標準的なボルト孔の心ずれは、**許容誤差を±２mm以内**とする。

4 ○　接合金物のボルトの孔あけ加工の大きさは、ねじの呼びが**M16未満の場合は公称軸径に１mmを加えた**ものとし、**M16以上の場合は1.5mmを加える**。（公共建築木造工事標準仕様書）

1 ○　建設用リフトの定格速度とは、搬器に積載荷重に相当する荷重の荷をのせて**上昇させる場合の最高の速度**をいう。また、建設用リフトの**荷重試験**は、建設用リフトに積載荷重の1.2倍に相当する荷重の荷をのせて、昇降の作動を行う。

2 ○　油圧式トラッククレーンの**つり上げ荷重**は、アウトリガーを最大限に張り出し、ジブ長さを最短に、傾斜角を最大にしたときに負荷させることができる**最大荷重**に、フック等のつり具の質量を含んだ**つり上げ荷重**で示される。

3 ○　トラックアジテータは、トラックシャシの上にミキサー装置を架装したものである。**最大混合容量が4.5 m³のミキサー装置には10 tのトラックシャシが使用**され、普通コンクリートの重量は約**2.3 t/m³×4.5 m³＝10.35 t**となるので、最大積載時の総質量は約**20 t**となる。

4 ×　ロングスパン工事用エレベーターは、**機械自体の傾きが$\frac{1}{10}$の勾配を超えると自動停止装置が作動する**ように設定しなければならない。

1 ○　立上り部、ドレン回り及びパイプ回りなどでは、**補強布の重ね幅は100mm以上**とする。

（次ページの図参照）

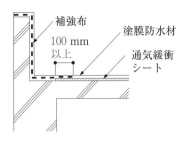

立上り部の施工

2 ○　ウレタンゴム系防水材の立上り部の総使用量は、硬化物密度1.0 Mg/m³のものを使用する場合は2.0 kg/m²とし、**平場部では3.0 kg/m²**とする。（公共建築工事標準仕様書建築工事編9.5.3 (1)（ア））

3 ○　ウレタンゴム系防水材の**塗継ぎの重ね幅は100 mm以上、補強布の重ね幅は50 mm以上**とする。したがって、コンクリートの打継ぎ箇所は、U字形に斫り、シーリング材を充填した上、幅100 mm以上の補強布を用いて補強塗りを行う必要がある。（JASS 8）

4 ×　絶縁工法は通気緩衝工法ともいい、絶縁工法における脱気装置は、一般に**50〜100 m²ごとに設置**し、屋上の構造、用途、防水下地の乾燥状況等によっては増設する場合がある。（JASS 8）

No. 32	石工事（外壁乾式工法）	正答	3

1 ○　外壁乾式工法に用いる石材の寸法は、**幅及び高さ1,200 mm以下**、かつ、**面積で0.8 m²以下**とし、重量については70 kg以下とする。また、石材の形状は正方形に近い矩形とする。

2 ○　外壁乾式工法において、下地面の寸法精度は、**±10 mm以内**とする。

3 ×　厚さ30 mm、大きさ500 mm角の石材のだぼ孔の端あき寸法は、**石材の厚みの3倍以上の90 mm以上**、あるいは**石材幅の辺長の $\frac{1}{4}$ 程度である125 mm程度**の位置にバランスよく設ける。

4 ○　石材間の**目地**には、シーリング材を充填する。目地幅は特記がなければ**8 mm以上**とする。なお、シーリング材の目地寸法は、幅、深さとも**8 mm以上**とする。（公共建築工事標準仕様書建築工事編10.5.3 (6)）

No. 33	屋根工事（金属製折板葺き屋根工事）	正答	3

1 ○　タイトフレームを取り付けるための墨出しは、山ピッチを基準に行い、割付けは建物の**桁行き方向の中心から行う**。（JASS 12）

2 ○　タイトフレームの受梁が大梁で切れる部分の段差の添え材には、**タイトフレームの板厚と同厚以上**の部材を用いる。（JASS 12）

3 ×　止水面戸は、**折板の水上端部**に堅固に取り付け、止水面戸の周囲は不定形シーリング材で**シール**する。また、水上部分と壁との取合い部

に設ける雨押えは、**壁際で150mm程度立ち上げる。**（JASS 12）

4 ○　折板の底に設ける雨水の落とし口は**円形**にし、孔の周囲に**5〜10 mm以上の尾垂れ**を付け、裏側への雨水の回り込みを防止する。（JASS 12）

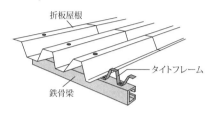

折板屋根
タイトフレーム
鉄骨梁

金属製折板葺きのタイトフレーム

No. 34	金属工事（軽量鉄骨天井下地工事）	正答	**2**

1 ○　軽量鉄骨天井下地の下地張りがなく野縁を壁に突き付ける場合で天井目地を設けるときは、**厚さ0.5mm以上のコ形またはL形の亜鉛めっき鋼板**を**野縁端部の小口に差し込む**か、または添え付けて留め付ける。（公共建築工事標準仕様書建築工事編14.4.4（4））

2 ×　天井のふところが1.5 m以上ある場合は、原則として吊りボルトの補強を行う。天井のふところが3 mを超える場合は、特記による。特記がなければ、天井のふところが3 m以下の場合、吊りボルトの**水平補強、斜め補強を行う。**水平補強は縦横方向に間隔1.8 m程度に配置し、**斜め補強**は相対する斜

め材を1組とし、縦横方向に間隔3.6 m程度に配置する。（同仕様書同編14.4.4（8））振れ止め補強材は、丸鋼または溝形鋼を吊りボルトに溶接する。

3 ○　野縁受、吊りボルト及びインサートの間隔は**900 mm程度**とし、周辺部は端から**150 mm以内**とする。ただし、屋外の場合は、特記による。（同仕様書同編14.4.3（1））したがって、吊りボルトの間隔が900 mmを超える場合は、その吊りボルトの間に水平つなぎ材を架構し、中間から吊りボルトを下げる2段吊りとし、支持間隔が900 mmを超えないようにする必要がある。

4 ○　下地張りのある場合の野縁の間隔は、**シングル野縁360 mm程度、ダブル野縁1,800 mm程度**とする。ただし、屋外の場合は、特記による。（同仕様書同編14.4.3（2）、表14.4.2）記述は、ダブル野縁1,800 mm程度の間隔であり、ダブル野縁の間隔に4本のシングル野縁の間隔を揃えて配置すると、シングル野縁の間隔は1800 ÷ 5 = 360 mmとなり、適当と判断できる。

（次ページの表参照）

野縁の間隔

天井仕上げの種類	野縁の間隔 (mm)	ダブル野縁の間隔 (mm)
下地張りのある場合	360 程度	1,800 程度
仕上材料となるボードの直張り、壁紙または塗装の下地となるボードの直張り	300 程度	900 程度
ボードの一辺の長さが450 mm程度以下の場合の直張り	225 程度以下	450 程度
金属成形板張りの場合	360 程度	－

No. 35	左官工事（下地セメントモルタル塗り）	正答	**2**

1 ○ むら直しとは、**塗厚または仕上げ厚が大きいとき、あるいは塗りむらが著しいときに下塗りの上に**モルタルを塗り付けることをいう。これにより中塗り、上塗りの塗厚が均一となる。セメントモルタル塗りの工程は、**下塗り→むら直し→中塗り→上塗り**の順で行う。

2 × 内壁をモルタル仕上げとする場合、**塗厚の標準値は20 mm**とする。

3 ○ セメントペーストは、一度乾くとはく離しやすくなるので、塗った後、**乾かないうちに追いかけて下塗りモルタルを塗る**必要がある。

4 ○ **下塗り用モルタルの調合（容積比）はセメント1対砂2.5、むら直し・中塗り・上塗りはセメント1対砂3**とする。

No. 36	塗装工事（塗装工事）	正答	**1**

1 × 木材保護塗料塗りは通常屋外で使用される木質系素地に対して適用される。木材保護塗料は、**原液で使用し、希釈はしない。**

2 ○ 亜鉛めっき鋼面の常温乾燥形ふっ素樹脂エナメル塗りの下塗りには、**変性エポキシ樹脂プライマーを使用**する。（JASS 18）

3 ○ アクリル樹脂系非水分散形塗料塗りの工程は、下塗り、中塗り、上塗りの順に同じ塗料を用い、塗付け量はともに0.10 kg/m² とする。（JASS 18）

4 ○ 合成樹脂エマルションペイント塗りでは、各塗装工程の標準工程間隔時間は、気温20℃においては3時間以上である。

No. 37	内装工事（ビニル床シート張り）	正答	**3**

1 ○ 床シートの張付けは、床シートを送り込みながら**圧着棒を用いて**空気を押し出すように行い、その後45 kgローラーで圧着する。

2 ○ ビニル床タイルの張付けは、接着剤を塗布し**所定のオープンタイム**をとり、溶剤の揮発を適切に行い張り付ける。所定の**オープンタイム**をとらずに張り付けると初期粘着ができないだけでなく、溶剤が床材で密封され、床材を軟化させたり、ふくれの原因となる。

3 ✕ 　水がかり部（湯沸室、洗面所等、特に水を扱う部屋、湿気のある部屋、結露しやすい部屋等）には耐水性に優れた**エポキシ樹脂系、またはウレタン樹脂系接着剤を用いる**。ゴム系溶剤形の接着剤は水の影響を受けない箇所に用いるものであり、防湿層のない土間コンクリートへの床シートの張付けには使用できない。

4 ◯ 　溶接作業は、**床シートの張付け後12時間以上経過**し、接着剤が硬化してから行う。

No. 38	内装工事 （断熱工事）	正答	**2**

1 ◯ 　硬質ウレタンフォーム吹付け工法において、厚く付き過ぎて表面仕上げ上支障となる箇所は、**ウェーブナイフまたはカッターナイフで表層を除去**し、表面仕上げ材の施工が可能な空間を保持するようにする。（建築工事監理指針）

2 ✕ 　ウレタンフォームは**自己接着性を有している**ので、硬質ウレタンフォーム吹付け工法において、吹き付ける前にコンクリート面に接着剤を塗布する**必要はない**。

3 ◯ 　押出法ポリスチレンフォーム張付け工法においては、断熱材と躯体との境界面に隙間が生じるとその部分に結露が生じやすくなるため、**接着は全面接着とし、密着させて張り付ける**。したがって、押出法ポリスチレンフォーム張付け工法において、セメント系下地調整塗材等を用いて**隙間ができない**ようにしてから、断熱材を**全面接着**で張り付ける。

4 ◯ 　押出法ポリスチレンフォーム打込み工法において、窓枠回りに防水剤入りモルタル詰めを行った場合は、曲面や窓枠回り等の複雑な形状には**硬質ウレタンフォームを充填する**。（同指針）したがって、押出法ポリスチレンフォーム打込み工法において、窓枠回りの施工が困難な部分には、**現場発泡の硬質ウレタンフォームを吹き付けて充填する**。

No. 39	ALCパネル工事 （ALCパネル工事）	正答	**4**

1 ◯ 　取扱い時に欠けが生じたパネルは、直接構造耐力上の支障がない場合、**製造業者の指定した補修モルタル**で補修して使用する。

2 ◯ 　間仕切パネルの出隅部、入隅部の縦目地及び外壁や柱等とパネルとの間には、**20 mm程度の伸縮目地**を設けてパネルを取り付ける。（JASS 21）

3 ◯ 　外壁の縦壁ロッキング構法の目地は、伸縮目地とし、**目地幅は特記がない場合10〜20 mm**とする。（公共建築工事標準仕様書建築工事編8.4.3（7））

4 ✕ 　耐火性能が要求される間仕切

り壁の伸縮目地には耐火目地材を用いる。一般に、耐火目地材は、JIS A 9504に定めるロックウール保温板に適合するものとする。(建築工事監理指針)

| No. 40 | 施工計画（事前調査・準備作業） | 正答 | **3** |

1○ 山留め計画に当たっては、設計による地盤調査を行っていても、必要に応じて追加のボーリング調査等を行う。

2○ 地下水の排水計画に当たっては、公共下水道の排水方式等の必要な調査を行う。

3× コンクリートポンプ車等を道路に設置するために提出する道路使用許可申請書は、道路管理者ではなく、警察署長に提出する。(道路交通法第77条第1項第一号)

4○ 鉄骨工事計画に当たっては、タワークレーンによる電波障害が予想される場合には、近隣に対する説明を行って了解を得る必要がある。

| No. 41 | 施工計画（仮設設備） | 正答 | **1** |

1× 工事用電力は、電力会社に申し込むことになるが、供給約款では、一般に、契約電力が50kW未満の場合は低圧受電、50kW以上2,000kW未満の場合は高圧受電、2,000kW以上の場合は特別高圧受電となる。

2○ 工事用使用電力量の算出において

て、コンセントから使用する電動工具の同時使用係数は、0.7〜1.0とする。(JASS 2)

3○ 労働安全衛生規則第628条第1項には、男性用大便所の便房の数は男性労働者60人以内ごとに1個以上、男性用小便所の箇所数は男性労働者30人以内ごとに1個以上、女性用便所の便房の数は女性労働者20人以内ごとに1個以上とすることと規定されている。同法には作業員の洗面所の数は規定されていないが、作業員45名当たり1台は不適当な数とは判断されない。また、仮設設備の洗面台には、一般に3連槽式洗面台が用いられる。

4○ 仮設の給水設備において、工事事務所の使用水量は、40〜50L/人・日を目安とする。

☆労働安全衛生規則第628条は、令和3年12月1日施行で改正されましたが、本問の正答に影響はありません。

| No. 42 | 施工計画（材料の取扱い） | 正答 | **3** |

1○ 既製コンクリート杭を仮置きする場合、水平な地盤上にまくら材を置き、ロープ・くさび等を使用して、固定する。2段以上に積む場合は、各段のまくら材を同一鉛直面上に配置する。また、杭の荷積みや荷下しは、必ず杭を2点で支持しながら行う。ただし、両端

129

を支持すると大きな曲げモーメントが加わり、杭体を損傷するおそれがあるため、両端から杭長の$\frac{1}{5}$の点で支持する。(JASS 4)

2 ○ 被履アーク溶接棒は、湿気を吸収しないように保管し、吸湿しているおそれがある場合には乾燥器で乾燥させてから使用する。

3 × 砂付ストレッチルーフィングは、接着不良にならないように砂の付いていないラップ部分（張付け時の重ね部分）を上に向けて縦置きとし、ラップ部分の保護のため2段積みは行わない。

4 ○ プレキャストコンクリートの床部材を積み重ねて平置きとする場合は、水平になるよう台木を2本敷いて、上部の部材の台木と下部の部材の台木が同じ平面位置になるようにする。また、台木は2箇所とし、積み重ね段数は6段以下とする。

No.43	施工計画 （計画の届出）	正答	3

1 ○ 高さが10m以上の枠組足場を設置するに当たっては、組立てから解体までの期間が60日以上の場合には、当該工事の開始の日の30日前までに、労働基準監督署長に計画を届け出なければならない。(労働安全衛生法第88条第1項)

2 ○ 耐火建築物で石綿等の除去の作業を行う場合は、仕事の開始の日

の14日前までに、労働基準監督署長に届け出なければならない。(同法第88条第3項、同規則第90条第五号の二)

3 × 掘削の深さが10m以上の地山の掘削の作業を労働者が立ち入って行う場合、当該仕事の開始の日の14日前までに、労働基準監督署長に計画を届け出なければならない。(同法第88条第3項、同規則第90条第四号)

4 ○ 高さ31mを超える建築物または工作物の建設、改造、解体または破壊の仕事を行う場合は、仕事開始の日の14日前までに、労働基準監督署長に届け出なければならない。(同法第88条第3項、同規則第90条第一号)

No.44	施工計画 （工程計画）	正答	3

1 ○ マイルストーンとは、原語は標石であるが、工程計画においては工事の進捗を表す主要な日程上の区切りを示す指標のことをいう。マイルストーンには、掘削完了日、鉄骨建方開始日、外部足場解体日等が用いられる。

2 ○ 工程短縮を図るために行う工区の分割は、各工区の作業数量にばらつきがあると非効率であるため、ほぼ均等になるように計画する必要がある。

3 × 全体工期に制約がある場合には、

工期を決めてから各工程の日程を割り付けていく**割付方式**（逆行型）を用いて工程表を作成する。なお、各工程の日程を積み上げていく**積上方式**（順行型）は、**全体工期に制約がない場合**の工程表を作成する場合に用いられる。

4 ○ 工程計画を作成するためには、まず各作業をどのような手順で行うかの**手順計画**を立て、次にその手順をいつ実施するかの**日程計画**を決定して作成する。

第一次検定試験（午後の部）

No. 45	施工計画 （工程計画）	正答	1

1 × **タワークレーン**の場合は、1日当たり、**40～50ピース**程度とされている。

2 ○ 現場の作業時間を午前8時～午後5時までの9時間とすると、**9時間の60%は5時間24分**となる。したがって、鉄骨建方機械の稼働時間を1台1日当たり5時間30分として計画するのは不適当ではないと判断される。

3 ○ トルシア形高力ボルトの1日における締付け作業効率は、ビルで**450～700本**、工場建屋等で**400～600本**である。（鉄骨工事技術指針）したがって、トルシア形高力ボルトの締付け作業は、3人1組で作業するものなので、

1人1日当たり**150～200本**として計画する。

4 ○ 鉄骨の**ガスシールドアーク溶接**による現場溶接は、**1人1日当たり6 mm換算で80 m**として計画する。一般に現場溶接の1日の平均能率は、溶接技能者1人当たり箱形（ボックス）柱で2本、梁で5箇所といわれている。

No. 46	工程計画 （ネットワーク工程表）	正答	2

1 ○ **クリティカルパス（CP）**とは、ネットワーク工程表において、始点から終点に至る経路のうち**最も時間のかかる経路**をいう。クリティカルパス（CP）以外の作業であっても、**フロート（余裕時間）を使い切ってしまうとクリティカルパス（CP）になる**。

2 × **ディペンデントフロート（DF）**とは、**トータルフロート（最大余裕時間）からフリーフロート（自由余裕時間）を減じて得られる**。なお、**トータルフロート（最大余裕時間）**とは、当該作業の最遅完了時刻（LFT）に対する余裕時間、**フリーフロート（FF）**とは、後続作業の最早開始時刻（EST）に対する余裕時間をいう。

3 ○ **最早開始時刻（EST）**は、作業の始点から完了日までの各イベントの作業日数を加えていき、複数経路日数のうち、**作業の完了を待**

つことになる最も遅い日数となる。

4 ○ 最早開始時刻（EST）に続いて、最遅完了時刻（LFT）を計算した時点で、**後続作業の最早開始時刻（EST）と当該作業の最遅完了時刻（LFT）が同じ日数の場合は、当該作業は余裕のない経路**に該当するので、当該作業は**クリティカルパス（CP）**上の作業である。

No. 47	品質管理（品質管理）	正答	4

1 ○ コンクリート工事において、コンクリート部材の設計図書に示された位置に対する各部材の位置の許容差は、±20 mmを標準とする。

2 ○ 高強度コンクリートの荷卸し地点におけるスランプフローの許容差は、**50 cmの場合、±7.5cm、60 cmの場合、±10 cm**とする。ただし、**高流動コンクリートのスランプフローは55 cm以上65 cm以下とし、許容範囲は±7.5 cmで、50 cmを下回らず、70 cmを超えないものとする。**

3 ○ 鉄骨工事におけるスタッド溶接後のスタッドの傾きの**限界許容差は、5°以下**とする。

4 × 鉄骨梁の製品検査で梁の長さの**管理許容差は±3 mm、限界許容差は±5 mm**である。（JASS 6）（右段の表参照）

鉄骨梁の許容差

名称	図	管理許容差	限界許容差
梁の長さ ⚿L	⊢L＋⚿L⊣	−3mm≦⚿L ≦＋3mm	−5mm≦⚿L ≦＋5mm

No. 48	品質管理（品質管理）	正答	1

1 × **ヒストグラム**は、ばらつきをもつデータの範囲をいくつかの区間に分け、各区間を底辺とし、その区間での出現度数を高さとした**長方形（柱状）**を並べた図で、柱状図とも呼ばれる。データの分布の形をみたり、規格値との関係（目標値からのばらつき状態）をみることができる。計量特性の度数分布のグラフ表示で、製品の品質の状態が規格値に対して満足のいくものか等を判断するために用いられる。

ヒストグラムの例

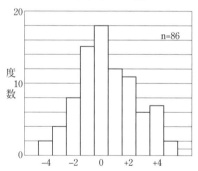

観測値若しくは統計量を時間順またはサンプル番号順に表し、工程が管理状態にあるかどうかを評価するために用いられる図は、**管理**

図である。

管理図

2 ○ **特性要因図**とは、**特定の結果と**原因系の関係を系統的に表し、重要と思われる原因への対策の手を打っていくために用いられる図で、その形状が似ていることから「**魚の骨**」と呼ばれる。

3 ○ 散布図とは、2つの**特性を横軸と縦軸**とし、**観測値**を打点して作る**グラフ表示**である。QCの7つ道具の1つとして広く普及しており、主に2つの変数間の関連を調べるために用いられる。

散布図の例

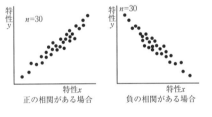

4 ○ **パレート図**とは、**不良品、欠点、故障等の発生個数**を現象や要因別に分類し**層別**にして、出現度数の**大きい順に並べる**とともに**累積和を示した図**である。

No. 49	品質管理 (検査)	正答	**4**

1 ○ **購入検査**は、品物を**外部から購入**する場合に適用する検査である。

例えば、提出された検査ロットを**購入してよいかどうかを判定**するために行う検査をいう。

2 ○ **巡回検査**は、検査員が随時、工程を**パトロールしながら行う検査**で、検査を実施する時点を指定せずに検査を実施できる場合に適用される。

3 ○ **無試験検査**とは、品質情報・技術情報などに基づいて、**サンプルの試験を省略できる検査**をいう。検査なしで次の工程に流すものであり、一般に次のような場合に適用する。

①管理図に異常がなく製造工程が安定状態にあり、そのまま次工程に流しても損失は問題にならない状態の場合、ロットの試験を省略する。②JIS指定商品等、品質保証のある商品の場合、購入検査を省略する。③長期にわたって検査結果が良く、使用実績も良好な品物の受入検査の場合、供給者の検査成績表の確認によってサンプルの試験を省略する間接検査に切り替える。

4 × 対象の一部を抽出して行う**抜取検査**は、継続的に**不良率が大きく**、決められた品質水準に修正しなければならない場合には、**適用できない**。継続的に**不良率が大きく**、決められた品質水準に修正しなければならない場合に適用されるのは、**全数検査**である。全数検査は、選定された特性についての、**対象**

とするグループ内すべてのアイテ
ムに対する検査をいう。アイテム
とは、別々に、記述及び検討する
ことができるものをいう。(JIS Z
8101-2) 工程の品質状況が悪く継
続的に不良率が大きい場合、あら
かじめ決めた品質水準に達しない
ときは、全数検査とする。

No. 50	安全管理 （災害防止対策）	正 答	3

1 ○　落下物に対する防護のための工
　　　事用シートの取付けに当たっては、
　　　一般的に、足場に水平支持材を
　　　垂直方向5.5 m以下ごとに設け、
　　　シートの周囲を40 cm以内の間
　　　隔で、隙間及びたるみがないよう
　　　に足場に緊結する。

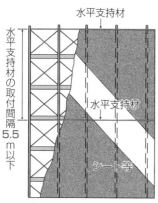

工事用シートの取付け例

2 ○　施工者は、車両交通対策を行っ
　　　た場合には、歩行者が安全に通行
　　　し得るために、車道とは別に幅
　　　0.9 m以上、特に歩行者の多い箇
　　　所においては幅1.5 m以上の歩

行者用通路を確保し、必要に応じ
て交通誘導員を配置する。

3 ×　防護棚は足場の外側から水平距
　　　離で2 m以上突き出させ、水平
　　　面となす角度を20°以上とし、風
　　　圧、振動、衝撃、雪荷重等で脱落
　　　しないように骨組に堅固に取り付
　　　ける。

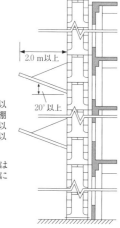

地　盤　より10 m以
上の場合は防護棚
1 段以上、20 m以
上の場合は2段以
上設置

最下段の防護棚は
10 m以内の位置に
設置

防護棚

4 ○　飛来落下災害防止のために、鉄
　　　骨躯体の外側には垂直ネット、水
　　　平ネットを設置し、ネットは、日
　　　本産業規格（JIS）に適合してい
　　　る網目寸法15 mm以下のものを
　　　使用する。

No. 51	法規 （労働安全衛生法）	正 答	1

1 ×　掘削面からの高さが2 m以上
　　　の地山の掘削作業において、地山
　　　の掘削作業主任者を選任しなけれ
　　　ばならない。（労働安全衛生法施

行令第6条第九号）

2 ○ 高さにかかわらず型枠支保工の解体作業において、型枠支保工の組立て等作業主任者を選任しなければならない。（同施行令第6条第十四号）

3 ○ つり足場、張出し足場または高さが5 m以上の移動式足場の組立て作業において、足場の組立て等作業主任者を選任しなければならない。（同施行令第6条第十五号）

4 ○ 高さが5 m以上のコンクリート造工作物の解体作業において、コンクリート造の工作物の解体等作業主任者を選任しなければならない。（同施行令第6条第十五の五号）

No. 52	法規（労働安全衛生規則）	正答	4

1 ○ 移動はしごは、丈夫な構造とし、著しい損傷、腐食等がなく、**幅は30 cm以上**とすること。また、すべり止め装置の取付けその他転位を防止するために必要な措置を講じなければならない。（労働安全衛生規則第527条）

2 ○ **枠組足場の使用高さ**は旧JIS A 8951（鋼管足場）で、「**原則として45 mを超えてはならない**」と定められている。

3 ○ つり足場の場合を除き、幅、床材間の隙間及び床材と建地との隙間は、次に定めるところによること。

イ 幅は、**40 cm以上**とすること。
ロ 床材間の隙間は、**3 cm以下**とすること。
ハ 床材と建地との隙間は、**12 cm未満**とすること。
（同規則第563条第1項第二号）

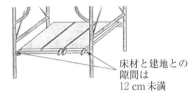
床材と建地との
隙間は
12 cm未満

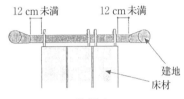
12 cm未満　　　12 cm未満

建地
床材

作業床

4 × 建設工事に使用する高さ8 m以上の登り桟橋には、**7 m以内ご**とに踊場を設けること。（同規則第552第1項第六号）

No. 53	法規（労働安全衛生法）	正答	4

1 ○ 特定元方事業者と関係請負人との間及び関係請負人相互間における、**作業間の連絡及び調整を随時**行うことと規定されている。（労働安全衛生法第30条第1項第二号）

2 ○ 仕事の工程に関する計画及び作業場所における主要な**機械、設備等の配置に関する計画を作成する**ことと規定されている。（同法第30条第1項第五号）

3 ◯　関係請負人が雇い入れた労働者に対し、**安全衛生教育を行うための場所を提供し、指導及び援助す**ることと規定されている。（同法第30条第1項第四号）

4 ×　協議組織の設置及び運営を行うことは、労働安全衛生法第30条第1項第一号に規定されている。**特定の関係請負人だけではなく、すべての関係請負人が参加**する協議組織を設置し、会議を随時開催する必要がある。

No. 54	法規 （クレーン等安全規則）	正答	1

1 ×　落成検査の荷重試験は、**クレーンに定格荷重の1.25倍に相当する荷重**（定格荷重が200 tを超える場合は、定格荷重に50 tを加えた荷重）の荷をつり、つり上げ・走行・旋回・トロリの横行等の作動を行う。（クレーン等安全規則第6条第3項）

2 ◯　**移動式クレーンを除く、つり上げ荷重が5 t未満のクレーンの運転業務**は、特別の教育を受けた者であれば就くことができる。（同規則第21条第1項第一号）

3 ◯　クレーン、移動式クレーンまたはデリックの玉掛け用具であるワイヤロープの**安全係数**については、6以上でなければ使用してはならない。（同規則第213条第1項）

4 ◯　つり上げ荷重が1 t以上のク

レーン、移動式クレーン若しくはデリックの玉掛けの業務は、**玉掛け技能講習を修了した者**が行わなければならない。（労働安全衛生法施行令第20条第十六号）

No. 55	鉄筋工事 （継手及び定着）	正答	3,4

1 ◯　上・下階の縦筋の位置が異なるとき等、壁縦筋の配筋間隔が異なる場合は、**あき重ね継手を用いてよく、配筋間隔の異なる鉄筋を無理に折り曲げることは避ける**。

2 ◯　180°フック付き重ね継手の長さは、フックの折曲げ開始点間の距離とする。

3 ×　梁主筋を柱に**フック付き定着**とする場合は、鉄筋末端のフックの**全長は定着長さに含まない**。

4 ×　重ね継手は、1箇所に集中することなく、相互にずらして設けることを原則とする。重ね継手の長さ分ずらすと、継手の端が1箇所に集中し、**コンクリートのひび割れの原因となる**ので避ける。隣り合う鉄筋の継手中心位置を重ね継手長さの約0.5倍または約1.5倍ずらす。

5 ◯　四辺固定スラブの下端筋の直線定着長さは、10 d以上、かつ150 mm以上とする。

No. 56	コンクリート工事 （型枠支保工）	正答	1,4

1 ×　鋼管（パイプサポートを除く）を支柱として用いるものにあって

は、高さ2m以内ごとに水平つ
なぎを2方向に設け、かつ、水平
つなぎの変位を防止すること。（労
働安全衛生規則第242条第六号イ）

2 ○ 「**最上層及び5層以内の箇**
所において、型枠支保工の側面並
びに枠面の方向及び交差筋かいの
方向における**5枠以内ごとの箇所**
に、**水平つなぎを設け**、かつ、水
平つなぎの変位を防止すること。」
と定められている。（同規則第242
条第八号ロ）

3 ○ パイプサポートを継いで用いる
ときは、2本までとし、**4本以上**
のボルトまたは専用の金具を用い
て固定する。

4 × 支柱として鋼管枠を使用する場
合、1枠当たり許容荷重は、荷重
の受け方により異なる。支柱とし
て用いる**組立て鋼柱の高さが4m**
を超えた場合、高さ4m以内ご
とに水平つなぎを2方向に設ける。

5 ○ 支柱として用いる鋼材の許容曲
げ応力の値は、その鋼材の**降伏強**
さの値または引張強さの値の $\frac{3}{4}$
の値のうち、いずれか小さい値の
$\frac{2}{3}$ **の値以下**としなければならない。
（右段の図参照）

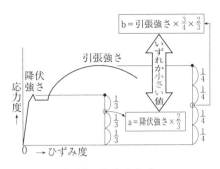

鋼材の許容応力度

No. 57	改修工事（耐震改修柱補強工事）	正答 **3,5**

1 ○ 溶接閉鎖フープ巻き工法のフー
プ筋の継手は、**溶接長さが片側**
10d以上のフレア溶接とする。

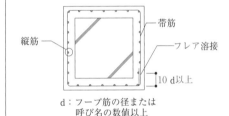

d：フープ筋の径または
呼び名の数値以上

溶接閉鎖フープの組立て

2 ○ RC巻き立て補強の溶接金網巻
き工法において、溶接金網相互の
接合は**重ね継手、ガス圧接継手、**
~~機械式継手~~または~~溶接継手~~とする。

3 × 連続繊維補強工法において、躯
体表面を平滑にするための下地処
理を行い、柱及び梁の隅角部は**直**
角のままとせず、R状に面取りす
る。

4 ○ 鋼板巻き工法において、**鋼板は**
所定の位置にセットして溶接にて

固定する。工場で加工した鋼板を現場で突合せ溶接等により一体化する。

5 × 鋼板巻き工法において、鋼板と既存柱の隙間には、**流動性の高いモルタルであるグラウト材**をモルタルポンプにて注入する。

No. 58	防水工事（屋根保護アスファルト防水工事）	正答 **2,3**

1 ○ 屋根保護アスファルト防水工事において、コンクリート下地のアスファルトプライマーの使用量は、0.2 kg/m²とする。

2 × アスファルトルーフィング類の張付けにおいて、出隅、入隅には一般平場のルーフィング類の張付けに先立ち、**幅300 mm以上のストレッチルーフィングを用いて均等に増張り（捨張り）**する。（公共建築工事標準仕様書建築工事編9.2.4（4）（ア）（a））

ストレッチ
ルーフィング
幅300 mm以上

出隅部の増張り

（右段の図も参照）

ストレッチ
ルーフィング
幅300 mm以上

出入隅部の増張りは、平場のルーフィングの張付けより先に行う。

入隅部の増張り

出隅・入隅部の増張り

3 × 立上り部よりも水下側の平場部が下側になるよう、立上り部のアスファルトルーフィング類の張付けに**先立ち**、平場部のルーフィング類を100 mm以上、張り重ねる。（同仕様書同編9.2.4（4）（イ）（c））

4 ○ すべての保護コンクリートに、ひび割れを防止するため、**溶接金網**を伸縮調整目地間ごとに敷き込み、鉄線径6 mmの溶接金網では**1節半以上かつ150 mm以上**重ね、コンクリート打込み時に動かないように鉄線で結束する。（建築工事監理指針）

5 ○ アスファルト防水工事において、平場部の防水層の保護コンクリートに設ける伸縮調整目地の割付けについては、パラペット等の立上り部の仕上り面から**600 mm程度**とし、中間部は縦横の間隔を3,000 mm程度とする。（同仕様書同編9.2.5（6）（ア））

事監理指針）

No. 59 建具工事（鋼製建具工事） 正答 2,5

1 ○ 外部に面する戸は、**下部を除き三方の見込み部を表面板で包む。**（建築工事監理指針）内部建具の両面フラッシュ戸の見込み部は、上下部を除いた2方を表面板で包めばよい。

2 × 鋼製建具に使用する戸の表面板の厚さは、特記による。特記がなければ、片開き、親子開き及び両開き戸の1枚の有効開口幅が950mm、または有効高さが2,400mmを超える場合を除き**1.6 mm**とする。鋼製軽量建具に使用する戸の表面板の厚さは、0.6 mm以上とする。（公共建築工事標準仕様書建築工事編16.4.4（1）、16.5.4（1））

3 ○ 鋼製建具の戸において、中骨は**厚さ1.6 mm、間隔300 mm**とする。（同仕様書同編表16.4.2、表16.4.4）

4 ○ ステンレス鋼板製のくつずりは、**表面仕上げをヘアラインとし、厚さを1.5 mm**とする。建具枠は、くつずり、下枠等あとでモルタル充填が困難な部分では、あらかじめ裏面に鉄線等を取り付けてモルタル詰めを行ったのちに取り付ける。

5 × 枠及び戸の取付け精度は、ねじれ、反り、はらみ、**それぞれの許容差を±2 mm**とする。（建築工

No. 60 改修工事（内装改修工事） 正答 1,3

1 × ビニル床シート、ビニル床タイル等の既存床仕上げ材の撤去は、**一般のカッター等で切断し、スクレーパー等により他の仕上げ材に損傷を与えない**ように行う。ダイヤモンドカッターは、下地モルタルの浮き部分等を撤去するために、健全部分と縁を切る場合などに用いる。その場合、ダイヤモンドカッターの刃の出は、モルタル厚さ以下とする。

2 ○ 磁器質床タイルは、張替え部を**ダイヤモンドカッターで縁切り**し、タイル片を電動はつり器具により**周囲を損傷しないように撤去**する。

3 × 合成樹脂塗床材の撤去には、ケレン棒、電動ケレン棒、電動はつり器具、ブラスト機械などを用いる。撤去範囲は、**下地がモルタル塗りの場合はモルタル下地とも、**コンクリート下地の場合はコンクリート表面から3 mm程度とする。

4 ○ 既存合成樹脂塗床材を除去せずに同じ塗床材で塗り重ねる場合は、**既存仕上げ材の表面をディスクサンダー等により目荒しして接着性を高める。**

5 ○ 下地のコンクリートまたはモルタルの凹凸・段差等は、サンダー掛けまたはポリマーセメントモル

139

タルの充填等により補修し、コンクリート金ごて仕上げ程度に仕上げる。なお、新規仕上げが合成樹脂塗床の場合はエポキシ樹脂モルタルにより補修する。

| No. 61 | 法規 (建築基準法) | 正答 | 1 |

建築基準法第2条（用語の定義）に次のように規定されている。

1 × 事務所の用途に供する建築物は、**特殊建築物ではない。**（建築基準法第2条第二号）

2 ○ 観覧のための工作物は、**建築物である。**（同法第2条第一号）

3 ○ 高架の工作物内に設ける店舗は、**建築物である。**（同法第2条第一号）

4 ○ 共同住宅の用途に供する建築物は、**特殊建築物である。**（同法第2条第二号）

| No. 62 | 法規 (建築基準法) | 正答 | 2 |

1 ○ 容積率とは、敷地面積に対する延べ面積の割合のことである。建築物の容積率の算定において、自動車車庫の面積は、**敷地内の建築物の各階の床面積の合計の $\frac{1}{5}$ までは算入しない**ことができる。（建築基準法第52条第1項、同施行令第2条第1項第四号、第3項第一号）

2 × 「木造の建築物または建築物の部分で、高さが13mまたは**軒の高さが9mを超える**ものを新築する場合においては、一級建築士

でなければ、その設計または工事監理をしてはならない。」（建築士法第3条第1項第二号）したがって、建築主は、**軒の高さが9mを超える木造の建築物**を新築する場合においては、**一級建築士である工事監理者**を定めなければならない。

3 ○ 文化財保護法第182条第2項の条例その他の条例の定めるところにより現状変更の規制及び保存のための措置が講じられている建築物（保存建築物）であって、**特定行政庁が建築審査会の同意を得て指定したもの**については、**建築基準法並びにこれに基づく命令及び条例の規定は適用**しない。（建築基準法第3条第1項第三号）

4 ○ この法律またはこれに基づく命令若しくは条例の規定の施行または適用の際**現に存する建築物**若しくはその敷地または現に建築、修繕若しくは模様替の工事中の建築物若しくはその敷地がこれらの規定に適合せず、またはこれらの規定に適合しない部分を有する場合においては、当該建築物、建築物の敷地または建築物若しくはその敷地の部分に対しては、**当該規定は、適用しない。**（同法第3条第2項）したがって、建築基準法またはこれに基づく命令若しくは条例の規定の施行または適用の際現に存する建築物が、規定の改正等により

これらの規定に適合しなくなった場合、これらの規定は当該建築物に適用されない。

No. 63	法規（建築基準法）	正答	**2**

1 ○ 主要構造部が準耐火構造で３階以上の階に居室を有する建築物の昇降機の昇降路の部分は、準耐火構造の床、壁または遮炎性能のある防火戸等の防火設備で区画しなければならない。ただし、階数が３以下で延べ面積が200 ㎡以内の一戸建ての住宅における吹抜けとなっている部分、階段の部分等についてはこの限りではない。（建築基準法第26条、同施行令第112条第11項柱書、第二号）

2 × 政令で定める窓その他の開口部を有しない居室は、その居室を区画する主要構造部を耐火構造とし、または不燃材料で造らなければならない。（同法第35条の３本文）

3 ○ 建築物の11階以上の部分で各階の床面積の合計が100 ㎡を超えるものは、原則として床面積の合計100 ㎡以内ごとに耐火構造の床若しくは壁または防火設備で区画しなければならない。（同施行令第112条第7項）

4 ○ 給水管、配電管その他の管が、準耐火構造の防火区画を貫通する場合においては、当該管と防火区画との隙間をモルタルその他の不燃材料で埋めなければならない。（同施行令第112条第20項）

No. 64	法規（建設業法）	正答	**3**

1 ○ 建設業を営もうとする者は、一般建設業と特定建設業の区分により、許可を受けなければならない。建設業の許可は、建設工事の種類ごとに、建設業に分けて与えるものとする。（建設業法第3条第1項、第2項）

2 ○ 建設業者は、許可を受けた建設業に係る建設工事を請け負う場合においては、当該建設工事に附帯する他の建設業に係る建設工事を請け負うことができる。（同法第4条）

3 × 国土交通大臣または都道府県知事は、許可を受けてから1年以内に営業を開始せず、または引き続いて1年以上営業を休止した場合は、その許可を取り消さなければならない。（同法第29条第1項第四号）

4 ○ 特定建設業の許可を受けようとする者は、発注者との間の請負契約で、その請負代金の額が8,000万円以上であるものを履行するに足りる財産的基礎を有していなければならない。（同法第15条第三号、同施行令第5条の4）

1 ○ 契約に関する紛争の解決方法は、建設工事の請負契約書に記載しなければならない事項の一つとして規定されている。（建設業法第19条第1項第十五号）

2 ○ 建設業者は、建設工事の注文者から請求があったときは、**請負契約が成立するまでの間に、建設工事の見積書を交付しなければならない。**（同法第20条第2項）

3 ○ 請負人は、その請け負った建設工事の施工について建築士法第18条第3項の規定により**建築士**から工事を設計図書のとおりに実施するよう求められた場合において、**これに従わない理由**があるときは、直ちに、第19条の2第2項の規定により通知された方法により、注文者に対して、その理由を報告しなければならない。（同法第23条の2）

4 × 注文者は、請負契約の履行に関し**工事現場に監督員を置く場合**においては、当該監督員の権限に関する事項及び当該監督員の行為についての請負人の**注文者に対する意見の申出の方法**を、書面により請負人に通知しなければならない。（同法第19条の2第2項）**注文者は、請負人の承諾を得る必要はない。**

1 ○ 元請負人は、**前払金**の支払を受けたときは、下請負人に対して、資材の購入、労働者の募集その他建設工事の着手に必要な費用を**前払金として支払うよう適切な配慮**をしなければならない。（建設業法第24条の3第3項）

2 × 元請負人は、請負代金の出来形部分に対する支払または工事完成後における支払を受けたときは、当該支払の対象となった建設工事を施工した下請負人に対して、当該元請負人が支払を受けた金額の出来形に対する割合及び当該下請負人が施工した出来形部分に相応する下請代金を、当該支払を受けた日から**1月以内**で、かつ、できる限り短い期間内に支払わなければならない。（同法第24条の3第1項）

3 ○ **特定建設業者**は、発注者から直接建築一式工事を請け負った場合において、下請契約の請負代金の総額が**6,000万円以上**になるときは、施工体制台帳を**工事現場ごとに備え置き**、発注者から請求があったときは、備え置かれた施工体制台帳を発注者の**閲覧**に供しなければならない。（同法第24条の8第1項、第3項、同施行令第7条の4）

※令和5年1月1日施行の建設業法施
行令改正により、**政令で定める金額**
が6,000万円から7,000万円に変
更となったため、**現在では×となる。**

4 ○ 特定建設業者が注文者となった
下請契約において、**下請代金の支
払期日が定められなかったときは**
建設業法第24条の4第2項の**申出
の日（下請負人が完成した工事目
的物の引渡しを申し出た日）**が、
前項の規定に違反して下請代金の
支払期日が定められたときは同
条第2項の申出の日から起算して
50日を経過する日が下請代金の
支払期日と定められたものとみな
す。（同法第24条の6第2項）

| No.67 | 法規（労働基準法） | 正答 | 1 |

1 × 足場の組立、解体または変更の
業務のうち、**地上または床上にお
ける補助作業の業務**は、満18才
に満たない者を就かせてはならな
い業務から**除外されている。**（労
働基準法第62条第1項、年少者労
働基準規則第8条第二十五号）

2 ○ 使用者は、満18才に満たない
者を、高さが5m以上の場所で、
墜落により危害を受けるおそれの
あるところにおける業務に就かせ
てはならないと規定されている。
（同法第62条第1項、同規則第8
条第二十四号）

3 ○ 使用者は、満18才に満たない
者を**午後10時から午前5時まで**
の間において使用してはならない。
ただし、交替制によって使用する
満16才以上の男性については、
この限りでない。（同法第61条第
1項）

4 ○ 使用者は、満18才に満たない
者を、クレーン、デリックまたは
揚貨装置の玉掛けの業務（2人以
上の者によって行う玉掛けの業務
における補助作業の業務を除く。）
に就かせてはならないと規定され
ている。（同法第62条第1項、同
規則第8条第十号）

| No.68 | 法規（労働安全衛生法） | 正答 | 2 |

選任しなければならない事業場

労働者数	総括安全衛生管理者	安全管理者	衛生管理者	産業医	安全衛生推進者
100人以上	○	○	○	○	―
50人以上	―	○	○	○	―
10人以上50人未満	―	―	―	―	○

常時50人以上の労働者を使用する事
業場で選任しなければならないのは、
安全管理者、衛生管理者、産業医であ
る。**安全衛生推進者**は、**常時10人以
上50人未満の労働者を使用する事業
場で選任**しなければならない。（労働
安全衛生法施行令第3〜5条、同規則
第12条の2）

したがって、2が誤りとなる。常時

143

30人の労働者を使用する事業場で選任しなければならないのは、安全衛生推進者である。

| No. 69 | 法規（労働安全衛生法） | 正答 | **4** |

主な就業制限に係る業務を次に示す。

主な就業制限に係る業務一覧表

業務・職種
①つり上げ荷重が5 t以上のクレーン、デリックの運転業務（クレーン・デリック運転士免許）
②つり上げ荷重が1 t以上の移動式クレーンの運転業務（5 t以上はクレーン運転士免許。1 t以上5 t未満は技能講習）
③つり上げ荷重が1 t以上のクレーン、移動式クレーン、デリックの玉掛け業務（技能講習）
④作業床の高さが10 m以上の高所作業車の運転業務（技能講習）
⑤機体重量が3 t以上の車両系建設機械の運転業務（技能講習）
⑥最大積載量が1 t以上の不整地運搬車の運転業務（技能講習）
⑦最大荷重が1 t以上のフォークリフトの運転業務（技能講習）

したがって、4の**つり上げ荷重が5 t以上の移動式クレーンの運転の業務が、免許を必要とする**ものである。（労働安全衛生法61条、同施行令第20条第七号）

また、2の動力を用い、かつ、不特定の場所に自走することができる機体重量が3 t以上のくい打機の運転の業務は、**技能講習**を修了した者が就くことができる。（同法第61条、同施行令第20条第十二号、別表第七）

| No. 70 | 法規（廃棄物の処理及び清掃に関する法律） | 正答 | **3** |

1 ○　産業廃棄物の収集または運搬に当たっては、運搬車の車体の外側に、環境省令で定めるところにより、産業廃棄物の収集または運搬の用に供する運搬車である旨その他の事項を見やすいように表示し、かつ、**当該運搬車に環境省令で定める書面を備え付けておかなければならない。**（廃棄物の処理及び清掃に関する法律施行令第6条第1項第一号イ）

2 ○　事業者は、産業廃棄物の運搬または処分を委託した際に**産業廃棄物管理票を交付した場合、管理票の写しを、交付した日から5年間保存**しなければならない。（同法第12条の3第2項、同施行規則第8条の21の2）

3 ×　産業廃棄物（特別管理産業廃棄物を除く。）の収集または運搬を業として行おうとする者は、管轄する都道府県知事の許可を受けなければならない。ただし、**事業者が自らその産業廃棄物を運搬する場合は、都道府県知事の許可を受けなくてよい。**（同法第14条第1項）

4 ○　汚泥の処理能力が1日当たり10 m³（天日乾燥施設にあっては100 m³）を超える乾燥処理施設を設置する場合、管轄する都道府県知事の許可を受けなければなら

ない。（同法第15条第1項、同施行令第7条第二号）

| No.71 | 法規
（宅地造成等規制法） | 正答 | **1** |

☆令和5年5月26日施行の宅地造成等規制法の改正により、法律名が**宅地造成及び特定盛土等規制法**に変更されました。以下改正された条文番号等で解説しています。

宅地造成とは、宅地以外の土地を宅地にするために行う盛土その他の土地の形質の変更で政令で定めるものをいう。（宅地造成及び特定盛土等規制法第2条第二号）また、同法施行令第3条により定める土地の形質の変更は、次に掲げるものである。

①盛土をした土地の部分に高さが1mを超える崖を生ずることとなるもの
②切土をした土地の部分に高さが2mを超える崖を生ずることとなるもの
③盛土と切土とを同時にする場合において、当該盛土及び切土をした土地の部分に高さが2mを超える崖を生ずることとなるときにおける当該盛土及び切土
④ ①または③に該当しない盛土であって、高さが2mを超えるもの
⑤ ①～④のいずれにも該当しない盛土または切土であって、当該盛土または切土をする土地の面積が500㎡を超えるもの
（右段の図参照）

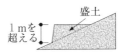

盛土で高さが1mを超える崖

切土で高さが2mを超える崖

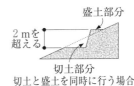

切土と盛土を同時に行う場合

宅地造成の対象となる土地の形質の変更

1 × 切土をする土地の面積が500㎡以下で、**切土による崖の高さが2m以下**であるから、宅地造成に該当しない。崖の高さが2mを超える場合に、宅地造成となるため2mは含まれない。（同施行令第3条第二号、第五号）

2 ○ 盛土をした土地の部分に生ずる崖の高さが**1mを超える**ので、宅地造成に該当する。（同施行令第3条第一号）

3 ○ **切土と盛土**を同時にする場合において、盛土及び切土をした土地の部分に高さが**2mを超える**崖を生ずるものは、「宅地造成及び特定盛土等規制法」上、宅地造成に該当する。（同施行令第3条第三号）

令和3年度解説 第一次検定問題（午後の部）

4 ○　盛土をする土地の面積が500㎡を**超える**ので、宅地造成に該当する。（同施行令第3条第五号）

No. 72	法規 （振動規制法）	正答	**2**

1 ○　特定建設作業の振動が、特定建設作業の場所において、図書館、特別養護老人ホーム等の敷地の周囲**おおむね80mの区域内**として指定された区域にあっては、**1日10時間を超えて行われる特定建設作業**に伴って発生するものであってはならない。（振動規制法施行規則第11条、別表第一第三号、付表第一号）

2 ×　特定建設作業に伴って発生する振動の大きさの規制基準は、**75dB超える大きさのものでないこと**。（同施行規則第11条、別表第一第一号）

3 ○　特定建設作業の振動が、特定建設作業の全部または一部に係る作業の期間が当該特定建設作業の場所において**連続して6日を超えて行われる特定建設作業に伴って発生するものでないこと**。（同施行規則第11条、別表第一第四号）

4 ○　特定建設作業の振動が、住居の用に供されているため、静穏の保持を必要とする区域（**第一種区域**）として指定された区域にあっては、**夜間（午後7時～午前7時）**において行われる特定建設作業に伴って発生するものでないこと。（同施行規則第11条、別表第一第二号、付表第一号ロ）

学科試験（午前の部）

No. 1　環境工学（換気）　正答 2

1 ○　換気回数とは、**換気量を室容積で除したもの**をいう。したがって、換気量が一定の場合、室容積が小さいほど**換気回数は多くなる。**

2 ×　給気口から排気口に至る換気経路を短くすると、取り込んだ新鮮な外気がスペース内に行き渡ることなく、そのまま排出されるため**換気効率は悪くなる。**

3 ○　全熱交換器とは、換気により失われる熱エネルギーの一部を回収するもので、全熱交換器を用いると、冷暖房時に**換気による熱損失や熱取得を軽減**できる。

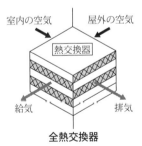

室内の空気　屋外の空気

熱交換器

給気　　　排気

全熱交換器

4 ○　置換換気とは、汚染空気を給気との**密度差**により上昇または下降させ排出するもので、室内全体の空気を入れ替える全般換気に比べ、換気量が同じ場合、**換気効率に優れている。**

No. 2　環境工学（日照及び日射）　正答 4

1 ○　同じ日照時間を確保するためには、緯度が**高く**なるほど太陽高度が**低く**なって日影が**長く**なるので、**南北の隣棟間隔を大きく**とる必要がある。

2 ○　1年のうちで太陽高度が最も高く、日影が最も短くなる夏至に終日日影となる部分は、**永久日影**であり、1年を通して太陽の直射がない。

3 ○　北緯35度付近における、終日快晴時の**春分並びに秋分**における終日直達日射量は、**東向き鉛直面よりも南向き鉛直面のほうが大きい。**

4 ×　昼光率とは、全天空照度に対する室内のある点の**天空光**による照度をいい、全天空照度とは、**直射日光を除く**全天空の照度、天空光とは、**直射日光を除いた**天空からの光をいう。したがって、昼光率には**直射日光による照度は含まれ**ない。

No. 3　環境工学（音）　正答 4

1 ○　人間が聞き取れる音の周波数を可聴周波数といい、一般的に、20 Hzから20 kHzである。

2 ○ フラッターエコーとは室内の向かい合う平行な壁の間や天井と床の間で生じる反響（エコー）をいい、壁、天井、**床の吸音率が低いと発生しやすい**。

3 ○ 自由音場において、1つの指向性のない点音源からの距離が**2倍**になると、音圧レベルは**6 dB低下**する。したがって、無指向性の点音源から10 m離れた位置の音圧レベルが63 dBのとき、2倍の20 m離れた位置の音圧レベルは63 − 6 = 57[dB]になる。

4 × 音波が障害物の背後に回り込む現象を回折といい、波長の**短い高い周波数よりも波長の長い低い周波数の音のほうが回折しやすい**。

高音域
（波長が短い）

音の影

音が回り込む

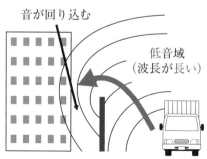

低音域
（波長が長い）

No. 4	建築構造（木質構造）	正答	1

1 × 枠組壁工法は、木材を使用した枠組に構造用合板その他これに類するものを打ち付けることにより、壁及び床を設ける工法で、枠組壁は**水平力と鉛直力を同時に負担する**ことができる。

2 ○ 階数が2以上の建築物における隅柱またはこれに準ずる柱は、**通し柱**としなければならない。ただし、接合部を通し柱と**同等以上の耐力を有するように補強した場合**においてはこの限りでない。（建築基準法施行令第43条第5項）

3 ○ 燃えしろ設計とは、木質材料の断面から所定の**燃えしろ寸法を除いた断面に長期荷重により生じる応力度が、短期の許容応力度を超えない**ことを検証する方法である。

4 ○ 構造耐力上主要な部分である柱で最下階の部分に使用するものの下部には、**土台を設けなければならない**。ただし、当該**柱を基礎に緊結した場合**等においては、この限りでない。（同施行令第42条第1項柱書、第一号）

No. 5	建築構造（鉄筋コンクリート構造）	正答	2

1 ○ 床スラブは、地震力に対し同一階の**水平変位**を等しく保つ**役割**を有し、面内剛性が高いほどよい。

2 × 柱のじん性を確保するため、短

期軸方向力を柱のコンクリート全断面積で除した値は、コンクリートの設計基準強度の$\frac{1}{3}$**以下**とする。（日本建築学会：鉄筋コンクリート構造計算規準第14条）

3 ○ 壁板のせん断補強筋比は、直交する各方向に関し、それぞれ**0.25%以上**とする。（同規準第19条）

4 ○ 梁に貫通孔を設けた場合、曲げ耐力の低下よりも、**せん断耐力の低下のほうが著しい**。

No. 6	建築構造 （鉄骨構造）	正答	**4**

1 ○ 梁の変形は曲げ、圧縮、せん断変形のいずれも荷重条件、部材断面が同じであれば、ヤング係数に**比例**する。鋼材のヤング係数は、材質に関係なく2.05×10^5 N/mm^{2}で一定であり、**材質を変えてもたわみは変わらない**。SN 400 AとSN 490 Bでは、**強度は異なるが同じ鋼材**である。**断面と荷重条件が同一ならば、梁のたわみは同一**である。

2 ○ トラス構造とは、部材を**三角形**に組み合わせた骨組による構造で、**比較的細い部材で大スパンを構成**することができる特長を有している。

3 ○ 座屈とは、縦長の部材が縦方向に圧縮荷重を受けたとき、限度を超えて横方向に曲がる現象をいう。座屈長さとは、部材の座屈が生じる部分の長さをいう。**節点の水平移動が拘束**され、回転に対して両端自由なラーメン構造の柱の場合、座屈長さは、設計上、**節点間の距離と等しい**とみなすことが可能である。

4 × 細長比とは、部材の細長さを示す指標で、構造耐力上主要な部分である圧縮材については、**細長比の上限値**が定められている。柱にあっては**200以下**、柱以外のものにあっては**250以下**としなければならない。（建築基準法施行令第65条）

No.6　　　　　　　　　　　　　　　　　**座屈長さ**　　　　　　　　　　　　　（ℓ：材長）

移動に対する条件	拘束			自由	
回転に対する条件	両端自由	両端拘束	1端自由 他端拘束	両端拘束	1端自由 他端拘束
座屈形（ℓ＝材長）					
ℓ$_k$（座屈長さ）	ℓ	0.5ℓ	0.7ℓ	ℓ	2ℓ

No. 7	建築構造 （地盤及び基礎構造）	正答	**1**

1 × 直接基礎における地盤の許容応力度は、基礎荷重面の面積が同一であっても、その**形状が異なって****いれば異なる値**となる。

2 ○ 圧密沈下とは、粘性土地盤が**荷重**を受け、土中の水が排水されて**体積が減少**することにより沈下する現象をいう。直接基礎下における粘性土地盤の圧密沈下は、地中の**応力の増加**により、長時間かかって徐々に**土中の水が絞り出されて**、間隙が減少するために生じる。

3 ○ 独立基礎とは、柱ごとに**独立し****て点で支持する**基礎をいう。べた基礎とは、柱**全体を面で支持する**基礎をいう。圧密による許容沈下量は、べた基礎よりも**独立基礎の****ほうが小さい**。

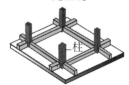

4 ○ 基礎梁とは、基礎部分や地下部分を支える梁のことで、地面の中に施工されるので、**地中梁**とも呼ばれる。基礎梁の**剛性を大きく**すると、基礎梁が変形しにくくなるので、基礎の**沈下量を平均化する**ことができる。

No. 8	力学 （床の構造計算）	正答	**3**

1 ○ 表のとおり、店舗の売り場の積載荷重は、2,900 N/m² とすることができる。（建築基準法施行令第85条第1項）

2 ○ 表のとおり、集会場の客席が固定席である集会室の積載荷重は、

No.8　　　　　　積載荷重の表（建築基準法施行令第85条第1項）

室の種類		構造計算の対象 （N/m²）		
		床用	大梁、柱、基礎用	地震力算定用
(1) 住宅の居室、病室		1,800	1,300	600
(2) 事務室		2,900	1,800	800
(3) 教室		2,300	2,100	1,100
(4) 百貨店または店舗の売場		2,900	2,400	1,300
(5) 劇場、集会場等の客席または集会室	固定席	2,900	2,600	1,600
	その他	3,500	3,200	2,100
(6) 自動車車庫、自動車通路		5,400	3,900	2,000
(7) (3) 教室、(4) 売場、(5) 客室または集会室に連絡する廊下、玄関、階段		3,500	3,200	2,100
(8) 屋上広場またはバルコニー	一般	1,800	1,300	600
	学校または百貨店	2,900	2,400	1,300

2,900 N/m²とすることができる。（同施行令第85条第1項）

3 ×　建築物の各部の積載荷重は、当該建築物の実況に応じて計算しなければならない。ただし、表に掲げる室の床の積載荷重については、それぞれ同表に定める数値に床面積を乗じて計算することができる。（同施行令第85条第1項）倉庫業を営む倉庫の積載荷重は、表に記載されていないので、**実況に応じて計算**しなければならない。

また、建築基準法施行令第85条第3項により、倉庫業を営む倉庫における床の積載荷重は、**3,900 N/m²未満の場合においても、3,900 N/m²としなければならない。**

4 ○　表のとおり、百貨店の屋上広場の積載荷重は、2,900 N/m²とすることができる。（同施行令第85条第1項）

No.9	力学 （荷重と反力）	正答	**3**

AD間の等分布荷重は、ADの中点の

集中荷重Pと考えることができ、その値は次のとおりである。

$P = 20 \text{ kN/m} \times 4 \text{ m} = 80 \text{ kN}$

点Aにおけるモーメント$M_A = 0$より

$M_A = -P[\text{kN}] \times 2 \text{ m} - 20 \text{ kN} \times 4 \text{ m}$
$+ V_B[\text{kN}] \times 6 \text{ m} = 0$

$-80 \times 2 - 20 \times 4 + V_B \times 6 = 0$

$6V_B = 240$

$V_B = 40 \text{ kN}$

点Bにおけるモーメント$M_B = 0$より

$M_B = -P[\text{kN}] \times 2 \text{ m} + 20 \text{ kN} \times 2 \text{ m}$
$- V_A[\text{kN}] \times 6 \text{ m} = 0$

$-80 \times 2 + 20 \times 2 - V_A \times 6 = 0$

$6V_A = -120$

$V_A = -20 \text{ kN}$

点Cの右側におけるモーメント$M_C右$
$= 0$より

$M_C右 = -20 \text{ kN} \times 2 \text{ m} + V_B[\text{kN}]$
$\times 4 \text{ m} + H_B[\text{kN}] \times 4 \text{ m} = 0$

$-40 + 4V_B + 4H_B = 0$

$V_B + H_B = 10$

$H_B = 10 - 40 = -30 \text{ kN}$

水平方向の力のつり合いより

$H_A + H_B + P = 0$より

$H_A = -P - H_B = -80 - (-30)$

$= -80 + 30$

$H_A = -50 \text{ kN}$

よって、以下のようになる。

$H_A = -50 \text{ kN}$

$H_B = -30 \text{ kN}$

$V_A = -20 \text{ kN}$

$V_B = +40 \text{ kN}$

したがって、3が正しい。

各位置を図のようにする。

左側の支点が移動支点なので、水平反力は発生しない。

よって、左の柱のみで考えると、下半分には水平力がないことから、モーメントも発生しない。

中央部で左向きの力が加わると上半分にモーメントが発生する。

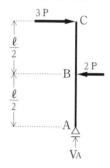

A点は移動支点なので、$M_A = 0$

B点においては、下半分に力がないので、

$$M_B = 0 \times \frac{\ell}{2} = 0$$

C点においては、中央部の左向きの力があるので、

$$M_C = 2P \times \frac{\ell}{2} = P\ell$$

したがって、下図のようになり、3が正しいと判断できる。

1 ○ TMCP(Thermo Mechanical Control Process)鋼とは、熱加工制御により製造された鋼材で、化学成分の添加を減らして**強度**を高めたもので、**高じん性で溶接性に優れている**。

2 × 低降伏点鋼は、**添加元素を極力低減した**純鉄に近い鋼で、**強度が低く延性が高い**鋼材である。

3 ○ 炭素当量(C_{eq})とは、炭素以外の元素の影響力を炭素量に換算したものをいう。溶接割れ感受性組成(P_{CM})とは、**低温**割れに対する化学成分の影響を表したものをいう。いずれも**鋼材の溶接性**に関する数値として用いられる。

4 ○ 鋼材の材質を変化させるための熱処理には、**焼入れ、焼戻し、焼ならし**などの方法がある。**焼入れ**とは、鋼材を加熱後、水などで急冷して硬度を大きくする熱処理である。**焼戻し**とは、焼入れ後に再加熱して、じん性を高める熱処理である。**焼ならし**とは、加熱後、空冷し、鋼の組織の均一化を行う熱処理である。

1 × せっこうプラスターは、せっこうの水和物が結晶化し、その結晶がからみ合っている組織の中の余

分な水分が蒸発・乾燥するにつれて強さが発現する。そのため、乾燥が困難な場所や乾湿の繰返しを受ける部位では硬化不良となりやすく、耐久性が無くなるおそれがある。

2 ○　ドロマイトとは、炭酸カルシウムと炭酸マグネシウムを主成分とした鉱物をいい、左官材料に用いられる。ドロマイトを用いたドロマイトプラスターは、それ自体に粘性があるので、のりは不要である。

3 ○　セメントモルタルの混和材として消石灰、ドロマイトプラスターを用いると、こての伸びがよく、平滑な塗り面が得られる。また貧調合とすることができ、保水性の向上、ヤング率を減少することで収縮によるひび割れ、発生応力を低減させる等の目的で一般に用いられる。

4 ○　しっくい（漆喰）とは、水酸化カルシウム（消石灰）を主成分と

する建築材料で、左官材料などに使用される。しっくい用ののりには、海藻、海藻の加工品、メチルセルロース等が用いられる。

No.13 建築材料（JISサッシの性能項目） 正答 3

1 ○　「気密性」は、スライディングサッシの性能項目として規定されている。

2 ○　「水密性」は、スイングサッシの性能項目として規定されている。

3 ×　「ねじり強さ」は、スライディングサッシの性能項目として規定されていない。「ねじり強さ」はスイングドアセットの性能項目として規定されている。

4 ○　「遮音性」は、スイングサッシの性能項目として規定されている。

No.14 建設材料（シーリング材） 正答 1

1 ×　シリコーン系シーリング材は、表面にほこりが付着しやすく、目地周辺に撥水汚染が生じやすい。

No.13　各ドアセット・サッシ（種類：普通）における性能項目

	スイングドアセット	スライディングドアセット	スイングサッシ	スライディングサッシ
ねじり強さ	◎			
鉛直荷重強さ	◎			
開閉力	◎	◎	◎	◎
開閉繰り返し	◎	◎	◎	◎
耐衝撃性	◎			
耐風圧性	○	○	◎	◎
気密性	○	○	◎	◎
水密性	○	○	◎	◎
戸先かまち強さ				◎

◎印は必須性能とし、○印は選択性能とする。

撥水汚染とは、シリコーン系シーリング材から遊離したシリコーンオイルが、大気中の汚れを吸着し、目地周辺を薄黒く汚染する現象をいう。

2 ○ 2成分形シーリング材は、基剤と硬化剤を施工直前に調合して練り混ぜて使用する。

3 ○ 弾性シーリング材とは、施工後は硬化し、ゴム状弾性を発現するシーリング材で、主成分は液状ポリマー（液体状の重合による高分子化合物）である。

4 ○ シーリング材のクラスは、JIS（日本産業規格）により、目地幅に対する拡大率及び縮小率で区分が設定されている。（JIS A 5758）

No.15	建築材料（内装材料）	正答	**4**

1 ○ 構造用せっこうボードは、せっこうの芯材に無機質繊維等を混入し、くぎ側面抵抗を強化したボードをいう。

2 ○ ロックウール化粧吸音板は、人造鉱物繊維のロックウールを結合材及び混和材を用いて成形し、表面を化粧加工した吸音板をいう。

3 ○ けい酸カルシウム板とは、石灰質原料、けい酸質原料、繊維（石綿を除く）、混和材料を原料として、板状に成形したものである。

4 × 強化せっこうボードとは、せっこうの芯にガラス繊維などを加え

て耐火性能を強化したボードである。両面のボード用原紙と芯材のせっこうに防水処理を施したものは、シージングせっこうボードである。

No.16	舗装工事（アスファルト舗装）	正答	**1**

1 × 盛土をして路床とする場合は、一層の仕上り厚さ200 mm程度ごとに締め固めながら、所定の高さに仕上げる。（公共建築工事標準仕様書建築工事編22.2.4（3））

2 ○ アスファルト混合物等の敷均し時の温度は、110℃以上とする。（公共建築工事標準仕様書建築工事編22.4.5（3）（ウ））

3 ○ アスファルト混合物の締固め作業は、継目転圧→初転圧→2次転圧→仕上げ転圧の手順で実施する。

4 ○ アスファルト舗装の継目は、既設舗装の補修、延伸等の場合を除いて、下層の継目の上に上層の継目が重ならないようにする。

No.17	建設設備（避雷設備）	正答	**1**

1 × 高さが20 mを超える建築物には、原則として、避雷設備を設けなければならない。（建築基準法第33条）

2 ○ 指定数量の10倍以上の危険物の貯蔵倉庫には、総務省令で定める避雷設備を設けること。ただし、周囲の状況によって安全上支障が

ない場合においては、この限りでない。（危険物の規制に関する政令第10条第1項第十四号）

3 ○　避雷設備は、受雷部システム、引下げ導線システム、接地システムで構成される。雷撃を受ける受雷部システムの配置は、保護しようとする建築物の種類、重要度等に応じた**保護レベルの要求事項に**適合しなければならない。（JIS A 4201）

4 ○　受雷部システムで受けた雷撃を接地システムに導く引下げ導線システムは、被保護物に沿って避雷導線を引き下げる方法によるもののほか、要件を満たす場合には、被保護物の**鉄筋または鉄骨**を引下げ導線の構成部材として利用することができる。

No. 18	建設設備 （空気調和設備）	正答	1

1 ×　ファンコイルユニット方式における**2管式**は、冷温水管を設置し、各ユニットや系統ごとに選択、制御して冷暖房を行う方式である。**冷水管及び温水管をそれぞれ設置**して冷暖房を行う方式は、**4管式**である。

2 ○　パッケージユニット方式とは、**熱源機器を内蔵する小容量の空気**調和機を、空調区域ごとに設置して空調を行う方式である。

3 ○　定風量単一ダクト方式とは、還気と外気を空気調和機内で**混合し**、温度、湿度、清浄度を総合的に調整した後、ダクト（風道）を介して**各室に一定の風量で送風**する空調方式をいう。

4 ○　二重ダクト方式とは、冷風ダクト、温風ダクトの**2系統のダクト**で送られた冷風と温風を、吹出し口近傍の混合ユニットにより**混合**し、各所に吹き出す方式である。

No. 19	建設設備 （消火設備）	正答	2

1 ○　屋内消火栓設備は、建物の内部に設置され、人がノズルを手に持って、火点に向けたノズルから水を放出することにより、水の有する**冷却効果**により消火する設備である。

2 ×　閉鎖型ヘッドのスプリンクラー消火設備は、火災による熱を感知したスプリンクラーヘッドが自動的に開放し、散水して消火する自動消火設備である。

3 ○　泡消火設備は、特に引火点の低い油類による火災の消火に適し、泡で可燃物を覆い、空気を遮断して酸素の供給を断つことによる**窒息作用**により消火するものである。

4 ○　連結散水設備は、散水ヘッドを地下階等の消火活動が困難な場所に設置し、地上階の連結送水口に消防車のホースを連結し、**消防車から散水ヘッドに送水**して消火する設備である。

No. 20 契約図書（数量積算） 正答 **4**

1 ×　土砂量は地山数量とし、掘削による増加、締固めによる減少は考慮しない。

2 ×　鉄筋及び小口径管類によるコンクリートの欠除はないものとする。

3 ×　鉄骨によるコンクリートの欠除は、定めるところにより計測・計算した鉄骨の設計数量について換算した体積とする。鉄筋については、選択肢2の解説のとおり、欠除はないものとして算出する。

4 ○　ガス圧接継手の加工のための鉄筋の長さの変化はないものとする。

No. 21 仮設工事（乗入れ構台） 正答 **4**

1 ○　乗入れ構台の支柱と山留めの切梁支柱を兼用する場合は、荷重に対する安全性を確認したうえで兼用する。

2 ○　道路から乗入れ構台までの乗込みスロープの勾配は、一般に$\frac{1}{10}$〜$\frac{1}{6}$とする。（JASS 2）

3 ○　構台の幅が狭いときは、交差部に、車両が曲がるための隅切りを設ける。隅切りとは、通路や道路の交差部の角を切り取って、見通しをよくしたり、車両などが曲がりやすくすることをいう。

4 ×　乗入れ構台の支柱は、使用する施工機械や車両の配置ではなく、基礎などの地下構造部の配置によって位置を決める。

No. 22 土工事（土工事） 正答 **2**

1 ○　ヒービングとは、軟弱な粘性土が山留め壁の背面から掘削底面にまわり込み、掘削底面の土が盛り上がる現象をいう。

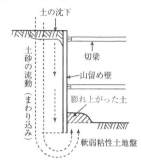

ヒービング現象

2 ×　掘削底面付近の砂地盤に上向きの水流が生じ、砂が持ち上げられ、掘削底面が破壊される現象は、ボイリングである。盤ぶくれとは、掘削底面下方に被圧地下水を有する帯水層がある場合、被圧帯水層からの揚圧力によって、掘削底面の不透水性土層が持ち上げられる現象をいう。

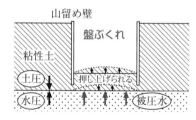

3 ○　クイックサンドとは、砂質土のような水を通しやすい地盤におい

て、地下水の上向きの浸透力のほうが砂の水中での有効重量より**大きくなって、砂粒子が水中で浮遊**する状態をいう。

4 ○ パイピングとは、水位差のある砂質地盤中に**パイプ状の水が通る道**ができて、砂が混じった水が噴出する現象をいう。

No.23	土工事（山留め壁）	正答	2

1 ○ 多軸のオーガーで施工する場合、大径の玉石や礫が混在する地盤においては、あらかじめ**先行削孔**して地盤を緩めて破砕させるために、**先行削孔併用方式**を採用する。

2 × 掘削土が粘性土の場合、砂質土に比べて掘削攪拌速度を遅くする。

3 ○ H形鋼や鋼矢板などの応力材は、**付着した泥土を除去**してから、建込み用の定規を用いて建て込む。

4 ○ 現地土とセメントを混合したソイルセメントの硬化が不十分な部分については、**モルタル充填**や背面地盤への**薬液注入**等の処置を行う。

No.24	地業工事（場所打ちコンクリート杭地業）	正答	4

1 ○ リバース工法における2次孔底処理は、一般にコンクリート打設用の**トレミー管をサクションポンプ**（吸込みポンプ）と連結して、孔底の泥状沈殿物であるスライムを吸い上げて排出する。

2 ○ オールケーシング工法における

孔底処理は、孔内水がないか少量の場合には、掘削用のハンマーグラブを用いて、掘削時に底部に落下した掘りくずを除去する。

3 ○ 杭の上部に余分に盛ったコンクリートである杭頭部の余盛り高さは、掘削孔内に**水がない場合は50 cm以上**、掘削孔内に**水がある場合は80～100 cm**程度、確保する。

4 × ケーシングチューブを用いる場合（オールケーシング工法）、スペーサーはD 13以上の鉄筋を用いる。ケーシングチューブを用いない場合（アースドリル工法、リバース工法及びBH 工法）は、鉄筋だと孔壁を損傷するので、**杭径1.2 m以下では鋼板4.5×38 mm、杭径1.2 mを超えると鋼板4.5×50 mm**程度のものとする。（建築工事監理指針）

No.25	鉄筋工事（異形鉄筋の継手及び定着）	正答	3

1 ○ 梁の主筋を柱内に折曲げ定着とする場合、仕口面からの投影定着長さは、原則として柱せいの$\frac{3}{4}$**倍以上**とする。（公共建築工事標準仕様書建築工事編5.3.4 (5)（イ）(c)）

（次ページの図参照）

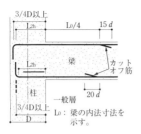

2 ○ D 35以上の異形鉄筋には、原則として重ね継手は用いない。（JASS 5）

3 × 大梁主筋等にSD 390を用いる場合のフック付定着の長さは、同径のSD 345を用いる場合と**異なり**、SD 390を用いる場合はSD 345を用いる場合よりも**長くする**必要がある。（JASS 5）

4 ○ 腹筋に継手を設ける場合、継手長さは**150 mm**程度とする。

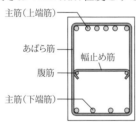

No. 26	鉄筋工事（機械式継手）	正答	**2**

1 ○ ねじ節継手とは、異形鉄筋の表面の節をねじ状に**熱間成形した**ね**じ節鉄筋**を使用して、雌ねじ加工された**カップラー**を用いて接合する工法である。

2 × 異形鉄筋の端部に鋼管（スリーブ）をかぶせた後、外側から加圧して鉄筋表面の節にスリーブを食い込ませて接合する工法は、**圧着継手**である。**充填継手**とは、内面に凹凸のついた比較的径の**大きい**鋼管（スリーブ）に異形鉄筋の端部を挿入した後、スリーブ内に高強度の無収縮**モルタル等**を充填して接合する工法である。

3 ○ 端部ねじ継手とは、端部をねじ加工した異形鉄筋、または加工したねじ部を端部に摩擦圧接した異形鉄筋を使用し、**雌ねじ加工されたカップラーを用いて接合する工法**である。

4 ○ 併用継手は、**2種類の機械式継手を組み合わせ**、それぞれの**長所を取り入れ施工性を改良した**工法である。例として、ねじ節・充填併用継手、充填圧着併用継手、圧着・ねじ併用継手などがある。

No. 27	コンクリート工事（型枠の設計）	正答	**4**

1 ○ 材料の許容応力度は、支保工以外のものについては、長期許容応力度と短期許容応力度の**平均値**とする。（JASS 5）

2 ○ コンクリート型枠用合板の曲げヤング係数は、長さ方向スパン用と幅方向スパン用では**異なる数値**とする。長さ方向スパン用の数値のほうが幅方向スパン用の数値よりも**大きい**。（JASS 5）

3 ○ 鋼管枠以外のものを支柱とし

て用いるものであるときは、当該型枠支保工の上端に、**設計荷重の100分の5に相当する水平方向の荷重**が作用しても安全な構造のものとすること。(労働安全衛生規則第240条第3項第四号)

4 ×　型枠の各部分の**たわみは、3mm以下**とする。ただし、打放し仕上げの場合は、1〜2mm程度とすることが望ましい。

No.28	コンクリート工事（コンクリートの調合）	正答	**2**

1 ○　国土交通省「アルカリ骨材反応抑制対策（土木・建築共通）」において、下記のように記述されている。

構造物に使用するコンクリートは、アルカリ骨材反応を抑制するため、次の3つの対策の中のいずれか1つについて確認をとらなければならない。

①コンクリート中のアルカリ総量の抑制

アルカリ量が表示されたポルトランドセメント等を使用し、コンクリート1 m³に含まれるアルカリ総量をNa_2O換算で**3.0 kg以下**にする。

②抑制効果のある混合セメント等の使用

③安全と認められる骨材の使用

したがって、アルカリシリカ反応性試験で無害でないものと判定さ

れた骨材であっても、コンクリート中のアルカリ総量を**3.0 kg/m³以下**とすれば使用することができる。

2 ×　コンクリートの単位セメント量の最小値は**270 kg/m³**とする。(公共建築工事標準仕様書建築工事編6.3.2（イ）(d))

3 ○　全骨材量に対する細骨材の容積比を細骨材率という。**細骨材率が大きくなる**と、所定のスランプを得るためには、**単位セメント量、単位水量ともに大きくする必要がある**。

4 ○　硬化する前のコンクリート中のセメントに対する水の重量比を水セメント比という。水セメント比を小さくすると、**塩化物イオン**がコンクリート表面から内部に**浸透**しにくくなる。

No.29	コンクリート工事（運搬及び打込み）	正答	**2**

1 ○　原則として、高性能AE減水剤を用いた高強度コンクリートの練混ぜから打込み終了までの時間の限度は**120分**とする。(JASS 5)

2 ×　コンクリート輸送管の径は、コンクリートポンプの圧送性に直接影響し、大きいほど圧力損失は少なく圧送性も良くなる。輸送管の径は、**粗骨材の最大寸法の3倍以上**で使用する。(公共建築工事標準仕様書建築工事編6.6.1 (3)（イ）、表6.6.1)（次ページの表参照）

粗骨材の最大寸法に対する輸送管の呼び寸法

コンクリートの種類	粗骨材の最大寸法（mm）	輸送管の呼び寸法（mm）
軽量コンクリート	15	125 A 以上
普通コンクリート	20	100 A 以上
	25	
	40	125 A 以上

3 ○　コンクリートの打込み時におけるコンクリート棒形振動機によるコンクリートへの加振は、**セメントペーストが浮き上がるまで**実施する。

4 ○　打継ぎ面へのコンクリートの打込みは、高圧水洗によりコンクリート表面から**レイタンスを除去**し、健全なコンクリートを露出させてから実施する。レイタンスとは、硬化前のコンクリート上面に水とともに浮上する脆弱な泥膜層をいう。

No. 30　鉄骨工事（高力ボルト接合）　正答 3

1 ○　締付け後の高力ボルトの余長は、ねじ1山から6山までの範囲であること。（公共建築工事標準仕様書建築工事編7.4.8 (1)（ア）(d)）

2 ○　ねじの呼びがM 22の高力ボルトの1次締付けトルク値は、150 N・m程度とする。（公共建築工事標準仕様書建築工事編7.4.7 (5)、表7.4.2)

1次締付けトルク値

ねじの呼び径	1次締付けトルク値（N・m）
M12	約50
M16	約100
M20、M22	約150
M24	約200

3 ×　ねじの呼びがM 20のトルシア形高力ボルトの長さは、締付け長さに**30 mm**を加えた値を標準とする。（JASS 6)

締付け長さに加える長さ

ねじの呼び径	締付け長さに加える長さ（mm）	
	トルシア形高力ボルト	JIS形高力ボルト
M12	−	25
M16	25	30
M20	30	35
M22	35	40
M24	40	45
M27	45	50
M30	50	55

4 ○　高力ボルトの接合部で肌すきが**1 mm**を超える場合は、フィラープレートを入れる。（同仕様書同編7.4.6 (2)）

No. 31　鉄骨工事（大空間鉄骨架構）　正答 1

1 ×　移動構台上で所定の部分の屋根鉄骨を組み立てた後、構台を移動させ、順次架構を構築する工法は、**移動構台工法**である。**スライド工法は、作業構台上で所定の部分の屋根鉄骨を組み立て**たのち、そのユニットを所定位置まで順次滑動、横引きしていき、最終的に**架構全体を構築する工法**である。

2 ○　総足場工法とは、必要な高さまで足場を組み立てて、**作業用の構台を全域にわたり設置**し、架構を構築する工法である。

3 ○　リフトアップ工法とは、地上ま

たは構台上で組み立てた**屋根架構**を、**先行して構築した構造体を支え**として、**ジャッキ等により引き上げていく**工法である。

4 ○　ブロック工法とは、地組みした所定の大きさの**ブロック**を、**クレーン等で吊り上げて**架構を構築する工法である。

No. 32	木工事 (木質軸組構法)	正答	4

1 ○　1階及び2階部の上下同位置に構造用面材の耐力壁を設ける場合は、胴差し部において、構造用面材相互間に、原則として、**6 mm以上のあき**を設ける。（木造住宅工事仕様書）

2 ○　木材の接合等に用いるラグスクリュー（ヘッドが**ナット状の木ねじ**）の締付けは、そのまま締め付けると木材が割れるので、**先に孔をあけてから**、スパナを用いて回しながら行う。

3 ○　接合金物のボルトの締付けは、座金が木材へ**軽くめり込む程度**とし、工事中、木材の乾燥・収縮により緩んだナットを締め直す。

4 ×　接合金物のボルトの孔あけ加工の大きさは、**ねじの呼びがM16未満の場合は公称軸径に1 mmを加えたもの**とし、**M16以上の場合は1.5 mmを加えたもの**とする。（公共建築木造工事標準仕様書）

No. 33	仮設工事 (揚重運搬機械)	正答	1

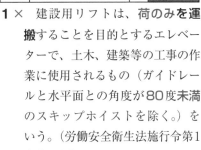

1 ×　建設用リフトは、**荷のみを運搬**することを目的とするエレベーターで、土木、建築等の工事の作業に使用されるもの（ガイドレールと水平面との角度が**80度未満のスキップホイストを除く**。）をいう。（労働安全衛生法施行令第1条第十号）

2 ○　事業者は、建設用リフトの組立てまたは解体の作業を行うときは、次の措置を講じなければならない。**作業を指揮する者**を選任して、その者の指揮のもとに作業を実施させること。（クレーン等安全規則第191条第1項第一号）

3 ○　事業者は、強風（10分間の平均風速が**10 m/s以上**）のため、移動式クレーンに係る作業の実施について危険が予想されるときは、当該作業を中止しなければならない。（同規則第74条の3）

4 ○　移動式クレーンは、6,600 Vの配電線からの安全距離を**2 m以上確保**する。

No. 34	防水工事（ルーフィングシート防水）	正答	1

1 ×　塩化ビニル樹脂系シート防水において、シート相互の接合には、**熱風融着または溶着剤**により行う。（公共建築工事標準仕様書建築工事編9.4.4（6）（エ）（b））

2 ○ 塩化ビニル樹脂系シート防水の接合部のシートの重ね幅は、**縦横とも40 mm以上**とし、熱融着または溶剤溶着により接合する。（同仕様書同編9.4.4（6）（エ）（b））

3 ○ 加硫ゴム系シート防水の末端部は端部にテープ状シール材を張り付け、**押さえ金物を用いて留め付けて、不定形シール材**で処理する。（同仕様書同編9.4.4（6）（エ）（a））

4 ○ 加硫ゴム系シート防水接着工法において、重ね幅は平場の接合部は**100 mm以上**、立上りと平場の接合部は**150 mm以上**とする。（同仕様書同編9.4.4（6）（エ）（a））

No. 35	防水工事（シーリング工事）	正答	**2**

1 ○ ALC（軽量コンクリート）など表面強度が小さい被着体には、復元力の低い**低モジュラス**のシーリング材を使用する。

2 × シリコーン系シーリング材を充填する場合、**ポリエチレンテープのボンドブレーカーを用いる**のが一般的である。（JASS 8）

3 ○ ポリサルファイド系シーリング材に後打ちできるシーリング材には、**変成シリコーン系、シリコーン系、ポリウレタン系**等がある。（JASS 8）

4 ○ プライマーの塗布及びシーリング材の充填時に、被着体が**5℃以下または50℃以上**になるおそれ

がある場合、作業を中止する。（公共建築工事標準仕様書建築工事編9.7.4（1）（イ））

No. 36	タイル工事（壁タイル後張り工法）	正答	**3**

1 ○ モザイクタイル張りの張付けモルタルの塗付けは、いかに薄くとも2度塗りとし、1度目は薄く下地面にこすりつけるように塗り、下地モルタル面の微妙な凹凸にまで張付けモルタルが**食い込む**ようにし、次いで張付けモルタルを塗り重ね、**3 mm程度の厚さ**とし定規を用いてむらのないように塗厚を均一にする。（建築工事監理指針）

2 ○ マスク張りの張付けモルタルは、ユニットタイル裏面にタイルの大きさに見合ったマスク（**マスク厚さ4 mm程度**）を用い、張付けモルタルを金ごてで下地に均一に塗り付ける。

3 × 改良積上げ張りは、**張付けモルタルを塗厚7〜10 mm**としてタイル裏面に塗り付けた状態で張り付ける。（JASS 19）

4 ○ 化粧目地詰めは、タイル張付け後、**24時間以上経過**したのち、張付けモルタルの硬化を見計らって行う。

No. 37	屋根工事（金属板葺屋根工事）	正答	**4**

1 ○ 下葺きのルーフィング材は、上下（流れ方向）の重ね幅を100

mm以上、左右（長手方向）の重ね幅を200 mm以上とする。（公共建築工事標準仕様書建築工事編13.2.3（4）（ア）（a））

2 ○　塗装溶融亜鉛めっき鋼板を用いた金属板葺きの留付け用釘類は、**溶融亜鉛めっき釘またはステンレス鋼釘**とする。

3 ○　通し吊子はマーキングに合わせて平座金を付けた**ドリルねじで下葺、野地板を貫通させ母屋に固定**する。（JASS 12）

4 ×　平葺の吊子は、葺板と同種同厚の材で、**幅30 mm、長さ70 mm程度**とする。

No. 38	金属工事（軽量鉄骨壁下地）	正答	**3**

1 ○　鉄骨梁に取り付く上部ランナーは、耐火被覆工事終了後、**あらかじめ取り付けられた先付け金物またはスタッドボルト**に、タッピンねじの類または溶接で固定する。

2 ○　スタッドがコンクリート壁に添え付く場合は、上下ランナーに差し込み、**打込みピンでコンクリート壁に固定**する。

3 ×　スタッドは、上部ランナーの上端とスタッド天端との隙間が10 mm以下となるように切断する。（建築工事監理指針）

4 ○　振れ止めは、床面ランナー下端から約1.2 mごとに設ける。（公共建築工事標準仕様書建築工事編14.5.4（3））したがって、上下のランナーの間隔が3 mの軽量鉄骨壁下地に取り付ける振れ止めの段数を2段とすることは適当である。

No. 39	塗装工事（複層仕上塗材）	正答	**2**

1 ○　下塗材は、所要量を0.2 kg/m²とし、専用うすめ液で均一に薄める。

2 ×　主材の基層塗りは2回塗りとし、だれ、ピンホール、塗り残しのな

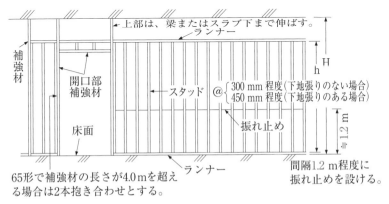

軽量鉄骨壁下地（Hが4.0 m以下の場合）

いよう下地を覆うように塗り付ける。**主材基層の所要量は 1.5 〜 1.7 kg/m²とする。**

3 ○ 主材の模様塗りは、**0.9 kg/m² 以上を 1 回塗り**で、見本と同様の模様になるように塗り付ける。

4 ○ 上塗材は、**0.25 kg/m² 以上を 2 回塗り**で、色むらが生じないように塗り付ける。

No. 40	建具工事（アルミニウム製建具）	正答	1

1 × 表面処理が**陽極酸化皮膜**のアルミニウム製部材は、モルタルに接する箇所の耐アルカリ性塗料塗りを**省略**できない。表面処理が陽極酸化塗装**複合**皮膜のアルミニウム製部材は、モルタルに接する箇所の耐アルカリ性塗料塗りを**省略**できる。

2 ○ 充填モルタルに使用する砂の塩化物量は、**NaCl 換算 0.04%（質量比）以下**とする。海砂等を使用する場合は除塩する。（JASS 16）

3 ○ アンカーの位置は、**開口部より 150 mm 内外を端**とし、**中間は 500 mm 内外の間隔**とする。アンカーと差し筋は最短距離で溶接する。（JASS 16）

4 ○ 水切りと下枠との取合いは、建具枠まわりと**同一のシーリング材**を用いる。

No. 41	塗装工事（塗装工事）	正答	3

1 ○ 常温乾燥形ふっ素樹脂エナメル塗りの塗装方法は、はけ塗り、ローラーブラシ塗り、吹付け塗りとする。ただし、**下塗り**は、素材によく浸透させる目的ではけ塗り、**ローラーブラシ塗り**も用いるが、**中塗りや上塗り**は、**原則として吹付け塗り**としている。

2 ○ 合成樹脂エマルションペイント塗りにおいて、**1 種は主として建築物の外部や水がかり部分**に用い、**2 種は内部**に用いる。（JASS 18）

3 × アクリル樹脂系非水分散形塗料塗りの工程は、素地調整、下塗り、パテかい、研磨、中塗り、上塗りと進む。**研磨には研磨紙 P 220**を用いる。

4 ○ つや有合成樹脂エマルションペイント塗りの標準最終養生時間は**48 時間以上**とする。（建築工事監理指針）

No. 42	塗装工事（合成樹脂塗床）	正答	2

1 ○ エポキシ樹脂系モルタル塗床の防滑のための骨材散布は、トップコート 1 層目の塗布と同時に行う等、**上塗り 1 回目が硬化する前**に製造所が指定する骨材をむらのないように均一に塗布する。（建築工事監理指針）

2 × コーティング工法は一般に、ア

クリル樹脂、エポキシ樹脂、ウレタン樹脂等の樹脂に着色剤、充填剤、溶剤または水、仕上調整剤などの添加剤を配合した低粘度の液体（ベースコート）を、**ローラーあるいはスプレー**により1〜2回塗布する工法である。（JASS 26）

3○　プライマーの吸込みが激しく、塗膜を形成しない場合は、全体が硬化した後、**吸込みが止まるまで数回にわたり塗る**。

4○　弾性ウレタン樹脂系塗床材塗りは、塗床材を床面に流し、金ごて、ローラーばけ、はけ等で平滑に塗り付ける。

| No. 43 | 内装工事（せっこうボード張り） | 正答 | 3 |

1○　ボードの下端部は、床面からの吸水を防止するため、床面から10 mm程度浮かして張り付ける。（建築工事監理指針）

2○　テーパーエッジボードの突付けジョイント部における目地処理の上塗りは、幅200〜250 mm程度にジョイントコンパウンドを塗り広げて平滑にする。（同指針）

3×　軽量鉄骨壁下地にボードを直接張り付ける場合、ボード周辺部を固定するドリリングタッピンねじの位置は、ボードの端部から**10 mm程度内側の位置**で留め付ける。（JASS 26）

4○　ボードを木製壁下地に直接張り

付ける場合、ボードの厚さの**3倍程度**の長さの釘を使用して、釘の頭が平らに沈むまで打ち込んで張り付ける。

| No. ★44 | 押出成形セメント板工事(セメント板張り) | 正答 | 3 |

1○　パネル幅の最小限度は、原則として、300 mmとする。（公共建築工事標準仕様書建築工事編8.5.3(6)）

2○　パネル取付け金物（Zクリップ）は、下地鋼材に30 mm以上のかかりしろを確保して取り付ける。

3×　横張り工法のパネルは、**パネル2〜3段ごとに荷重受けが必要**である。（建築工事監理指針）

4○　**長辺**の目地幅は8 mm以上、**短辺**の目地幅は15 mm以上とする。したがって、縦張り工法のパネルは、**縦目地**を8 mm以上、**横目地**を15 mm以上とする。（同仕様書同編8.5.3 (9)）

※同仕様書同編の改定により、**長辺**の目地幅は8 mm以上から10 mm以上に変更となったため、現在では×となる。

| No. 45 | 改修工事（外壁改修工事） | 正答 | 2 |

1○　樹脂注入工法は、**ひび割れ幅が0.2 mm以上1.0 mm以下に適用**され、挙動のおそれのあるひび割れには**軟質形エポキシ樹脂**、ほとんど挙動のないひび割れには**硬質形エポキシ樹脂**を用いる。

2 × コンクリート打放し仕上げにおいて、コンクリートのはく落が比較的大きく深い欠損部分は、エポキシ樹脂モルタル充填工法が適切である。ポリマーセメントモルタル充填工法は、軽微な剥がれや比較的浅い欠損部分の補修に用いられる。

3 ○ 小口タイル張り仕上げにおいて、1箇所当たりの下地モルタルと下地コンクリートとの浮き面積が0.25 ㎡ 未満の部分は、アンカーピンニング部分エポキシ樹脂注入工法で適用可能である。

4 ○ 注入口付アンカーピンニングエポキシ樹脂注入タイル固定工法は、タイル陶片の浮きに適用する唯一の工法で、無振動ドリルの注入口付アンカーピンの開発によって可能になった工法である。タイルの中心に穿孔するので、小口タイル以上の大きさのタイルの浮きの補修に適した工法である。

| No.
46 | 施工計画
（仮設計画） | 正
答 | |

1 × 塗料や溶剤等の保管場所は、資材倉庫の一画ではなく、専用倉庫に設ける計画とする。

2 ○ ガスボンベ類の貯蔵小屋は、ガスが滞留しないように通気を良くするため、壁の1面を開口とし、他の壁の3面は上部に開口部を設ける計画とする。

3 ○ 事業者は、3 m以上の高所から物体を投下するときは、適当な投下設備を設け、監視人を置く等労働者の危険を防止するための措置を講じなければならない。（労働安全衛生規則第536条）

4 ○ 前面道路に設置する仮囲いは、道路面を傷めないようにするため、道路に接触する下部はH形鋼等を用いて保護する。

| No.
47 | 施工計画
（仮設設備） | 正
答 | |

1 ○ 水道本管からの供給水量の増減に対する調整のため、工事用の給水設備には、2時間分程度の使用水量を確保できる容量の貯水槽を設置する計画とする。

2 × 工事用の溶接用ケーブル以外の屋外に使用する移動電線で、使用電圧が300 V以下のものは、2種または3種若しくは4種キャブタイヤケーブルを使用する必要がある。（電気設備の技術基準の解釈第171条）

3 ○ 男性用大便所の便房の数は、同時に就業する男性労働者60人以内ごとに1個以上とすること。男性用小便所の箇所数は、同時に就業する男性労働者30人以内ごとに1個以上とすること。女性用便所の便房の数は、同時に就業する女性労働者20人以内ごとに1個以上とすること。（労働安全衛生規則第628条第1項）

☆労働安全衛生規則第628条は、令和3年12月1日施行で改正されましたが、本問の正答に影響はありません。

4○　事業者は、労働者を常時就業させる場所の作業面の照度を、次の表の上欄に掲げる作業の区分に応じて、同表の下欄に掲げる基準に適合させなければならない。（同規則第604条）

作業の区分	基準
精密な作業	300ルクス以上
普通の作業	150ルクス以上
粗な作業	70ルクス以上

No. 48　施工計画（施工計画）　正答 4

1○　鉄骨工事における建方精度を確保するためには、建方の進行とともにできるだけ小区画に区切って建入れ直しを行う計画とする。

2○　地下躯体工事と並行して上部躯体を施工する逆打ち工法は、大規模、大深度の工事において、工期短縮に有効な計画である。

3○　柱や梁の鉄筋を先組み工法とし、継手を機械式継手とする計画は、鉄筋工事における工期短縮に有効である。

4×　吹付け工法は施工中の粉塵が飛散しやすく、被覆厚さの管理もしにくいので、鉄骨工事において、施工中の粉塵の飛散をなくし、被覆厚さの管理を容易にするためには、ロックウールの耐火被覆は成

形板工法や巻付け工法を計画する。

No. 49　施工計画（躯体工事の施工計画）　正答 2

1○　孔底処理とは、杭を打設するための孔の底にたまったスライム（泥状物）等を除去し、孔底に杭を打設する際適切な状態にすることをいう。場所打ちコンクリート杭工事の1つであるアースドリル工法においては、1次孔底処理は、底ざらいバケットにより行い、2次孔底処理は水中ポンプ方式等により行う。（建築工事監理指針）

2×　高力ボルト用の孔あけ加工は、ドリル孔あけとする。特記または工事監理者の承認がある場合は板厚13mm以下の部材の孔あけ加工をせん断孔あけとすることができるが、高力ボルトはドリル孔あけとしなければならない。（JASS 6）

3○　ガス圧接継手において、鉄筋の圧接端面は金属肌であることが肝要であり、圧接作業の当日に、鉄筋冷間直角切断機を用いて切断するか、またはグラインダー研削を行う必要がある。（JASS 5）したがって、圧接作業の当日に鉄筋冷間直角切断機を用いて切断する場合には、グラインダー研削を行う必要はない。

4○　山砂の類は、水締め、機器による締固めの工法により、300mm程度ごとに締め固める。（公

共建築工事標準仕様書建築工事編
3.2.3（2））

| No.
50 | 施工計画
（仕上工事の施工計画） | 正答 | 3 |

1 ○ 改質アスファルトシート相互の接合は、重ね幅は長手・軸方向とも 100 mm 以上とする。露出防水用改質アスファルトシートの重ね部の**砂面をあぶり、砂を沈める**か、砂をかき取って張り重ねる。（建築工事監理指針）

2 ○ 躯体付け金物を鉄骨部材へ溶接固定する場合は、本体鉄骨の製作に合わせて**あらかじめ鉄骨製作工場で行う**。また、所定の溶接長を確保するなど必要な強度が得られるように注意する。

3 × 改良圧着張りにおいては、張付けモルタルの1回に塗り付ける面積は、タイル工1人当たり 2.0 m² 以内とする。

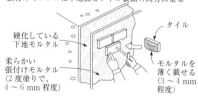
張付けモルタルは下地面とタイル裏面の両方に塗る

硬化している
下地モルタル

タイル

柔らかい
張付けモルタル
（2度塗りで、
4〜6 mm 程度）

モルタルを
薄く載せる
（3〜4 mm
程度）

改良圧着張り

4 ○ 塗装工事における亜鉛めっき鋼面の化成皮膜処理による素地ごしらえには、**りん酸塩処理**等による方法を用いる。（公共建築工事標準仕様書建築工事編18.2.4）

| No.
51 | 施工計画
（材料の保管） | 正答 | 4 |

1 ○ 押出成形セメント板の保管は、積み置きは**平坦**で**乾燥**した場所を選定し、積上げ高さは 1 m 以内とする。（ECP施工標準仕様書：押出成形セメント板協会）

2 ○ 車輪付き裸台や木箱・パレットで運搬してきた板ガラスは、その**まま保管**する。

3 ○ 長尺のビニル床シートは、屋内の乾燥した場所に直射日光を避けて**縦置き**にして保管する。

4 × ロールカーペットの保管場所は、直射日光や湿気による変色や汚れ防止のため屋内とし、乾燥した平坦な床の上に**縦置きせず、必ず横に倒して、2〜3段までの俵積みで保管**する。

| No.
52 | 施工計画
（工事の記録） | 正答 | 3 |

1 ○ 発注者から直接工事を請け負った建設業者が作成した発注者との打合せ記録のうち、**発注者と相互に交付したものを保存**する。

2 ○ 承認あるいは協議を行わなければならない事項について、**経過内容の記録を作成し、建設業者と監理者の双方で確認**したものを監理者に提出する。

3 × 設計図書に定められた品質が証明されていない材料について、建

設業者は現場内への**搬入前**に試験を行い、記録を整備する。

4 ○　既製コンクリート杭工事の施工サイクルタイム記録、電流計や根固め液の記録等は、**発注者から直接工事**を請け負った建設業者が、**保存**する期間を定めて保存する。

No. 53	施工計画 (工程管理)	正答	**1**

1 ×　バーチャート手法は、前工程の遅れによる後工程への影響は**理解**しにくい。理解しやすいのは、**ネットワーク手法**である。

2 ○　Sチャートとは、**時間と出来高**の関係を示した工程表で、工事の**進捗度の把握**に用いられる。

3 ○　間接費とは、建築物としては残らないが工事に必要な仮設の費用など間接的な費用のことをいう。

間接費は**工期の長短**に相関して増減し、一般に、工期が**長く**なると間接費は増加する。

4 ○　クラッシュタイムとは、どんなに**直接費を投入しても、ある限度以上には短縮できない時間**をいう。なお、直接費とは工事に直接かかる費用のことで、**材料費**や**労務費**等が含まれる。

No. 54	施工計画 (工程計画の立案)	正答	**3**

1 ○　工程計画には、大別して、作業ごとにかかる日数を積み上げていく積上方式と、工期を決めて作業ごとの日程を割り付けていく**割付方式**があり、**工期が制約されている**場合は、一般に、**割付方式**を採用する。

2 ○　算出した工期が指定工期を超え

〈出来高の累計を重ねたバーチャート工程表の例〉

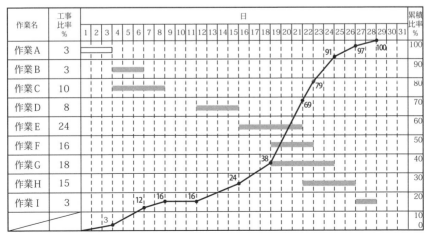

る場合には、**クリティカルパス上に位置する作業**について、作業方法の変更や作業員増員等を検討し、工期短縮を図る。なお、**クリティカルパス**とは、ネットワーク工程表において、始点から終点に至る経路のうち、最も時間のかかる経路をいう。

3 × 山崩しとは、1日の作業員、施工機械、資機材等の供給量のピークが、一定の量を超えないように平準化を図るもので、**工期は短縮できない。**工期短縮できるのは、**フォローアップ**による工程の見直しである。

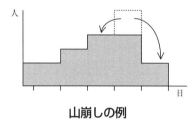

山崩しの例

4 ○ 各日の作業員、施工機械、資機材等の供給量が均等になるように、山均しを意図した**システマティックな工法**の導入を検討する。

| No. 55 | 工程管理 (タクト手法) | 正答 | **4** |

1 ○ タクト手法は、主に繰り返し作業の工程管理に用いられる。作業を繰り返し行うことによる習熟効果によって生産性が向上するため、工期の途中で、**所要日数の短縮や作業者数の削減を検討**する。

2 ○ 前述したようにタクト手法は、繰り返し作業の工程管理に適しており、**同一設計内容の基準階を多く有する高層建築物の仕上工事**等の工程計画手法として、適している。

3 ○ 設定したタクト期間では終わることができない一部の作業については、タクト期間内で終わるように、当該作業の作業期間をタクト期間の**整数倍**に設定して計画する。

4 × 各作業が**連続**して行われているため、1つの作業に遅れがあると、タクトを構成する工程全体への影響が**大きい。**

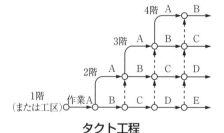

タクト工程

No. 56	工程計画 （ネットワーク工程表）	正答	2

1 ○　ディペンデントフロート（DF）は、当該作業の最遅終了時刻（LFT）に対する余裕時間である**トータルフロート（TF）**と、後続作業の最早開始時刻（EST）に対する余裕時間である**フリーフロート(FF)**の差である。したがって、ディペンデントフロートは、**後続作業のトータルフロートに影響を及ぼすようなフロート**（余裕時間）である。**ディペンデントフロート＝当該作業のトータルフロート－当該作業のフリーフロート**

2 ×　フリーフロートとは、その作業の中で使い切ってしまうと後続作業の最早開始時刻に影響を及ぼすようなフロートをいう。
フリーフロートは次式で定まる。
フリーフロート＝後続作業の**最早開始時刻**－当該作業の**最早終了時刻**
したがって、フリーフロートに影響を及ぼすものは、**後続作業の最早開始時刻**と**当該作業の最早終了時刻**である。

3 ○　クリティカルパスは、ネットワーク工程表において始点から終点に至る経路のうち、最も時間のかかる経路であり、**トータルフロートが0の作業**を開始結合点から終了結合点までつないだものとなる。

4 ○　トータルフロートは、次式で算定される。
トータルフロート（TF）＝当該作業の最遅終了時刻（LFT）－当該作業の最早終了時刻（EFT）

No. 57	品質管理 （品質管理）	正答	2

1 ×　品質管理は、**施工段階より計画段階**で検討するほうが、より効果的である。

2 ○　品質管理では、品質確保のための**作業標準**を作成し、**作業標準**どおり行われているか管理を行う。

3 ×　検査を厳しく行うことは、優れた品質管理とはいえない。一方、**工程（プロセス）を最適化**することは、優れた品質管理を行ううえで有効である。

4 ×　品質計画の目標のレベルにかかわらず、緻密な管理を行うことは適当ではない。**品質計画の目標のレベルに合わせた品質管理を行う**ことが有効である。

No. 58	品質管理 （品質管理の用語）	正答	3

1 ○　目標値とは、仕様書で述べられる、**望ましいまたは基準となる特性の値**のことをいう。

2 ○　ロットとは、等しい**条件下**で生産され、または生産されたと思われるものの集まりをいう。

3 ×　かたよりとは、観測値または測定結果の**期待値から真の値を引い**

た差をいう。観測値または測定結果の大きさが揃っていないことは、ばらつきという。

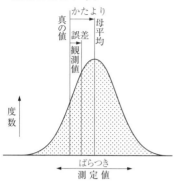

かたよりと誤差のイメージ

4 ○ トレーサビリティとは、対象の履歴、適用または所在を追跡できることをいう。

<table>
<tr><td>No.
59</td><td>品質管理
（管理値）</td><td>正答</td><td>4</td></tr>
</table>

1 ○ 柱の製品検査における一般階の階高寸法は、梁仕口上フランジで測り、**管理許容差は±3 mm、限界許容差は±5 mm**とする。（JASS 6）

2 ○ コンクリート工事において、ビニル系床材張りなど仕上げ厚さが極めて薄い場合、下地コンクリートの仕上がりの平坦さは、**3 mにつき7 mm以下**とする。（公共建築工事標準仕様書建築工事編6.2.5 (2)（イ）、表6.2.5）

3 ○ プレキャストコンクリートカーテンウォール部材の取付け位置における目地幅の許容差は、**特記の**

ない場合は±5 mmとする。（同仕様書同編17.3.5 (2)（ア）、表17.3.2)

4 × 作業者は吹付け作業中にワイヤーゲージ等を用いて随時厚みを測定する。**吹付け厚さの許容誤差は0から＋10 mm**とする。（建築工事監理指針）

<table>
<tr><td>No.
60</td><td>品質管理
（検査）</td><td>正答</td><td>2</td></tr>
</table>

1 ○ 中間検査とは、不良なロットや施工が次の工程に引き継がれないように、検査により**事前に取り除く**ことによって、損害を少なくするために行われる。

2 × 間接検査は、**供給者側**が行った検査の結果を、必要に応じて**購入者**が確認することによって、**購入者側**の試験を省略する検査である。購入者側が受入検査を行うことによって、供給者側の試験を省略する検査は、**一般に行われない**。

3 ○ 非破壊検査は、品物を破壊することなく行うことができる検査で、品物を試験してもその**商品価値が変わらない**検査である。

4 ○ 全数検査は、工程の品質状況が悪いために**不良率が大きく**、決められた品質水準に修正しなければならない場合や**不良品の混入が許されない**場合等に適用される。

| No. 61 | 品質管理（試験及び検査） | 正答 | 2 |

1 ○　コンクリートスランプ18 cmのスランプの許容差は、**スランプ8 cm以上18 cm以下のため、±2.5 cm**である。（JIS A 5308）

JIS A 5308
荷卸し地点でのスランプの許容差

（単位cm）

スランプ	スランプの許容差
2.5	± 1.0
5及び6.5	± 1.5
8以上18以下	±2.5
21	± 1.5

2 ×　1回の構造体コンクリート強度の判定には、適当な間隔をおいた**3台の運搬車から1個ずつ採取した合計3個**の供試体を使用する。（JASS 5）

3 ○　**材齢28日までの平均気温が20℃以上**の場合は、構造体コンクリート強度の判定は、工事現場における水中養生供試体の1回の試験結果が調合管理**強度以上**のものを合格とすることができる。

4 ○　コンクリートの空気量の許容差は、±1.5%である。（JIS A 5308）

| No. 62 | 品質管理（試験） | 正答 | 1 |

1 ×　引張接着力試験の試験体の個数は、100 ㎡ごと及びその端数につき1個以上、かつ、全体で3個以上とする。（公共建築工事標準

仕様書建築工事編11.1.7 (3)(b)②)

2 ○　接着剤張りのタイルと接着剤の接着状況の確認は、**タイル張り直後にタイルを**はがして行う。

3 ○　引張接着力試験は、タイル張り施工後2週間以上経過した時点で行う。（JASS 19）

4 ○　二丁掛け等小口タイル以上の大きさのタイルは、力のかかり方が局部に集中して正しい結果が得られないことがあるので、**小口平程度の大きさに切断する必要**がある。

| No. 63 | 品質管理（振動・騒音対策） | 正答 | 3 |

1 ○　内部スパン周りを先に解体し、**外周スパンを最後まで残す**ことにより、解体する予定の外周スパンの躯体を防音壁として利用することは、振動、騒音対策として有効である。

2 ○　鉄筋コンクリート造建築物の解体工事における**コンクリートカッター**を用いる**切断工法**は、振動や騒音の発生を抑制できるので、周辺環境保全に配慮した工法である。

3 ×　振動レベルの測定器の指示値が周期的に変動する場合は、変動ごとに**指示値の最大値の平均**を求め、その値を振動レベルとする。

4 ○　転倒工法による壁の解体工事において、先行した解体工事で発生したガラ（コンクリート破片）を**クッション材**として転倒する位置

に敷くことは、**振動、騒音の発生抑制に有効**である。

No. 64 安全管理（労働災害） 正答 3

1 ○ 厚生労働省の統計調査では、労働損失日数は次の基準により算出される。

死亡……………… 7,500日

永久全労働不能……… 身体障害等級1～3級の日数（7,500日）

永久一部労働不能…… 身体障害等級4～14級の日数（**級に応じて50～5,500日**）

一時労働不能………… 暦日の休業日数に$\frac{300}{365}$（うるう年は$\frac{300}{366}$）を乗じた日数

2 ○ 労働者とは、職業の種類を問わず、事業または事務所に使用される者で、**賃金を支払われる者**をいう。（労働基準法第9条）

3 × 厚生労働省の統計調査における度数率、強度率は次のとおりである。

・「**度数率**」とは、100万延実労働時間当たりの**労働災害による死傷者数**で、災害発生の頻度を表す。

$$度数率 = \frac{労働災害による死傷者数}{延実労働時間数} \times 1,000,000$$

（注）同一人が2回以上被災した場合には、死傷者数はその被災回数として算出している。

・「**強度率**」とは、1,000延実労働時間当たりの延労働損失日数で、災害の**重さ**の程度を表す。

$$強度率 = \frac{延労働損失日数}{延実労働時間数} \times 1,000$$

4 ○ 選択肢1の記述のとおり、永久一部労働不能で労働基準監督署から障がい等級が認定された場合の労働損失日数は、**その等級ごとに定められた日数**により算出される。

No. 65 安全管理（公衆災害防止対策） 正答 4

1 ○ 仮囲いは高さ1.8 m以上としなければならない。（建築基準法施行令第136条の2の20）また、傾斜地に設置した鋼板製仮囲いの下端に生じた**隙間**は、**土台コンクリート等で塞ぐ**計画とする。

2 ○ 歩道防護構台は、飛来落下物による**歩行者への危害防止**等のために設置され、雨水は構台上で処理し、安全のために**照明を設置**して照度を確保する。

3 ○ 建物解体工事における防音と落下物防護のため、**足場の外側面に防音パネルを設置**する。

4 × 防護棚（朝顔）の敷板は、厚さ30 mm程度のひき板、合板足場板または厚さ**1.6 mm以上の鉄板**を用い、足場板または鉄板は、**隙間のない**ようにする。（JASS 2）

No. 66 法規（労働安全衛生法他）　正答 3

1 ○　型枠支保工の組立て等作業主任者は、作業中、**要求性能墜落制止用器具等及び保護帽の使用状況を監視**することと規定されている。（労働安全衛生規則第247条第三号）

2 ○　有機溶剤作業主任者は、作業に従事する労働者が有機溶剤により汚染され、またはこれを吸入しないように、**作業の方法を決定し、労働者を指揮**することと規定されている。（有機溶剤中毒予防規則第19条の2第一号）

3 ×　作業主任者ではなく、**事業者**が行うべき事項として、作業の方法及び順序の作業計画を定めることと規定されている。（労働安全衛生規則第517条の2第2項第一号）

4 ○　はい作業のはいとは、倉庫等に積み重ねられた荷をいい、はい作業とは、袋や箱の荷を積み上げたり、移動のために崩したりする作業のことをいう。はい作業主任者は、はい作業を行う箇所を通行する**労働者を安全に通行**させるため、その者に**必要な事項を指示する**ことと規定されている。（同規則第429条第三号）

No. 67 法規（労働安全衛生規則）　正答 2

1 ○　建地の最高部から測って31 mを超える部分の建地は、鋼管を**2本組**とすること。ただし、建地の下端に作用する設計荷重（足場の重量に相当する荷重に、作業床の**最大積載荷重**を加えた荷重をいう。）が当該建地の**最大使用荷重**（当該建地の破壊に至る荷重の2分の1以下の荷重をいう。）を超えないときは、この限りでないと規定されている。（労働安全衛生規則第571条第1項第三号）

2 ×　建地の間隔は、けた行方向を1.85 m以下、はり間方向は1.5 m以下とすること。（同規則第571条第1項第一号）

3 ○　作業床の周囲には、高さ90 cm以上で中桟付きの丈夫な手すり及び高さ10 cm以上の幅木を設けること。ただし、手すりと作業床との間に丈夫な金網等を設けた場合は、中桟及び幅木を設けないことができること。（移動式足場の安全基準に関する技術上の指針）

4 ○　一側足場、本足場または張出し足場であるものにあっては、次に定めるところにより、壁つなぎまたは控えを設けることとあり、間隔は、表の上欄に掲げる鋼管足場の種類に応じ、それぞれ同表の下欄に掲げる値以下とすること。（同

令和2年度解説　学科試験問題（午後の部）

鋼管足場の種類	間隔(単位メートル)	
	垂直方向	水平方向
単管足場	5	5.5
わく組足場 (高さが5m 未満の ものを除く。)	9	8

No. 68 法規(労働安全衛生規則) 正答 3

1 ○ 事業者は、作業構台における作業を行うときは、その日の作業を開始する前に、作業を行う箇所に設けた**手すり等及び中桟等の取り外し及び脱落の有無**について点検し、異常を認めたときは、直ちに補修しなければならない。(労働安全衛生規則575条の8第1項)

2 ○ 事業者は、高所作業車を用いて作業を行うときは、その日の作業を開始する前に、**制動装置、操作装置及び作業装置の機能**について点検を行わなければならない。(同規則第194条の27)

3 × 事業者は、**つり足場における作業を行うときは**、その日の作業を開始する前に、同規則567条第2項**第一号から第五号**まで、**第七号及び第九号**に掲げる事項について、点検し、異常を認めたときは、直ちに補修しなければならないと規定されている。(同規則第568条)しかし、同規則第567条第2項で**脚部の沈下及び滑動の状態**は第六号に、**建地、布及び腕木の損傷の**

有無は第八号に規定されているため、つり足場における作業開始前の点検項目から**除外されている**。

☆令和5年10月1日施行の同規則第567条・第568条の改正により、事業者が**自ら点検**する義務が、点検者を指名して、**点検者に点検させる**義務に変更された。したがって、現在では、この部分も誤りとなる。

4 ○ 事業者は、**繊維ロープを貨物自動車の荷掛けに使用するときは**、その日の使用を開始する前に、当該繊維ロープを点検し、異常を認めたときは、直ちに取り替えなければならない。(同規則第151条の69)

No. 69 法規(ゴンドラ安全規則) 正答 1

1 × 事業者は、ゴンドラの操作の業務に労働者をつかせるときは、当該労働者に対し、当該業務に関する**安全のための特別の教育を行わ**なければならない。(ゴンドラ安全規則第12条)

2 ○ 事業者は、ゴンドラについて、**1月以内ごとに1回**、定期に、一定の事項について自主検査を行わなければならない。ただし、1月を超える期間使用しないゴンドラの当該使用しない期間においては、この限りでない。(同規則第21条第1項)

3 ○ 事業者は、ゴンドラを使用して

作業を行う場所については、当該作業を安全に行うため必要な照度を保持しなければならない。（同規則第20条）

4 ○ 事業者は、定期自主検査を行ったときは、その結果を記録し、これを **3年間保存** しなければならない。（同規則第21条第3項）

No. 70	法規（酸素欠乏症等防止規則）	正答	4

1 ○ 事業者は、酸素欠乏危険作業については、第1種酸素欠乏危険作業にあっては酸素欠乏危険作業主任者技能講習または酸素欠乏・硫化水素危険作業主任者技能講習を修了した者のうちから、第2種酸素欠乏危険作業にあっては酸素欠乏・硫化水素危険作業主任者技能講習を修了した者のうちから、**酸素欠乏危険作業主任者を選任** しなければならない。（酸素欠乏症等防止規則第11条第1項）

2 ○ 事業者は、第1種酸素欠乏危険作業に係る業務に労働者をつかせるときは、当該労働者に対し、**特別の教育** を行わなければならない。（同規則第12条第1項）

3 ○ 事業者は、労働安全衛生法施行令第21条第九号に掲げる作業場について、その日の作業を開始する前に、当該作業場における空気中の酸素（第2種酸素欠乏危険作業に係る作業場にあっては、酸素

及び硫化水素）の濃度を測定しなければならない。事業者は、測定を行ったときは、そのつど、測定日時、測定方法、測定箇所、測定条件、測定結果などを記録して、これを **3年間保存** しなければならない。（酸素欠乏症等防止規則第3条第1項、第2項）

4 × 事業者は、酸素欠乏危険作業に労働者を従事させる場合は、当該作業を行う場所の空気中の酸素の濃度を18%以上（第2種酸素欠乏危険作業に係る場所にあっては、空気中の酸素の濃度を18%以上、かつ、硫化水素の濃度を100万分の10以下）に保つように換気しなければならない。ただし、爆発、酸化等を防止するため換気することができない場合または作業の性質上換気することが著しく困難な場合は、この限りでない。（同規則第5条第1項）

No. 71	法規（建築基準法）	正答	1

1 × 建築物の建築等に関する申請及び確認の規定は、**防火地域及び準防火地域外** において建築物を増築し、改築し、または移転しようとする場合で、その増築、改築または移転に係る部分の床面積の合計が 10 m² 以内であるときについては、適用しない。（建築基準法第6条第2項）

2 ○　延べ面積が200㎡を超えない一戸建ての住宅の用途を変更して旅館にしようとする場合、建築確認を受ける**必要はない。**（同法第6条第1項第一号、第87条第1項）

3 ○　同法第7条の3第1項に次のように規定されている。

「建築主は、第6条第1項の規定による工事が次の各号のいずれかに該当する工程（以下「**特定工程**」という。）を含む場合において、当該特定工程に係る工事を終えたときは、その都度、国土交通省令で定めるところにより、<u>建築主事の検査を</u>申請しなければならない。」

☆令和6年4月1日施行の同法第6、7条の改正により、**建築主事**が**建築主事等**に変更されましたが、本問の正答に影響はありません。肢4についても同様です。

同法同条第一号に「**階数が3以上である共同住宅の床及びはりに鉄筋を配置する工事**の工程のうち政令で定める工程」と規定されている。

4 ○　同法第7条第1項、第2項に次のように規定されている。

「建築主は、第6条第1項の規定による工事を完了したときは、国土交通省令で定めるところにより、<u>建築主事の検査を</u>申請しなければならない。」

「前項の規定による申請は、第6条第1項の規定による**工事が完了した日から4日以内に**<u>建築主事</u>に到達するように、しなければならない。ただし、申請をしなかったことについて国土交通省令で定めるやむを得ない理由があるときは、この限りでない。」

No. 72	法規 (建築基準法)	正答	**4**

1 ○　建築基準法第5条の6第4項に、「建築主は、第1項に規定する工事をする場合においては、それぞれ**建築士法第3条第1項**、第3条の2第1項若しくは第3条の3第1項に規定する建築士又は同法第3条の2第3項の規定に基づく条例に**規定する建築士である工事監理者を定めなければならない。**」と規定があり、建築士法第3条第1項には、「各号に掲げる建築物（建築基準法第85条第1項又は第2項に規定する応急仮設建築物を除く。）を新築する場合においては、**一級建築士**でなければ、その設計又は工事監理をしてはならない。」同法同条第四号に、「**延べ面積が1,000㎡を超え、且つ、階数が2以上の建築物**」と規定されている。したがって、建築主は、**延べ面積が1,000㎡を超え、且つ、階数が2以上の建築物**を新築する場合、**一級建築士**である工事監理者を定めなければならない。

2 ○　同法第10条第1項に次のように規定されている。「特定行政庁は、**第6条第1項第一号**に掲げる建築物その他政令で定める建築物の敷地、構造又は建築設備（いずれも第3条第2項の規定により次章の規定又はこれに基づく命令若しくは条例の規定の適用を受けないものに限る。）について、損傷、腐食その他の劣化が進み、そのまま放置すれば著しく保安上危険となり、又は著しく衛生上有害となるおそれがあると認める場合においては、当該建築物又はその敷地の所有者、管理者又は占有者に対して、相当の猶予期限を付けて、当該建築物の**除却**、移転、改築、増築、修繕、模様替、使用中止、使用制限その他保安上又は衛生上**必要な措置をとることを勧告**することができる。」とあり、同法第6条第1項第一号に、「**別表第一（い）欄に掲げる用途に供する特殊建築物で、その用途に供する部分の床面積の合計が200㎡を超えるもの**」と規定されている。

したがって、特定行政庁は、飲食店に供する床面積が200㎡を超える建築物について、著しく保安上危険となると認める場合には、相当の猶予期限を付けて所有者に対し**除却を勧告**することができる。

3 ○　特定行政庁、建築主事または建築監視員は、建築物の工事の計画もしくは施工の状況等に関する報告を、**工事施工者に求めることができる**。（同法第12条第5項）

☆令和6年4月1日施行の同法第12条の改正により、**建築主事が建築主事等**に変更されましたが、本問の正答に影響はありません。

4 ×　**特定行政庁**は、違反建築物の建築主、工事の請負人などに対し当該工事の施工の停止を命じ、または、違反を是正するために必要な措置をとることを命ずることができる。命ずることができるのは、**建築主事**ではなく**特定行政庁**である。（同法第9条第1項）

No. 73	法規（建築基準法）	正答	1

1 ×　非常用の照明装置の設置については、**学校**は、非常用の照明装置を設けなければならない建築物から**除外**されている。（建築基準法施行令第126条の4第1項第三号）

2 ○　建築物の**避難階以外の階**が、劇場、映画館、演芸場、観覧場、公会堂または**集会場**の用途に供する階で、その階に客席、集会室その他これらに類するものを有するものに該当する場合においては、その階から避難階または地上に通ずる**2以上の直通階段を設けなければならない**。（同施行令第121条第1項第一号）

3 ○ 劇場、映画館、演芸場、観覧場、公会堂または集会場の客用に供する屋外への出口の戸は、**内開きとしてはならない**と規定されている。（同施行令第125条第2項）

4 ○ **高さ31 mを超える**建築物（政令で定めるものを除く。）には、**非常用の昇降機**を設けなければならないと規定されている。（同法第34条第2項）

No.	法規	正	
★74	（建設業法）	答	**2**

1 ○ 建設業の許可を受けようとする者は、許可を受けようとする建設業に係る建設工事に関して**10年以上**の実務の経験を有する者を、一般建設業の営業所に置く専任の技術者とすることができる。（建設業法第7条第二号ロ）

2 × 建設業の許可を受けようとする者は、複数の都道府県の区域内に営業所を設けて営業をしようとする場合、**国土交通大臣**の許可を受けなければならない。（同法第3条第1項）

3 ○ 許可は、別表第一の上欄に掲げる**建設工事の種類ごと**に、それぞれ同表の下欄に掲げる建設業に分けて与えるものとする。（同法第3条第2項）建設業の許可は、内装仕上工事など建設業の種類ごとに与えられ、建築一式工事以外の工事を請け負う建設業者であっても、

特定建設業の許可を受けることができる。

4 ○ 特定建設業の**許可**を受けた者でなければ、発注者から**直接請け負った**建設工事を施工するために、建築工事業にあっては下請代金の額の総額が**政令で定める金額**（建築工事業の場合6,000万円）**以上**となる下請契約を締結してはならない。（同法第16条第二号、同法第3条第1項第二号、同施行令第2条）

※令和5年1月1日施行の建設業法施行令改正により、**政令で定める金額**が6,000万円から7,000万円に変更となったため、**現在では×**となる。

No.	法規	正	
75	（建設業法）	答	**3**

1 ○ 注文者は、請負人に対して、建設工事の施工につき著しく不適当と認められる**下請負人**があるときは、その**変更を請求**することができる。ただし、あらかじめ注文者の書面による承諾を得て選定した**下請負人**については、この限りでない。（建設業法第23条第1項）

2 ○ 請負契約の方法が随意契約による場合であっても、注文者は、工事一件の予定価格が**5,000万円以上**である工事の契約の締結までに建設業者が当該建設工事の見積りをするための期間は、原則として、**15日以上**を設ける必要がある。

（同法第20条第4項、同施行令第6条第1項三号）

3 × 元請負人は、その請け負った建設工事を施工するために必要な工程の細目、作業方法その他**元請負人において定めるべき事項**を定めようとするときは、あらかじめ、**下請負人の意見をきかなければならない。**（同法第24条の2）

4 ○ 請負人は、第1項の規定による書面による通知に代えて、政令で定めるところにより、同項の**注文者**の承諾を得て、現場代理人に関する事項を、**電子情報処理組織**を使用する方法その他の**情報通信の技術を利用する方法**であって国土交通省令で定めるものにより**通知**することができる。この場合において、当該**請負人**は、当該書面による通知をしたものとみなす。（同法第19条の2第3項）

No. ★76	法規 （建設業法）	正答	**2**

1 ○ 発注者から直接**建築一式工事**を請け負った**特定建設業者**は、下請契約の総額が政令で定める金額（建築工事業の場合**6,000 万円**）以上の工事を施工する場合には、工事現場に**監理技術者**を置かなければならない。（建設業法第26条第2項、同法第3条第1項第二号、同施行令第2条）

※令和5年1月1日施行の建設業法施

行令改正により、**政令で定める金額**が6,000万円から7,000万円に変更となったため、**現在では×となる。**

2 × 工事一件の請負代金の額が政令で定める金額（建築一式工事の場合**7,000万円**）以上である診療所等の**建築一式工事**において、工事の施工の技術上の管理をつかさどるものは、工事現場ごとに**専任の者**でなければならない。（同法第26条第3項、同施行令第27条第1項）

※令和5年1月1日施行の建設業法施行令改正により、**政令で定める金額**が7,000万円から8,000万円に変更となった。

3 ○ 専任の**主任技術者**を必要とする建設工事のうち密接な関係のある2以上の建設工事を同一の建設業者が**同一の場所または近接した場所**において施工するものについては、**同一の専任の主任技術者**がこれらの建設工事を管理することができる。（同施行令第27条第2項）

4 ○ 発注者から直接工事を請け負った特定建設業者は、**下請契約の総額が政令で定める金額（建築工事業以外の場合4,000万円）**以上の工事を施工する場合は**監理技術者**を、下請契約の総額が**政令で定める金額（建築工事業以外の場合4,000万円）**未満の工事を施工する場合は**主任技術者**を、工事現

場に置かなければならない。（同法第26条第1項、第2項、同法第3条第1項第二号、同施行令第2条）

※令和5年1月1日施行の建設業法施行令改正により、**政令で定める金額**が4,000万円から4,500万円に変更となった。

No. 77	法規（労働基準法）	正答	**3**

1 ○ 使用者は、労働者の死亡または退職の場合において、権利者の請求があった場合においては、**7日以内**に賃金を支払い、積立金、保証金、貯蓄金その他名称の如何を問わず、労働者の権利に属する金品を返還しなければならない。（労働基準法第23条第1項）

2 ○ 契約期間等について、**満60歳以上**の労働者との間に締結される労働契約は、期間の定めのないものを除き、一定の事業の完了に必要な期間を定めるもののほかは、**5年**を超える期間について締結してはならない。（同法第14条第1項第二号）

3 × 解雇制限について、使用者は、労働者が業務上負傷し、または疾病にかかり療養のために休業する期間及びその後**30日間**並びに産前産後の女性が第65条の規定によって休業する期間及びその後**30日間**は、解雇してはならない。ただし、使用者が、第81条の規

定によって打切補償を支払う場合または天災事変その他**やむを得ない事由のために事業の継続が不可能となった場合においては、この限りでない**と規定されている。（同法第19条第1項）

4 ○ 解雇の予告について、使用者は、**試の使用期間中の者**であっても、**14日を超えて引き続き使用される**に至った者については、解雇しようとする場合には、原則として、少なくとも**30日前**にその予告をしなければならない。（同法第21条）

No. 78	法規（労働安全衛生法）	正答	**2**

1 ○ 統括安全衛生責任者を選任した**事業者**で、建設業その他政令で定める業種に属する事業を行うものは、厚生労働省令で定める資格を有する者のうちから、厚生労働省令で定めるところにより、**元方安全衛生管理者を選任**し、その者に技術的事項を管理させなければならない。（労働安全衛生法第15条の2第1項）

2 × 統括安全衛生責任者を選任すべき事業者以外の請負人で、当該仕事を自ら行うものは、**安全衛生責任者を選任**し、その者に統括安全衛生責任者との連絡その他の厚生労働省令で定める事項を行わせなければならない。（同法第16条第

1項)**安全衛生責任者の資格要件は、定められていない。**

3 ○ 統括安全衛生責任者は、当該場所においてその**事業の実施を統括管理する者**をもって充てなければならない。(同法第15条第2項)

4 ○ 元方安全衛生管理者の選任は、その**事業場に専属の者**を選任して行わなければならない。(同規則第18条の3)

No. 79	法規 (労働安全衛生法)	正答	**1**

1 ○ 雇入れ時等の教育について、事業者は、前項各号に掲げる事項の全部または一部に関し**十分な知識及び技能を有していると認められる労働者**については、当該事項についての教育を**省略**することができると規定されている。(労働安全衛生規則第35条第2項)

2 × 就業制限に係る当該業務につくことができる者は、当該業務に従事するときは、これに係る**免許証**その他その**資格を証する書面を携帯**していなければならない。免許証、書面の**写しではない。**(同法第61条第3項)

3 × 事業者は、労働者を雇い入れたときは、当該労働者に対し、厚生労働省令で定めるところにより、その従事する業務に関する**安全または衛生のための教育**を行わなければならない。(同法第59条第1項)

4 × 事業者は、その事業場の業種が政令で定めるものに該当するときは、新たに職務につくこととなった職長その他の作業中の労働者を直接指導または監督する者(**作業主任者を除く。**)に対し、次の事項について、厚生労働省令で定めるところにより、**安全または衛生のための教育**を行わなければならないと規定があり、職長教育の対象者から作業主任者は除外されている。(同法第60条)

No. 80	法規(建設工事に係る資材 の再資源化等に関する法律)	正答	**2**

分別解体等実施義務について、建設工事に係る資材の再資源化等に関する法律第9条第1項に、「特定建設資材を用いた建築物等に係る解体工事又はその施工に特定建設資材を使用する新築工事等であって、その規模が第3項又は第4項の**建設工事の規模に関する基準以上**のもの(以下「対象建設工事」という。)の受注者(当該対象建設工事の全部又は一部について下請契約が締結されている場合における各下請人を含む。以下「対象建設工事受注者」という。)又はこれを請負契約によらないで自ら施工する者(以下単に「自主施工者」という。)は、正当な理由がある場合を除き、**分別解体**等をしなければならない。」と規定されている。また、分別解体等をしなければならない建設工事については、建設工事に係

る資材の再資源化等に関する法律施行令第2条第1項に、建設工事の規模に関する基準は以下のとおりとすると規定されている。

一　建築物（建築基準法（昭和25年法律第201号）第2条第一号に規定する建築物をいう。以下同じ。）に係る**解体工事**については、当該建築物（当該解体工事に係る部分に限る。）の床面積の合計が80 m²であるもの

二　建築物に係る**新築又は増築**の工事については、当該建築物（増築の工事にあっては、当該工事に係る部分に限る。）の床面積の合計が500 m²であるもの

三　建築物に係る**新築工事**等（法第2条第3項第二号に規定する新築工事等をいう。以下同じ。）であって前号に規定する新築又は増築の工事に該当しないものについては、その請負代金の額（法第9条第1項に規定する自主施工者が施工するものについては、これを請負人に施工させることとした場合における適正な請負代金相当額。次号において同じ。）が1億円であるもの

四　**建築物以外**のものに係る**解体工事**又は**新築工事**等については、その請負代金の額が500万円であるもの

1○　建築物の増築工事であって、当該工事に係る部分の床面積の合計が500 m²の工事は、前記二号により**該当する**。

2✕　建築物の大規模な修繕工事であって、請負代金の額が8,000万円の工事は、前記三号により**該当しない**。

3○　建築物の解体工事であって、当該工事に係る部分の床面積の合計が80 m²の工事は、前記一号により**該当する**。

4○　擁壁の解体工事であって、請負代金の額が500万円の工事は、前記四号により**該当する**。

| No. 81 | 法規（騒音規制法） | 正答 | 1 |

1✕　さく岩機を使用する作業であって、作業地点が連続的に移動し、1日における当該作業に係る2地点間の距離が50 mを超える作業は、特定建設作業の実施の届出は**不要**である。（騒音規制法第14条、同施行令第2条、別表第二第三号）

2○　さく岩機の動力として使用する作業を除き、電動機以外の原動機の定格出力が15 kW以上の空気圧縮機を使用する作業は、特定建設作業の実施の届出が**必要**である。（同法第14条、同施行令第2条、別表第二第四号）

3○　環境大臣が指定するものを除き、原動機の定格出力が40 kW以上のブルドーザーを使用する作業は、特定建設作業の実施の届出が**必要**である。（同法第14条、同施行令第2条、別表第二第八号）

4 ○　環境大臣が指定するものを除き、原動機の定格出力が 80 kW 以上のバックホウを使用する作業は、特定建設作業の実施の届出が必要である。（同法第14条、同施行令第2条、別表第二第六号）

| No.
★82 | 法規
（道路交通法） | 正答 | **3** |

1 不要　積載物の長さは、**自動車の長さにその長さの10分の1の長さを加えたもの**（大型自動二輪車及び普通自動二輪車にあっては、その乗車装置又は積載装置の長さに0.3 mを加えたもの）**を超えないことと規定**されている（道路交通法施行令第22条第三号イ）。また、**積載物の前後のはみ出しは、自動車の車体の前後から自動車の長さの10分の1の長さを超えてはみ出さないことと規定**されている（同施行令同条第四号イ）。長さ11 mの自動車に、車体の前後に0.5 mずつはみ出す長さ12 mの資材を積載して運転する場合は、積載物の長さ12 mは11 × **1.1** = 12.1 m以下、積載物の前後のはみ出し0.5 mは11 × **0.1** = 1.1 m以下であり、許可は**不要**である。

※令和4年5月13日施行の同施行令同条第三号イの改正により、積載物の長さは、自動車の長さにその長さの10分の2の長さを加えたものを超えないことと改正された。設問

の積載物の長さ12 mは11 × 1.2 = 13.2 m以下であり、改正後も不要である。

2 不要　**積載物の高さは、3.8 m**（大型自動二輪車、普通自動二輪車及び小型特殊自動車にあっては2 m、三輪の普通自動車並びにその他の普通自動車で車体及び原動機の大きさを基準として内閣府令で定めるものにあっては2.5 m、その他の自動車で公安委員会が道路または交通の状況により支障がないと認めて定めるものにあっては3.8 m以上4.1 mを超えない範囲内において公安委員会が定める高さ）**からその自動車の積載をする場所の高さを減じたものを超えないことと規定**されており、荷台の高さが1 mの自動車に、高さ2.7 mの資材を積載して運転する場合は、高さ3.7（1 + 2.7）mは3.8 m以下であり、許可は**不要**である。（同施行令第22条第三号ハ）

3 必要　積載物の幅は**自動車の幅**であること、**左右からはみ出さないことと規定**されており、幅2.2 mの自動車に、車体の左右に0.1 mずつはみ出す幅2.4 mの資材を積載して運転する場合は、許可が**必要**である。（同施行令第22条第三号ロ、第四号ロ）

※令和4年5月13日施行の同施行令同条第三号ロ、第四号ロの改正により、

積載物の幅は自動車の幅に**その幅の10分の2の幅を加えたもの**（下線部分が追加）、積載物の左右のはみ出しは、自動車の車体の左右から**自動車の幅の10分の1の幅**（下線部分が追加）**を超えて**はみ出さないことと改正された。設問の幅2.2 mの自動車に、車体の左右0.1 mずつはみ出す幅2.4 mの資材を積載して運転する場合は、積載物の幅2.4 mは2.2 × 1.2 = 2.64 m以下、積載物の左右のはみ出し0.1 mは2.2 × 0.1 = 0.22 m以下であるので、**現在では許可が不要**となる。

4 不要 積載された資材を看守するため、**必要な最小限度の人員**として1名を荷台に乗車させて運転する場合は、道路交通法の規定により不要である。（同法第55条）

主な積載物等の制限：令第22条第二号・第三号（改正後）

第二号		積載物の重量は、最大積載重量を超えないこと。
第三号	イ	積載物の長さは、自動車の長さにその長さの10分の2の長さを加えたものを超えないこととする。
	ロ	積載物の幅は、自動車の幅に**その幅の10分の2の幅を加えたもの**を超えないこと。
	ハ	積載物の高さは、3.8 mから積載する場所の高さを減じたものを超えないこととする。

（表は右段に続く）

第四号	イ	自動車の車体の前後から自動車の長さの10分の1の長さを超えてはみ出さないこと。
	ロ	自動車の車体の左右から**自動車の幅の10分の1の幅を超えて**はみ出さないこと。

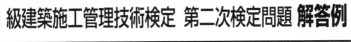

令和5年度

1級建築施工管理技術検定 第二次検定問題 **解答例**

※問題5・問題6以外の解答例・正答は非公開のため、本書独自の見解です。

問題1（解答例）

〔工事概要〕の書き方

イ．工事名：（仮称）○○区△△マンション新築工事

ロ．工事場所：東京都○○区□□□丁目△△-○○

ハ．工事の内容：

　　建物用途：共同住宅

　　構造：鉄筋コンクリート造

　　階数：地上4階建

　　延べ面積：2,870 m²

　　主な外部仕上げ：外壁－二丁掛タイル張り、その他－吹付けタイル張り

　　主要室の内部仕上げ：床－フローリング張り　壁・天井－プラスターボード下地ビニルクロス張り

ニ．工期：令和元年11月〜令和2年9月

ホ．立場：現場代理人

ヘ．業務内容：建築工事の施工管理全般

1.　工事概要であげた工事で、重点的に品質管理を行った事例

　1）事例1

　　①**工種名又は作業名等**：鉄筋工事

②施工に当たって設定した**品質管理項目**及びそれを**設定した理由**：コンクリートのかぶり厚さと鉄筋のあきの確保を品質管理項目とする。かぶり厚さと鉄筋のあきは、コンクリートの耐久性に影響を与え、かつ、隠ぺいされ、打設前の管理が重要であるため。

③②の品質管理項目について**実施した内容**及びその**確認方法又は検査方法**：コンクリート打設前に、かぶり厚さと鉄筋のあきが規定値を満たした配筋であることをスケールを用いて目視で確認した。特に、貫通孔に接する鉄筋や誘発目地部のかぶり厚さは入念に確認した。

　2）事例2

　　①**工種名又は作業名等**：タイル工事

②施工に当たって設定した**品質管理項目**及びそれを**設定した理由**：目地幅の不ぞろい、色むら及び目地深さの不均一性の確認を品質管理項目とする。目地幅の不ぞろいや色むらがある場合、美観性を損ない、また、目地深さが不均一の場合、タイルの剥落の恐れがあるた

令和5年度解説　第二次検定問題

187

め。

③②の品質管理項目について**実施した内容**及びその**確認方法又は検査方法**：目地割りに基づいて水糸を引き通し、タイル張付け後、24時間以上経過した後に、目地詰めを行った。施工後は、目視で目地の通りと色むらを確認し、2週間後、打診検査を実施し、目地深さの不均一性に加え、タイルの浮きについても確認した。

3) 事例3

①**工種名又は作業名等**：左官工事

②施工に当たって設定した**品質管理項目**及びそれを**設定した理由**：セルフレベリング材塗りの水平精度を品質管理項目とする。床下地の水平精度が悪いと、仕上げの床材の水平精度も悪くなり、また、建具扉の開閉にも影響を及ぼすため。

③②の品質管理項目について**実施した内容**及びその**確認方法又は検査方法**：施工時は、窓や開口を塞ぎ通風を無くし、レベルに合わせて流し込みを行った。一定期間養生を行った後に、レーザーレベルとスケールを用いて、床の水平精度を確認した。

2. 建築工事の経験を踏まえた**具体的な記述**

①品質管理を適確に行うための作業所における組織的な**取組**：品質管理体制の構築と品質計画書を作成し、品質管理における関係者の役割の明確化及び要求品質、品質管理項目、実施すべき内容を明確に規定する。

②①の取組によって得られる**良い効果**：責任体制が明確になり、各自の役割や実施すべきことが理解できる上、作業や検査を標準化することによって、品質を一定レベル以上に保つことができる。

| 問題2 |

1. くさび緊結式足場

〔解答例〕

・足場の倒壊が起きないよう留意し、壁つなぎの間隔を垂直方向5 m以下、水平方向5.5 m以下となるよう検討する。

・足場の崩壊防止に留意し、建地間の積載荷重は、400 kgを限度とするよう検討する。

2. 建設用リフト

〔解答例〕

・リフトの昇降経路、設置位置が搬入動線上有効となるように留意し、昇降路への立入禁止措置が有効となるように検討する。

・リフトの積載荷重、寸法が、搬入資材に対して有効となるように留意し、強風時、地震発生時にも、倒壊や転倒しない強固な構造とな

るように検討する。

3. 場内仮設道路
〔解答例〕

・仮設道路は車両と作業員の接触事故を避けるよう留意し、動線を分離させるように検討する。

・大型の作業機械は接地圧が大きいため、道路幅の確保に留意し、地盤は砂利敷きとし、敷鉄板を敷設するよう検討する。

問題3

（正答）

1.
型枠工事の作業④：梁型枠組立て
鉄筋工事の作業⑦：柱配筋

2.
最早開始時期（EST）：5日
型枠工事の③柱型枠、壁型枠返しの最早開始時期
最早開始時期とは、当該作業が最も早く作業を始めることのできる日数である。
①1日＋⑦3日＋⑧1日＝5日

3.
フリーフロートは、
型枠工事の⑥型枠締固め：5日

鉄筋工事の⑩床配筋：0日
型枠工事の⑥のフリーフロートとは、次の作業である、コンクリート工事の⑫に影響を与えない自由余裕時間である。
コンクリート工事の⑫の最早開始時刻は、①→⑦→⑧→③→④→⑤→⑨→⑩→⑪を通るルートで、22日である。
型枠工事の⑥の最早開始時刻は①→⑦→⑧→③→④→⑤のルートであり、14日間を有する。また、型枠工事の⑥の作業日数は3日間であるため、型枠工事の⑥の最早終了時刻は17日となる。
よって、型枠工事の⑥のフリーフロートは、22－17＝5日となる。
鉄筋工事の⑩のフリーフロートは、鉄筋工事の⑪に影響を与えない自由余裕時間である。
鉄筋工事の⑪の最早開始時刻は、①→⑦→⑧→③→④→⑤→⑨→⑩を通るルートで、21日である。
鉄筋工事の⑩の最早開始時刻は①→⑦→⑧→③→④→⑤→⑨のルートであり、18日間を有する。また、鉄筋工事の⑩の作業日数は3日間であるため、鉄

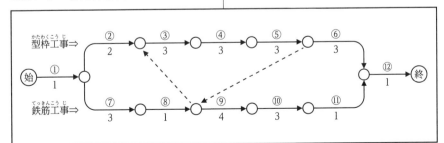

筋工事の⑩の最早終了時刻は21日と
なる。

よって、鉄筋工事の⑩のフリーフロー
トは、21－21＝0日となる。

4.

総所要日数：24日

当初の総所要日数は、①→⑦→⑧→③
→④→⑤→⑨→⑩→⑪→⑫で、合計
23日であった。

型枠工事の②片壁型枠建込みが2日か
ら4日、型枠工事の③柱型枠、壁型枠
返しが3日から4日となった。

①→②ルートと①→⑦→⑧ルートの所
要日数は同じため当初の総所要日数に
影響は無い。

型枠工事の③柱型枠、壁型枠返しが1
日遅れたため、総所要日数から1日足
せば、新たな総所要日数が算出できる。

よって、23日＋1日＝24日

問題4

**1. 土工事において、山留め壁に鋼
製切梁工法の支保工を設置する
際の施工上の留意事項**

〔解答例〕

①支保工の腹起し材の継手部は弱点と

なりやすいため、ジョイントプレー
トを取り付けて補強をする。

②切梁は圧縮応力以外の応力が作用し
ないように腹起しと垂直にかつ、密
着させて取り付ける。

**2. 鉄筋工事において、バーサポー
ト又はスペーサーを設置する際
の施工上の留意事項**

〔解答例〕

①鉄筋のバーサポート及びスペーサー
の寸法は、所要のかぶり厚さを確保
するとともに過大とならないように
定める。

②スラブ筋のバーサポート及びスペー
サーの配置は、間隔を0.9 m程度と
する。

**3. 鉄筋コンクリート造の型枠工事
において、床型枠用鋼製デッキ
プレート（フラットデッキプレー
ト）を設置する際の施工上の留
意事項**

〔解答例〕

①リブを切断する場合は、デッキ受け
を設け、荷重を梁や型枠へ確実に伝
えるようにする。

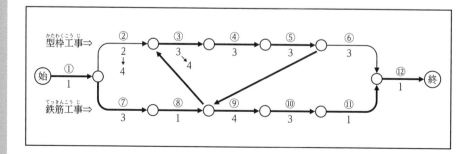

②10 mm 程度のむくりが付いているため、梁との隙間からの漏れ等が生じないように施工する。

4. コンクリート工事において、普通コンクリートを密実に打ち込むための施工上の留意事項

〔解答例〕

①コンクリートは、その締め固める位置にできるだけ近づけて打ち込み、水平流動距離を可能な限り短くする。

②棒形振動機は打込み各層ごとに用い、下層に振動機の先端が達するように垂直に挿入して、加振する。

問題5

1.

正答：**4**

（解説）

シート相互の接合部は、原則として水上側のシートが水下側のシートの上になるように張り重ねる。

ルーフィングシートの重ね幅は、幅方向、長手方向とも**40 mm 以上**とする。接合部は、**熱風融着又は溶剤溶着**により接合し、その端部を**液状シール材**でシールする。ルーフィングシートが3枚重ねとなる部分は、**熱風融着**して重ね部の隙間をなくす。（公共建築工事標準仕様書建築工事編9.4.4（6）（エ）（b）、JASS 8）

2.

正答：**3**

（解説）

セメントモルタルによる外壁タイル後張り工法の引張接着強度検査は、はく離した面を詳細に観察し、破壊位置などの**破壊状況**と破壊したときの最大引張荷重の値から、引張接着強度を求める。施工後2週間以上経過した時点で、引張試験機を用いて測定する。また、試験に先立ち、引張接着試験部の目地部分を**コンクリート**下地面まで切断する。試験体の数は、100 m² 以下ごとに1個以上とし、かつ全面積で**3個以上**とする。試験体の位置は、監理者の指示による。（同仕様書同編11.1.7（3）、JASS 19）

3.

正答：**3**

（解説）

けらば包みで納める場合、継手位置はタイトフレームにできるだけ**近い**ほうがよい。

けらば包みは、1 m 程度の間隔で下地に取り付ける。けらば包みの継手の重ね幅は、**60 mm 以上**とし、重ね内部にシーリング材を挟み込み、**ドリリングタッピンネジ**等で留め付ける。（同仕様書同編13.3.3（3）（エ）（a）（b）、JASS 12）

4.

正答：**2**

（解説）

ランナー両端部の固定は、端部より約**50 mm**内側を固定する。ランナーは、間隔**900 mm**程度に打込みピン等で、床、梁下、スラブ下等に固定する。

191

また、上部ランナーの上端とスタッド天端の隙間は**10 mm**以下とする。スペーサーは各スタッドの端部を押さえ、間隔**600 mm**程度に取り付ける。(同仕様書同編14.5.4（1）（4）、JASS 26)

5.

正答：**4**

（解説）

仕上げ材の下地となるセメントモルタル塗りの表面仕上げには、次のものがあり、その上に施工する仕上げ材の種類に応じて使い分ける。

▷金ごて仕上げ

▷木ごて仕上げ

▷はけ引き仕上げ

▷くし目引き仕上げ

一般塗装下地、壁紙張り下地、壁タイル接着剤張り下地の仕上げとしては、**金ごて仕上げ**を用い、セメントモルタル張りタイル下地の仕上げとしては、**木ごて仕上げ**を用いる。

6.

正答：**5**

（解説）

枠、くつずり、水切り板等のアンカーは、建具に適したものとし、両端から逃げた位置から、間隔**500 mm**以下に取り付ける。ステンレス製くつずりを使用する場合、厚さは**1.5 mm**とし、仕上げは ヘアラインによる。

くつずり、下枠等のモルタル充填の困難な箇所は、**あらかじめ裏面に鉄線等を取り付けておき**、モルタル詰め

を行った後に取り付ける。(同仕様書同編16.2.4（4）、16.4.4.（5）、16.2.5（1）（ア）、16.2.5（2）（ア）（c))

7.

正答：**3**

（解説）

素地ごしらえのパテ処理の工法には、パテしごき、パテかい、パテ付けの3種類がある。

パテかいは、面の状況に応じて、面のくぼみ、隙間、目違い等の部分を平滑にするためにパテを塗ることをいう。すなわち、パテかいとは、**局部的に**パテ処理するもので、素地とパテ面との肌違いが仕上げに影響するため、注意しなければならない。

なお、パテ付けは、特に**美装性**を要求される仕上げの場合に行う。

8.

正答：**1**

（解説）

タイルカーペットをフリーアクセスフロア下地に張り付ける場合、床パネルの段違いや隙間を**1 mm**以下に調整した後、タイルカーペットを張り付ける。床パネルの目地とタイルカーペットの目地を**100 mm**程度ずらして割付けを行う。(建築工事監理指針)

タイルカーペットは、割付けを部屋の中央部から行い、粘着剥離形の接着剤を床パネルの全面に塗布し、適切なオープンタイムをとり、圧着しながら張り付ける。(同仕様書同編19.3.3（4）（イ))

問題6

正答

1. ①：3 ②：1

2. ③：3 ④：1

3. ⑤：5 ⑥：4

（解説）

1.

建設業法（下請代金の支払）

第24条の3 元請負人は、請負代金の出来形部分に対する支払又は工事完成後における支払を受けたときは、当該支払の対象となった建設工事を施工した下請負人に対して、当該元請負人が支払を受けた金額の出来形に対する割合及び当該下請負人が施工した出来形部分に相応する下請代金を、当該支払を受けた日から**1月**以内で、かつ、できる限り短い期間内に支払わなければならない。

2 前項の場合において、元請負人は、同項に規定する下請代金のうち**労務費**に相当する部分については、現金で支払うよう適切な配慮をしなければならない。

3 （略）

2.

建築基準法施行令（根切り工事、山留め工事等を行う場合の危害の防止）

第136条の3

建築工事等において根切り工事、山留め工事、ウエル工事、ケーソン工事その他基礎工事を行なう場合においては、あらかじめ、地下に埋設さ

れたガス管、ケーブル、水道管及び下水道管の損壊による危害の発生を防止するための措置を講じなければならない。

2 （略）

3 （略）

4 建築工事等において深さ1.5m以上の根切り工事を行なう場合においては、地盤が崩壊するおそれがないとき、及び周辺の状況により危害防止上支障がないときを除き、山留めを設けなければならない。この場合において、山留めの根入れは、周辺の地盤の安定を保持するために相当な深さとしなければならない。

5 （略）

6 建築工事等における根切り及び山留めについては、その工事の施工中必要に応じて点検を行ない、山留めを補強し、排水を適当に行なう等これを安全な状態に維持するための措置を講ずるとともに、矢板等の抜取りに際しては、周辺の地盤の**沈下**による危害を防止するための措置を講じなければならない。

3.

労働安全衛生法（総括安全衛生管理者）

第10条 事業者は、政令で定める規模の事業場ごとに、厚生労働省令で定めるところにより、総括安全衛生管理者を選任し、その者に安全管理

者、衛生管理者又は第25条の2第2項の規定により技術的事項を管理する者の指揮をさせるとともに、次の業務を統括管理させなければならない。

一　労働者の**危険**又は健康障害を防止するための措置に関すること。

二　労働者の安全又は衛生のための教育の実施に関すること。

三　健康診断の実施その他健康の保持増進のための措置に関すること。

四　労働災害の原因の調査及び**再発**防止対策に関すること。

五　前各号に掲げるもののほか、労働災害を防止するため必要な業務で、厚生労働省令で定めるもの

2　(略)

3　(略)

1級建築施工管理技術検定 第二次検定問題 解答例

※問題5・問題6以外の解答例・正答は非公開のため、本書独自の見解です。

問題1（解答例）

〔工事概要〕の書き方

イ．工事名：○○マンション新築工事

ロ．工事場所：○○県○○市○○町○丁目

ハ．工事の内容：

建物用途：共同住宅

構造：鉄筋コンクリート造

階数：地上6階建

延べ面積：4,530 m²

主な外部仕上げ：外壁－45二丁掛タイル張り、その他－吹付けタイル張り

主要室の内部仕上げ：床－クッションフロア張り、壁・天井－プラスターボード下地ビニルクロス張り

ニ．工期：令和2年3月～10月

ホ．あなたの立場：現場主任

ヘ．あなたの業務内容：建築工事の施工管理全般

1. 工事概要であげた工事で、現場作業の軽減の事例

1) 事例1

①**工種名等**：型枠工事

②**実施した内容と軽減が必要となった具体的な理由**：型枠工事において、作業員の人数確保が事前にできなかったため、スラブ型枠に使用する合板型枠をフラットデッキプレートに変更して、施工の合理化を実施した。

③**②を実施した際に低下が懸念された品質と品質を確保するための施工上の留意事項**：フラットデッキプレートは、スパンが長いとたわみやリブ部に座屈が生じてしまうため、品質低下が懸念された。そこで、スパンが3 mを超える場合は、所定の間隔で中間サポートを設置して、たわみやリブ部座屈の防止を行った。

2) 事例2

①**工種名等**：左官工事

②**実施した内容と軽減が必要となった具体的な理由**：床仕上げ下地の施工について、熟練左官工が不足していたため、クッションフロアの下地はモルタル金ごて仕上げに変えて、セルフレベリング工法を採用した。

③**②を実施した際に低下が懸念された品質と品質を確保するための施工上の留意事項**：セ

ルフレベリング材の流し込み作業中及び硬化するまでの間、通風により下地の平滑性が確保できないことが懸念された。そこで、開口部をふさぎ、風による表面のしわが発生しないよう、通風のない作業環境に留意した。

3) 事例3
①**工種名等**：金属工事
②**実施した内容と軽減が必要となった具体的な理由**：躯体工事が雨期であり、工程が遅延し内装工事の工期を短縮しなければならなかったため、軽量鉄骨下地材を特別寸法でメーカーに発注し、プレカットして搬入した。
③**②を実施した際に低下が懸念された品質と品質を確保するための施工上の留意事項**：特別寸法で発注したことで工期は短縮されるが、工程遅延によって職人の施工速度が早くなり、品質低下が懸念された。そこで、スタッドはボード1枚張りのため300 mm、スペーサーは600 mm間隔など、施工後の品質検査について留意した。

2. **建設現場での労働者の確保に関する具体的な記述**
①**労働者の確保を困難にしている建設現場が直面している課題や**

問題点：建設現場は、汚い、臭いなどのイメージが問題であり、当該イメージが女性や若い人々に浸透し、労働者の確保が困難となっている。
②**①に効果があると考える建設現場での取組や工夫**：現場での清掃は常に行い、綺麗な現場となるように取り組んでいる。また、足場のメッシュシートを一部広告とすること及び鋼板製の仮囲いにアート鋼板を使用することで、現場のイメージ向上のための工夫をしている。

問題2

1. 墜落、転落による災害
〔解答例〕
① **状況**：足場が必要な現場
作業内容：外部足場を利用した外壁の仕上げ作業等
防止対策：足場からの墜落防止のため、幅**40 cm**の作業床を設け、**作業床には高さ85 cmの手すりと中桟**を必ず設けた。
②**状況**：高所の作業
作業内容：鉄骨の建方作業
防止対策：建方中の鉄骨からの墜落防止のため、**親綱**などの**取付け用設備**を確認した。

2. 崩壊、倒壊による災害
〔解答例〕
①**状況**：山留め壁施工後の根切り工事

作業内容：地下の掘削作業

防止対策：掘削作業中の山留め壁の崩壊防止のため、1日1回、親杭に取り付けた**ピアノ線**により、**水平変位**の確認を行い**記録**しておく。

②状況：スラブ上でのコンクリート打設

作業内容：コンクリートの打設作業

防止対策：コンクリート打設時、外力により型枠支保工が倒壊しないように、構造計算により**根太・大引・パイプサポート**の間隔等を決定し、**組立図**を**作成**の上、これに基づいて施工する。

3．移動式クレーンによる災害
〔解答例〕

①状況：吊り荷の揚重作業

作業内容：敷鉄板の揚重

防止対策：移動式クレーンの旋回範囲内に労働者が**立ち入り**、吊り荷や旋回体と**接触**することを**防止**するため、作業場所に**立入禁止**措置を講ずる。

②状況：強風時の揚重作業

作業内容：内装材料の揚重

防止対策：大雨や強風のため、移動式クレーンを用いる作業について危険が予想されるときは、当該作業を行わないように**事前**に**定める**。

| 問題3 |

1.
（正答）

A1、B1の**作業内容**：壁軽量鉄骨下地組み

A6、B6の**作業内容**：フリーアクセスフロア敷設

2.
（正答）

総所要日数：25日

3.
（正答）

作業A4の**フリーフロート**：0日
（解説）

作業A4のフリーフロートとは、次の作業である、A5に影響を与えない**自由余裕時間**である。

作業A5の最早開始時刻は、C1→A1→B1→C2→A3→A4を通るルートで、12日である。

作業A4の最早開始時刻はC1→A1→B1→C2→A3のルートであり、10日間を有する。また、作業A4の作業日数は2日間であるため、作業A4の最

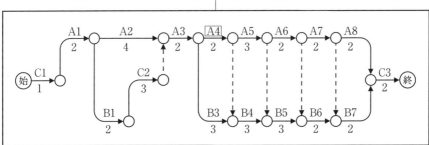

早終了時刻は12日となる。

よって、作業A4のフリーフローは、

12 － 12 ＝ 0日となる。

4.

（正答）

作業　あ：A5

総所要日数　い：27日

（解説）

問題文に、Cで始まる作業名は両工区を同時に行う作業を示す、と記載されている。

しかし、C2（建具枠取付け）のA工区分だけ遅れて作業をすることとなるため、C2－AとC2－Bで分けて考える必要がある。

C2－Bの所要日数は2日で、C2－Aの所要日数は、壁せっこうボード張り（B3）の完了までに終了するため、C2－B＋B3の日数（5日）が所要日数となる。

B工区が完了した後にA工区の作業に入るため、ネットワーク工程表は下図のようになる。

このとき、当初クリティカルパスではなかった作業A5から作業A8までが

クリティカルパスとなり、㊀から㊫までの総所要日数は27日となる。

問題 4

1.　屋根保護防水断熱工法における保護層の平場部の施工上の留意事項

〔解答例〕

①屋根保護防水押えコンクリートは、一般には無筋コンクリートが使われているが、温度上昇によるひび割れが発生しやすくなるため、**溶接金網を伸縮調整目地内ごとに敷き込む。**

②平場の保護コンクリートの厚さはコンクリートこて仕上げの場合は80mm以上、タイル等の仕上げを行う場合は60 mm以上とし、所要の勾配に仕上げる。

2.　木製床下地にフローリングボード又は複合フローリングを釘留め工法で張るときの施工上の留意事項

〔解答例〕

①フローリング類の割付けは、室の**中央から両側**へ行い、割付けが半端になる場合は、目立ちやすい出入口

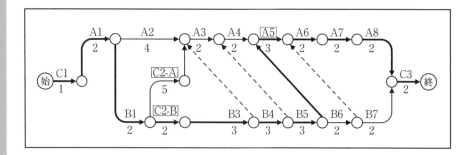

を避け、壁際の見え隠れとなる場所
で行う。

②フローリング類は木質材であり、湿
度の変化によって膨張・収縮するの
で、幅木・敷居等との取合い部では
エキスパンションをとる。

3. **外壁コンクリート面を外装合成樹脂エマルション系薄付け仕上塗材（外装薄塗材E）仕上げとするときの施工上の留意事項**

〔解答例〕

①仕上塗材仕上げの下塗りは、下地を
よく清掃した後、だれ、塗り残しの
ないように**均一**に塗り付ける。

②仕上塗材仕上げの主材塗りにおいて、
吹付けの場合は見本と**同様**の模様で
均一に仕上がるように、指定の吹付
け条件により吹き付ける。

4. **鉄筋コンクリート造の外壁に鋼製建具を取り付けるときの施工上の留意事項**

〔解答例〕

①くさび等を撤去し、躯体と枠との間
にはモルタルを**密実**に充填し、必要
に応じて、補強等を行う。

②くつずり、下枠等のモルタル充填の
困難な箇所は、あらかじめ**裏面**に鉄
線等を取り付けておき、モルタル詰
めを行った**後**に取り付ける。

問題5

1.

正答：**2**

（解説）

地盤の平板載荷試験とは、直径30
cm以上の円形の鋼板に油圧ジャッキ
により垂直荷重を与え、載荷圧力、載
荷時間、**沈下量**を測定して、地盤の
変形や強さなどの支持力特性を調べる
ための試験である。また、試験結果に
より求められる地盤の支持力特性は、
載荷板直径の1.5～2.0倍程度の深さ
の範囲が対象となる。

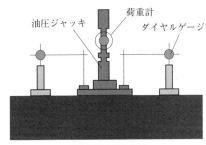

平板載荷試験

2.

正答：**3**

（解説）

機械式掘削をする場合には、床付け面
の近くでショベルの刃を**平状**のものに
替えて、床付け面までの掘削を行う。
一般的に、床付け面上30～50cmの土
を残し、最終仕上げを水平にする。床
付け面を乱してしまった場合は、礫や
砂質土であれば**転圧**で締め固める。粘
性土の場合は、良質土に置換するか、
セメントや石灰等による地盤改良を行
う。掘削時の杭間地盤の掘り過ぎや掻
き乱しは、杭の**水平抵抗力**に悪影響を
与えるので行ってはならない。

3.

正答：**1**
（解説）

場所打ちコンクリート杭地業のオールケーシング工法では、掘削は**ハンマーグラブ**を用いて行う。地表面下１０ｍ程度までのケーシングチューブの初期の圧入精度によって以後の掘削の鉛直精度が決定される。一次スライム処理は、孔内水が多い場合には、**沈殿バケット**を用いて処理を行う。　なお、ドリリングバケットは、場所打ちコンクリート杭地業のアースドリル工法の掘削に用いられる。ハンマーグラブは地盤に落下させて掘削し、ドリリングバケットは回転させて地盤を掘削する。

4.

正答：**3**
（解説）

鉄筋のガス圧接を手動で行う場合、突き合わせた鉄筋の圧接端面間のすき間は２mm以下で、偏心、曲がりのないことを確認する。まず、還元炎で圧接端面間のすき間が完全に閉じるまで加圧しながら加熱し、圧接端面間のすき間が完全に閉じた後、鉄筋の軸方向に適切な圧力を加えながら、**中性炎**により鉄筋の表面と中心部の温度差がなくなるように十分加熱する。加熱範囲は、圧接面を中心に鉄筋径の２倍程度とする。なお、還元炎とは、酸素の供給を制限した温度が低く還元性がある炎をいう。一方、酸素の供給が過剰で、温度が高く酸化性がある炎を、酸化炎

という。還元炎と酸化炎の中間部分の炎を、中性炎という。

5.

正答：**5**
（解説）

型枠に作用するコンクリートの側圧に影響する要因は、コンクリートの打込み速さ、比重、打込み高さ及び柱、壁などの部位の影響等がある。打込み速さが速ければコンクリートヘッドと呼ばれる打込み高さが**大きく**なって、最大側圧が大となる。

また、せき板材質の透水性又は漏水性が**大きい**と最大側圧は小となり、打ち込んだコンクリートと型枠表面との摩擦係数が**小さい**ほど、液体圧に近くなり最大側圧は大となる。

物体を動かす力の公式は、$F = \mu N$

F：動かす力（摩擦力）

μ：摩擦係数

N：物体重量

摩擦係数 μ が大きくなれば、動かそうとする力は大きくなり、滑りにくくなる。

摩擦係数 μ が小さいほど、動かそうとする力は小さくなり、滑りやすくなる。型枠にコンクリートが滑って多く入るため、コンクリートが型枠を動かそうとする力である側圧が大きくなる。

よって、コンクリート表面と型枠表面との摩擦係数が小さいほど、流動性が高くなることから液体圧に近くなり、最大側圧が大きくなる。

6.

正答：**1**

（解説）

締付け時に丸セパレーターのせき板に対する傾きが大きくなると丸セパレーターの**破断強度**が大幅に低下するので、できるだけ垂直に近くなるように取り付ける。

型枠の組立てにあたり、締付け金物を締め過ぎると、せき板が**内側**に変形するため、内端太（縦端太）を締付けボルトとできるだけ、**近接させて**締め付けるなどの措置を行う。（型枠の設計・施工指針）

7.

正答：**3**

（解説）

暑中コンクリートとは、日平均気温の平均値が25℃を超える期間に打込むコンクリートである。気温が高くなると運搬中のスランプの低下、凝結の促進、水分の急激な蒸発等の種々の問題が発生しやすくなる。そのため、材料、調合については、水は低温のものを使用し、構造体強度補正値は原則として**35℃**以下とする。コンクリートの練混ぜから打込み終了までの時間は、**90**分以内とする。（JASS 5）

また、養生の開始時期は、せき板に接する面では脱型**直後**とする。

8.

正答：**4**

（解説）

スタッド溶接後の仕上がり高さ及び傾きの検査は、「100本」又は「主要部材1本若しくは1台に溶接した本数」のいずれか少ない方を1ロットとし、1ロットにつき1本行う。

スタッド溶接後の仕上がり高さの限界許容差は指定された寸法の±2mm以内、かつ、傾きの限界許容差は5度以内とする。（JASS 6）

問題6

1.

正答：①：**1**　②：**4**

（解説）

建設業法（特定建設業者の下請代金の支払期日等）

第24条の6第1項　特定建設業者が**注文者**となった下請契約（下請契約における請負人が特定建設業者又は資本金額が政令で定める金額以上の法人であるものを除く。以下この条において同じ。）における下請代金の支払期日は、第24条の4第2項の申出の日（同項ただし書の場合にあっては、その一定の日。以下この条において同じ。）から起算して**50**日を経過する日以前において、かつ、できる限り短い期間内において定められなければならない。

2.

正答：③：**3**　④：**5**

（解説）

建築基準法施行令（落下物に対する防護）

第136条の5第2項　建築工事等を行な

う場合において、建築のための工事を
する部分が工事現場の境界線から水平
距離が5 m以内で、かつ、地盤面か
ら高さが7 m以上にあるとき、その
他はつり、除却、外壁の修繕等に伴う
落下物によって工事現場の周辺に危害
を生ずるおそれがあるときは、国土交
通大臣の定める基準に従って、工事現
場の周囲その他危害防止上必要な部分
を鉄網又は帆布でおおう等落下物によ
る危害を防止するための措置を講じな
ければならない。

3.

正答：⑤：3　⑥：2

（解説）

労働安全衛生法（元方事業者の講ずべ
き措置等）

第29条の2　建設業に属する事業の元
方事業者は、土砂等が崩壊するおそれ
のある場所、機械等が転倒するおそれ
のある場所その他の厚生労働省令で定
める場所において関係請負人の労働者
が当該事業の仕事の作業を行うときは、
当該関係請負人が講ずべき当該場所に
係る危険を防止するための措置が適正
に講ぜられるように、技術上の指導そ
の他の必要な措置を講じなければなら
ない。

※解答例・正答は非公開のため、本書独自の見解です。

問題1（解答例）

〔工事概要〕の書き方

イ．工事名：○○パレス○○新築工事

ロ．工事場所：○○市○○区○○○丁目○○－○

ハ．工事の内容：

建物用途：共同住宅

構造：鉄筋コンクリート造

階数：地上5階建

延べ面積：3,018.85 m²

主な外部仕上げ：外壁－二丁掛タイル張り、その他－吹付タイル張り

主要室の内部仕上げ：床－フローリング張り、壁・天井－プラスターボード下地ビニルクロス張り

ニ．工期：令和元年2月～令和2年6月

ホ．立場：現場代理人

ヘ．業務内容：建築工事の施工管理

1. 工事概要であげた工事で実施した品質管理の事例

1）事例1

①**工種名**：鉄筋工事

②**品質の目標**：鉄筋コンクリート躯体の構造強度

重点品質管理項目：柱・梁鉄筋におけるガス圧接部の形状確認

③**定めた理由**：圧接部の強度が低下すると鉄筋コンクリート躯体の構造強度が低下するため。

欠陥又は不具合：ガス圧接部の膨らみや長さが規定を満たさず、圧接する鉄筋相互の偏心量、膨らみの頂部からの圧接面のずれが規定を超える。

④**実施した内容**：接続部において、ガス圧接部の形状（膨らみ、長さ等）が仕様書の許容値で現場施工されるように、鉄筋径の種類ごとに作成した許容値表を圧接工に確認させながら施工させた。

確認方法又は検査方法：全数検査を行い、不良箇所がないことを確認した。

2）事例2

①**工種名**：外壁タイル工事

②**品質の目標**：外壁タイルの竣工後のはく落防止

重点品質管理項目：張付けモルタルの時間管理

③**定めた理由**：張付けモルタルの張付け可能時間を超えてタ

イルを張ると接着力が低下す
るため。

欠陥又は不具合：モルタルの
付着力不足による外壁タイル
のはく落

④**実施した内容**：張付けモルタ
ルを一度に塗り付ける面積を、
規定時間内に張り付けること
ができると想定される2m²以
内として施工させた。

確認方法又は検査方法：張付
けモルタルを塗り付け20分後
に進捗を確認し、チェックリ
ストに記録した。未完の部分
については、塗り付け30分後
に再確認し、完了しているこ
とを確認した。

2. 組織的な品質管理活動
①**内容**及び伝達する**手段又は方法**
・品質管理体制を構築し、品質管理
における関係者の役割を明確に規
定する。
・品質計画書を作成し、要求品質、
品質管理項目、実施すべき内容を
明確に規定する。
・PDCAサイクルの各プロセスで品
質管理のために実施した内容を記
録に残す。
②**良い影響**
・責任体制が明確になり、各自の役
割や実施すべきことを理解するこ
とができる。
・作業や検査を標準化することによ

り、品質を一定レベル以上に保つ
ことができる。
・企業の社会的信用が向上する。
・手直しコストを低減することがで
きる。

問題2

建築工事における仮設物の設置を計
画するに当たり、**留意及び検討すべ
き事項**としては、以下のもの等がある。
これらを参考に具体的に記述すれば
よい。

1. 仮設ゴンドラ
〔解答例〕
①ゴンドラを設置するための**突りょう**
は、取り付ける位置と形状に適した
ものとし、十分な**強度**を**確保**できる
ものとする。
②ゴンドラの選定及び**設置位置**につ
いては、ゴンドラ作業の内容を十分
把握・検討し、作業内容に最適とな
る計画とする。
（解説）
・ゴンドラを使用して作業を行う場所
については、当該作業を安全に行う
ため必要な**照度**を確保する計画とす
る。

2. 場内仮設事務所
〔解答例〕
①事務所本体、外構、埋設設備等は
工事に**支障のない位置**とする。
②出来る限り作業の状況が確認しや
すく、また資材の動き、人の動き
が**見える所**とする。

3. 工事ゲート（車両出入口）

〔解答例〕

①ゲートの幅は、搬入を計画する車両が無理なく道路から進入可能な**回転半径**を確保し、ゲートの梁または上部枠の高さは、車両限界高さの3.8 mを超える高さを確保することに留意・検討して計画する。

②ゲートの構造として、歩行者が安全歩行できる**滑り止め**の仕上げを確保すること。また、車両出入口であることを示すための**トラマーク**と**表示看板**や**警報灯**、**警報設備**等も検討する。

③ゲートとして完全に**侵入者**を防ぎ、完全防備な機能を備えていること。また、**強風**に対しても安全な強度を備えた構造を持つように留意し検討する。

④**交差点**の近くや**交通量**の多い道路を避けて設置し、ゲートそばの仮囲い板を**透明**にして、歩行者等が目視できるように留意し検討する。

〔解説〕

・工事現場は、原則として危害防止のため仮囲いを設けなければならないが、資機材の搬出入のため、大型車両が出入りする。このために第三者との接点になるゲートの設置については、特に**第三者災害**をいかに防ぐかを第一として、留意・検討しなければならない。

問題3

1.

A4、B4：**壁型枠建込み**

A8、B8：**床配筋**

2.

A3、B3とA7、B7は、A、B両工区の前工程が完了してから作業を行う必要があるので、図1のように工程表に追記する必要がある。追記した工程表の各作業の最早開始時刻は次のとおりである。

B6のフリーフロートは、次式で算定される。

B6のフリーフロート = 16 − （11 + 3）= 16 − 14 = 2 ［日］

3.

図1の工程表のC1、A1〜4、B1〜4の山積み図は図2（左）のとおりである。変更後のA1〜4、B1〜4の作業員、所要日数、必要総人数は次の表のとおりである。

図1

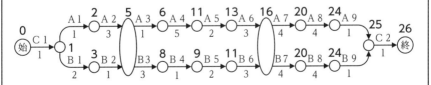

作業名	作業員 （人）	所要日数 （日）	必要総人数 （人）
A1	2	1	2
B1	4	1	4
A2	4	2	8
B2	2	1	2
A3	3	2	5
B3	7	2	14
A4	8	3	24
B4	2	3	5

したがって、作業A3の人数は **あ：3** 人、作業A4の人数は **い：8** 人となる。また、変更後のC1、A1～4、B1～4の山積み図は図2（右）のとおりである。

4.

3. で求めた割り振り人数としたときの総所要日数は、各作業の最早開始時刻を算定することにより、図3のとおり求められる。

したがって、始点から終点までの総所要日数は **24** 日である。

問題4

1. 既製コンクリート杭の埋込み工法の施工上の留意事項

〔解答例〕

①掘削は、安定液を用いて孔壁の崩落を防止しながら、杭心に合わせて鉛直に行い、アースオーガが予定の支持層に達した後、根固め液及び杭周固定液を注入しながらアースオーガを引き抜く。

②杭の建込みは、孔壁を傷めないように行い、圧入又は質量2 t程度のドロップハンマーにより落下高 0.5 m程度で軽打とし、根固め液中に貫入させる。

図2

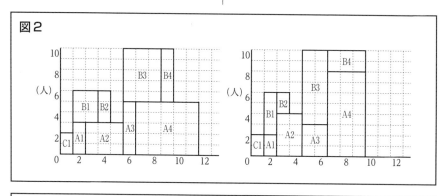

図3

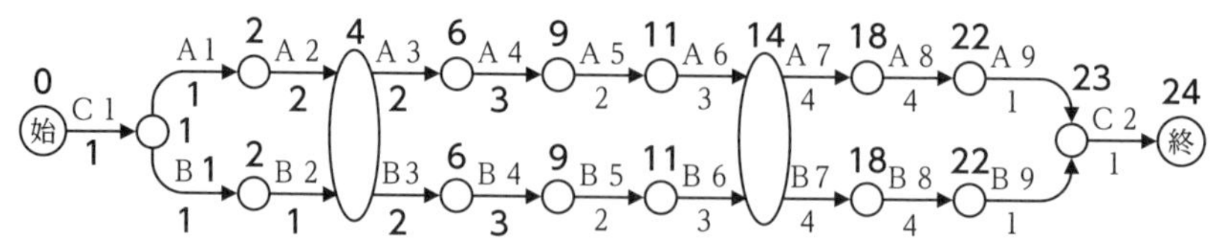

206

2. 柱又は梁型枠の加工、組立ての施工上の留意事項

〔解答例〕

①各種配管、ボックス、埋込み金物等は、構造耐力上及び耐久性上支障のない位置に配置し、コンクリート打込み時に移動しないよう、所定の位置に堅固に取り付ける。

②コンクリートの打込みに先立ち、型枠の組立状態を確認し、監督職員に報告する。

3. コンクリート打込み後の養生に関する施工上の留意事項

〔解答例〕

①打込み後のコンクリートは、透水性の小さいせき板による被覆、養生マット又は水密シートによる被覆、散水又は噴霧、膜養生剤の塗布等により湿潤養生を行う。

②凝結硬化中のコンクリートが、有害な振動や外力による悪影響を受けないように、周辺の作業の管理を行う。

4. トルシア形高力ボルトの締付けに関する施工上の留意事項

〔解答例〕

①本接合に先立ち、仮ボルトで締付けを行い、板の密着を図る。締付けに先立ち、ボルトの長さ、材質、ねじの呼び等が施工箇所に適したものであることを確認する。

②ボルトを取り付けた後、一次締め、マーキング、本締めの順序で本接合の締付けを行う。1群のボルトの締付けは、群の中央から周辺に向かう順序で行う。

問題 5

1.

正答：2

（解説）

立上り際の風による**負圧**は平場の一般部より大きくなるため、立上り際の幅**500** mm程度は、防水層の1層目に粘着層付改質アスファルトシートを張り付ける。（公共建築工事標準仕様書建築工事編9.3.4（5）（ア）（b）④）

2.

正答：4

（解説）

まぐさ及び庇先端**下部**に小口タイル以上の大きさのタイルを張り付ける場合は、径が0.6 mm以上のなましステンレス線をタイルに取り付け、引金物として張付けモルタルに塗り込み、必要に応じて、受木を添えて24時間以上支持する。（建築工事監理指針）

3.

正答：3

（解説）

長尺金属板葺の下葺は、野地面上に軒先と**平行**に敷き込み、軒先から**上**へ向かって張る。上下（流れ方向）は100 mm以上、左右（長手方向）は200 mm以上重ね合わせる。（公共工事標準仕様書建築工事編13.2.3（4）（ア）(a)）

4.

正答：2

（解説）

セルフレベリング材が硬化する前に風が当たると、表層部分だけが動いて**硬化後にしわが発生する場合がある**。したがって、流し込み作業中はできる限り通風を**避けて**、施工後もセルフレベリング材が硬化するまでは、はなはだしい通風は避ける。（建築工事監理指針）

5.

正答：3

（解説）

PCカーテンウォールの**スウェイ方式**は上部、下部ファスナーの**どちらか**をルーズホールなどで**滑らせる**ことにより、PCカーテンウォールを**層間変位**に追従させるものである。

6.

正答：2

（解説）

研磨紙ずりは、素地の汚れや錆、下地に付着している**塵埃**を取り除いて素地や下地面を**平滑**にし、かつ、次工程で適用する塗装材料の**付着性**を確保するための足掛かりを作り、**仕上り**をよくするために行う。（JASS 18）

7.

正答：5

現場施工後の防火材料の表示については、各室又はこれに準ずる用途上の**区分**ごとに、少なくとも**2カ所以上**に表示マークを付すること。（建設省住指発第352号昭和44年9月2日）

8.

正答：1

（解説）

コンクリート打放し仕上げ外壁のひび割れ部の改修における樹脂注入工法は、外壁のひび割れ幅が**0.2 mm以上1.0 mm以下**の場合に主に適用される。

| 問題6 |

1.

正答：①：④、②：①

（解説）

建設業法（請負契約とみなす場合）

第24条　委託その他いかなる**名義**をもってするかを問わず、**報酬**を得て建設工事の完成を目的として締結する契約は、建設工事の請負契約とみなして、この法律の規定を適用する。

2.

正答：③：⑤、④：③

（解説）

建築基準法施行令（建て方）

第136条の6　建築物の建て方を行なうに当たっては、仮筋かいを取り付ける等荷重又は外力による**倒壊**を防止するための措置を講じなければならない。

2　鉄骨造の建築物の建て方の**仮締**は、荷重及び外力に対して安全なものとしなければならない。

3.

正答：⑤：③、⑥：②

（解説）

労働安全衛生法（元方事業者の講ずべき措置等）

第29条　元方事業者は、関係請負人
及び関係請負人の労働者が、当該仕事
に関し、この法律又はこれに基づく命
令の規定に違反しないよう必要な**指導**
を行なわなければならない。
2　元方事業者は、関係請負人又は関
係請負人の労働者が、当該仕事に関
し、この法律又はこれに基づく命令
の規定に違反していると認めるときは、
是正のため必要な指示を行なわなけ
ればならない。
3　前項の指示を受けた関係請負人又
はその労働者は、当該指示に従わな
ければならない。

1級建築施工管理技術検定 実地 解答例

※解答例・正答は非公開のため、本書独自の見解です。

問題1（参考例）

〔工事概要〕の書き方

イ． 工事名：○○ビル新築工事

ロ． 工事場所：○○県○○市○○町○丁目○番○号

ハ． 工事の内容：

建物用途：事務所

構造：鉄筋コンクリート造

階数：地上6階

延べ面積：5,760 m²

主な外部仕上げ：外壁－吹付けタイル

主要室の内部仕上げ：床－フリーアクセスフロア・タイルカーペット張り、天井－プラスター化粧ボード張り、壁－プラスターボード下地ビニルクロス張り

ニ． 工期：令和元年3月～令和元年12月

ホ． あなたの立場：現場主任

1. **工事概要であげた工事で、現場における労務工数の軽減、工程の短縮などの施工の合理化の事例**

   1) 事例1

      ①**工種又は部位等**：型枠工事、鉄筋工事

      ②**実施した内容と品質確保のた**めの留意事項：型枠工事、鉄筋工事において床型枠にトラス筋付きデッキプレート工法を採用して施工の合理化を実施した。品質確保のため床開口の大きさ、補強等はメーカーの仕様に従うこと、コンクリート打設前に、上端筋、下端筋、ラチス材、吊材の切断をしないことなどに留意した。

      ③**実施した内容が施工の合理化となる理由**：トラス筋付きデッキプレート工法は、デッキプレートとトラス筋が一体となっており、コンクリート打込み時には型枠として、硬化後にはトラス筋がスラブ主筋となる構造であり、型枠工事と鉄筋工事を同時に施工することにより合理化となる。

      ④**③の施工の合理化以外に得られた副次的効果**：鉄筋と型枠デッキの一体化により、配筋の乱れが少なく、かぶり厚さが一定で高精度な配筋が可能となる。

   2) 事例2

      ①**工種又は部位等**：コンクリート工事(バックヤード床仕上げ)

      ②**実施した内容と品質確保のた**

めの留意事項：施工の合理化のためバックヤードの土間コンクリート床仕上げの施工について、熟練左官工による金ごて仕上げに代えて、機械ごてによる工法を採用した。品質確保のため打設したコンクリートが完全に硬化する前の適切な時期に行うことと、機械ごてでの仕上げ施工が難しい部分については、熟練左官工による施工を併用することに留意した。

③**実施した内容が施工の合理化となる理由**：熟練左官工による人力の手作業に対して、機械ごてによる動力化・機械化により、時間当たり1人当たりの施工面積が増大するため施工の合理化となる。

④**③の施工の合理化以外に得られた副次的効果**：機械ごての重量による表面加圧効果により、表層が緻密で強固な仕上げとなる効果が得られた。また、広範囲のこて仕上げを手作業で行うことで生じる左官工の疲労によるムラを、機械化により軽減する効果が得られた。

2.

工事概要にあげた工事にかかわらず、施工の合理化の取組みのうち、品質を確保しながらコスト削減を行った事例

1) 事例1
　①**工種又は部位等**：外壁改修工事
　②**施工の合理化の内容とコスト削減できた理由**：集合住宅の修繕工事における外壁改修工事において、枠組み足場による足場工法からゴンドラによる無足場工法に変更して、施工の合理化を実施した。足場の組立て、解体の作業が不要となり、ゴンドラの設置費用に比較して、過大な足場の組立て、解体費用がなくなることによりコストが削減できた。

2) 事例2
　①**工種又は部位等**：屋上防水改修工事
　②**施工の合理化の内容とコスト削減できた理由**：事務所ビルの屋上防水改修工事において、既存防水層を全面撤去した後に新規防水層を施工する撤去工法から、既存防水層を残置したまま新規防水層を施工するかぶせ工法に変更して、施工の合理化を実施した。既存防水層の撤去費用が削減され、コストが削減できた。

問題2

1. 外部枠組足場

　足場については、労働安全衛生規則第562条及び第563条に規定されて

いる。

- 事業者は、足場の構造及び材料に応じて、作業床の**最大積載荷重を定め、かつ、これを超えて積載してはならない。**
- 事業者は、第1項の**最大積載荷重を労働者に周知**させなければならない。
- 事業者は、足場（一側足場を除く。第三号において同じ。）における高さ２ｍ以上の作業場所には、次に定めるところにより、**作業床を設け**なければならない。
- つり足場の場合を除き、幅、床材間の隙間及び床材と建地との隙間は、**幅は、40 cm以上**とすること。**床材間の隙間は、３ cm以下**とすること。**床材と建地との隙間は、12 cm未満**とすること。
- 墜落により労働者に危険を及ぼすおそれのある箇所には、次に掲げる足場の種類に応じて、**足場用墜落防止設備**を設けること。
- **足場用墜落防止設備を設けることが著しく困難な場合又は作業の必要上臨時に足場用墜落防止設備を取り外す場合、関係労働者以外の労働者を立ち入らせないこと。**
- 事業者は、作業の必要上臨時に**足場用墜落防止設備を取り外したときは、その必要がなくなった後、直ちに当該設備を原状に復さなければならない。**

〔解答例〕

① 足場の構造及び材料に応じて、作業床の**最大積載荷重を定めると同時に**これを超えて積載しないよう留意する。
② 作業の必要上臨時に**足場用墜落防止設備を取り外した**ときは、その必要がなくなった後、直ちに当該設備を**原状に復す必要がある。**

2. コンクリートポンプ車

コンクリートポンプ車については、労働安全衛生規則第171条の２及び第171条の３に次のように規定されている。

- 事業者は、コンクリートポンプ車を用いて作業を行うときは、輸送管を継手金具を用いて輸送管又はホースに確実に**接続**すること、輸送管を堅固な建設物に**固定**させること等当該輸送管及びホースの**脱落及び振れを防止する措置**を講ずること。
- 作業装置の操作を行う者とホースの先端部を保持する者との間の**連絡**を確実にするため、**電話、電鈴等の装置**を設け、又は一定の合図を定め、それぞれ当該装置を使用する者を指名してその者に使用させ、又は当該合図を行う者を指名してその者に行わせること。
- コンクリート等の吹出しにより労働者に危険が生ずるおそれのある箇所に**労働者を立ち入らせないこと。**
- 輸送管又はホースが閉そくした場合で、輸送管及びホースの接続部

を切り離そうとするときは、あらかじめ、当該輸送管等の**内部の圧力を減少**させるため**空気圧縮機のバルブ又はコックを開放**すること等コンクリート等の吹出しを防止する措置を講ずること。

- 洗浄ボールを用いて輸送管等の内部を洗浄する作業を行うときは、**洗浄ボールの飛出しによる労働者の危険を防止するための器具**を当該輸送管等の先端部に取り付けること。

- 事業者は、輸送管等の組立て又は解体を行うときは、作業の方法、手順等を定め、**これらを労働者に周知**させ、かつ、**作業を指揮する者を指名**して、その直接の指揮の下に作業を行わせなければならない。

〔解答例〕

①輸送管を継手金具を用いて輸送管又はホースに確実に**接続**する。輸送管を堅固な建設物に固定させる等、輸送管及びホースの**脱落及び振れを防止**する措置を講ずる。

②輸送管等の組立て又は解体を行うときは、作業の方法、手順等を定め、労働者に周知させ、かつ、**作業指揮者**を指名して、直接の指揮の下に作業を行わせる。

3. 建設用リフト

建設用リフトについては、クレーン等安全規則第181条、第182条、第184条、第185条、第186条、第187条、第188条及び第190条に次のように規定されている。

- 事業者は、建設用リフトについては、厚生労働大臣の定める**基準に適合**するものでなければ使用してはならない。

- 事業者は、建設用リフトについて、巻上げ用ワイヤロープに**標識を付すること**、**警報装置を設けること**等巻上げ用ワイヤロープの**巻過ぎによる労働者の危険を防止するための措置**を講じなければならない。

- 事業者は、建設用リフトにその**積載荷重をこえる荷重をかけて使用してはならない**。

- 事業者は、建設用リフトを用いて作業を行なうときは、建設用リフトの運転について一定の合図を定め、**合図を行なう者を指名**して、その者に合図を行なわせなければならない。

- 事業者は、**建設用リフトの搬器に労働者を乗せてはならない**。ただし、建設用リフトの修理、調整、点検等の作業を行なう場合において、当該作業に従事する労働者に危険を生ずるおそれのない措置を講ずるときは、この限りでない。
労働者は、前記ただし書の場合を除き、建設用リフトの搬器に乗ってはならない。

- 事業者は、建設用リフトを用いて作業を行なうときは、建設用リフ

トの搬器の昇降によって労働者に
危険を生ずるおそれのある箇所、
建設用リフトの巻上げ用ワイヤロー
プの内角側で、当該ワイヤロープ
が通っているシーブ又はその取付
け部の破損により、当該ワイヤロー
プがはね、又は当該シーブ若しく
はその取付具が飛来することによ
り労働者に危険を生ずるおそれの
ある箇所に**労働者を立ち入らせて
はならない**。

- 事業者は、建設用リフトのピット
  又は基底部をそうじするときは、
  **昇降路に角材、丸太等の物をかけ
  渡してその物の上に搬器を置くこと、
  止め金付きブレーキによりウイン
  チを確実に制動しておくこと等搬
  器が落下することによる労働者の
  危険を防止するための措置を講じ**
  なければならない。

- 事業者は、建設用リフトの**運転者を、
  搬器を上げたままで、運転位置か
  ら離れさせてはならない**。運転者は、
  **搬器を上げたままで、運転位置を
  離れてはならない**。

〔解答例〕

①建設用リフトの搬器に**労働者を乗
  せない**。建設用リフトの搬器の昇
  降によって労働者に危険を生ずる
  おそれのある箇所に労働者を**立ち
  入らせない**。

②建設用リフトのピットをそうじす
  るときは、搬器の落下防止措置を

講じる。建設用リフトの運転者を、
**搬器を上げたままで、運転位置か
ら離れさせない**。

	問題3	
(正答)		
	最も不適当な箇所番号	適当な語句又は数値
1.	①	10.0
2.	③	ディープウェル
3.	②	100
4.	①	25
5.	②	根がらみ
6.	③	30
7.	③	内側
8.	③	ブローホール

(解説)

1.

- つり足場における作業床の最大積載
  荷重は、現場の作業条件等により定
  めて、これを超えて使用してはなら
  ない。

- つり足場のつり材は、ゴンドラのつ
  り足場を除き、定めた作業床の**最大
  積載荷重**に対して、使用材料の種類
  による**安全係数**を考慮する必要があ
  る。

- **安全係数は、つりワイヤロープ及び
  つり鋼線は10.0以上、つり鎖及び
  つりフックは5.0以上、つり鋼帯及
  びつり足場の上下支点部は鋼材の場
  合2.5以上とする**。

  つり足場のつり材の**安全係数**は、労
  働安全衛生規則第562条第2項に次
  のように規定されている。

(最大積載荷重)

第562条　事業者は、足場の**構造及び材料**に応じて、作業床の**最大積載荷重**を定め、かつ、これを超えて積載してはならない。

　2　前項の作業床の**最大積載荷重**は、つり足場（ゴンドラのつり足場を除く。以下この節において同じ。）にあっては、つりワイヤロープ及びつり鋼線の**安全係数**が**10以上**、つり鎖及びつりフックの**安全係数**が**5以上**並びにつり鋼帯並びにつり足場の下部及び上部の支点の**安全係数**が鋼材にあっては**2.5以上**、木材にあっては**5以上**となるように、定めなければならない。

2.

- 地下水処理における排水工法は、地下水の揚水によって水位を必要な位置まで低下させる工法であり、地下水位の低下量は**揚水量**や地盤の**透水性**によって決まる。

- 必要揚水量が非常に多い場合、対象とする帯水層が**深い**場合や帯水層が砂礫層である場合には、**ディープウェル**工法が採用される。

- ウェルポイント工法は、必要揚水量が**少ない**場合に用いられる。

3.

- 既製コンクリート杭の埋込み工法において、杭心ずれを低減するためには、掘削ロッドの振れ止め装置を用いることや、杭心位置から直角二方向に逃げ心を取り、掘削中や杭の建

込み時にも逃げ心からの距離を随時確認することが大切である。

- 一般的な施工精度の管理値は、杭心ずれ量が$\frac{D}{4}$**以下**（Dは**杭直径**）、かつ、**100 mm以下**、傾斜$\frac{1}{100}$**以内**である。

4.

- 鉄筋工事において、鉄筋相互のあきは粗骨材の最大寸法の**1.25倍**、**25 mm**及び隣り合う鉄筋の径（呼び名の数値）の平均値の**1.5倍**のうち**最大のもの以上**とする。

- 鉄筋の間隔は鉄筋相互のあきに鉄筋の**最大外径**を加えたものとする。

- 柱及び梁の主筋のかぶり厚さはD29以上の異形鉄筋を使用する場合は径（呼び名の数値）の1.5倍以上とする。

5.

- 型枠工事における型枠支保工で、鋼管枠を支柱として用いるものにあっては、鋼管枠と鋼管枠との間に**交差筋かい**を設け、支柱の脚部の滑動を防止するための措置として、支柱の脚部の固定及び**根がらみ**の取付けなどを行う。

- また、パイプサポートを支柱として用いるものにあっては、支柱の高さが3.5 mを超えるときは、高さ2 m**以内**ごとに水平つなぎを2方向に設けなければならない。

- 根がらみとは、構造材の最下部の水平方向の支持材をいう。なお、布枠とは足場に設けられる**水平材**をいう。

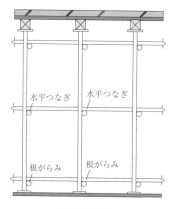

型枠支保工

6.

- 型枠の高さが4.5 m以上の柱にコンクリートを打ち込む場合、たて形シュートや打込み用ホースを接続してコンクリートの**分離**を防止する。

- たて形シュートを用いる場合、その投入口と排出口との水平方向の距離は、**垂直**方向の高さの約$\frac{1}{2}$以下とする。

- また、斜めシュートはコンクリートが分離しやすいが、やむを得ず斜めシュートを使用する場合で、シュートの排出口に漏斗管を設けない場合は、その傾斜角度を**水平**に対して**30度以上**とする。

7.

- 溶融亜鉛めっき高力ボルト接合に用いる溶融亜鉛めっき高力ボルトは、建築基準法に基づき認定を受けたもので、セットの種類は１種、ボルトの機械的性質による等級は**F8T**が

用いられる。

- 溶融亜鉛めっきを施した鋼材の摩擦面の処理は、すべり係数が0.4以上確保できるブラスト処理又はりん酸塩処理とし、H形鋼ウェブ接合部のウェブに処理を施す範囲は、添え板が接する部分の添え板の外周から5mm程度**内側**とする。

（下図参照）

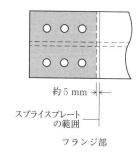

約5 mm →←

スプライスプレート
の範囲

フランジ部

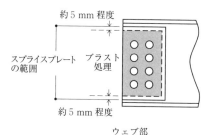

約5 mm 程度

スプライスプレート
の範囲　　ブラスト
　　　　　処理

約5 mm 程度

ウェブ部

ブラスト処理の範囲

8.

- 鉄骨の現場溶接作業において、**防風**対策は特に配慮しなければならない事項である。

- アーク熱によって溶かされた溶融金属は大気中の**酸素**や**窒素**が混入しやすく、凝固するまで適切な方法で**外気**から遮断する必要があり、このと

き遮断材料として作用するものが、ガスシールドアーク溶接の場合は**シールドガス**である。

- しかし、風の影響により**シールドガス**に乱れが生じると、溶融金属の保護が不完全になり溶融金属内部に**ブローホール**が生じてしまう。

- **ブローホール**とは、気泡により溶接金属内部に生じた**空洞**をいい、溶接欠陥の一つである。なお、**アンダーカット**とは、母材又は既存溶接の表面に生じる溶接欠陥の一つである。

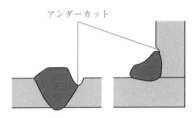

アンダーカット

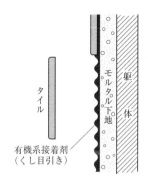

有機系接着剤を用いた外壁タイル張り

問題4

1. タイル工事において、有機系接着剤を用いて外壁タイル張りを行うときの施工上の留意事項

〔解答例〕

①目地割りに基づいて水糸を引き通し、基準となる定規張りを行い、縦横目地引き通しに注意しながら張り上げる。

②接着剤はくし目ごてを用いて壁面に60度の角度でくし目をたてる。

2. 屋根工事において、金属製折板屋根葺を行うときの施工上の留意事項

〔解答例〕

①タイトフレームは、受け梁に隅肉**溶接**によるアーク溶接で取り付ける。

②折板は、各山ごとにタイトフレームにボルト・ナットで取り付ける。

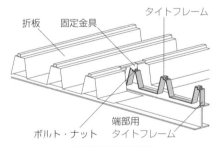

金属製折板屋根

3. 内装工事において、天井仕上げとしてロックウール化粧吸音板を、せっこうボード下地に張るときの施工上の留意事項

〔解答例〕

①ボード類を下地の上に張る場合、接

着剤を主とし、小ねじ、釘などによるステープルを併用する。

②天井への張付けは、**中央部分より張り始め**、順次、周囲に向かって張り上げ、周囲に**端物**がくるようにする。

4. **断熱工事において、吹付け硬質ウレタンフォームの吹付けを行うときの施工上の留意事項**

〔解答例〕

①施工面に、約5mm以下の厚さで**下吹き**する。仕上がり厚さが30mm以上の場合は**多層**となるように吹付け、**各層の厚さを30mm以下**となるようにする。

②施工後、吹付け厚さを確認ピンで確認し、確認ピンはそのまま**残置**する。

問題5

（正答）

1.

壁ビニルクロス張り

2.

2日

3.

総所要日数：24日
工事完了日：令和3年3月15日

4.

あ：3

い：2

（解説）

1.

　設問の〔工事概要〕の「仕上げ：床は、フリーアクセスフロア下地、タイルカーペット仕上げ。間仕切り壁は、軽量鉄骨下地せっこうボード張り、ビニルクロス仕上げ。天井は、システム天井下地、ロックウール化粧吸音板取付け」と記述されているもののうち、設問の「作業内容表」に表記されていないものは、「ビニルクロス仕上げ」である。したがって、作業A4及び作業B4の作業内容は、「**壁ビニルクロス張り**」である。

2.

　設問の条件で工事をしたときの日程は、別表（次ページ参照）のとおりである。したがって、作業B2のフリーフロートは、2月22日と2月24日の2日間である。

3.

　設問の条件で工事をしたときの日程は、次ページの表のとおりである。したがって、総所要日数は24日、工事完了日は**令和3年3月15日**である。

4.

　最早開始時刻による山積み図とB2とB4の山崩し図は、220ページの図のとおりである。したがって、総所要日数を変えずに、作業B2及び作業B4の1日当たりの作業員の人数をできるだけ少なくする場合、作業B2の人数は3人に、作業B4の人数は2人となる。ただし、各作業に必要な作業員の総人数は変わらないものとする。

日数	月日	曜日	作業	
1日	2月8日	月	C1	
2日	2月9日	火	A1	
3日	2月10日	水	A1	
4日	2月11日	祝	休み	
5日	2月12日	金	A1	
6日	2月13日	土	休み	
7日	2月14日	日		
8日	2月15日	月	A2	B1
9日	2月16日	火	A2	B1
10日	2月17日	水	A3	B2
11日	2月18日	木	A3	B2
12日	2月19日	金	A3	B2
13日	2月20日	土	休み	
14日	2月21日	日		
15日	2月22日	月	A3	
16日	2月23日	祝	休み	
17日	2月24日	水	A3	
18日	2月25日	木	A4	B3
19日	2月26日	金	A4	B3
20日	2月27日	土	休み	
21日	2月28日	日		
22日	3月1日	月	A4	B3
23日	3月2日	火	A5	B4
24日	3月3日	水	A5	B4
25日	3月4日	木	A5	
26日	3月5日	金	A5	
27日	3月6日	土	休み	
28日	3月7日	日		
29日	3月8日	月	A6	B5
30日	3月9日	火	A6	B5
31日	3月10日	水	A6	B5
32日	3月11日	木		B6
33日	3月12日	金		B6
34日	3月13日	土	休み	
35日	3月14日	日		
36日	3月15日	月	C2	

作業B2の最早開始時刻（10日）
作業B2のフリーフロート（15日）
作業B2のフリーフロート／作業B3の最早開始時刻（17日,18日）

総所要日数	24日
工事完了日	3月15日

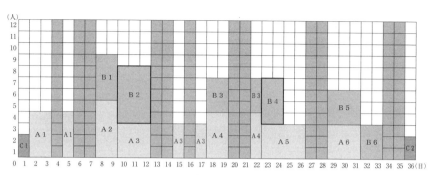

山積み図

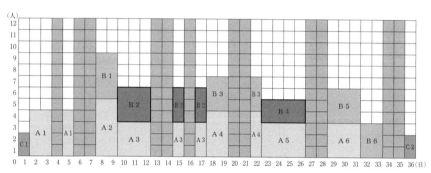

山崩し図

問題6

（正答）

6-1.　①20　　　②特約

6-2.　③点検　　④沈下

6-3.　⑤危険　　⑥教育

（解説）

1.

　建設業法第24条の4（検査及び引渡し）に、次のように規定されている。

第1項　元請負人は、下請負人からその請け負った建設工事が完成した旨の通知を受けたときは、当該通知を受けた日から20日以内で、かつ、できる限り短い期間内に、その完成

を確認するための検査を完了しなければならない。

第2項　元請負人は、前項の検査によって建設工事の完成を確認した後、下請負人が申し出たときは、直ちに、当該建設工事の目的物の引渡しを受けなければならない。ただし、下請契約において定められた工事完成の時期から20日を経過した日以前の一定の日に引渡しを受ける旨の特約がされている場合には、この限りでない。

2.

　建築基準法施行令第136条の3（根

切り工事、山留め工事等を行う場合の危害の防止）第6項に、次のように規定されている。

　建築工事等における根切り及び山留めについては、その工事の施工中必要に応じて**点検**を行ない、山留めを補強し、排水を適当に行なう等これを安全な状態に維持するための措置を講ずるとともに、矢板等の抜取りに際しては、周辺の地盤の**沈下**による危害を防止するための措置を講じなければならない。

3.
　労働安全衛生法第10条（総括安全衛生管理者）第1項に、次のように規定されている。

　事業者は、政令で定める規模の事業場ごとに、厚生労働省令で定めるところにより、総括安全衛生管理者を選任し、その者に安全管理者、衛生管理者又は第25条の2第2項の規定により技術的事項を管理する者の指揮をさせるとともに、次の業務を統括管理させなければならない。

一　労働者の**危険**又は健康障害を防止するための措置に関すること。

二　労働者の安全又は衛生のための**教育**の実施に関すること。

三　健康診断の実施その他健康の保持増進のための措置に関すること。

四　労働災害の原因の調査及び再発防止対策に関すること。

五　前各号に掲げるもののほか、労働災害を防止するため必要な業務で、

厚生労働省令で定めるもの

令和6年度第一次検定問題正答一覧

午前の部　　　　　　　　　　　午後の部

番号	正答番号	番号	正答番号	番号	正答番号	番号	正答番号	番号	正答番号
No.1	3	No.18	4	No.35	2	No.45	3	No.62	4
No.2	3	No.19	4	No.36	4	No.46	3	No.63	1
No.3	4	No.20	3	No.37	3	No.47	1	No.64	4
No.4	1	No.21	3	No.38	1	No.48	3	No.65	1
No.5	3	No.22	1	No.39	4	No.49	4	No.66	3
No.6	2	No.23	4	No.40	3	No.50	2	No.67	4
No.7	2	No.24	1	No.41	1	No.51	5	No.68	2
No.8	3	No.25	1	No.42	4	No.52	5	No.69	3
No.9	4	No.26	2	No.43	3	No.53	4	No.70	2
No.10	3	No.27	1	No.44	2	No.54	3	No.71	4
No.11	4	No.28	2			No.55	1	No.72	2
No.12	1	No.29	3			No.56	2		
No.13	2	No.30	4			No.57	4		
No.14	2	No.31	3			No.58	1		
No.15	4	No.32	4			No.59	5		
No.16	2	No.33	1			No.60	3		
No.17	1	No.34	3			No.61	3		

合格基準　36問／60問
応用能力は10問中6問以上正解

令和5年度第一次検定問題正答一覧

午前の部　　　　　　　　　　　午後の部

番号	正答番号	番号	正答番号	番号	正答番号	番号	正答番号	番号	正答番号
No.1	3	No.18	4	No.35	2	No.45	4	No.62	4
No.2	4	No.19	3	No.36	2	No.46	4	No.63	2
No.3	3	No.20	1	No.37	3	No.47	3	No.64	3
No.4	4	No.21	2	No.38	1	No.48	1	No.65	4
No.5	3	No.22	2	No.39	3	No.49	1	No.66	2
No.6	2	No.23	1	No.40	4	No.50	2	No.67	3
No.7	1	No.24	3	No.41	1	No.51	4	No.68	3
No.8	2	No.25	1	No.42	2	No.52	3	No.69	4
No.9	4	No.26	4	No.43	3	No.53	2	No.70	2
No.10	2	No.27	4	No.44	3	No.54	4	No.71	1
No.11	1	No.28	2			No.55	2,4	No.72	1
No.12	3	No.29	3			No.56	1,5		
No.13	4	No.30	3			No.57	3,5		
No.14	4	No.31	4			No.58	1,5		
No.15	3	No.32	1			No.59	2,4		
No.16	1	No.33	1			No.60	4,5		
No.17	2	No.34	4			No.61	1		

合格基準　36問／60問
応用能力は6問中3問以上正解

応用能力問題は，選んだ肢の番号が2つとも正しい場合のみ正答となります。

令和4年度第一次検定問題正答一覧

午前の部　　　　　　　　　　午後の部

番号	正答番号	番号	正答番号	番号	正答番号	番号	正答番号	番号	正答番号
No.1	4	No.18	4	No.35	3	No.45	4	No.62	2
No.2	2	No.19	2	No.36	4	No.46	3	No.63	1
No.3	3	No.20	1	No.37	3	No.47	3	No.64	1
No.4	4	No.21	3	No.38	2	No.48	3	No.65	2
No.5	1	No.22	4	No.39	1	No.49	2	No.66	2
No.6	4	No.23	4	No.40	1	No.50	4	No.67	3
No.7	1	No.24	4	No.41	1	No.51	3	No.68	2
No.8	1	No.25	1	No.42	3	No.52	2	No.69	4
No.9	1	No.26	2	No.43	4	No.53	1	No.70	3
No.10	2	No.27	4	No.44	2	No.54	1	No.71	2
No.11	4	No.28	1			No.55	1,3	No.72	2
No.12	2	No.29	4			No.56	2,3		
No.13	3	No.30	1			No.57	2,4		
No.14	4	No.31	2			No.58	1,5		
No.15	1	No.32	1			No.59	1,4		
No.16	2	No.33	3			No.60	2,5		
No.17	3	No.34	1			No.61	3		

合格基準

36問／60問

応用能力は6問中4問以上正解

応用能力問題は，選んだ肢の番号が2つとも正しい場合のみ正答となります。

令和3年度第一次検定問題正答一覧

午前の部　　　　　　　　　　午後の部

番号	正答番号	番号	正答番号	番号	正答番号	番号	正答番号	番号	正答番号
No.1	3	No.18	3	No.35	2	No.45	1	No.62	2
No.2	3	No.19	4	No.36	1	No.46	2	No.63	2
No.3	3	No.20	2	No.37	3	No.47	4	No.64	3
No.4	1	No.21	4	No.38	2	No.48	4	No.65	4
No.5	2	No.22	2	No.39	4	No.49	4	No.66	2
No.6	2	No.23	1	No.40	3	No.50	3	No.67	1
No.7	1	No.24	1	No.41	1	No.51	1	No.68	2
No.8	2	No.25	4	No.42	3	No.52	4	No.69	4
No.9	2	No.26	3	No.43	3	No.53	4	No.70	3
No.10	2	No.27	4	No.44	3	No.54	1	No.71	1
No.11	3	No.28	4			No.55	3,4	No.72	2
No.12	2	No.29	2			No.56	1,4		
No.13	1	No.30	4			No.57	3,5		
No.14	4	No.31	4			No.58	2,3		
No.15	3	No.32	3			No.59	2,5		
No.16	4	No.33	3			No.60	1,3		
No.17	3	No.34	2			No.61	1		

合格基準

36問／60問

応用能力は6問中3問以上正解

応用能力問題は，選んだ肢の番号が2つとも正しい場合のみ正答となります。

令和２年度学科試験正答一覧

午前の部　　　　　　　　　　　　午後の部

番号	正答番号	番号	正答番号	番号	正答番号	番号	正答番号	番号	正答番号
No.1	2	No.18	1	No.35	2	No.51	4	No.68	3
No.2	4	No.19	2	No.36	3	No.52	3	No.69	1
No.3	4	No.20	4	No.37	4	No.53	1	No.70	4
No.4	1	No.21	4	No.38	3	No.54	3	No.71	1
No.5	2	No.22	2	No.39	2	No.55	4	No.72	4
No.6	4	No.23	2	No.40	1	No.56	2	No.73	1
No.7	1	No.24	4	No.41	3	No.57	2	No.74	2
No.8	3	No.25	3	No.42	2	No.58	3	No.75	3
No.9	3	No.26	2	No.43	3	No.59	4	No.76	2
No.10	3	No.27	4	No.44	3	No.60	2	No.77	3
No.11	2	No.28	2	No.45	2	No.61	2	No.78	2
No.12	1	No.29	2	No.46	1	No.62	1	No.79	1
No.13	3	No.30	3	No.47	2	No.63	3	No.80	2
No.14	1	No.31	1	No.48	4	No.64	3	No.81	1
No.15	4	No.32	4	No.49	2	No.65	4	No.82	3
No.16	1	No.33	1	No.50	3	No.66	3		
No.17	1	No.34	1			No.67	2		

合格基準

36問／60問